Handboek Online Marketing

Handboek Online Marketing

#HOM3 Praktische lessen om een expert te worden

ISBN 9789491560286

NUR 802-000

3e druk, 2e herziene oplage

Dankwoord

Voor u ligt het *Handboek Online Marketing versie 3* (HOM3). Dit leer- en managementboek is in zijn derde totaal herziene editie niet alleen geupdated maar vooral geupgraded. Reacties via de social media, van docenten, managers, studenten en overigen zijn tevens meegenomen. Nieuwe strategische inzichten en ontwikkelingen op het gebied van online marketing komen uitgebreid aan bod. Het Handboek Online Marketing is een praktisch en crossmediaal boek dat een ondersteunende website kent, veel illustratieve video's, kleurrijke modellen - voorzien van heldere uitleg - en de beste en meest opvallende marketingcases uit Nederland. De basis van diverse eigen modellen gaan terug naar mijn afstuderen in 1997. Het HOM3 kent een groot aantal interviews met experts die de strategische visie op gebied van online marketing tot ver in de toekomst brengen.

Mijn dank gaat uit naar de Adformatie Groep, Willem Sijthoff, Rogier Mulder, Karin van den Broek, Antje Bosscher, Linda van Wely, Marc Petersen, Bureau Vormgeven.NL, Aad Petersen, Herman Couwenbergh, Rob Speekenbrink, Mary Buijsman, IDMK, Hans Molenaar, Beeckestijn Business School, Egbert Jan van Bel, Michiel Noij, Aubrey Wiseman, Monique van Breda, Bert Hagendoorn, Adobe User Group Nederland, Maarten Lens-FitzGerald, André Keen, Ernst Jan Bos, Stephan Fellinger, Claire Boonstra, Jeroen de Bakker, MTV Mobile, Jody Verver, VakdagMM, Erwin Blom, bol.com, Jan Werkman, funda, Remco Janssen, SCOUPY, Arno Brons, Ruud Huigsloot, T-Mobile Nederland, Sander Wagter, Hogeschool van Amsterdam, Hogeschool Utrecht, Jonathan MacDonald, Patrick Lerou, Boris Veldhuijzen van Zanten, The Next Web, Philips, Denise Chang, Richard Otto/ mobilemarketing.nl, Charlotte Leijdekker-de Haas, Yvonne Rath, NTI, Berry Timmers, NHA, Wim van der Mark, Pascal Roeyen, Olaf Molenaar, Herman van Tilburg, Avéro Achmea, Kim Do, AtMost.TV, DELTA, Kaan Anit, Caroline Willegers, Ambitious People, Bureau EngagingContent, Educator opleidingen en Socialmedia.nl.

Wil je reageren? Een vraag stellen?
Mail je reactie of opmerking naar patrick@atmost.nl of tweet - met hashtag #HOM3 - naar @handboek of @onlinemarketeer. Veel digitale toevoegingen kun je vinden op Pinterest.com/handboek.

Veel lees- én leerplezier!

Patrick Petersen
www.handboekonlinemarketing.nl

Voorwoord

Een goed handboek dicteert niet, maar draagt kaders aan waarmee de lezer zelf tot nieuwe inzichten kan komen. Er is al veel gezegd en geschreven over online marketingstrategie, maar je zult zelf de juiste manier moeten ontdekken hoe de opgedane kennis toe te passen. Een boek als Handboek Online Marketing doet juist dat.

Ik kondig dan ook met plezier deze derde en compleet herziene versie van het Handboek Online Marketing aan.

Het siert Patrick Petersen dat hij de enorme hoeveelheid aan theorie, tools en modellen een plek in dit boek heeft weten te geven, voorzien van heldere praktijkcases. Dit boek acht ik als onmisbaar voor iedereen die op zoek is naar duidelijke handvatten voor een succesvolle toepassing van online marketing.

Het boek is relevant voor zowel studenten als marketingprofessionals die een totaaloverzicht willen van alle mogelijkheden op het gebied van online marketing.

En zoals het een Handboek Online Marketing in deze tijd betaamt, wordt het aangeboden als crossmediaal product, compleet met video en een ondersteunende website, inclusief Twittercare.

Willem Sijthoff
Uitgever en eigenaar Adformatie Groep

Introductie HOM3

Voor je ligt het Handboek Online Marketing versie 3, afgekort HOM3. Het HOM3 is een totaal herschreven en updated versie van het Handboek Online Marketing. Versie 1 van het HOM zag in 2009 met bijna 300 pagina's het levenslicht. De dikkere update in de vorm van de bestseller HOM versie 2 in 2010 kende 400 pagina's en een ruim gevulde website te bereiken met www.handboekonlinemarketing.nl. Hierna volgden talloze bijdrukken van het boek. Het HOM3 kent als verandering:

- nieuwe cases en extra voorbeelden;
- een zeer uitgebreide bijbehorende website die per hoofdstuk aanvullingen biedt;
- een uitgebreid hoofdstuk over contentstrategie en engagement;
- een uitgebreid hoofdstuk over social media marketing;
- een uitgebreid hoofdstuk over mobile marketing;
- nieuwe marketingmodellen die praktisch zijn in te zetten;
- nieuwe interviews met professionals uit het vak;
- strakkere opmaak en doorvoer van de opmaakstijl;
- veel extra materiaal verkrijgbaar via de website die bij het boek hoort;
- totaal herschreven.

De structuur van het HOM3 is gelijk aan HOM2 en de eerste versie.
Het boek biedt hulp, richtlijnen en inspiratie bij:

- het opzetten van een online marketingplan (OMP);
- het komen tot een online advies;
- het bepalen van een online strategie;
- het leren kennen van de verschillende online instrumenten met hun mogelijkheden;
- het samenstellen van een inzetbare Online Marketing Mix;
- het leren uit de online praktijk aan de hand van video's, illustraties, cijfers en cases op gebied van online marketing;
- het verrijken van bestaande online kennis met diverse cases.

De praktijkcases, oefeningen, cijfers en diverse illustraties en video's maken het de lezer gemakkelijk om de theorie naar de eigen praktijk te vertalen.
Op de website www.handboekonlinemarketing.nl is additionele video te vinden van interviews met vooraanstaande (online) marketeers en online specialisten.
Het HOM leunt op marketingcases en ervaringen zoals die vanuit de praktijk zijn opgedaan en als docent, consultant, blogger, project- en online manager en vooral als eigenaar van internetbureaus.

Voor wie is het HOM geschikt?

Het HOM is als naslagwerk en managementboek en als leerboek geschikt voor:

- de student marketing, communicatie;
- de trainer of docent (online) marketing en communicatie;
- de reeds werkzame marketeer en online marketeer;
- managers die online marketing binnen hun takenpakket hebben gekregen;
- marketeers die van offline naar online gaan;
- marketing- en internetbureaus;
- consultants en adviseurs;
- iedereen die professioneel en doelgericht met het web aan de slag wil.

Het HOM bestaat uit drie delen

Het HOM is een studieboek dat bestaat uit zestien hoofdstukken. Deze hoofdstukken zijn met elkaar verbonden maar kunnen ook los worden gelezen. Het boek bestaat uit drie te onderscheiden delen:

- *Deel I* bestaat uit de hoofdstukken 1 tot en met 5. Dit deel beschrijft het strategisch kader en de overgang van oude marketing naar de moderne marketing. Simpel gezegd behandelen deze hoofdstukken de overgang van offline naar online. Deel 1 van het HOM moet de lezer een visie meegeven en kennis van de (on)mogelijkheden van online marketing. Na de drie hoofdstrategieën en de toepassing van deze strategieën in de online praktijk, brengt het 4C-model de online richting in kaart. Hoofdstuk 5 sluit het eerste gedeelte van het boek af met een praktisch 4R-model dat vervolgens in het tweede gedeelte wordt gebruikt om de diverse online instrumenten te beoordelen.
- *Deel II* gaat over de voor- en nadelen van de online instrumenten uit de online marketingmix. De hoofdstukken 6 tot en met 15 gaan over de verschilende online instrumenten. De instrumenten kennen naast de vaste instrumenten zoals e-mailmarketing en zoekmachinemarketing ook het strategisch inzetten van een contentstrategie. Social media, mobiele marketing en online video advertising zijn voorbeelden van instrumenten die zich tot toekomstige vaste instrumenten van de online mix ontwikkelen.
- *Deel III* maakt de balans op en zet alles opnieuw op een rij. Hoofdstuk 16 met de onderdelen, modellen en aanpak uit het HOM3 achter elkaar in de vorm van een gestructureerd online marketingplan (OMP).

Illustraties, praktijkcases en online video

Het handboek kent diverse illustraties en praktijkcases. Bovendien kan er geen marketingboek bestaan zonder de noodzakelijke cijfers. Trendcijfers, ontwikkelingen en marktaandelen komen waar relevant langs en zijn geregeld voorzien van een praktijkvoorbeeld. De diverse tips, handige sites, presentaties, links naar rapporten en de illustratieve online video's vind je op de website www.handboekonlinemarketing.nl. Het HOM3 staat vol verwijzingen naar interviews, video's, presentaties, lezingen en discussies met (internationale) professionals uit het vak.

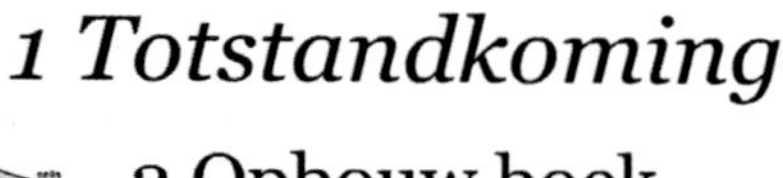

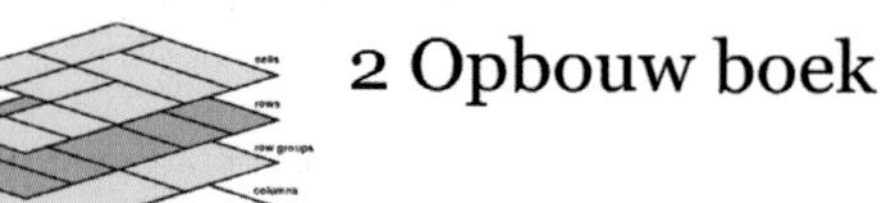

Afbeelding 0.1 Presentatie HOM tijdens de finale van de PIM Marketingliteratuurprijs.

Bekijk op www.handboekonlinemarketing.nl de presentatie met nummer 3-001 van de auteur van het Handboek Online Marketing, Patrick Petersen. Tijdens de finale van de PIM Marketing-literatuurprijs 2011 hield de auteur een presentatie waarin hij de totstandkoming van het Handboek Online Marketing en de geschiedenis van de verwerkte marketingmodellen toelicht.

Inhoudsopgave

1 Geschiedenis, introductie en trends in de marketing

Marketing kent een diversiteit aan betekenissen. De term *marketing* is de samentrekking van het Amerikaanse *market* en *getting*. De Oxford English Dictionary (OED) weet te melden dat het woord *marketing* in abstracte vorm al in 1884 werd gebruikt in de Engelse taal. De term markt komen we - met de huidige betekenis - al in de twaalfde eeuw tegen en is afgeleid van het Franse woord *marché* en het Spaanse *mercado*.

Afbeelding 1.1 Een oude Engelse markt in King's Lynn.

De markt is altijd al de plek geweest waar vraag en aanbod bij elkaar zijn gekomen. Ook online is die markt heel duidelijk aanwezig. Marktplaats.nl is in Nederland een voorbeeld van een de grootste online markten. Ook sociale netwerken - zoals Facebook en Twitter - lijken zichzelf om te vormen tot moderne digitale netwerken waar vraag en aanbod snel bij elkaar komen.
Marketing ligt als leer- en vakgebied dicht bij *verkoop*. Het verschil is in de praktijk groot. Bij verkoop moet de organisatie dat wat in voorraad is kwijt zien te raken. Bij het toepassen van marketing zal de organisatie gefocust zijn om het juiste aanbod in voorraad op te nemen.
Het marketingdenken - dat de laatst eeuwen is ontwikkeld - draait vooral om het creëren en leveren van waarde. Het is een uitspraak die wij al snel tegenkomen bij zomaar een definitie van de term maar ook van de discipline *marketing*.

Bekijk op www.handboekonlinemarketing.nl video 3-101 van cabaretier Javier Guzman die zijn interpretatie op *marketing* geeft. Hij deelt onder andere zijn ervaring hoe winkels producten en merken top-of-mind denken te krijgen.

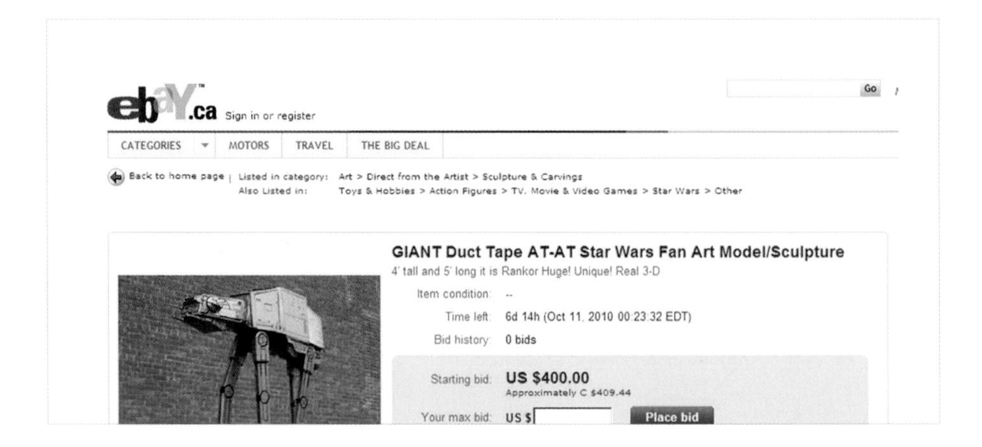

Afbeelding 1.2 Ebay is een online en internationale markt.

De ontwikkeling rondom mobiele marketing maakt marktplaatsen steeds vager maar ook los van plaats, tijd en aanduiding.

Afbeelding 1.3 Mobiele marktplaatsen.

Veelgebruikte definities van marketing zijn:

- het geheel van *activiteiten* die erop gericht zijn om transacties tot stand te brengen of te bevorderen;
- het *verkrijgen* van de markt door in te spelen op de behoeftes van de (potentiële) afnemers;
- het *centraal zetten* van de wensen van de klant;
- alles wat een bedrijf doet om de verkoop van producten te bevorderen;
- het *opstellen* van plannen voor de vergroting of het behoud van de afzet, afzetanalyse, afzetplan.

1.1 Grondleggers Kotler en Bartels en hun marketingdenken

Ervaren marketeers erkennen dat professor Kotler dé auteur en docent is die het vertrekpunt en de basis van marketing helder heeft neergelegd. Kotler heeft de werkgebieden -zoals wij die nu binnen de marketing kennen- duidelijk omkaderd in zijn succesvolle boeken. Online marketing kent zijn natuurlijke vertrekpunt in de traditionele marketing zoals onder andere Kotler deze heeft beschreven. Kotlers bijdrage aan de marketingwetenschap is wel vaak bekritiseerd. De vraag die veel wordt gesteld is of zijn wetenschap daadwerkelijk op hoog niveau een aantoonbare bijdrage heeft geleverd.

Philip Kotler (geboren in 1931) is een Amerikaanse hoogleraar in Internationale Marketing. Kotler is prijswinnend docent, columnist, ondernemer en auteur op diverse gebieden van de marketing. Kotler dankt zijn reputatie aan zijn lesboeken die generaties lang marketingmanagers hebben opgeleid. De bijdrage van Kotler aan de wetenschap is groot geweest. Zo kozen Nederlandse hoogleraren marketing zijn boek genaamd *Marketing Management* als het meest invloedrijke marketingboek ooit.

Afbeelding 1.4 Philip Kotler.

In de boeken en onderzoek van marketingwetenschapper Kotler stond bij de eerste generatie Marketing (Marketing 1.0) het product centraal. Marketing 2.0 draaide vooral om de klant. In zijn boek *Marketing 3.0* uit 2010 neemt de marketeer de lezer mee naar een volgende niveau van marketing. Klanten zijn in de hernieuwde visie meer dan alleen consumenten. In zijn boek over de derde generatie van marketingdenken staan (klant)beleving en de hernieuwde (klant) waarden centraal. Ook bij het marketingmiddel social media - zie hoofdstuk 12 - staat klantbeleving en klantwaarden centraal.

Bekijk op www.handboekonlinemarketing.nl video 3-102 (van 1 uur en 10 minuten) waarin Philip Kotler zijn visie op het marketingdenken toelicht. Tevens komt de twaalfde editie van zijn boek *Marketing Management* ter sprake.

Philip Kotler 3.0: visie op marketing			
Indivisual company	**Mind**	**Heart**	**Spirit**
Mission (Why)	Deliver satisfaction	Realize aspiration	Practice compassion
Vision (What)	Profitability	Returnability	Sustainability
Values (How)	Be better	Differentiatie	Make a difference

Bron: Philip Kotler uit zijn marketgingboek Marketing 3.0.

In de jaren tachtig hadden wij de opkomst van de direct marketing. Deze vormde tevens naast de traditionele marketing een extra basis voor de huidige *online marketing.* Een typerende uitspraak die de pragmatische wetenschapper Kotler zelf aanhaalt is: "*Het is al moeilijk genoeg om theorie te ontwikkelen, laat staan om de tijd te nemen haar te bewijzen. Dat werk kan door anderen gedaan worden.*" Naast Philip Kotler heeft ook wijlen Robert Bartels (1913-1989) een belangrijke rol gespeeld bij de doorontwikkeling van marketing als wetenschap. Zijn definitie van *marketing*: '*...that combination of factors which had to be taken into consideration prior to the undertaking of certain selling or promotional activities.*' In zijn boek *The History of Marketing Thought* (uit 1976) omschrijft Bartels een revolutie in het daadwerkelijke marketingdenken.

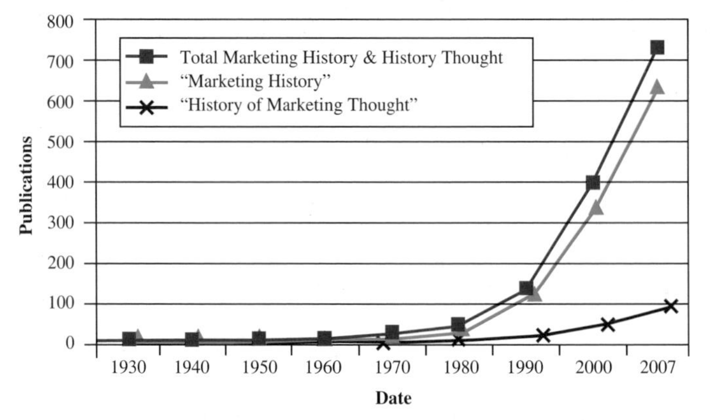

Afbeelding 1.5 Bron: *The History of Marketing Thought van Bartels.*

In de jaren zeventig had marketing - volgens Bartels - zo een grote impact dat het ook sociale veranderingen teweeg kon brengen. We lijken met social media marketing dit opnieuw te beleven. Ook beschreef Bartels de factoren die bij professionele marketing van grote invloed zijn voor het behalen van succes, zoals de veranderende invloed van de consument, de markt in zijn geheel en politieke en economische factoren.

1.2 Van productie-, via product- naar marketingdenken

Philip Kotler heeft de geschiedenis van marketing in de Verenigde Staten in een chronologische volgorde beschreven. Kotler heeft gekozen voor een overzicht van perioden waarin een bepaalde maatschappelijke druk heersend aanwezig was:

- 1910 Op *techniek* gericht.
- 1920 Het *financieel herstructureren* van de organisatie en productie
- 1930 Door de *depressie* kenmerkt deze periode zich door een negatieve druk op *productie*.
- 1940 De behoefte aan meer *goederenverkoop*.
- 1950 De *productie* oversteeg de vraag.
- 1960 Marketing is in dit tijdperk identiek aan het *ontwikkelen van nieuwe producten* met daarbij een focus op nieuwe markten.
- 1970 Op *strategische planning* gericht.
- 1980 Marketing wordt gebruikt om het *optimaal gebruik van middelen* te verzekeren. Het dichten van de communicatiekloof tussen klanten en leveranciers wordt een economische activiteit in deze periode.
- 2000 Een *multichannel* aanpak mixt offline en online. De klant wint aan macht en krijgt steeds meer invloed op het marketingbeleid.

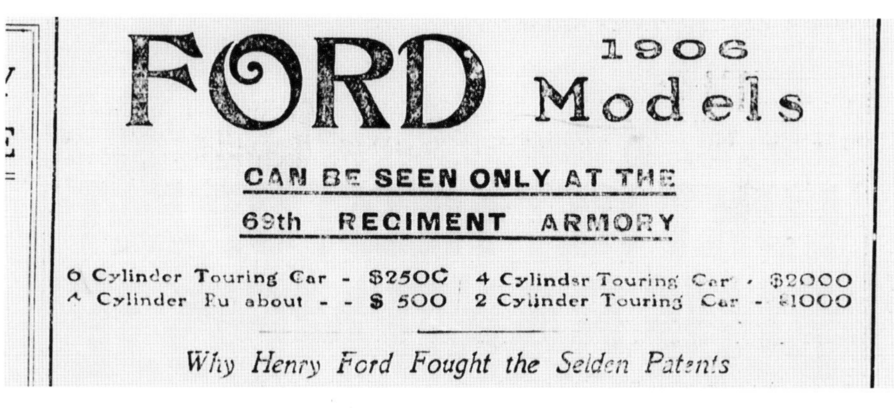

Afbeelding 1.6 Het productdenken van Henry Ford.

In de jaren zestig zijn wij geleidelijk van product- en productiedenken naar een marktgericht denken gegaan. De klant en het bedienen van nieuwe klantbehoeften gingen de productie en het productaanbod steeds meer beïnvloeden. Reclame werd daarbij een professionele discipline en maakte marketing zichtbaar in diverse kanalen. In de jaren negentig kunnen we de marketingperiode omschrijven als: *een focus op direct marketing en het gebruik van meerdere en versnipperde kanalen.* De prospect krijgt meer grip op de kanalen en ontvankelijkheid van boodschappen.' Deze typering is bepalend voor de aanpak in de leer van de online marketing.

Deze focus vormt de rode draad van het Handboek Online Marketing (HOM) en dient de manier van denken te zijn van de successvolle moderne online marketeer.

Afbeelding 1.7 Het crowdsourcen van een Blue Band-meisje in de jaren zestig.

We spraken eerder over de invloed van direct marketing op online marketing. Tussen traditionele en online marketing is het directer benaderen en afhandelen van de kritische klant een duidelijke brug. Prof. dr. Janny Hoekstra is hoogleraar Direct Marketing aan de Rijksuniversiteit Groningen (RUG). Zij geeft een toepasselijke definitie van direct marketing: "*Direct marketing is een vorm van marketing die de aanbieder in staat stelt de inzet van marketinginstrumenten op de individuele klant af te stemmen. Het primaire doel van direct marketing is het creëren en onderhouden van directe, structurele relaties tussen aanbieder en afnemers. De noodzaak hiervoor wordt groter nu mensen zich in hun voorkeuren en koopgedrag minder sterk laten leiden door anderen, en algemene karakteristieken minder goed kunnen worden gebruikt om het koopgedrag te voorspellen. De mogelijkheden worden groter nu de ontwikkelingen op het terrein van internet ons in staat stellen meer gegevens over de klant te verwerven en door middel van datawarehousing en datamining aan deze gegevens meer kennis kan worden ontleend.*" Bron: Prof. dr. Janny Hoekstra, RUG.

1.3 Van massa naar een-op-een en de directe aanpak

Geleidelijk zijn wij in de jaren tachtig en negentig overgegaan naar een andere vorm van marketing. We zijn van massamarketing - dat een revival kende in de vorm van guerillamarketing - sinds de jaren tachtig meer richting het persoonlijke direct marketing (DM) gegaan. Een overbrugging tussen massamarketing en DM vormde de strategie genaamd marktsegmentatie. In deze manier van marktbewerken deelden we grote klantgroepen in segmenten op. De opkomst van de databasemarketing en CRM-systemen maakte het steeds beter mogelijk klantgroepen op te delen in groepen met een 'gelijk' gedrag of klantprofiel. Zij werden in groepen ingedeeld op basis van leeftijd, gedrag en koopintenties. Marktsegmentatie - het opdelen van de grote markt in kleinere, beheersbare deelmarkten - was in de jaren tachtig en begin jaren negentig een populaire aanpak binnen de marketing. waarbij ook de term *lifestylemarketing* werd gebruikt

1.3.1 Van traditionele naar nieuwe media

Ondanks het feit dat de aanpak van een massamarketeer en direct marketeer aanvullend aan elkaar zijn, kennen ze grote verschillen in aanpak. Massamarketeers nemen een massa als eenheid en proberen daarmee zo goed mogelijk te communiceren. Ook kostenverlaging door een eenduidige pak speelt hierbij mee. Het bedienen van deze grote doelgroep gebeurt via massamedia zoals radio, tv, magazines, billboards en kranten. Deze instrumenten worden traditionele media genoemd. Mediabureaus proberen op basis van mediaprofielen de effectiviteit te vergroten van de gekozen middelen en de uiteindelijke mix. De boodschap moet bij de beoogde doelgroep passen. Dat de kracht van traditionele media bij veel (doel)groepen sterk is afgenomen is een factor die het gebruik van traditionele media onder druk zet. Toch blijft voor naamsbekend en het snel willen bedienen van een grote groep de traditionele en de massamedia van waarde. Nieuwe media zijn bijvoorbeeld de zoekmachines van Google, websites, social media en in-store reclame door middel van digitale tv-schermen (verbonden aan het internet). De leeftijd van de klanten en gebruikers bepalen nog deels het gebruik van traditionele of nieuwe media. Op basis van het mediagebruik kan tevens segmentatie worden toegepast. Zo mixen kenmerken van traditionele marketing met de nieuwe vormen van marketing. De impact van bijvoorbeeld verschillende vormen van mobile marketing wordt ook steeds groter. Meer hierover verderop in het boek.

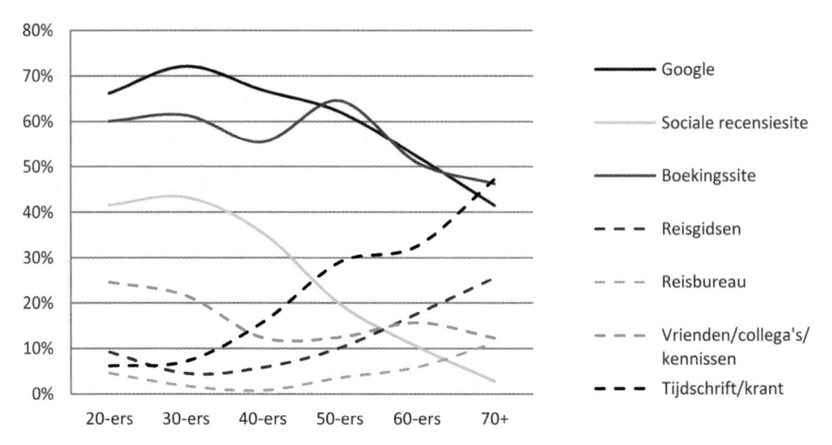

Afbeelding 1.8 Het gebruik van traditionele media versus nieuwe media.

Geleidelijk zijn door het opdelen van de markten groepen ontstaan die gericht worden bewerkt. Deze deelmarkten worden *product-marktcombinaties* (PMC) genoemd. Deze delen de grote massa van prospects op basis van voorkeur en gedrag op in segmenten. Een PMC is een vergaande vorm van marksegmentatie waarbij het product en de gebruiker relevant zijn gelinkt. Denk bij een PMC aan de iPad en een laptop die beide gelinkt zijn aan een bepaald soort gebruikers met overeenkomstige profielen.

Een product-marktcombinatie - afgekort PMC - gaat ervan uit dat er voor één product meerdere markten of doelgroepen bestaan. Heeft de aanbieder meerdere producten of diensten, dan kan dit leiden tot diverse product-marktcombinaties. Aansturing gebeurt vaak vanuit businessunits.

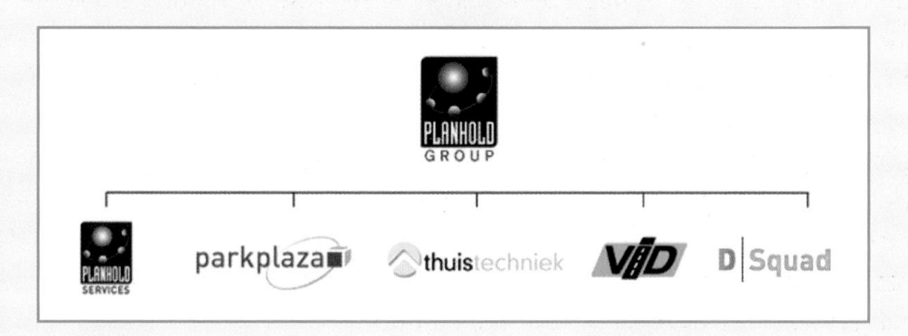

Afbeelding 1.9 Een PMC.

1.4 Verschillen massa- en direct marketing

Omdat traditionele marketing tegen massamarketing aanhangt en moderne marketing tegen direct marketing gaan we in deze paragraaf iets dieper in op de verschillen. Een groot verschil tussen de leergebieden massamarketing en direct marketing is de beheersbaarheid van de doelgroep en marktanalyses.
Naast de verschillen in inzet van middelen zijn er dus meer verschillen. Bij direct marketing zijn de effecten op individueel niveau veel beter meetbaar dan bij een massa-aanpak.

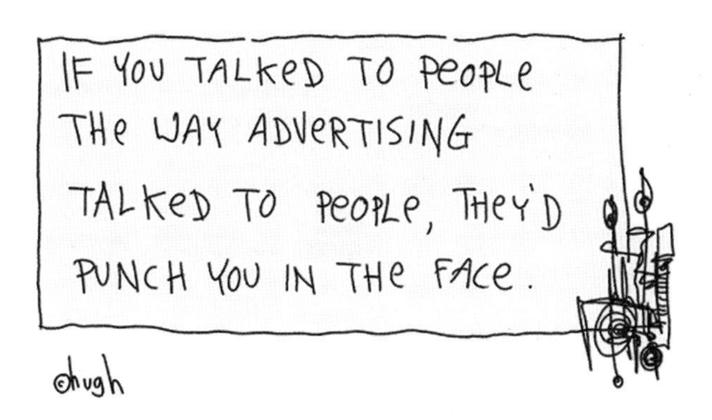

Afbeelding 1.10 Nieuwe media vraagt om een nieuwe aanpak.

Direct marketeers weten welke prospect of klant een bepaald aanbod heeft ontvangen. Ook weten zij wie heeft gereageerd op de uiting en ook via welk kanaal dat is geweest. Deze opslag van klantgegevens betekende een wildgroei aan digitale systemen die deze data opslaan. *Big Data* is de benaming van een massa aan data waar de marketeer bruikbare gegevens uit moet halen. Massamarketeers kennen dit individuele klantgedrag niet of nauwelijks.

Jay Curry - de vader van internetondernemer, DJ en presentator Adam Curry - is een van de drijvende krachten achter het massaal en effectief inzetten van *Customer Relationship Management* (CRM). Jay Curry is groot voorstander van de discipline Customer Marketing (zie www.customermarketing.com). In 2001 hebben vader en zoon Curry het boek *Customer marketing ook op internet* uitgegeven bij Kluwer. Adam Curry introduceert in het boek de 'goedkeuringspiramide' en de e-Customer Marketing Piramide. Hiermee kan worden uitgelegd wat de aard van virtuele klantrelaties is. April 2008 heeft Jay Curry een DM-oeuvreprijs ontvangen van het Nederlandse DDMA.

Deze traditionele marketeers zijn gebonden aan kostbaar en tijdrovend marktonderzoek waarmee gedragskenmerken voor een bepaald segement worden uitgerold. Op basis van de verworven klantgegevens is het voor de direct marketeer mogelijk de boodschap relevant(er) te maken. De boodschap is optimaal indien deze voor ieder individu aanpasbaar is. Dit laatstgenoemde voordeel is iets wat bij online marketing steeds vaker een noodzaak is gebleken.

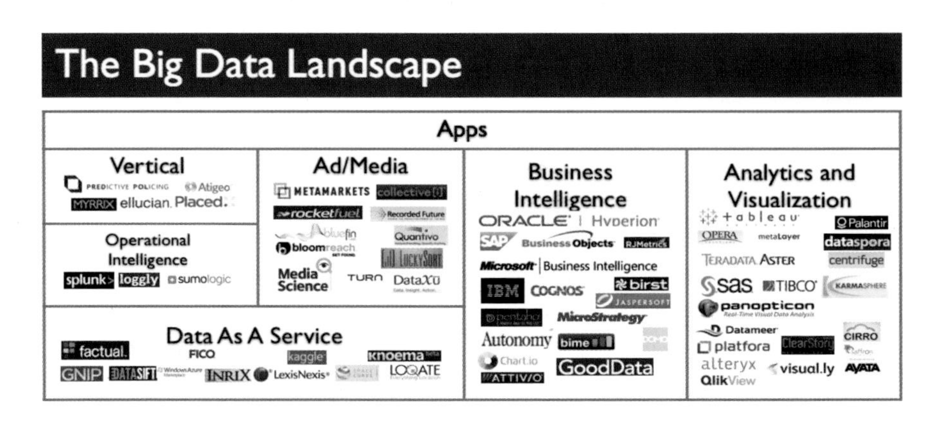

Afbeelding 1.11 Het Big Data Landscape van bigdatalandscape.com.

In de online mix leent het middel *mobile marketing* zich bij uitstek voor een persoonlijke benadering. Een nadeel van direct marketing zijn de kosten. De diepere analyse van klantgegevens is veelomvattend. Ook zijn de kosten per klantcontact met direct marketing hoog. Direct marketing heeft gezorgd voor een massale intreding van *Customer Relationship Management* (CRM). Organisaties die bedreven zijn in de toepassing van direct marketing, hebben weinig moeite gehad hun businessmodel op het internet toe te passen.

1.4.1 Organisaties die direct marketing als missie toepassen

Postorderbedrijf Wehkamp was in 1995 een van de eerste die het internet als verkoopkanaal ging inzetten met een webshop. De missie en het businessmodel zijn gericht op de landelijke directe verkoop aan klanten en lijken feilloos te werken op het internet. Haalde Wehkamp.nl in 1997 450.000 euro op met hun e-businessactiviteiten, in 2003 was de omzet via het internetkanaal al meer dan 100 miljoen euro. In het boekjaar 2008-2009 bedroeg de omzet van de gehele RFS Holland Holding - waar Wehkamp.nl deel van uitmaakt - 393 miljoen euro en kende de website 81 miljoen bezoekers per jaar. In 2011 steeg de omzet van Wehkamp.nl door naar zo'n 550 miljoen euro. Het bedrijf kent ruim 600 medewerkers en behoort in Europa tot de top 50 van meest succesvolle webwinkels. Ook Bol.com (in 2012 overgenomen door Ahold) behoort tot die groep. De holding geeft aan dat een derde van de online aankopen wordt gedaan via mobiele apparatuur zoals smartphones en tablets. In 2014 denkt Wehkamp.nl de helft van haar bestellingen via het zogenoemde *m-tail* te hebben opgevangen. De helft van de omzet wordt dan direct via de mobiel gerealiseerd. Wehkamp.nl had in 2012 ruim 1,6 miljoen vaste klanten en 100 miljoen bezoekers.

Bekijk op www.handboekonlinemarketing.nl video 3-103 waarin de directeur internet van Wehkamp - na het winnen van een Usability Award - uitlegt wat het succes is achter de grote webshop.

1.5 Online succes en online besteding in Nederland

In 2005 werd er in totaal in Nederland voor 1,7 miljard euro online verkocht. Internetters gaven in 2007 een miljard euro meer uit bij webwinkels dan in 2006. Met een toename van 38% in e-commerce verkopen kwam de totale online omzet in Nederland in 2007 uit op 3,9 miljard. In 2008 hebben wij in Nederland voor 4,85 miljard euro besteed aan online aankopen. In 2008 zijn er 1 miljoen nieuwe online kopers bijgekomen en lijkt e-commerce ook in Nederland niet meer te stoppen. In 2009 is voor ruim 5 miljard euro besteed aan online aankopen en betekende dit een groei van 20% ten opzichte van 2008. In 2011 is de online verkoop in Nederland sterk doorgestegen naar 9 miljard. In 2012 zijn deze rond de 10 miljard uitgekomen. Het bedrag per bestelling lijkt af te nemen meer het aantal productgroepen dat online wordt aangekocht verbreedt op snelheid. Kleding en witgoed worden steeds meer online gekocht. Muziek, telecom, tickets, games, verzekeringen en reizen vormen in Nederland nog de kern van de elektronische handel, de *e-commerce*. De online verkoop gaat vooral ten koste van de fystieke retail. *(Bron:Thuiswinkel.org.)*

Wehkamp.nl en Bol.com zijn online successen van ervaren direct marketeers. Opvallend is de beweging die online naar fysieke retail maakt. Zo heeft Wehkamp.nl in Amsterdam een fysieke brandstore en kun je producten van Bol.com bij jouw lokale Albert Heijn ophalen. Verkopen via de mobiel liggen in de lijn van de enorme stijging in verkoop van smartphones en tablets in Nederland. Anno 2012 zijn er meer dan 3 miljoen tabletcomputers in Nederland aanwezig en heeft 70% van de mobiele gebruikers een smartphone. De m-commerce bestedingen leken in 2012 nog wel achter te lopen.
Het rapport *Forrester Research Mobile Commerce Forecast* voorspelt dat wij in Nederland in 2017 voor ongeveer 1 miljard euro via de mobiel zullen gaan aankopen. In 2013 zal dat nog iets meer dan 200 miljoen euro. zijn

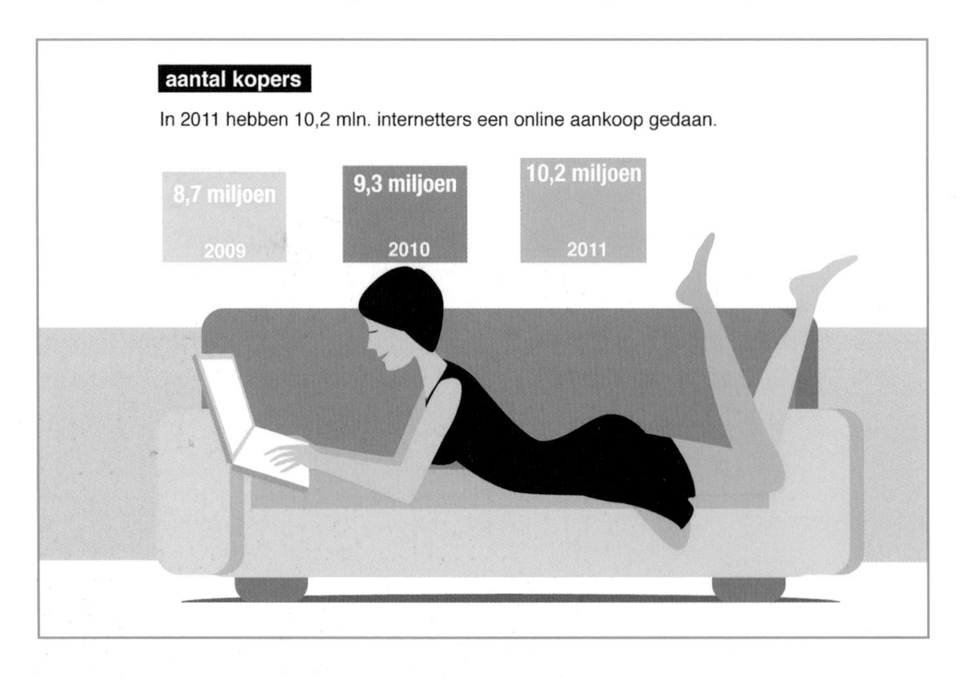

Afbeelding 1.12 Thuiswinkel.org: in 2011 meer dan 10 miljoen online kopers.

Ook de mobiel wordt een sterk online kanaal voor verkoop. Cor Molenaar schrijft in zijn boek *Het einde van de winkels* dat mobile marketing de fysieke retail zou kunnen redden bij een juiste toepassing van het middel.

Bestedingen m-commerce in Nederland en Europa 2013 tot en met 2017 in euro

Jaar	Nederland	Europa
2013	213 miljoen	4,63 miljard
2014	385 miljoen	7,755 miljard
2015	577 miljoen	10,755 miljard
2016	803 miljoen	14,656 miljard
2017	1,068 miljard	19,246 miljard

Bron: Forrester Research Mobile Commerce Forecast.

Online succesen zijn er ook op een ander vlak. Online platformen die de dialoog met de consument voorop stellen winnen aan autoriteit. Social media netwerken zoals Facebook, LinkedIn, Google Plus en Twitter zijn daar voorbeelden van. Platformen die de online verkoop stuwen en steeds meer aan macht winnen bij die gerichte online aankopen zijn naast de social media de vergelijkingssites. De zendkracht van de waarde van de diensten zoals de traditionele marketing deze altijd heeft gepusht valt in het water als dit online niet wordt bevestigd.

Afbeelding 1.13 Interview met de winnaar van de Website van het Jaar 2011 en 2012: Tweakers.net

Bekijk op www.handboekonlinemarketing.nl video 3-104 waarin Tweakers.net tot *Website van het Jaar* is verkozen. Een van de managers legt het langdurig succes van de interactieve site uit.

1.6 Moderne marketing: *'It's all about You!'*

Als we teruggaan naar de grote lijn van marketingontwikkelingen en kijken naar de eerste periode die Kotler in de marketinggeschiedenis schetst, zien we een groot verschil tussen het traditionele en moderne marketingdenken. Er zit een groot verschil tussen de uitspraak '*You can have any color as long as it's black*' van autoproducent Henry Ford en de keuze van het toonaangevende magazine *Time* voor 'You' als Person of the Year. Op het eerste gezicht een merkwaardig verschil als we het over trends en veranderingen in marketing hebben.
De uitspraak van Henry Ford - van het begin van de vorige eeuw - duidt op het productgericht denken. De klant heeft bij productgericht denken weinig te kiezen en moet genoegen nemen met het aanbod zoals dat is geproduceerd. De enige kleur die Ford beschikbaar had was zwart.

Henry Ford deed later een uitspraak die voor het moderne leergebied online marketing van grote waarde blijkt te zijn: "*Coming together is a beginning; keeping together is progress; working together is success.*" De verkiezing van 'You' als 'Person of the Year' -door *The Time*- geeft overduidelijk aan dat de klant tegenwoordig de macht heeft. Deze macht wordt vooral in het online kanaal steeds groter. Een machtsverschuiving waar marketeers in de jaren negentig maar ook tegenwoordig veelvuldig mee worstelen. '*You*' of gewoon '*jij*' geeft aan dat de marketingregels en markten door de klanten worden gemaakt. De propositie, de voordelen en merkwaarden worden door de online crowd vastgesteld en kunnen door de marketeer niet langer worden opgelegd.

Consumenten lijken steeds meer producenten te worden. *Prosumers* worden ze ook wel genoemd. Meer over de macht vanuit social media en het verschijnsel *crowdsourcing* in hoofdstuk 12. Prospects hebben meer invloed op het produceren en meer macht op de zogenoemde '*client satisfaction*' dan vroeger. In de motivatie die *Time* heeft gegeven voor de merkwaardige verkiezing, geeft het blad www.time.com aan: '*Web 2.0 harnesses the stupidity of crowds as well as its wisdom. Some of the comments on YouTube make you weep for the future of humanity just for the spelling alone, never mind the obscenity and the naked hatred. But that's what makes all of this interesting. Web 2.0 is a massive social experiment, and like any experiment worth trying, it could fail. There's no road map for how an organism that's not a bacterium lives and works together on this planet in numbers in*

excess of 6 billion. This year gave us some ideas.
This is an opportunity to build a new kind of international understanding, not politician to politician, great man to great man, but citizen to citizen, person to person. It's a chance for people to look at a computer screen and really, genuinely wonder who's out there looking back at them. Go on. Tell us you're not just a little bit curious.'

Waar magazine *Time* de machtspositie van ons individuen in de pers en social media omschrijft, heeft het individu in de rol van klant macht over markten, distributiekanalen en dus de nieuwe vormen van marketing.

Afbeelding 1.14 De prosumer.

1.7 Maatschappelijke veranderingen die marketing bepalen

Kotler heeft de marketingstromingen al laten afhangen van de maatschappelijke druk. Maatschappij, politiek en economie hebben nog altijd veel invloed op organisaties en het bedrijven van marketing. Dit beschreef marketeer en onderzoeker Robert Bartels in de jaren zeventig uitgebreid in zijn papers en boeken. Deze factoren van grote invloed worden ook wel de *actoren* van een marketingstrategie genoemd. Deze actoren hebben invloed op de toepassingen van de marketing binnen een land maar ook - op microniveau - op de marketingstrategie van een organisatie. Het maatschappelijk denken binnen organisaties en de beschikbare resources is door de komst van het internet -begin jaren negentig- wereldwijd veranderd. Bovendien hebben wij steeds vaker te maken met een consument die groen denkt en groen wil handelen. De electrische auto - zoals die van producent Tesla, die in 2013 voor het eerst winst hebben gemaakt - is hiervan een voorbeeld. Het maatschappelijk bewustzijn en de macht van de consument bepalen de huidige marketingvormen.

Hyves.nl, ooit het grootste actieve sociale netwerk van Nederland met 10 miljoen accounts, riep zelfs op om de 19 miljoen 'foute' chocoladeletters uit de winkels te helpen. Het groene initiatief is kenmerkend voor de maatschappelijk druk die op producenten worden gelegd. Deze campagne was in het kader van de Groene Sint, zie www.groenesint.nl. Hyves lijkt in Nederland de slag te hebben verloren van Facebook. Tieners zijn ook steeds meer actief op Twitter.

Als we met een marketingoog kijken naar belangrijke veranderingen die van invloed zijn bij online marketing, zien wij:

- een (online) *mondige* consument die zelf de waarde van een product wil bepalen en erkennen;
- het verlies van merken- en *winkeltrouw* bij de consument;
- de verschuiving van *machtsposities* binnen de distributiekanalen;
- de noodzaak van usability en *gemak* bij marketingoplossingen zoals het eenvoudig kunnen bestellen via de mobiel;
- de noodzaak van social marketing gericht op oprechte en sociale relaties met actoren, prospects en klanten;
- de invloed van nieuwe media op het *klantgedrag*;
- de voorwaarde om flexibel en snel veranderingen door te voeren;
- retail wordt steeds vaker e-tail en m-tail;
- de vergaande vorming van virtual communities in de social media die op snelheid een machtspositie verwerven;
- de invloed van *social media influencers* die merken en organisaties flink kunnen beschadigen;
- een snelle adaptie maar ook snelle *afwijzing* van trends door consumenten;
- een eigen positieve *beleving* lijkt voor de consument belangrijker te

worden dan opgelegde merkwaarde;
- media worden steeds vaker geschikt gemaakt voor 3D wat de *beleving* verhoogt;
- een maatschappelijke versnippering in communicatie-uitingen;
- de noodzaak om communicatie en producten multichannel aan te bieden;
- de eis tot het bieden van *transparantie in processen*, prijsopbouw en aanpak;
- de mediapatronen van consumenten veranderen: het mindere gebruik en minder gevoelig zijn van en voor massamedia;
- moderne communicatiemiddelen versnellen de mate van beïnvloeding en beslissingen nemen;
- de content is steeds minder mediumgebonden;
- digitale netwerken en dus ook internet beginnen zenuwstelsels van de maatschappij te worden;
- de invloed van *social media op politiek niveau* bijvoorbeeld bij de presidentscampagne van Obama in de Verenigde Staten maar ook tijdens de landelijke verkiezingen in Nederland waar met politieke kanditaten kon worden gecommuniceerd via de social media;
- de drang naar een betere en efficiënte afstemming van de boodschap en dienst op de ontvanger; relevantie wordt steeds belangrijker in marketing en communicatie.

Afbeelding 1.15 De tabletrevolutie is aanstaande.

Concrete voorbeelden van maatschappelijke, marketinggerelateerde veranderingen die het internet sinds de jaren negentig heeft gebracht zijn:

- de enorme toename van tv kijken via het internet zoals Horizon van UPC;
- de neiging om altijd en overal online te zijn; thema van eDay van Emerce was in 2012: *Always on*;
- de landelijke dekking van 4G (per 2014) in Nederland; snel mobiel internet en bijvoorbeeld op goede kwaliteit mobiel videobellen is mogelijk;
- het massaal downloaden van muziek, film en meer content maar ook direct contact tussen mediaproducent en online koper;
- tieners kunnen niet meer zonder mobiel: zij zijn goed maar ook intensief via de mobiel te bereiken; de mobiele browser *Layar* geeft de smartphonegebruiker de mogelijkheid om een mix van de echte wereld en een virtuele wereld te zien; magazines zoals LINDA hebben hier gebruik van gemaakt;
- steeds vaker thuis en online werken en het werken in de cloud;
- het gebruik van online video stijgt explosief onder alle leeftijdscategorieën in Nederland;
- RTL's TVOH heeft met een multichannel-aanpak de social media gebruiker - via mobiele apps en Twitter-ondersteuning - van online naar tv gekregen met interactieve *social tv*;
- e-mail binnenhalen en nieuws lezen vanaf een mobiel is de meest populaire mobiele internethandeling; op plaats twee komt het mobiel gebruik van sociale toepassingen;
- de consument eist op elke plek en los van tijd en plaats relevante zaken te kunnen doen met een organisatie; dit wordt *mobility* genoemd;
- de tabletrevolutie heeft een grote impact op het klantgedrag en mobiele gebruik van internet;
- sms en het mobiel bellen zitten in een neerwaartse spiraal, steeds meer jongeren hebben alleen aan data-abonnement om te *Whatsappen* (een vervanging voor sms) en vooral digitaal contact te hebben;
- een tiener in Nederland verstuurt gemiddeld tussen de 2000 en 3000 digitale berichten per maand;
- het gebruik van mobiel internet zal vanaf het jaar 2014 meer zijn dan via de desktop;
- onder druk van social media ontstaan *social businesses;* organisaties die openstaan voor meningen en inbreng van klanten en ambassadeurs;
- e-commerce en m-commerce lijken de fysieke retail in grote problemen te brengen.

Afbeelding 1.16 Brits visionair en consultant Jonathan McDonald spreekt over The Future Sense.

Bekijk op www.handboekonlinemarketing.nl video 3-105 met interview en optreden van Brits visionair en consultant Jonathan MacDonald tijdens The Next Web in Amsterdam. MacDonald spreekt over *The Future Sense*; de nieuwe manier van denken voor organisaties en managers.

Het maatschappelijk spanningsveld tussen het vakgebied online marketing en sociologie en psychologie wordt steeds sterker. *Direct marketing* kunnen we zien als de voorloper van diverse soorten van online marketing. Door de internationale openheid van het web en dus de benadering door middel van online marketing is naast de trends de internationalisering van grote invloed.

De factor *Politiek en wetgeving* is van invloed bij bijvoorbeeld de opslag en het gebruik van online data of gebruik van cookies.

Het oneigenlijk gebruik van persoonsgegevens en andere privacyissues zijn steeds vaker van invloed. Social netwerk *Google Plus* probeert Facebook af te troeven door vooral de privacy van hun gebruikers te waarborgen. Facebook heeft een aantal juridische processen achter de rug voor inbreuk op de privacy van hun gebruikers.
In dit hoofdstuk zijn we begonnen met de traditionele marketing. De direct marketing vormde de brug naar online marketing. Psychologie en sociologie zijn duidelijk spanningsvelden en factoren die online marketing (zoals social media) direct bepalen.

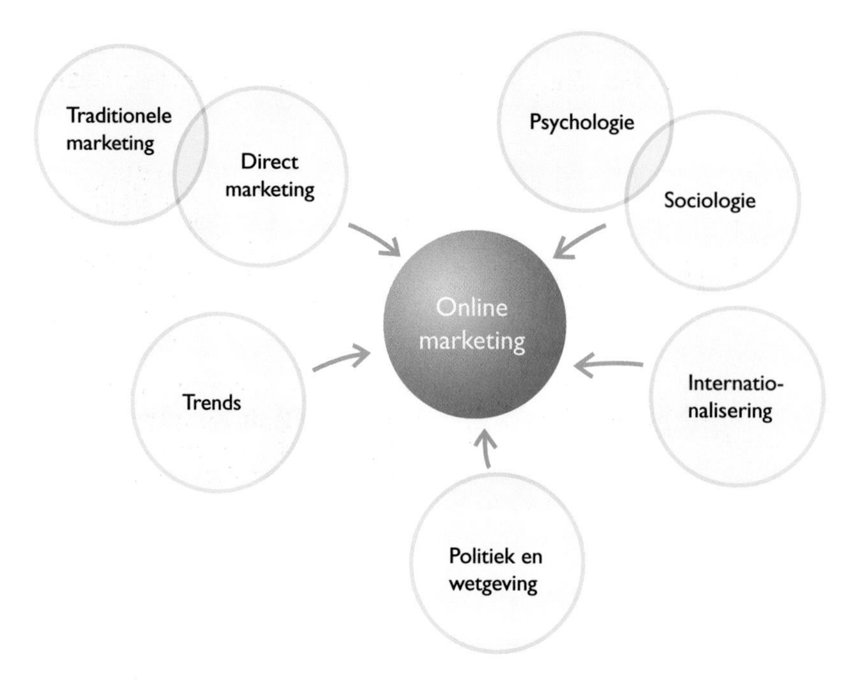

Afbeelding 1.17 Het spanningsveld tussen online marketing en diverse actoren.

Consumentengedrag is een voorbeeld van een duidelijke mix van psychologie en sociologie. Zo wordt er bij online verkoop steeds vaker gepraat over het psychologische begrip *persuasion* in de online communicatie en content. Het WWW kent een internationaal karakter; trends voeden continu de campagnes vanuit online marketing.

1.8 Veranderingen die het kanaal en het platform bepalen

We zijn als gebruiker meer media en meer verschillende media gaan gebruiken. Multichannel (meerdere kanalen) maar ook snel door elkaar heen (crosschannel). De content is letterlijk losgekomen van het medium. Een krant lezen we online. We gamen op een mobiel. We surfen op een game console. We kijken tv op een tablet. Platforms en content raken gemixed waarbij de waarde van content vitaler is geworden dan het kanaal. Het kanaal - zoals de mobiel - versterkt de relevantie van de content voor de gebruiker. Anders dan het kanaal kennen we de term *screen*. Het scherm is het mediakanaal geworden in marketingtermen.

De mobiel heeft een scherm, de laptop, de tablet, de tv en de desktopcomputer. Het zitten achter of voor een scherm neemt enorm toe qua tijdsbesteding, net als het door elkaar gebruiken van schermen, de *multiscreening*.

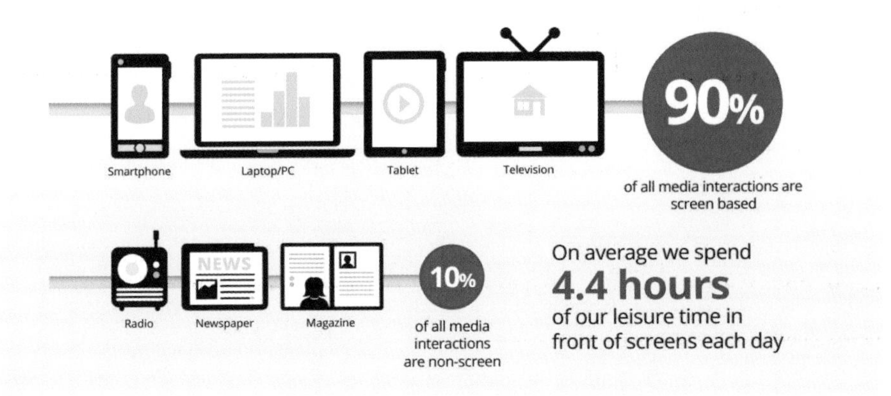

Afbeelding 1.18 Multiscreening.

Bekijk op www.handboekonlinemarketing.nl video 3-106 over het massaal multiscreenen door de consument zoals het doorelkaar gebruiken van de mobiel, de tablet, de tv en de desktopcomputer.

Er lijken steeds meer connected schermen bij te komen. Merken zoals BMW en Mercedes bieden connected auto's. Midden in het dashboard bevindt zich een scherm dat connected is. Wetgeving verbiedt de chauffeur om tijdens het rijden te internetten.

Afbeelding 1.19 Connected auto.

Ogilvy is het grootste reclamebureau ter wereld met als grondlegger David Ogilvy. Zijn boek *Ogilvy on advertising* is lange tijd als de bijbel gezien in de reclamewereld. Consultant Jonathan MacDonald is een gerespecteerd visionair met een soortgelijke overtuigende visie. Zie video 3-105 waarin de internetconsultant - die werkte bij Ogilvy WorldWide in Londen - wordt geïnterviewd over zijn *Future Sense*. MacDonald heeft een moderne visie op het veranderend gedrag van consumenten. Hij benoemt daarbij de invloed van het internet maar vooral de maatschappelijke veranderingen in klantgedrag en acceptatie.

Online marketing kent overlappingen met dialoogmarketing. Deze vorm van marketing richt zich op (toekomstige) consumenten via veelal digitale kanalen. Doel daarbij is het verhogen van de betrokkenheid. In het Engels wordt dit *engagement* genoemd. MacDonald vertaalt subtiel de succesfactoren van dialoog marketing naar de huidige principes van online marketing. In zijn seminars en boeken licht hij vier basisprincipes toe:

- **Privacy**: zorg voor een daadwerkelijk beleid bij het managen van klantgegevens die worden opgevangen;
- **Permission en Personal**: vraag de klant wat hij wil ontvangen, op welk tijdstip, in welke vorm en op welk platform;
- **Preference**: vraag de klant uitdrukkelijk naar zijn voorkeuren en handel naar die voorkeuren;
- **Collaborate**: erken dat je als producent en marketeer niet meer 100% de macht hebt over het merk en product. Klanten en gebruikers hebben op z'n minst net zoveel macht. De factor *collaborate* zal in de nieuwe vormen van (online) marketing een grote rol gaat spelen: "*Collaboration is a recursive process where two or more people or organizations work together toward an intersection of common goals. For example an intellectual endeavour that is creative in nature by sharing knowledge, learning and building consensus. Collaboration does not require leadership and can sometimes bring better results through decentralization and egalitarianism. In particular, teams that work collaboratively can obtain greater resources, recognition and reward when facing competition for finite resources.*"

Bekijk op www.handboekonlinemarketing.nl video 3-107 van consultant Jonathan MacDonald waarin hij onder andere zijn principes van *Privacy*, *Permission en Personal* en *Preference* toelicht.

Afbeelding 1.20 Privacy en online marketing.

1.9 Veranderingen die het klantprofiel en gedrag bepalen

Binnen de online marketing vormen de internetgebruikers de doelgroep. Online wordt deze groep ook wel crowd genoemd. We moeten dus kijken naar het gedrag en bijbehorend online klantprofiel. Hierbij wil ik duidelijk maken dat een individu online een andere klant kan zijn dan offline. Het aankoopgedrag op het web kan bij eenzelfde natuurlijk persoon anders zijn dan dat hij of zij in de offline wereld vertoont. We kunnen dus niet zomaar cijfers uit de offline marketing overnemen voor online.

1.9.1 Cijfers en gedrag van Nederlandse internetters

Kijken we naar het profiel van een Nederlandse internetter, dan zien we bijna logische cijfers:

- internetgebruikers in Nederland zijn gemiddeld in 2,3 sociale netwerken actief en besteden 60 miljoen uren per maand aan social media (*bron: Multiscope*);

- Facebook (in 2013 rond de 10 miljoen gebruikers in Nederland) en LinkedIn (in 2013 rond de 4 miljoen gebruikers) zijn de grootste actieve sociale netwerken in Nederland;
- in de avond vindt veel multiscreening plaats, zoals tv kijken maar tegelijk met de smartphone, laptop of tablet werken;
- tieners en studenten kijken steeds minder tv, het gebruik van Uitzending Gemist via internet is sterk toegenomen;
- 85% van de zoekopdrachten op de mobiel leidt binnen 24 uur tot een actie zoals het bellen van de organisatie of een aanvraag (*bron: Google Android*);
- wereldwijd laat 50% van de tieners hun ouders niet toe in hun social media netwerken (*bron: McAfee, februari 2013*);
- 18% van de Nederlanders maakt eigen online content zoals blogposts;
- 60% van de Nederlands bezoekt regelmatig vergelijkingssites, in Engeland en Duitsland ligt dit op 40-45% (*bron: ManagersOnline.nl*);
- jongeren vertrouwen social media berichten net zo sterk als kranten of tv;
- negen van de tien Nederlanders zit dagelijks online (*bron: CBS*);
- we beschikken gemiddeld over twee tot drie mailadressen (*bron: Onlinemarketer.com*) waarbij webmail van Gmail en Hotmail/Live/Outlook.com het populairst zijn in Nederland;
- 95% van de Nederlanders (*bron: CBS Trendonderzoek, telecompaper*) heeft een mobiel met internetmogelijkheid;
- 10,5 miljoen Nederlanders hebben weleens online gekocht, in 2012 is er voor 9,5 miljard euro online gekocht (*bron: Thuiswinkel.org, april 2013*);
- Nederland is zeer actief in de social media; in 2012 had Nederland relatief gezien met 65.000 de meeste discussiegroepen op LinkedIn (*bron: LinkedIn.com*);
- 26% van de Nederlanders heeft een merk als vriend op Facebook, in de VS is dit 57% (*bron: ManagersOnline.nl, 2012*);
- 95% van de Nederlanders is verbonden met internet of heeft die mogelijkheid (*bron: CBS*), meer dan 80% is actief in de social media;
- vier van de vijf Nederlandse sollicitanten onder de 25 jaar zegt het onbeperkt kunnen internetten op de werkplek plus het vrij kunnen gebruiken van social media belangrijker te vinden dan een hoog salaris (*bron: SocialMedia.nl, 2013*).

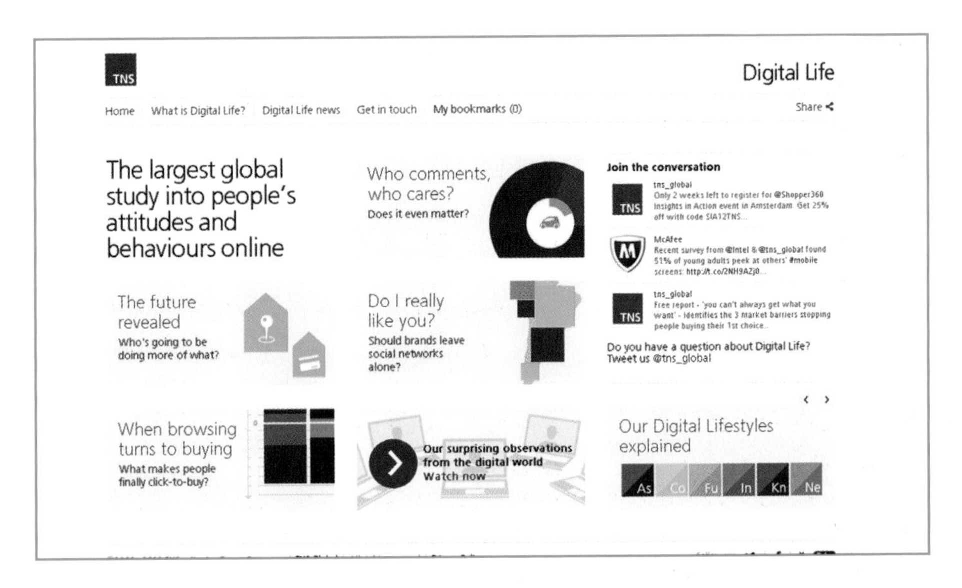

Afbeelding 1.21 TNS brengt met hun Digital Life het gedrag en attitude goed in kaart.

Martin Warmelink van TNS NIPO over het online gedrag van de Nederlanders: *"Nederlandse online consumenten zijn volwassen in hun gebruik, maar merken vinden niet altijd aansluiting. Ze zoeken een weg door de digitale mist. Marketeers die inzetten op het Path to Purchase kunnen ondanks alle ruis op het internet toch de juiste consumenten te binden."*

Bekijk op www.handboekonlinemarketing.nl video 3-108 met het interview met Pieter Zwart van Cool Blue over online shopping en de online aanpak van succesvolle shops.

1.9.2 Profiel en koopgedrag Nederlandse internetter

Als we -met het Digital Life rapport van TNS- vanuit een sociologisch en psychologisch oogpunt kijken naar het koopgedrag van de internetter, dan zien we:

- de internetkoper is niet merken- en winkeltrouw maar lijkt online een sterkere uiting van trouw aan een webshop te hebben;
- online is de internetkoper minder gevoelig voor A-merken;
- anno 2012 kende Nederland zo'n 10 miljoen online kopers;
- de bedragen van een online aankoop nemen al jaren af;
- drie kwart van de online kopers ziet (mobiel) iDEAL als (zeer) veilig (*bron: ledenonderzoek Thuiswinkel.org*);
- de smartphone of tablet wordt veelal gebruikt voor online oriëntatie om via de laptop of desktop de daadwerkelijke koop te doen (*bron: Thuiswinkel.org*);
- de peers en de invloed van het eigen sociale netwerk zijn steeds meer doorslaggevend bij een online aankoop;
- online kopers verkiezen bezorgen boven het zelf afhalen;
- customer reviews zijn belangrijk voor online kopers, 58% laat zich hier aantoonbaar door leiden (*bron: Managersonline.nl*);
- de grote meerderheid van de actieve online kopers besteedt minstens tien minuten aan het lezen van de productinformatie;
- de Nederland wil graag via de tablet kopen maar de afrekening en betaling is nog te vaak een drempel voor online aankoop.

Offline zien we een gedrag dat omschreven kan worden als 'fun shopping'. Online zien we gedrag dat te omschrijven valt als 'run shopping'. De online consument koopt snel en gericht. Gemak is daarbij doorslaggevend. Uit een gepubliceerd onderzoek genaamd '*Online of offline shoppen? Welke factoren nemen klanten in overweging?*' van de Rijksuniversiteit Groningen blijkt een verschil in context en belangfactoren tussen offline en online winkelen. Tijdens dit onderzoek zijn ruim 600 respondenten onderzocht in hun koopgedrag bij de aanschaf van een boek.

De conclusie van dit onderzoek luidt: "*Klanten nemen dezelfde factoren in dezelfde mate in overweging om hun online en offline aankoop-intentie te bepalen: ze verschillen alleen in de scores die ze toekennen aan elk kanaal.*" Zo is het positief praten over het product door de eigen vrienden in het sociale netwerk soms van vitaal belang. (*Bron: Onderzoek van Thijs Broekhuizen, Janny Hoekstra en Wander Jager, Rijksuniversiteit Groningen.*)

Tien redenen waarom de fysieke winkels e-commerce moet vrezen:

1. De marge staat onder druk door online prijsvergelijking.
2. De online retailers gaan offline zoals Bol.com.
3. De online koopervaring en het gemak worden steeds belangrijker.
4. Multichannel verlaagt niet de kosten van de fysieke winkel.
5. De betrouwbaarheid van online retailers neemt toe.
6. De consument importeert zelf steeds meer parallel.
7. Verschuiving naar online beperkt zich niet tot diensten maar richt zich ook op service en beschikbaarheid.
8. Fabrikanten gaan steeds verder in hun online aanbod en directe benadering van de eindconsument.
9. Het gemak en de snelheid van levering door e-tailers neemt toe, zo bezorgt Cool Blue binnen een dagdeel of sneller.
10. M-commerce zorgt opnieuw voor een revolutie in online aankopen en online koopgedrag. *(Bron: Thuiswinkel.org, Wehkamp.nl, Retail Actueel en SocialMedia.nl, 2013.)*

Afbeelding 1.22 Cool Blue bezorgt met veel service.

Bekijk op www.handboekonlinemarketing.nl video 3-109 met de pitch van Pieter Zwart van Cool Blue tijdens de NIMA awards. Zwart legt uit dat de focus op klanttevredenheid de missie is.

1.9.3 Overige trends en ontwikkelingen van invloed

Trends en ontwikkelingen die de online marketingmix in grote mate beïnvloeden zijn:

- *social media marketing* (zie hoofdstuk 12) zoals het gebruik van Facebook, LinkedIn, blogs, Twitter, vergelijkingssites en lokale nieuwsportals wordt steeds machtiger en maakt *social media advertising* daarom aantrekkelijker;
- het gebruik van *user generated content* zoals video's, reviews en ideeën die de online consument zelf aanbrengt (zie hoofdstuk 8 over contentstrategie);
- het inzetten van *online gebruikers* met een hoge sociale invloed in hun sociale netwerken zoals gemeten met Klout, Peerindex of Kred (meer hierover in hoofdstuk 12);
- *social tv:* het bewust opwekken van reacties in de social media bij tv-uitzendingen;
- het bereiken van de mobiele en connected consument via mobile marketing (zie hoofdstuk 14 over mobile marketing);
- *online video advertising* wordt steeds aantrekkelijker. nieuwssite Nu.nl heeft bijvoorbeeld voor elke video een reclameboodschap die niet overgeslagen kan worden. Ook Google heeft standaard advertenties in de Youtube-video's;
- *gamification* zoals het laten inchecken met de mobiel op een bepaalde locatie door de connected klant en deze belonen voor het inchecken en promoten van de locatie in zijn of haar sociale netwerken.

Afbeelding 1.23 Social influencers.

- een vergaande integratie van connected tv, games, internet, radio en traditionele media; dit wordt door de Nederlandse marketeers *crossmedia* genoemd;
- een lastig te *analyseren gedrag* door de kanalen heen; consumenten kunnen op de verschillende kanalen verschillend (sociaal) gedrag laten zien.

Kijken we tot slot in dit kader naar de ontwikkeling van het individu en het online gedrag dan beschrijft het boek over *schizofrene marketing* van auteur Joris Merks de crossmediale en crosschannel uitdaging voor een manager. Offline en online gedrag lijken soms in gedrag verschillende kopers op te leveren in een zelfde lichaam.

Bekijk op www.handboekonlinemarketing.nl video 3-110 met Stephan Fellinger over de SpinAwards en de online industrie in Nederland.

Afbeelding 1.24 Schizofrene marketing.

1.10 EXPERT-CASE Interview met online strateeg Stephan Fellinger (SpinAwards, Blogo.nl)

Stephan Fellinger (@Fellinger op Twitter) is medeoprichter en voorzitter van de SpinAwards, webloguitgever van Blogo.nl. Hij is spreker, inspirator en docent op gebied van (online) marketing.

Afbeelding 1.25 Stephen Fellinger.

Wat heb je gepresteerd als je een SpinAward hebt gewonnen?

"Dan ben je de creatieve norm in Nederland en België op het gebied van digitale communicatie."

Wat zijn gemeenschappelijke eigenschappen van de winnaars van een SpinAward door de jaren heen geweest?

"Dat het winnaars waren die jaloers- en spraakmakend goed waren, die werk hebben gemaakt waar je graag zelf bij betrokken was geweest. Bavaria, een van de eerste Gouden winnaars in jaren negentig, was toen met hun community van ex-dienstplichtigen al een van de eerste social media platforms."

Als jij jezelf als 'nieuw marketeer' omschrijft, wat zou die omschrijving zijn?

"Een dwarsdenker, heel nieuwsgierig, met lef en kinderlijk enthousiasme."

Wat zijn volgens jou de grootste ontwikkelingen op marketinggebied?

"Dat het behalve over media en techniek, ook steeds meer over mensen zal gaan."

Is social media nu de 'nieuwe' marketing?

"De nieuwe marketing is eigenlijk heel ouderwets. Producten en diensten maken die ons doen glimlachen en zo 'ouderwets goed' zijn dat je ze heel graag wil delen met andere mensen via internet."

Welke merken, producten of organisaties in Nederland zijn voorbeelden voor de Nederlandse marketeers?

"Natuurlijk is een bekend merk als KLM van internationale allure op het gebied van internet. Maar er zijn ook veel kleine pareltjes. De eigenaar van mijn lokale restaurant weet mij regelmatig te verrassen met zijn social media activiteiten. Daar word ik heel vrolijk van."

Wat is jouw toekomstvisie op gebied van marketing, advertising en online?

"Aandacht, tijd en vertrouwen zijn de schaarse zaken in onze maatschappij. Daar zullen organisaties en merken veel meer mee moeten doen. We zullen zien dat media en technologie nog belangrijker worden, maar wel met meer aandacht voor de mens. Media of technologie zijn uit zichzelf niet sociaal, wij mensen maken het werkelijke sociale onderscheid."

De HOM3 opdrachten van hoofdstuk 1

Dit hoofdstuk kent de volgende opdrachten:

1. Zoek binnen een organisatie een voorbeeld van: toegepaste massamarketing, toegepaste direct marketing en toegepaste online marketing.
2. Wat wordt bedoeld met *mobility* binnen het nieuwe consumentengedrag?
3. Wat wordt bedoeld met multichannel, crosschannel en multiscreening?
4. Leg de volgende termen uit: PMC, social media, CRM, platform, collaboratie met de klant en permission based.
5. Hoe zou je met minstens drie kenmerken de Nederlandse online koper willen omschrijven?

2 Van traditionele marketing naar online marketing; van 4P naar 4C

In hoofdstuk 1 is naast de compacte geschiedenis van het vakgebied *marketing* - en daarbij de wetenschappers die marketing op de kaart hebben gezet - een aantal definities van marketing voorbij gekomen.

De Van Dale kent als definitie voor de term 'marketing': mar·ke·ting (de ~ (v.)) 1 [econ.] het opstellen van plannen voor de vergroting of de handhaving van de afzet => marktanalyse, marktonderzoek, marktverkenning.

In alle definities komen de volgende vier elementen terug:

- *afzetplan;*
- *afzetbeleid;*
- *marktanalyse;*
- *verkoop.*

Een moderne definitie van marketing is: "*Marketing (of: vermarkten, vermarkting) is het proces van het creëren en leveren van waarde.*"

We hebben het marketingkader gezien zoals Philip Kotler dat heeft neergezet. Naast de definitie van Kotler - die nog sterk is gericht op marketing als een discipline van ruilprocessen - en de definitie uit het Van Dale Groot woordenboek zijn er diverse instanties die ook eigen definites hanteren. De AMA tracht door middel van wetenschappelijke publicaties de hedendaagse marketing vorm te geven. Verderop in dit hoofdstuk meer over de AMA. Het marketingdenken van Kotler vormt de kern van de *traditionele marketing* en wordt - aangevuld met diversiteit aan marketingmodellen - veelvuldig toegepast in traditionele marketingplannen. De marketingaanpak - en het denken - heeft zich vervolgens ontwikkeld van productgerichte marketing tot de befaamde op de persoon gerichte marketing. Direct marketing is een voorbeeld van de laatstgenoemde vorm. De definitie die Kotler zelf geeft aan de samentrekking van *market* en *getting* is: '*Marketing bestaat uit alle activiteiten die zijn gericht op het bevredigen van behoeften en wensen van afnemers door middel van ruilprocessen.*'
Tevens van invloed op het marketingdenken, dat in de jaren tachtig sterk is doorontwikkeld, is het boek van Robert Bartels uit 1976. Zijn *The History of*

Marketing Thought heeft de noodzaak van onderzoek benadrukt bij de uitvoering van een traditionele marketingaanpak. Bartels is de wetenschapper geweest die met langdurig onderzoek - meer dan vijftig jaar - marketing als erkend wetenschappenlijk werkgebied wist neer te zetten.

Op de website van de universiteit van Missouri State is een samenvatting te vinden van het boek van Robert Bartels uit 1976. Surf naar www.faculty.missouristate.edu/c/ChuckHermans/Bartels.htm.

2.1 Het traditionele marketingplan

Piet Pauwels (geboren 1970), doceerde internationale en industriële marketing aan de Universiteit Maastricht en is sinds 2010 decaan voor de faculteit Bedrijfseconomische Wetenschappen, Universiteit Hasselt waar hij in 2000 zijn doctoraat heeft behaald. Pauwels was actief in gerenommeerde internationale onderzoeksteams die zich hebben gericht op marktgerichte internationalisatie- en innovatieprocessen. Pauwels heeft op basis van zijn ervaringen, onderzoeken en inzichten een heldere opzet gemaakt van een traditioneel marketingplan.

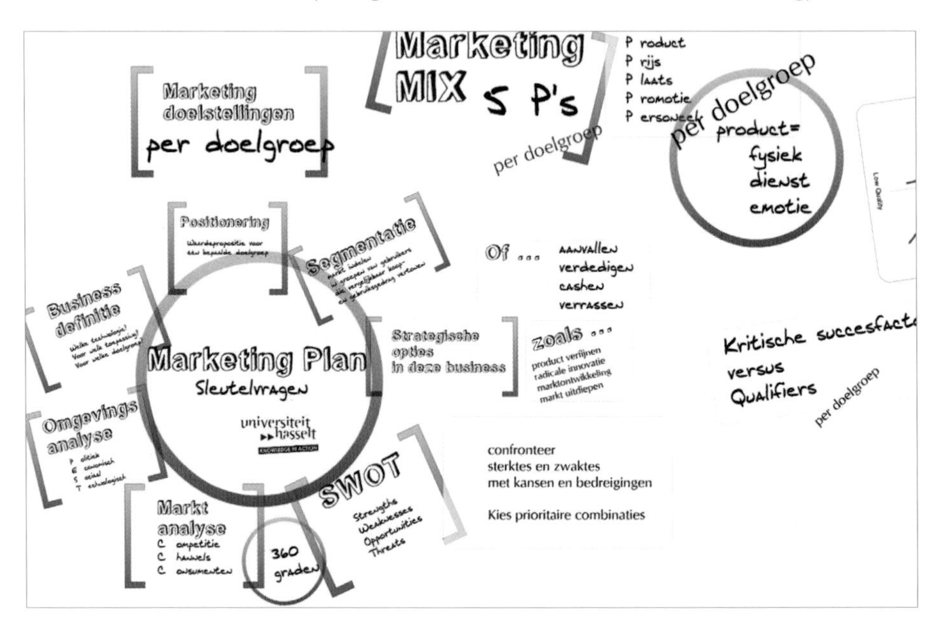

Afbeelding 2.1 Traditioneel marketingplan volgens Piet Pauwels.

De uitgebreide aanpak van Pauwels is een richting het maken van een plan voor online marketing. Zo beschrijft de professor het onderdeel product als een *fysiek product, dienst* of zelfs *emotie*. Emotie als product is een directe link

naar het middel social media zoals het online marketingplan dit kent zoals wij dit opbouwen in het boek.
De globale opzet van het marketingplan volgens Pauwels en de *sleutelvragen* die je daarbij moeten stellen, zien er als volgt uit:

- Marketingplan
  Stel jezelf sleutelvragen
- Businessdoelstelling
  Voor welke technologie
  Voor welke toepassing
  Voor welke doelgroep
- Omgevingsanalyse
  Politiek
  Economisch
  Sociaal
  Technologisch
- SWOT
  Strengths (intern)
  Weaknesses (intern)
  Opportunities (extern)
  Threats (extern)
- Marktanalyse
  Competitie
  Channels
  Consumenten
- Segmentatie
  De markt indelen in groepen van gebruikers die een vergelijkbaar koop- en gebruikersgedrag vertonen
- Positionering
  Daarbij de waardproposities per doelgroep
  Ook een benoeming van kritische succesfactorn en qualifiers per doelgroep
- Strategische opties voor de business, zoals:
  Product verfijnen
  Radicale innovatie
  Marktontwikkeling
  Markt uitdiepen

  of...
  Aanvallen
  Verdedigen
  Cashen
  Verrassen

- 5P's marketingmix
  - *Product*
  - *Prijs*
  - *Plaats*
  - *Promotie*
  - *Personeel*

Het inzicht van Pauwels geeft als extra motivatie dat je in je brede SWOT-analyse de interne sterktes met de zwaktes moet confronteren net als de externe kansen met de bedreigingen. Dit komt in de vorm van een *Confrontatiematrix* verderop in het boek terug.

2.1.1 De AMA

Het mag duidelijk zijn - kijkend naar de verschillende definities - dat de creatie van (meer)waarde een essentie is die we aan moderne vormen van marketing moeten meegeven. De AMA stelde hun originele definitie uit 1985 van *marketing* in 2004 bij tot: "*Marketing is een functie binnen organisaties en [tevens] een verzameling van processen voor het creëren, communiceren en leveren van waarde voor klanten en voor het beheersen van de klantrelatie op manieren die gunstig zijn voor de organisatie en haar stakeholders.*"

Afbeelding 2.2 De AMA staat voor hedendaagse marketingpower.

De AMA is de grootste marketingassociatie in de Verenigde Staten en Canada en leidt tevens gecertificeerde marketeers op. De associatie kent meer dan 30.000 leden en staat in nauw contact met honderden universiteiten en onderzoeksinstellingen zoals SAS. SAS is specialist op het gebied van business analytics software en dienstverlening. Publicaties verschijnen in magazines zoals *Marketing News* en worden op conferenties gepresenteerd. De American Marketing Assocation is in 1937 opgericht. Op de website kun je diverse publicaties bekijken en online marketing-tv kijken.

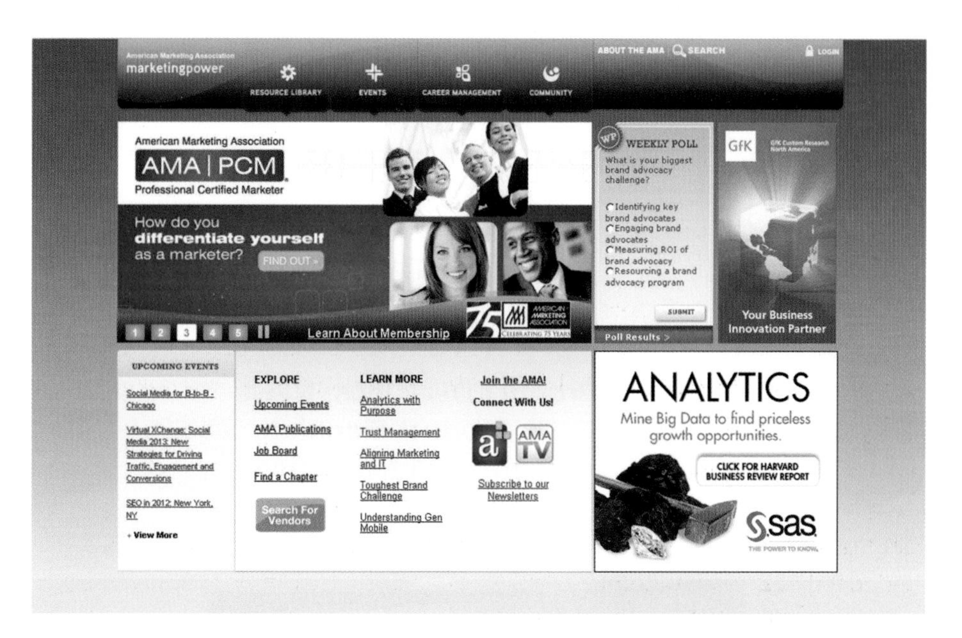

Afbeelding 2.3 De eigen websie van de AMA is Marketingpower.com.

In Nederland kennen wij het NIMA. NIMA, Nederlands Instituut voor Marketing, is sinds 1966 actief op het gebied van marketing in de breedste zin van het woord. Het doel van het instituut is de verbetering van skills als marketeer en deze ook verbreden, verdiepen en vergroten. Het NIMA heeft in Nederland de zorg op zich genomen om de marketingkennis continu op peil houden.

Afbeelding 2.4 Het NIMA in Nederland kent diverse erkenningen.

2.2 Het onderscheid in marketingontwikkelingen

Na de definities, het marketingdenken en de wetenschappers kijken we naar de globale, chronologische ontwikkeling van de wetenschap van de discipline marketing.

Afbeelding 2.5 Het productconcept is een basisprincipe van marketing.

We kunnen achtereenvolgens onderscheid maken in:

- **Productieconcept**: na de Tweede Wereldoorlog is de vraag groter dan het aanbod. De schaarste na de oorlog zorgde voor een productiegerichte aanpak. Belangrijk was het aanbieden van 'goedkope' producten en vooral het massale aanbod van producten in de breedte. Om goedkope producten op de markt te zetten, dient het productie- en distributieproces efficiënt en geoptimaliseerd te zijn. De lopende band was de oplossing voor massaproductie. Zodra de schaarste afneemt en de consument meer eisen kan gaan stellen neemt de succesfactor van deze aanpak af. In de jaren tachtig hebben wij een *productieconcept* gezien van de Aziatische landen om snel marktaandeel te veroveren in het Westen.
- **Productconcept**: het *productconcept* volgt logischerwijs op het productieconcept. Tijdens de wederopbouw van Nederland in de jaren vijftig waren er lage bestedingsmogelijkheden. Toch is dit samengegaan met een stijging van koopkracht en meer vraag naar betere kwaliteit van de producten. Het *productconcept* is gebaseerd op het feit dat de consument kiest voor producten en diensten die kwalitatief het meest bieden voor het geld.

- **Verkoopconcept**: de opvolgende en serieuze stap in de evolutie van marketingaanpak is het *verkoopconcept*. Wij zien in dit concept een verschuiving naar een invloedrijke rol van reclame om de verkoop te bevorderen. De dynamische markt kent hierbij meer aanbod dan de vraag en de meerwaarde van de dienst of het product dient uitdrukkelijk verkocht te worden. Die extra behoefte van de consument wordt door reclame en promotie gestimuleerd. Indien de consument de (meer) waarde van de aangeboden producten niet ziet, zorgt dit voor een beperkte herhalingsvraag.
- **Marketingconcept**: uit het verkoopconcept is het *marketingconcept* geboren. Door een toename in welvaart en bestedingsmogelijkheden maar ook een toename van (internationale) concurrentie groeit de vraag naar doordachte creatieve strategieën. Door rijkdom zijn de behoeften van de consument centraal komen te staan. Succesvol ondernemen staat gelijk aan het hebben van een sterke en creatieve marketinggedachte.
- **Onlineconcept**: dit is een sterk innovatief en conceptdenken dat de macht van het internet en gebruikers centraal stelt. In deze open, transparante en voortschrijdene innovatieve aanpak heeft de klant de macht over het distributiekanaal. Door middel van transparant produceren en communiceren, een duidelijke positionering van de producent plus collaboratie met de eindgebruiker ontstaat er een marketingaanpak gericht op gelijkheid en meerwaarde. Deze ontwikkeling vereist een snelle en relevante manier van handelen waarbij de producent in staat dient te zijn snel te anticiperen op basis van klantgedrag. Voor kleinere organisaties biedt dit concept veel mogelijkheden. De impact van het middel social media op het onlineconcept wordt steeds groter.

Bekijk op www.handboekonlinemarketing.nl video 3-201 met de pitch van Pieter Zwart van Cool Blue tijdens de NIMA awards. CEO Zwart legt uit hoe zij tot hun marketingdenken zijn gekomen.

2.2.1 De connected prosumer zorgt voor een Marktplaatsconcept

In de toekomst zal er een *Marktplaatsconcept* ontstaan. De social media platformen kunnen daarbij een grote rol spelen gezien het gemakkelijk bij elkaar komen van vraag en aanbod. Ook zijn consumenten en gebruikers steeds vaker connected en steeds langer online. De snelheid, de relevantie en het gemak zijn daarbij succesfactoren. De opmars van de mobiele connecties en het mobility gedrag zorgen voor een ultieme marktplaats geheel los van tijd en plaast. De consument eist een op de persoon gericht relevant aanbod los van de locatie en de tijd. Anders dan het plaatsen van de consument in een segment, staan de individuele waarden, het gedrag en de manier van leven centraal. IBM noemt deze nieuwe generatie de *gen C*.

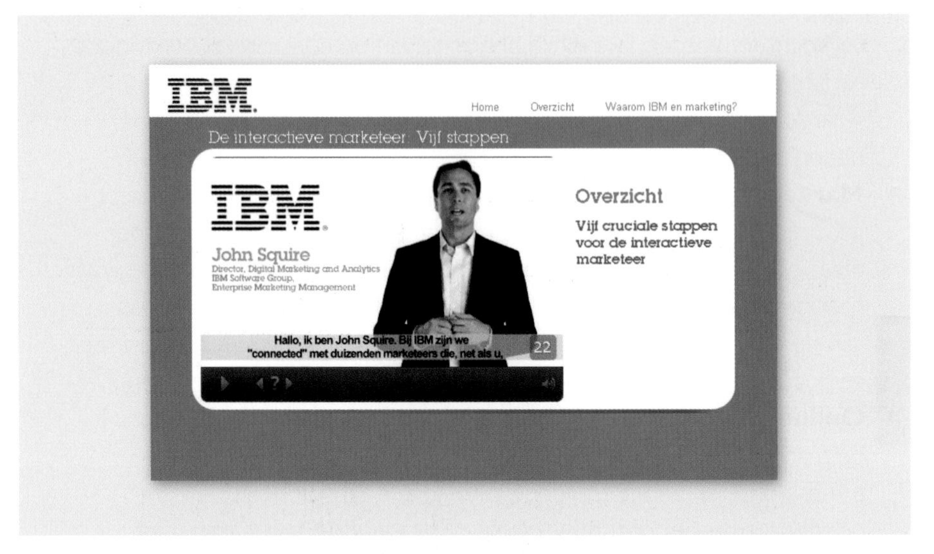

Afbeelding 2.6 IBM heeft een platform voor marketeers dat gaat over de connected consument.

Bekijk op www.ibmconnectedcustomer.com de whitepapers en video's van IBM over de generatie C, de connected consument. De interactie met en het leren begrijpen van die consument wordt hierin uitgelegd.

Grote markten raken door vergaande virtualisatie nog meer versnipperd en lokale prijsvergelijking wordt steeds makkelijker. De fysieke winkels en marktplaatsen zoals we die nu nog kennen, zullen online opduiken onder druk van (internationale) prijsconcurentie. Gemak, snelheid en relevantie spelen hierbij een grote rol. Consumers worden prosumers. Consumenten creëren hun eigen markten en hun eigen aanbod. Vraag en aanbod zullen elkaar zo sneller en directer vinden waarbij de noodzaak van tussenschakels steeds minder wordt. Bij een *Marktplaatsconcept* is het continu creëren van een onderscheidende en relevante meerwaarde een must. De meerwaarde lijkt steeds minder in het product zelf te zitten en meer in het kanaal en de manier waarop het de consument bereikt en een juiste beleving brengt.

Door vergaande globalisering, en het gemak van internationaal (online) zaken doen, ontstaan er internationale, doorzichtige kopersmarkten. De verkopende partij dient continu zijn meerwaarde te benadrukken maar vooral de erkenning te krijgen van die meerwaarde. De tussenpersoon is volledig virtueel bij gebrek aan meerwaarde van een fysieke tussenpersoon. Gemak, snelheid van handelen, just-in-time, beleving en kwaliteit zullen sterk van invloed zijn binnen het *Marktplaatsconcept*. In het concept gaan we terug naar de zogenaamde tastbare onderbouw van het product anders dan een aankoop op basis van imago (bovenbouw). Beleving (experience) en de relevantie van het geboden aanbod zullen de boventoon voeren.

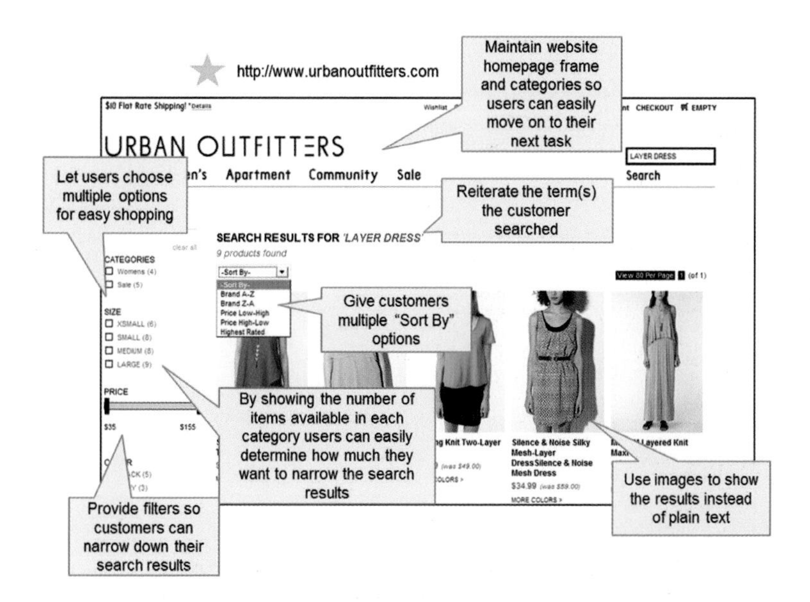

Afbeelding 2.7 Virtuele marktplaatsen lijken het fysieke aanbod te overstemmen in hun aanpak.

Bij het gebruik van social media rondom de marktplaats zal vertrouwen en privacy een steeds grotere rol gaan spelen. Dit wordt ook wel *social proof* genoemd. De generatie C maakt deze selectie (wie wel of niet te vertrouwen op hoge snelheid). Hierbij wordt door de gen C andere argumenten gebruikt dan het vertrouwen dat ooit door branding aan een merk of organisatie mee gaf.

Bekijk op www.handboekonlinemarketing.nl video 3-202 met uitleg over de generatie C. Het altijd verbonden zijn (connected) en het gemakt van nieuwe online verbonden apparatuur maakt de consument kritisch, snel schakelend maar ook snel in het afwijzen van de marketingaanpak.

In organisaties is de pragmatische generatie - medewerkers geboren tussen 1971 en 1985 - gericht op het versnellen van leer- en besluitvormingsprocessen. Daarbij hoort ook het het aanbouwen van (kennis)netwerken en het informaliseren. Tot het jaar 2010 voelde deze generatie zich in veel bedrijven nogal geremd door de oudere generaties. Online ontwikkeling, de strategische inzet van social media, virtualisatie naar webshops en het harder doorzetten van automatisering werd binnen de organisatie tegengehouden.
Nu men ziet dat dit ontwikkelingen zijn die een organisatie laten groeien maar vooral ook overleven lijkt deze nieuwe generatie managers op hoge snelheid te willen doorpakken. Ze zijn de trage besluitvorming en het trage leren zat en voelen de druk van de nieuwe generatie C. De generatie geboren vanaf 1986 wordt ook wel Digitale generatie, Screenagers, Generatie Y of generatie Einstein genoemd. Het ontstaan van de connected consument lijkt minder aan leeftijd te zijn gebonden en meer aan gedrag.

Afbeelding 2.8 Generatie C is de connected generatie.

2.2.2 De trends die het marketingconcept beïnvloeden

De trends die vanuit de jaren negentig de ontwikkeling van het marketing-concept beïnvloeden zijn:

- *een snelle wereld en consument die ongeduldig is geworden*: informatie is 24/7 beschikbaar om zo 24/7 beslissingen te nemen en de snelheid van communiceren, consumeren en handelen op te voeren;
- *globalisering van het marktaanbod en de -vraag*: dvd's kopen in Duitsland, het vakantiehuisje direct in Frankrijk huren en voetbalshirts van Barcelona direct uit Spanje halen;
- wat ooit de *macht van de massa-aanbieder* was, is nu de macht van de

individuele koper geworden;

- er zijn *kopersmarkten* ontstaan zoals de huizenmarkt, de reizenmarkt, ICT- en muziekmarkt. Transparantie heeft gezorgd voor de kopersmarkten en creëert een kritische consument die achter het stuur zit en het product in standaardvorm niet zomaar accepteert;
- *meerwaarde:* de meerwaarde heeft een ander kader gekregen: de consument wil de meerwaarde deels zelf bevestigen en uitgesproken ervaren;
- *meedenken*: de consument-gebruiker heeft een stem bij (door) ontwikkeling van producten, vaak *cocreatie* wordt genoemd;
- *informatisering van diensten en producten:* rondom aangeboden diensten ontstaan platforms die het aanbod doorgronden, beoordelen, accepteren of afwijzen;
- marktverzadiging: consumenten zijn verzadigd en zijn puur op zoek naar producten met een aantoonbare meerwaarde of ultieme beleving. Social media maar ook Google (Shopping) maakt wereldwijd op hoge snelheid de kwaliteit van diensten, processen, organisaties en professionals inzichtelijk.

Afbeelding 2.9 Google Shopping.

Aantoonbare kernwaarden die voor alle marke(ting)concepten gelden zijn:

Product	**Personal selling**	**Servicing**
Placing	Advertising	Physical handling
Planning	Promotions	Fact finding & Analysis
Branding	Packaging	Experience
Distribution channel	Display	Connected

Rondom de uitwerking van de marketingmix worden deze onderdelen toegelicht.

2.3 De traditionele marketingmix uit de jaren zestig

Concrete handvatten voor de uitvoering van marketingtheorieën bood Neil Borden (hoogleraar aan de Harvard Business School). Eind jaren veertig begon professor Borden de term marketingmix te gebruiken in zijn lessen.

Afbeelding 2.10 De traditionele 4P's.

In 1964 publiceerde Borden een artikel publiceerde met daarin een beschrijving van de middelen in een marketingmix, die wij nu kennen als de 4P's uit de traditionele marketingmix. Voor veel moderne marketeers zijn de 4P's voorgoed achterhaald; zij zweren bij de inzet van de 4C's die later in het boek worden behandeld.

Afbeelding 2.11 De P van Product.

We zien in deze eerste erkende marketingmix een mix van reclame- en marketingmiddelen. In de loop van de jaren zestig vindt vervolgens een inkorting plaats van de beschreven mix van middelen. E. Jerome McCarthy verbonden aan Michigan State University, is met zijn publicatie *Basic Marketing* invloedrijk geweest op de huidige marketing met zijn beschrijving van de 4P's in de jaren zestig. De gemakkelijk te onthouden 4P's uit de marketingmix vormden de basis voor de moderne, operationele marketinggedachte. Deze P's verschenen voor het eerst in 1960. De concrete marketingmix is vervolgens in de jaren zeventig uitgegroeid tot een denkwijze in de vorm van marketingconcepten. In de jaren tachtig zijn de 4P's gebruikt voor een verkoopgerichte en agressievere manier van marktbewerking. In de jaren negentig zijn de P's gebruikt voor de definitie van relatiemarketing met daarbij de toegevoegde P's erin zoals People, Parkeren, Personeel en Prestatie.

Afbeelding 2.12 De 5Ps uit bijvoorbeeld relatiemarketing.

2.3.1 De P van Product

Het *Product* kunnen wij in de marketingmix verschillende eigenschappen meegeven. Een product kan een fysiek product, een dienst of emotie zijn. Bij emotie spreken we van de bovenwaarde van een product. Een productmanager is verantwoordelijk voor het beheer en managen van de eigenschappen en positionering van het product. Daarbij wordt steeds vaker de consument betrokken om met cocreatie het product af te maken of te verbeteren. In organisaties waar het product als merk wordt gepositioneerd - bijvoorbeeld bij MTV - spreken we van een branding die wordt gemanaged door een brandmanager. De (online) informatisering van producten zorgt voor een vergaande openheid en transparantie van de kwaliteit van producten.

2.3.2 De P van Prijs

De *Prijs* of Price is binnen de marketingmix een sterk wapen. Als er sprake is van een retailkanaal, dan spelen gegunde retailmarges een belangrijke rol bij de distributie van het product of dienst. Door het steeds vaker online zakendoen, staan de rol en meerwaarde van de tussenhandel onder druk. De fysieke winkels vechten voor overleving en hebben vaak de stap naar online commerce te laat gemaakt en gaan bij m-commerce met mobiele handel opnieuw een slag verliezen. *Prijsdiscriminatie* is een belangrijk marketingwapen bij het middel *Prijs* en staat voor het aanbieden van eenzelfde product tegen verschillende prijzen. Op het internet wordt prijsdiscriminatie bijvoorbeeld ingezet door vergelijkingssites als Typhone.nl, Bellen.com en Gsmweb.nl maar ook bij het vroeg of laat bestellen van vliegtickets en vakanties. De aankoop van een mobiele telefoon of abonnement is online vaak goedkoper dan offline. Daar is dus sprake van *Prijsdiscriminatie* als prijstrategie. De aanbieder kan dit vaak uitvoeren omdat hij bij het online aanbieden minder verkoop- en administratiekosten heeft. Gezien dit principe kan de traditionele retail nooit goedkoper zijn dan het online aanbod en moeten fysieke winkels op een andere manier concurreren.

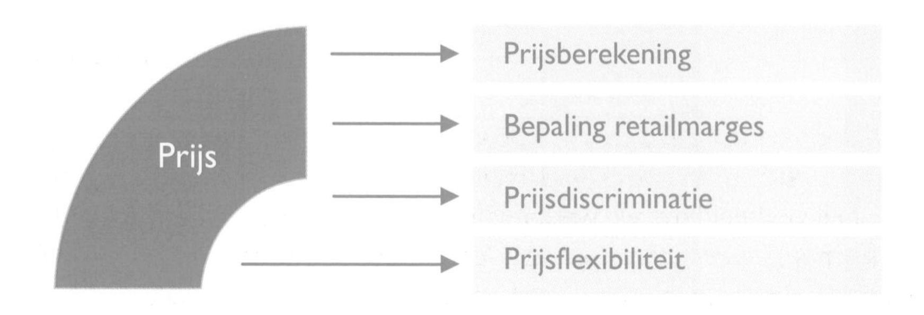

Afbeelding 2.13 De P van Prijs.

Ook in de reisbranche worden kortingen gegeven bij het online boeken van een vakantiereis ten opzichte van het boeken van een reis in de fysieke reiswinkel. Het prijsbeleid wordt in de meeste organisaties gemanaged door de product- of marketingmanager. Zij kijken continu - op basis van kostprijsberekeningen - naar de juiste prijsflexibiliteit die de meeste marktkansen geeft. Prijsflexibiliteit is een aftreksel van prijselasticiteit. Hierin wordt samen met de klant of markt de juiste prijs voor het product bepaald. Het web versnelt de juiste prijsstelling door vergaande prijsvergelijkingen en het doorzichtig maken van het marktaanbod door vergelijkingsportals zoals Google Shopping en www.kieskeurig.nl.

2.3.3 De P van Promotie

De *Promotie* of Promotion van een product of dienst staat meestal gelijk aan het gevoerde marketingcommunicatiebeleid. De term *reclame* is geleidelijk overgegaan naar het breder getrokken *marcom*, de marketingcommunicatie. Promotie en marketing staan al sinds de jaren zestig dicht bij elkaar. Reclame is de uiting van een marketingcampagne. Promotie bepaalt vaak het takenpakket van de afdeling Communicatie en werkt nauw samen met de marketing. Communicatie wordt gezien als de operationalisatie van de creatieve kant van de marketing. Marketing en communicatie bepalen samen de campagnes en juiste bediening van de markten en tussenkanalen. Het reclamebeleid heeft als doel zo effectief mogelijk de doelgroep te bereiken met de juiste middelen. Een push- of pullstrategie is de strategie die bepaalt of er direct op de gebruiker (pull) of juist op de tussenhandel wordt gericht (push) met promotionele activiteiten.

Afbeelding 2.14 De P van Promotie.

De verkoop is het aansturen van de persoonlijke verkoop. PR & voorlichting zorgt voor gratis promotie (free publicity) zorgt voor publicity van de organisatie of trekt bijvoorbeeld nieuwe werknemers aan. Het internet kan een onderdeel zijn van crossmediale campagnes voor een gevatte en succesvolle mix waarbij de klant via meerdere media wordt bereikt. Tv en radio zorgen voor de naamsbekendheid en brandingexposure. Print - zoals magazines en kranten - zorgt voor de achtergrond en overtuiging van het product. Het middel *internet* zorgt - aanvullende binnen de mediamix - vooral voor de interactie en directe conversie.

2.3.4 De P van Plaats

Plaats of Place staat voor de distributie van producten en diensten.

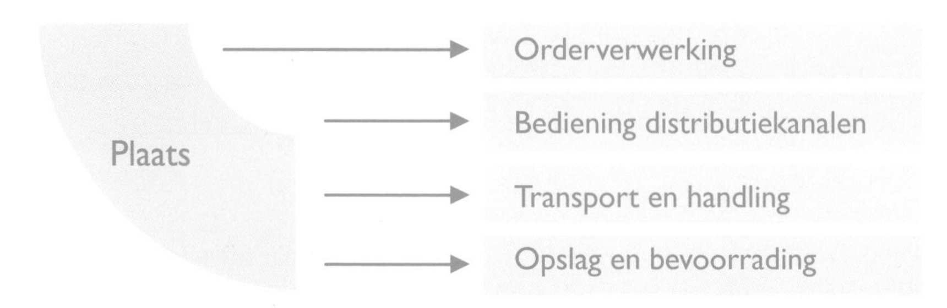

Afbeelding 2.15 De P van Plaats.

De manier van verpakking (handling), de kosten van opslag en het effectief transporteren van de gekochte producten vallen onder het marketinginstrument Plaats. De distributie van diensten vindt steeds vaker online plaats. Waar we in de 'oude economie' voor een banktransactie naar een vestiging moesten internetbankiert 90% van de Nederlanders in 2012.

2.4 De P's van retailmarketing

In de jaren tachtig en negentig kregen we steeds meer afgeleiden van de traditionele marketing. Verschillende vormen zoals relatiemarketing, retailmarketing, eventmarketing en direct marketing kwamen op. Ook nam ook het aantal P's toe. Branchegerichte marketing zorgde voor branchgerichte marketingmiddelen en extra P's. Zo kent de retailmarketing bijvoorbeeld:

- de **P** van **Parkeren**: parkeerproblemen in de grote steden in Nederland laten kopers naar webshops vluchten;
- de **P** van **People of Personeel**: in Nederland staat het winkelpersoneel niet altijd bekend als klantgericht en beleefd;
- de **P** van **Positionering**: ben je als retailer de lokale prijsvechter of juist die lokale exclusieve winkel. Positionering is ook de plaats in het schap. Ligt het product op ooghoogte of bij de kassa, dan is de impulsomzet gegarandeerd;
- de **P** van **Paying**: simpelweg de manier van betalen. In de Verenigde Staten is het normaal om bij de supermarkt met een creditcard en steeds vaker met Mobile Paypal te betalen. Nederland is gebukt gegaan onder de invoering van de chipknip. Een draadloze pin op de rommelmarkt is dan weer een succesfactor. net als het online betalingssysteem iDEAL dat ook voor de mobiel beschikbaar is.

Parkeren	Personeel
Positionering	Paying

Afbeelding 2.16 De P's van retailmarketing.

2.5 De P's van de organisatie

Grote organisaties en overheden kennen een reeks van P's die bij de marketing van de organisatie ingezet kunnen worden. Deze P's worden ingezet bij doelstellingen op corporate niveau:

- de **P** van **Pers**: bij overheden en grotere organisaties heeft de pers veel invloed op bijvoorbeeld het corporate imago. Concerns en overheden liggen continu onder vuur. Corporate blogging is een internetmiddel dat goed is voor het corporate imago. Helaas hebben grote organisaties te veel last van de volgende P om bijvoorbeeld social media daadwerkelijk op niveau in te voeren;
- de **P** van **Politiek**: hoe groter de organisatie des te meer politieke druk;
- de **P** van **Proces**: hoe sneller en goedkoper processen kunnen verlopen binnen grote organisaties, des te meer winst en snelheid van handelen er wordt behaald;
- de **P** van **Progress**: organisaties dienen tegenwoordig 'lerende organisaties' te zijn. Research & Development vindt bij grotere organisaties plaats. *Hoe hoog is het personeel opgeleid? Hoe wordt er geïnnoveerd? Wordt er geïnvesteerd in nieuwe markten?*

Proces	Politiek
Pers	Progress

Afbeelding 2.17 Vier organisatie-P's.

2.6 Nog meer P's die ook online van toepassing zijn

Trendy extra P's die we vooral online tegenkomen zijn:

- de **P** van **People**: het bedienen van de mensen, de klanten en het interne personeel staan voorop. Google is een voorbeeld van een moderne organisatie die met een positief personeelsbeleid de motivatie en creativiteit van werknemers (People) stimuleert. Medewerkers van Google krijgen geregeld tijd vrij om in die tijd nieuwe services voor Google uit te denken. 20% van de werktijd mag de werknemer vrij besteden aan het uitdenken van eigen projecten.
- de **P** van **Planet**: het populaire 'groene' denken dringt steeds meer door in de Mission Statement van organisatie. Dit betekent dat bij al het handelen van en door de organisatie het 'groene denken' de rode draad dient te zijn. Het groene denken heeft veel aandacht gekregen in de autoindustrie door de diepgaande crisis in die industrie in 2008. Zo zijn producenten steeds vaker zich gaan toeleggen op hybide en elektrische auto's. Consumenten zijn zo 'groen denkend' geworden dat ze wereldwijd liever kleinere en vooral zuinigere auto's aanschaffen maar ook groene stroom. De opvallende campagne genaamd *Groene Sint heeft* veel erkenning gekregen inclusief een nominatie voor een SPIN Award.
- de **P** van **Profit**: het maken van financieel gewin wordt in principe minder belangrijk. De continuïteit van de organisatie, dienst of product staat hoger in het vaandel.

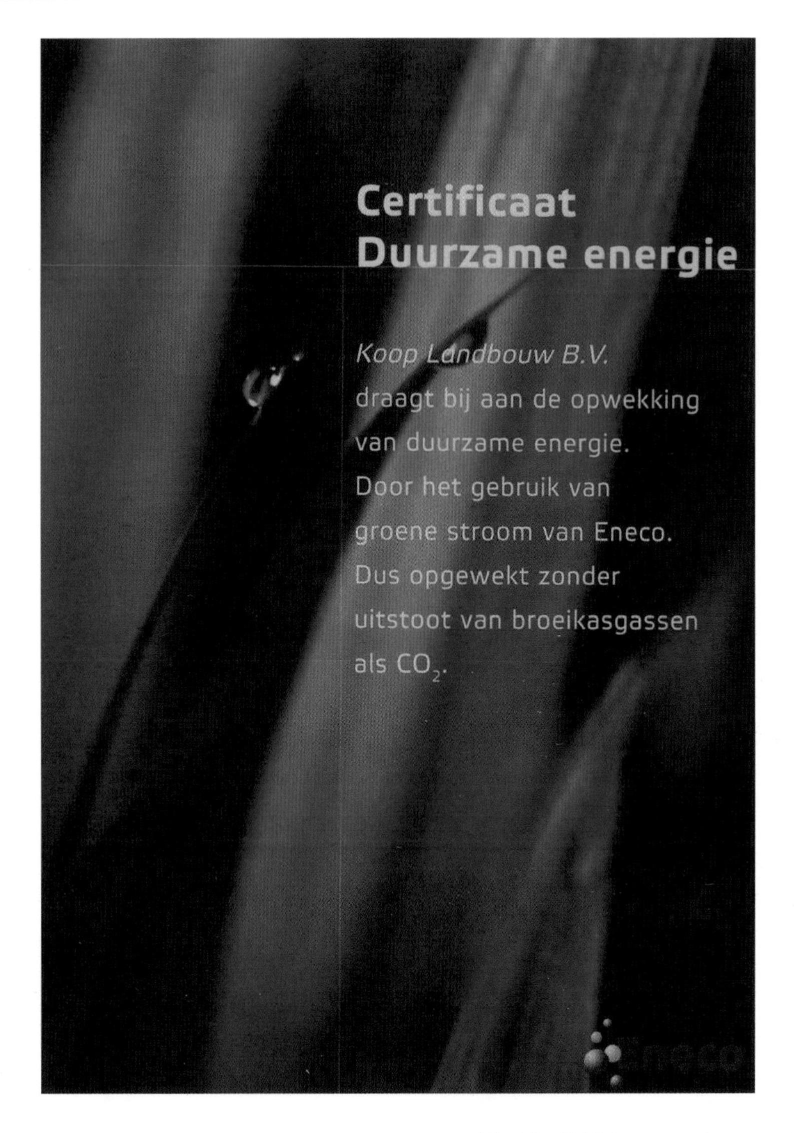

Certificaat
Duurzame energie
Koop Landbouw B.V.
draagt bij aan de opwekking
van duurzame energie.
Door het gebruik van
groene stroom van Eneco.
Dus opgewekt zonder
uitstoot van broeikasgassen
als CO_2.
Eneco

Afbeelding 2.18 De groene stroom van Eneco.

2.7 De strategieën van Porter en de Ansoff-matrix

Michael Eugene Porter (1947) - hoogleraar aan de Harvard Business School university - kent een wetenschappelijke focus op economie en management. Hij heeft praktische theorieën voortgebracht waaronder die in zijn boek *Competitive Strategy* uit 1980. Porter beschrijft een generieke concurrentiestrategie die ook in de marketing van organisaties praktisch ingezet kan worden. Dit is een waardevol hulpmiddel om te komen tot goede strategische keuzes.

Afbeelding 2.19 Professor Michael Porter

Porter is auteur van *Competitive Strategy.* en heeft generieke concurrentiestrategieën beschreven. Boven een strategie staat het Mission Statement van een organisatie. De missie geeft kort de doelstellingen van een bedrijf of organisatie weer. Alle medewerkers van het bedrijf dienen het Mission Statement uit te dragen. Het Mission Statement van Center Parcs is: "Every day, the perfect break, naturally". Bron: marketingcase Center Parcs.

De concurrentiestrategieën worden ook wel de typologie van Porter genoemd en zien eruit als:

- *een lagekostenstrategie;*
- *de differentiatiestrategie;*
- *een focusstrategie;*
- *een stuck-in-the-middle.*

2.7.1 De groeistrategie en het Ansoff-matrix

Naast de theorieën van Kotler en Porter is de Ansoff-matrix uit 1965 een bekende in het traditionele marketingplan. Igor Ansoff werd gezien als de vader van het strategisch management en bracht ons handzame groeistrategieën.

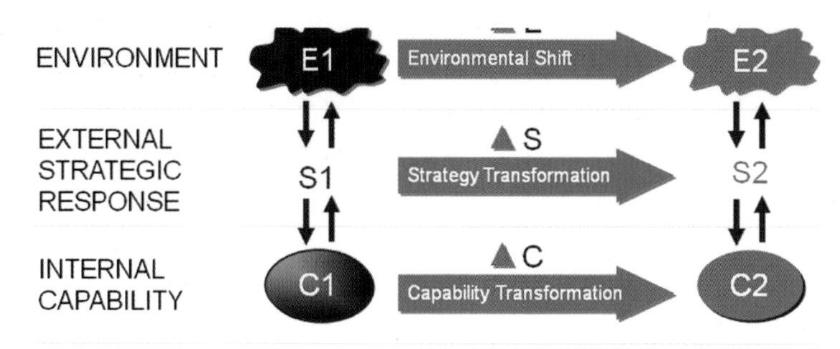

Afbeelding 2.20 Ansoff en het strategisch denken.

De Russische Amerikaan Ansoff (1918-2002) beschrijft in zijn boek de bekende matrix van de groeistrategieën die uitgaan van de markt en het product.

Ansoffs zijn model wordt in het Engels de *Product-Market Growth Matrix* genoemd:

	Huidig product	Nieuw product
Huidige markt	*Marktpenetratie*	*Productontwikkeling*
Nieuwe markt	*Marktontwikkeling*	*Diversificatie*

Afbeelding 2.21 De groeistrategieën van Ansoff weergegeven in de matrix.

- **Marktpenetratie:** bij deze groeistrategie gaan we uit van het verkopen van de al aanwezige bestaande producten op bestaande markten. Het vergroten van het marktaandeel is hierbij veelal het doel. Het winnen van nieuwe klanten of klanten van de concurrent afpakken zijn bij marktpenetratie de meeste logische oplossingen. *Marktpenetratie* is - net als *productontwikkeling* - een veelgebruikte groeistrategie.
- **Productontwikkeling**: *productontwikkeling* is een groeistrategie van Ansoff die zich richt op het verkopen van nieuwe producten aan bestaande klanten. Innovatie en ontwikkeling zijn hierbij de kernwoorden. Bij productontwikkeling als groeistrategie heeft de marketeer twee mogelijkheden. Nieuwe producten introduceren om de oude te vervangen. Dit wordt ook wel het stimuleren van de vervangingsvraag genoemd. Er kan ook voor cross-selling worden gekozen. In de plaats van vervanging creëert de marketeer bijproducten die naast de bestaande behoefte nog eens extra kunnen worden afgenomen.
- **Marktontwikkeling**: het verkopen van bestaande producten op nieuwe markten wordt door Ansoff *marktontwikkeling* genoemd. Deze strategie heeft als doel om via nieuwe markten het huidige product beter te gaan verkopen. Hierbij is het de bedoeling dat het bestaande product niet verandert.
- **Diversificatie**: deze groeistrategie richt zich op een nieuw product in een nieuwe markt. Dit is een lastige strategie die zeer succesvol kan zijn voor de organisatie maar vaak mislukt door de vele risico's. In overvolle markten waar winsten onder druk staan is *diversificatie* een logische strategie in dynamische markten. In de jaren tachtig en negentig leek er een taboe te heersen op deze moeilijke strategie. Momenteel is dit een van de meest geaccepteerde en snelgroeiende strategieën.

2.7.2 De SWOT-analyse en het vervolg

De SWOT-analyse wordt gebruikt bij de bepaling van een strategie maar ook bij het doorlichten van een organisatie en de marktkansen. Het is een eenvoudige analyse die de sterkten en zwakten van een organisatie (intern) in kaart brengt. Extern worden de kansen en bedreigingen in de markt opgesomd. Ook een online marketingplan (zie hoofdstuk 12) begint met een gedegen SWOT om de online kansen en bedreigingen helder te krijgen. Focus bij een SWOT vooral op de marktkansen om zo verder jouw strategie, kansen in de markt en doelen te formuleren.

Intern	Extern
Strengths	Opportunities
Weaknesses	Threats

Afbeelding 2.22 De SWOT-analyse.

SMART is de hierbij de voorwaarde voor het ontwikkelen van een strategie en doelstelling. De veelgebruikte afkorting SMART staat voor *Specifiek*, *Meetbaar*, *Aanwijsbaar*, *Realistisch* en *Tijdgerelateerd*. Een verdere uitleg van SMART:

- **Specifiek** in zijn aanpak;
- **Meetbaar** direct na het online gaan van de campagne;
- **Aanwijsbaar** in het online of crossmediaal effect;
- **Realistisch** en meevarend op geldende trends in de online aanpak;
- **Tijdgerelateerd** en daarbij niet te ver vooruitkijkend.

Het is de meetlat en check voor een haalbaar plan.
Op www.businessballs.com/swotanalysisfreetemplate.htm kun je diverse gratis SWOT-templates in Word-formaat downloaden. Albert Humphrey heeft de SWOT vervolgens omgezet in zes onderdelen die je snel naar een volgende stap brengen in het plan: Humphrey spreekt vooral over het hoe na de platte beschrijving in de SWOT:

- *Product (what are we selling?);*
- *Process (how are we selling it?);*
- *Customer (to whom are we selling it?);*

- *Distribution (how does it reach them?);*
- *Finance (what are the prices, costs and investments?);*
- *Administration (and how do we manage all this?).*

De aanzet voor het gebruiken van een SWOT voor de verdere bepaling van een strategie werd waarschijnlijk gegeven door het chemieconcern DuPont. Zij gebruikte in Amerika in 1949 de SWOT voor het maken strategische plannen voor de lange termijn.

2.7.3 De Confrontatiematrix activeert de SWOT

Naast de SWOT-analyse wordt steeds vaker gebruikgemaakt van een Confrontatiematrix. Waar de SWOT vooral beschrijvend is, geeft de Confrontatiematrix een meer dynamisch inzicht in de kansen en bedreigen.

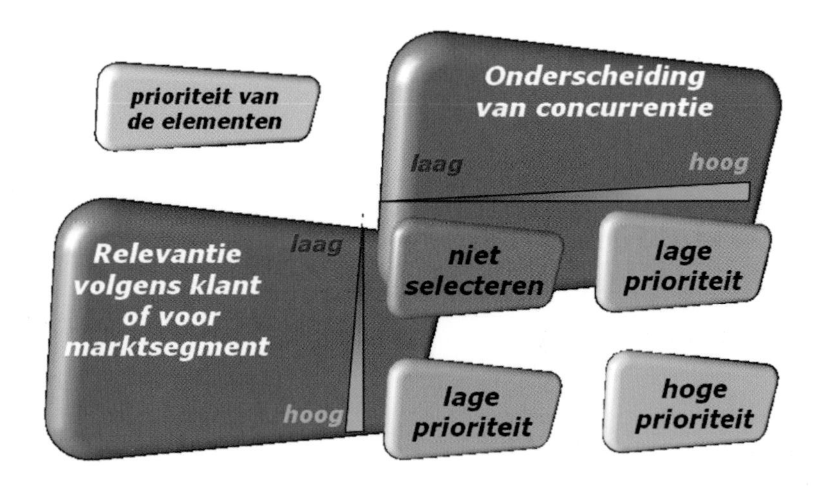

Afbeelding 2.23 Het spanningsveld van een Confrontatiematrix.

De confrontatie geeft meer actie aan de gemaakte analyse. Er worden prioriteiten aangegeven met daarbij de onderscheiding van concurrentie, de meerwaarde maar ook aan de andere kant de relevantie volgens de klant of het marktsegment.
In de verdere totstandkoming van een confrontatie op basis van de SWOT-analyse kennen we de confrontaties van zwakten en sterkten in de volgende wisselwerking:

- *Sterkten - Kansen;*
- *Sterkten - Bedreigingen;*
- *Zwakten - Kansen;*
- *Zwakten - Bedreigingen.*

Dit brengt snel scanbaar de te kiezen richting en strategische activering die duidelijk is geworden door de analyse in kaart:

Confrontatiematrix

	ZWAKTEN	BEDREIGING
STERKTEN	OFFENSIEF *Sterkten uitbuiten*	DEFENSIEF *Sterkten concurrent in de gaten houden*
KANSEN	SCHOON SCHIP MAKEN *Zwakten verbeteren*	OVERLEVEN *Confrontatie aangaan (180 degrees turn around)*

Afbeelding 2.24 De SWOT en Confrontatiematrix.

Vervolgens worden deze in de matrix afgezet met prioriteiten in waarden als 1, 3 en 5. Ook 0 kan als waarde worden gebruikt om daarmee aan te duiden dat het geen focus nodig heeft.

Confrontatiematrix

		KANSEN			BEDREIGINGEN		
		Milieu-doelstelling EU	Modernere, goedkopere techniek	Klant vraagt duurzaamheid	Concurrent zelfde product	Leveranciers krijgen meer macht	Complexere aanbesteding
STERKTEN	Levensduur van product			5		1	
	Technische productknowhow		1		5	3	3
	Ervaring met duurzaamheid	5		1			
ZWAKTEN	Relatief hoge aanschafprijs	3	5	3	3		1
	Complexe supplychain		3			5	
	Weinig naamsbekendheid	1			1		5

Afbeelding 2.25 Een voorbeeld van ingevulde Confrontatiematrix met de waarden 1,3 en 5.

Confrontatiematrix

Kwesties wegen		KANSEN			BEDREIGINGEN		
		Stijgende markt van gadgets	Patent op Taurus-lijn	Publiciteit over de branche	Toenemende concurrentie	Kwaliteitspeil grondstoffen	Stugge kredietmarkt
STERKTEN	Productkennis van medewerkers	5		3		5	
	Financiële positie			5	3		5
	Arbeidsmoraal medewerkers		1			3	1
ZWAKTEN	Locatie van de vestiging	3	3	1	5		
	Klantvriendelijkheid		5				
	Oud machinepark	1			1	1	3

Afbeelding 2.26 Nog een voorbeeld van ingevulde Confrontatiematrix met de waarden.

2.7.4 De doelstelling na de keuze van een marketingstrategie

Na het kiezen van een te voeren strategie, vindt er concretisering plaats in de vorm van het formuleren van een doelstelling. Daar waar een strategie een kwestie is van lange termijn, is een doelstelling de kwantificering van doelen die op korte termijn behaald moeten worden. Concrete doelstellingen die zijn gekwantificeerd zijn:

- *85% meer omzet met product X binnen een jaar na lancering van de verbeterde versie van het product;*
- *het lanceren van drie productvarianten binnen 24 maanden;*
- *20% van de online omzet via het mobiele kanaal;*
- *30% marktaandeel binnen de markt van de Y binnen zes maanden;*
- *een groei van 50% van de brutomarge in het retailkanaal in het laatste kwartaal;*
- *een bruto omzet van 500.000 euro binnen een jaar na de introductie van dienst Y.*

2.7.5 De beperkingen van traditionele marketing

De onmogelijkheden van traditionele marketing liggen in het feit dat marketing vanuit zijn basis massagericht is. De beperkingen van traditionele marketing binnen traditionele organisaties zijn:

- de *massamarketingaanpak* van traditionele marketing is moeilijker door de versnippering van moderne doelgroepen;
- de *traditionele marketing* kan niet goed omgaan met de *kritisch* wordende consument;
- er is een *mix van instrumenten* en media nodig om doelstellingen te realiseren;
- *traditionele marketing* kan niet snel veranderingen doorvoeren;
- het is moeilijker 'vat' te krijgen op de *eindconsument*;
- *prijsdiscriminatie* is moeilijker inzetbaar omdat er wordt gericht op standaardisatie;
- *product* is niet zomaar individueel aanpasbaar door een massa-aanpak en massaproductie;
- *kleinschalige distributie* gericht op een niche is te duur;
- de *organisaties* zijn er niet op ingericht om 24/7 aanwezig te zijn;
- het direct marketing-kanaal is niet open of onmogelijk te gebruiken binnen de *organisatiestructuur*;
- het *product* is niet geschikt voor het internet.

2.7.6 De kansen van online marketing

Moderne marketing, new marketing, digital marketing of gewoon online marketing bieden veel kansen. Organisaties kunnen niet meer zonder online. Werd rondom het jaar 2000 het middel internet als de redding gezien voor veel organisaties, pas jaren later zijn serieuze marketingdisciplines rondom het gebruiken van het web ontwikkeld. Ook online marketing zit inmiddels in een tweede en bijna derde generatie van het leer- en werkgebied.

Op basis van die ervaring kunnen we stellen dat online marketing de volgende kansen biedt:

- het gebruik van *multimedia* geeft naast presentatie ook beleving;
- het gebruik van *online social media* versterkt de relatie en beleving van de klant en consument;
- online marketing kan de traditionele en offline marketing *hernieuwde kansen* bieden;
- het biedt kansen bij het aanboren van *nieuwe marktsegmenten;*
- je kunt klanten direct product laten downloaden of online laten gebruiken en dus via online leveren;
- de vergaande *interactie* met de online consument zoals met social media;
- het kent de succesvolle eigenschappen van de *direct marketing* zoals het vasthouden van klanten;
- *kleine markten* kunnen winstgevend worden bediend via een online aanpak;
- consumenten zijn *anoniem* en kunnen zich anders voordoen, ook in koopgedrag;

- er is een groot bereik via het WWW door *internationalisering*;
- relatief goedkoop medium met groot bereik;
- het web kent meerdere functies zoals beleving, levering, branding, interactie en informatieverschaffing.

2.8 Nieuwe vormen van marketing

De kracht van de 4P's lijkt in de moderne marketing af te nemen. In het HOM introduceer ik een 4C-model voor de bepaling van onze online doelstellingen. Met de afname van de sterkte van het gebruik van de 4P's neemt ook de kracht van traditionele marketing af. De oeroude marketing werkt niet meer zoals het decennia lang heeft gedaan. Direct marketing was vooral in de jaren negentig hét antwoord op de massamarketing van de decennia daarvoor. Online marketing is de logische opvolging en *mobile marketing* en *social media marketing* staan klaar om online marketing nog meer kracht te geven. De klant wil individueel en relevant benaderd worden op het moment dat het hem uitkomt. Dit is zogenoemde *permissiemarketing*. De dialoog die wij dan aangaan met de consument wordt *dialoogmarketing* genoemd. Permissie, persoonlijke benadering en dialoog leiden tot andere vormen van marketing. Vormen van mensgerichte, directe en een-op-een marketing kunnen zijn:

- **Relatiemarketing** is marketing die volledig is gericht op het onderhouden van de relatie met actoren en consumenten;
- **Databasemarketing** wordt vaak het hart van online marketing genoemd omdat de klantgegevens - en het profiel opgeslagen in de database - campagnes bepalen;
- **Eventmarketing** is gericht op de ervaring of de belevenis die de klant een goed gevoel over een merk, product of organisatie moet geven;
- **One-to-one marketing** is gericht op het individu dat meestal een grote groep kan beïnvloeden met een mening;
- **Permissiemarketing** is de marketing die uitgaat van het benaderen van de prospect puur op basis van toestemming;
- **Social media marketing**: de marketing waarbij het middel social media wordt uitvergroot in de inzet. Het op hoog niveau gebruiken van social media netwerken speelt hierbij een rol;
- **Netwerkmarketing** is gericht op het uitbreiden en onderhouden van het netwerk van (potentiële) prospects.

2.8.1 De kernwaarden van de moderne marketing

Als we goed kijken naar de moderne vormen van (direct) marketing dan kennen wij de volgende kernwaarden:

- *nieuwe marketing* is gericht op permissie waarbij privacy gerespecteerd dient te worden;
- de *klant* geeft toestemming om gemarket te worden;
- *People* en *Planet* gaan bij veel organisaties voor Profit;
- de *prospect* ervaart bij voorkeur het merk, de organisatie of het product (experience), de consument heeft steeds minder affectie met massamarketing;
- het *sociale aspect* van persoonlijke benadering of sociaal netwerken is belangrijker geworden, klantgegevens en analyses van klantgedrag worden steeds belangrijker;
- we willen *content* en diensten steeds vaker los van tijd en plaats afnemen of bekijken zoals via de mobiel of de tablet;
- *content* komt steeds meer los van het kanaal, en experience en beleving door de consument staat boven de waarde die de marketeer opgedrongen wil meegeven;
- de *relevantie* van de juiste combinatie van de boodschap en het communicatiekanaal is primair.

Een voorbeeld van een nieuw concept waarbij kernwaarden zoals People en Planet onderdeel zijn, is die van het businessmodel van www.jointhepipe.org.

Bekijk op www.handboekonlinemarketing.nl de video 3-203 met uitleg over het principe van non-profitorganisatie *Join the Pipe*.

Het vergaand betrekken van de klant en gebruikers plus ambassadeurs van organisaties wordt *social business* genoemd. Het zenden is in dit soort organisatiebenaderingen vervangen door dialoog, cocreatie en participatie.

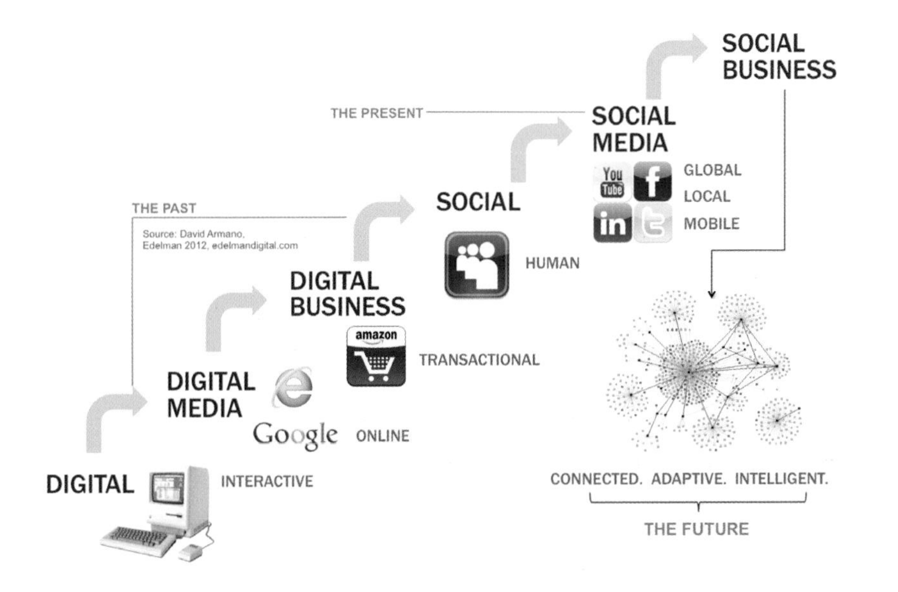

Afbeelding 2.27 Social business en de stappen naar deze soort organisatie.

2.9 EXPERT-CASE Interview met Hans Molenaar, directeur Beeckestijn Business School

Hans Molenaar is onder andere spreker, docent, directeur van de Beeckestijn Business School en Voorzitter Platform Innovatie in Marketing (PIM).

Afbeelding 2.28 Hans Molenaar, de voorzitter van PIM.

Wat zijn volgens jou de mensen die het huidige marketingvakgebied hebben neergezet?

"Velen hebben een bijdrage geleverd aan het marketingvakgebied. De belangrijkste vind ik Philip Kotler. Hij heeft een imago van *old school* maar hij blijft wel innoveren. De meeste mensen kennen alleen zijn standaardwerk dat op scholen wordt gebruikt, maar hij heeft over veel andere topics gepubliceerd zoals het boek *Marketing 3.0, Branding en B2B Brand Management, Marketing voor non-profitorganisaties* en *Corporate Social Responsibility.* Hij heeft ervoor gezorgd dat marketing verder kijkt dan alleen *shareholder value* en dat marketing ook oog moet hebben voor de omgeving en duurzaamheid. Hoewel hij altijd gewerkt heeft aan een universiteit is de productie van wetenschappelijk onderzoek niet zijn grootste verdienste. In de marketingwetenschap wordt ook niet al te hoog opgekeken naar hem. Zijn bijdrage aan de praktijk is waarschijnlijk groter dan alle marketingwetenschappers bij elkaar. Zijn kracht zit erin om ontwikkeling in het marketingvak in begrijpelijke taal uit te leggen. En hier zit een enorme uitdaging. Er vindt aan universiteiten heel interessant wetenschappelijk onderzoek plaats. De laatste tijd ook op het gebied van digitale marketing en social media. Probleem is dat deze kennis de praktijk maar moeilijk bereikt. De universiteiten in Nederland staan wereldwijd op de tweede plaats wat betreft wetenschappelijk onderzoek op het gebied van marketing. Het merendeel van deze kennis is volstrekt onbekend bij Nederlandse marketeers. Ik ben ervan overtuigd dat wetenschappelijk onderzoek de enige manier is om ons vak verder vooruit te helpen. Het is ook jammer dat wetenschappers met name in de wetenschappelijke tijdschriften willen publiceren en uitgevers en andere auteurs te weinig kennis hebben om het wetenschappelijk onderzoek om te zetten naar begrijpelijke en praktisch toepasbare publicaties. Waar Kotler in tekortschiet is zijn bijdrage aan de digitale en social media. Ook had hij wat meer kennis moeten nemen van het CRM-vakgebied. Andere mensen die belangrijk zijn geweest voor het marketingvakgebied zijn in mijn ogen *Peppers & Rogers* (One to One), *Seth Godin* (permission based marketing), *Al Ries & Jack Trout* (Positioning), *Michael Porter* (met zijn concurrentieanalyse) en *Frederick Reicheld* (Loyalty en NPS-score). Zaken die eruit moeten zijn de *Boston Consulting Matrix* en de *GE-modellen.* Deze zijn volstrekt waardeloos. Ook vind ik het *Tracey en Wiersema*-model gevaarlijk. In de kern is het niet slecht, alleen in de praktijk slaat het alle creativiteit dood en leidt tot slechte nietszeggende strategieën."

Welke grote stromingen heb jij opgemerkt kijkend naar marketing en de benadering van marketing als werk- en leergebied?

"Als ik het afgelopen decennium op een rijtje zet en kijk welke media-ontwikkelingen de marketingliteratuur drastisch hebben geraakt, dan waren marketeers in de vorige eeuw intensief bezig met een-op-een marketing, permission based marketing en CRM. Hierna kwamen internet en de digitale marketing als belangrijkste ontwikkeling. Momenteel staat social media marketing boven aan de prioriteitenlijst van marketeers. Dit is de meest ingrijpende ontwikkeling die het marketingvakgebied drastisch zal gaan veranderen. Ik verwacht dat mobile marketing ons de komende tijd als marketeers intensief zal gaan bezighouden. Vooral in combinatie met social media marketing is mobile interessant. Het gevaar is dat we als marketeers hier helemaal op gaan duiken terwijl we CRM nog niet eens op orde hebben. Hoe kunnen we serieus met social media marketing en mobile aan de slag gaan als we onze klanten nog niet eens goed kennen?"

Bestaat het vak 'marketing' nog wel in de toekomst?

"Absoluut. Ik ben heel positief over het vak. Marketing is de afgelopen twee decennia afgegleden van een strategisch vak naar met name communicatie en leadgeneratie. De meeste marketeers hebben niets te zeggen over het product-aanbod, de prijzen en de distributie. In die zin is het vak in de praktijk uitgehold. Door de enorme fragmentatie in kanalen en digitalisering van onze samenleving zie ik een enorme kans om het vak weer op een hoger niveau te tillen. Het zal niet meer beperkt blijven tot een afdeling. De hele organisatie en liefst ook de klanten moeten deel uit gaan maken van het marketingproces. Daar ligt de uitdaging voor organisaties en marketeers in het bijzonder."

Welke verschillen zie jij tusssen 'offline' marketeers en online marketeers?

"Het belangrijkste verschil is dat offline marketeers nog sterk denken in zenden en daarbij het bedrijf en het product zo mooi mogelijk neerzetten. Online marketeers zijn meer gericht op interactie en de boodschap aanpassen aan de ontvanger. Online marketeers zijn ook meer gericht op dingen doen, goed kijken naar de reactie en feedback. Online marketeers houden hun vak bij en doen veel aan bijscholing terwijl veel offline marketeers denken hun pensioen te halen met hun NIMA A,B,C of CE-opleiding. Zij hebben eerder de overtuiging dat ze het niet weten en dus op zoek moeten naar de juiste manier.
Offline marketeers teren sterk op hun ervaring en proberen successen uit het verleden te herhalen. En we weten allemaal dat resultaten uit het verleden..."

Wat maakt een online marketeer tot een goede marketeer, welke competenties zijn noodzakelijk tegenwoordig?

"Een goede online marketeer heeft kennis van de verschillende digitale kanalen en weet de mix zo samen te stellen dat het resultaat maximaal is. Denkt niet de wijsheid in pacht te hebben maar experimenteert veel en probeert tijdens het experimenteren wel direct geld te verdienen. *Earning while learning!* Deze markteers denken heel sterk in waardeproposities. *Wat heeft de ontvanger hieraan? Hoe ziet de hele customer journey eruit?* Ook voordat een klant zich oriënteert en ook na de aankoop. Een goede online marketeer laat de klant niet meer los. Voegt in alle stadia waarde toe in de communicatie. Probeert ook na een koop of afwijzing een band te onderhouden. Ooit zal het raak zijn."

Bekijk op www.handboekonlinemarketing.nl het interview met nummer 3-204 met Kaan Anit, CEO van bureau *Ambitious People* - tevens fd. gazellen winner 2012 - over de competenties van succesvolle online marketeers.

De HOM3 opdrachten van hoofdstuk 2

Dit hoofdstuk kent de volgende opdrachten:

1. Vat globaal de marketingontwikkeling van de laatste eeuw samen.
2. Noem 12P's die in een marketingmix gebruikt kunnen worden.
3. Noem de vier groeistrategieën van Ansoff.
4. Stel een SWOT op van je eigen organisatie.
5. Wat is het verschil tussen een marketingstrategie en een -doel?
   A Kies zelf een toepasselijke strategie.
6. Wat wordt bedoeld met kwantificering van een doelstelling?
   A Formuleer voor jouw organisatie een gekwantificeerd doel.
7. Welke kansen biedt het beleidsmatig inzetten van online marketing jouw organisatie?
8. Wat wordt bedoeld met een consument van het gen C?

3 Online marketingstrategie en de toepassing van het 4C-model

In het vorige hoofdstuk is de overgang van traditionele marketing naar moderne marketing beschreven. De trends en ontwikkelingen zijn uitgelicht die de traditionele marketing omzetten tot moderne marketing. Deze vorm is niet zomaar gelijk aan *online marketing*. Zo is *permissie*, *social media marketing* en *event driven marketing* (EDM) ook een vorm van moderne marketing. Naast online marketing moeten we niet het belang en de oorsprong van de traditionele of *offline marketing* uit het oog verliezen. In de praktijk mixen beide vormen van marketing goed en spreken we van een *crossmediale* mix. Pakken wij verschillende mediakanalen samen in de mix, dan spreken we van *crosschannel*. De voordelen van de traditionele media en die van moderne media worden effectief gemixt in het kader van crossmedia. Het succes van de moderne marketeer zit juist in het relevant inzetten van die instrumenten uit de online en dan weer offline marketing. Het is niet zomaar en/en. Het is niet zomaar of/of. De waarheid komt meestal samen in een crossmediale en/of crosschannelmix.

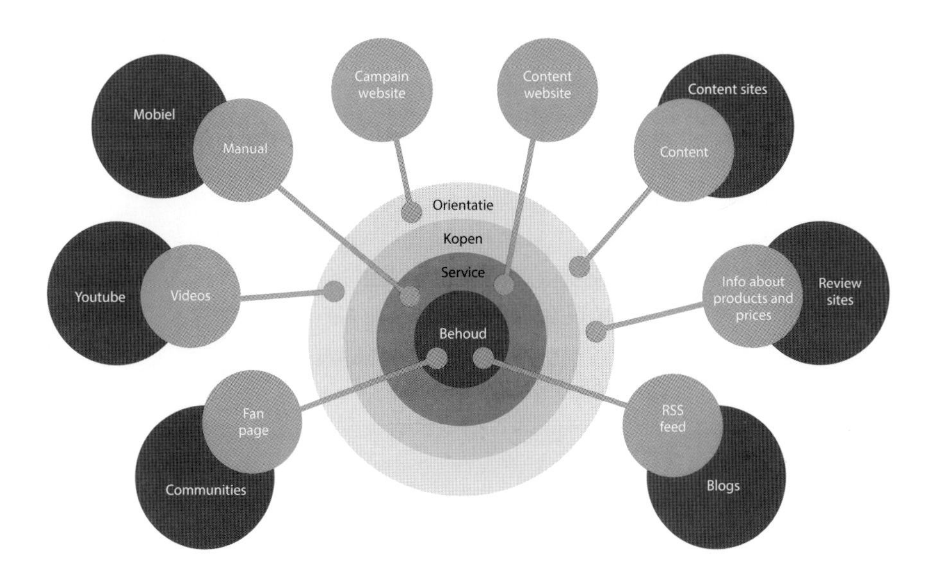

Afbeelding 3.1 Naast crossmedia kennen we ook crosschannel (tekening: door bureau Jungle Minds).

Als we naar de maatschappelijke ontwikkelingen kijken - waar bijvoorbeeld de realtime en mobiele revolutie het consumentengedrag sterk beïnvloeden - dan bevinden de marketingkansen zich steeds meer online. Zie hoofdstuk 1 en 2 voor de benoeming van trends die ook invloed hebben op de maatschappij en omgedraaid. Periode(n) van economische recessie zullen de voortgang van

de online alleen maar versnellen. De groei in bestedingen verschuift in grote stappen naar online door het afnemend resultaat van traditionele media zoals tv, print en radio. Traditioneel kent zeker nog een hoog bereik, maar de impact en beleving nemen af. De lage kosten en het snel kunnen bijsturen van campagnes als de (online) conversie tegenvalt, geeft online marketing een positief imago. Het maken van een langetermijnstrategie voor online marketing is bij online wel minder realistisch dan voor traditionele marketing en communicatie.
De snelle verandering van online (consumenten)gedrag plus massa aan online trends maken langetermijndenken lastig.

Bekijk op www.handboekonlinemarketing.nl video 3-301 met het interview door Kim Do met Mike Hoogveld, de auteur van het boek *Cross Channel Excellence.*

Afbeelding 3.2 Mike Hoogveld over zijn boek Cross Channel Excellence.

In hoofdstuk 2 is online marketing in een netwerk van moderne marketingvormen geplaatst. Online marketing heeft overduidelijk veel eigenschappen van het netwerk van moderne mensgerichte marketingvormen. De verschuiving van massamarketing naar direct marketing zet online marketing voortvarend door. Bij de uitvoering van een marketingstrategie zijn verschuivingen binnen de online mix noodzakelijk wat een omschrijving van een langetermijnstrategie bijna onmogelijk maakt. Online spreken we niet snel van een harde strategie die lang mee gaat maar eerder van een *focus* en *visie*. Deze twee begrippen kennen bijbehorende doelstellingen en een kortere of onbepaalde looptijd. Hierna is de vertaling naar tactieken op het niveau van de online mix van middelen een belangrijke stap. Offline kennen we vaak een strikt bepaalde marketingstrategie die een vooraf bepaalde lange looptijd heeft. Online zien we een lerende marketingvorm verschijnen die flexibiliteit in de organisatiecultuur vereist. De term *social business* wordt hierbij vaak genoemd. Een online aanpak kent gezien de snelle (markt)ontwikkelingen een kortere duur. Bij het uitvoeren van een online strategie is het zelfs gevaarlijk te lang eenzelfde koers te varen. Meer hierover later in dit boek.

3.1 Eigenschappen van online marketing

Aan de online marketing kunnen wij eigenschappen en vereisten toekennen zoals:

- een sterke *relatiegerichtheid*;
- steeds vaker *realtime*, online expert Erwin Blom spreekt in zijn gelijknamige boek van *De Realtime Revolutie*;
- een erkende plaats binnen de organisatie of marketingafdeling;
- een *focus op het kanaal,* de content en terugkerende gebruiker;
- een focus op een *afgewogen mix* van *Informatie*, *Transactie* en *Communicatie* (ICT) in de online uitingen (zie hoofdstuk 6 voor de uitleg);
- de meerwaarde van de organisatie en het aangeboden product dienen sterk en overduidelijk te zijn; de strategie moet tegen een stootje kunnen;
- online wordt de organisatie met een *kritische crowd* geconfronteerd, organisaties moeten hierop zijn voorbereid;
- *flexibel*, de aanpak dient snel *bijgeschaafd* te kunnen worden, soms al in de eerste dagen van de lopende campagne;
- het moet *integreerbaar* zijn met andere vormen van marketing en communicatie;
- gerichtheid op *online partnerships* of online verkoopkanalen (affiliates) om snel te kunnen groeien en snel geaccepteerd te worden online.

Meer dan bij traditionele marketing dient een online marketingstrategie - en dienen de afgeleide doelstellingen - SMART te zijn. Het specifieke karakter, het realistisch zijn van de aanpak en de gebondheid aan de tijd zijn harde vereisten voor een succesvolle online marketingaanpak. Online marketing staat als marketingvorm niet los van het overige beleid. Het is een discipline die binnen een marketingnetwerk hoort die vervolgens online marketing een divers karakter meegeeft. Was online marketing ooit zomaar een verlengde van de marketingdoelstellingen en indirect van de doelstellingen van een organisatie, nu lijken de verschillende vormen van marketing veelal dichterbij te komen binnen een organisatie. Dat je online, relatie-, direct, social en andere vormen van marketing niet zomaar kunt isoleren binnen organisaties is een feit.

De echte voordelen komen uit synergie en het in lijn zijn van de marketing-aanpak. Daarbij zorgt online voor een verdere verwatering van afdelingen zoals marketing, marketing-communicatie, PR, service, CRM en online.

Afbeelding 3.3 Het netwerk van moderne marketingvormen.

PIM - het Platform Innovatieve Marketing - is een Nederlands kennisnetwerk op het raakvlak van marketing en technologieën. Het vergroot de commerciële slagvaardigheid van zijn leden door hen handvatten te reiken voor het verbeteren van hun marketing- en verkoopprocessen. Bezoek www.pimonline.nl voor meer informatie en raadpleeg de agenda met periodieke marketingsessies van PIM. PIM kent periodieke bijeenkomsten maar is ook de drijvende kracht achter de jaarlijkse *PIM Marketing Literatuurprijs.* Waar de marketingstrategie een afgeleide is van de ondernemingsstrategie of corporate strategie, is de online marketingstrategie een logische afgeleide van de marketing- en communicatiestrategie. Een marketingvorm die relatiemarketing, elementen van online marketing en direct marketing subtiel mixt is *event driven marketing.* Docent en auteur Egbert Jan van Bel is de specialist op dat gebied.
Van Bel spreekt ook regelmatig op meetings van PIM.

Het *Mission Statement* - de uitgesproken abstracte missie van een organisatie - moet daarom ook online goed vertaald aanwezig zijn. Als een ware missie dient het Mission Statement in alle vormen van de online aanwezigheid en processen merkbaar te zijn. Hiermee valt een organisatie snel door de mand als het online Mission Statement offline waargemaakt dient te worden. Is je organisatie offline goed in het bedienen van de klant bij het doorlopen van het koopproces, dan dient ook de website over relevante en handige tools te beschikken. De offline erkende proposities en USP's moeten online op een juist vertaalde manier aanwezig te zijn.

Afbeelding 3.4 De plaats van de online marketingstrategie.

Internetconsultants die voor diverse commerciële en non-profit-organisaties werken herkennen de issues waar organisaties al jaren mee worstelen. Dit is de plaats van het werkgebied online marketing binnen de organisatie. Eind jaren negentig lag 'online' in handen van de ICT-afdeling. Enkele jaren later werd de strategie rondom de online uitingen verplaatst naar de afdeling Reclame.

In het derde onderdeel van het HOM - in hoofdstuk 16 - wordt aandacht besteed aan het gestructureerd opzetten van een online marketingplan (OMP). Hierin wordt net als in het model van afbeelding 3.4 duidelijk gemaakt dat online mar-keting bij een gestructureerde aanpak een afgeleide is van andere strategieën. We zitten momenteel in het tijdperk dat de online aanpak onder de verant-woordelijkheid van de marketing- of marketingcommunicatieafdeling valt. In de toekomst zal de online strategie op het niveau van de ondernemingsstrategie moeten landen. De algemene fases die we bij het maken van een strategie moeten doorlopen -inclusief de kernwaarden voor een online strategie- kunnen wij compact op een rij zetten aan de hand van deze vragen:

- **Waar staan we nu?** Dit is de brede analyse waarbij je in kaart brengt hoe de consument tegen jouw organisatie of product aankijkt. Dit kan tevens een (tussentijdse) analyse van huidige gestelde en uitgevoerde doelen zijn, de merkperceptie, het in kaart brengen van de (interne) capaciteit en een analyse (zie hoofdstuk 2 van het HOM).
- **Waar willen we staan?** Hierbij worden in het digitale marketingmodel van Shaffey en Smith gesproken over het *5S-model* om de doelen te omschrijven: *Sell* (commerciële doelen in kaart brengen), *Serve* (customer satisfaction en het optimaal bedienen van de klanten), *Sizzle* (de tijd dat dat een klant op een site blijft), *Speak* (de dialoog met engaged klanten, gebruikers en meer deelnemers aan de crowd die om een organisatie hangt) en *Save* (voordelen die ontstaan door een efficiënte aanpak).
- **Hoe komen we daar?** Door middel van het segmenteren van de markt? Een duidelijke positionering of het voorop stellen van een duidelijk te verwerven doel? Het duidelijk positioneren van de unieke meerwaarde van de organisatie of het product? Door de integratie van processen of producten of diensten?
- **Welke middelen gebruiken we?** Webtools? Nieuwe functionaliteiten op de website? Mobiel internet? E-mailmarketing? Viral? Social media of andere online middelen?
- **Hoe komen met die middelen waar we moeten zijn?** Welke tactiek zetten we per middel in?
- **Wie doet wat?** Wie heeft de verantwoordelijkheid voor de doelen? Zetten we interne bronnen in of externe?
- **Hoe vindt de controle plaats?** Welke KPI's bepalen wij? Hoe meten wij het resultaat? Hoe vindt de eindrapportering plaats? In hoofdstuk 16 van het HOM wordt het online marketingplan aangeboden met behulp van onder andere deze stappen.

3.2 Randvoorwaarden van de online marketingstrategie

Een keiharde strategie bepalen bij het toepassen van online marketing is onmogelijk gezien de snelheid van de internetontwikkelingen en de toenemende kracht van de social media. Voor een langere tijd een richting uitstippelen lijkt moeilijker dan ooit. Daarbij zal goed naar de organisatie moeten worden gekeken om realitisch in te kunnen schatten of een strategie überhaupt wel succesvol zal uitpakken. Het befaamde 7S-model is een systeem dat is ontworpen door voormalige McKinsey-medewerkers Richard Pascale, Tom Peters en Robert Waterman. Bij de toepassing van dit model kijken we kritisch naar de organisatie en de managementstijlen. We toetsen - aan de hand van zeven harde en zachte factoren - de kwaliteit van de geleverde prestaties.

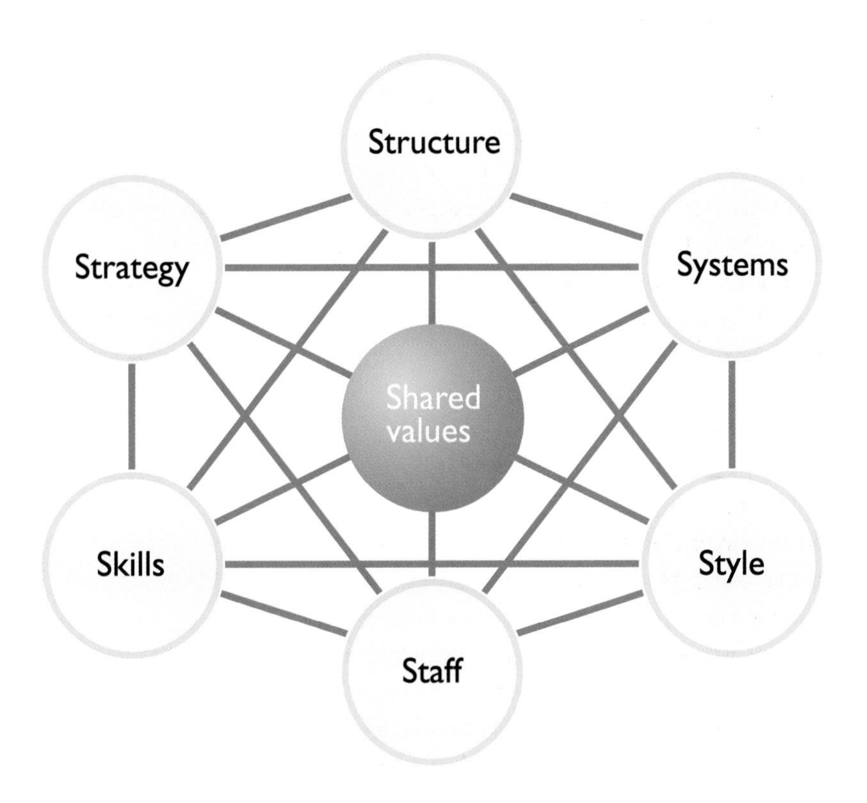

Afbeelding 3.5 Het 7S-model van McKinsey.

Afbeelding 3.5 en het *7S-model van McKinsey* toegelicht komt neer op:

- **Structure**: geeft de inrichting van de onderneming aan in onderdelen zoals niveaus, taakverdeling, coördinatie, lijn-, staf- en functionele organisatie.
- **Systems**: alle formele en informele werkwijzen, procedures en

communicatiestromen, zowel intern als extern, als ook de procedures, regelingen en afspraken.

- **Style**: dit is de managementstijl, de manier waarop de manager de medewerkers behandelt en de wijze waarop men met elkaar omgaat. Als de leiding deugd en de sfeer bij een organisatie goed is, levert dit veelal ook een goed resultaat op en gelukkige medewerkers.
- **Staff**: richt zich op wat de profielen zijn van de manager en de medewerkers. Hoe zien de beloningssystemen en manieren van motiveren eruit?
- **Skills**: waar is de organisatie goed en/of competitief in?

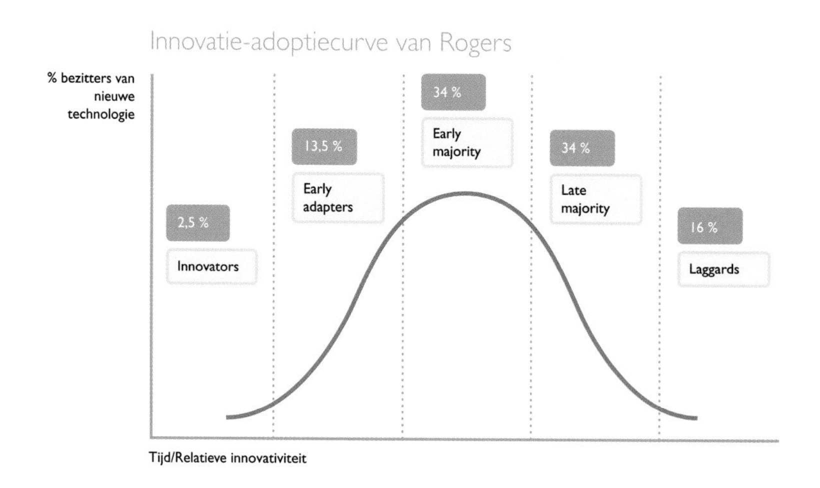

Afbeelding 3.6 De curve van E.M. Rogers die in de marketing als PLC wordt gebruikt.

- **Strategy**: dit geeft de beoogde acties van de organisatie weer. Welke harde doelen worden gesteld en met welke middelen wil men ze bereiken ? De strategie dient de brug te vormen tussen het Mission Statement en de reële mix van middelen. Indien bijvoorbeeld het middel social media deel uitmaakt van de strategie, zal de organisatie open moeten zijn, snel kunnen schakelen en dienen er bepaalde competenties aanwezig te zijn wil de strategie succesvol ingezet kunnen worden. Een goed en helder strategisch plan maakt duidelijke keuzes en zorgt dat alle delen van de organisatie weten wat er van hun verwacht wordt. Zo kan elk onderdeel bijdragen aan het succes van het geheel. De verdeling van taken binnen de organisatie bevindt zich vaak op tactisch niveau. Een online marketingstrategie kent een minder lange termijn dan die van de strategieën uit de traditionele wereld. Een online strategie is simpelweg eerder opgebrand door de snelle (markt)ontwikkelingen. Een online strategie dient een mate van flexibilteit te hebben.Toch kunnen traditionele modellen zoals de SWOT-analyse (zie hoofdstuk 2) en een *Product LifeCycle* (PLC) feilloos worden overgenomen in de moderne vormen van marketing.

3.2.1 De i-dentiteit, focus en visie bij een online strategie

Ooit hadden we de innovatie-adoptiecurve van Rogers. De curve laat de adoptie zien van nieuwe ICT-ontwikkelingen. De *i-dentiteit, focus* en *visie* vormen de drie peilers van dit eenvoudige model dat de onderdelen van een juiste online strategie weergeeft. Voor een goede en snelle introductie van een 'online strategie' is naast de adoptiesnelheid vooral een *IFV* nodig, IFV staat voor:

- *i-dentiteit;*
- *focus;*
- *visie.*

Afbeelding 3.7 I-dentiteit, focus, visie.

3.2.2 De focus binnen de online marketingstrategie

Focus is het boven op de internetmiddelen zitten. Wordt er in de online marketingmix gebruik gemaakt van social media, dan dient er een focus op het onderhouden van de content en het netwerk te liggen. Worden de content en het online netwerk slecht onderhouden, dan oogt de hele site, de hele campagne en dus ook de hele organisatie erachter slordig, verouderd en niet professioneel. De uitwerking van een online marketingmix dient gericht te gebeuren en is niet zomaar even een extra virtueel kanaal ernaast dat gemixed wordt bediend. Aangezien online de emotie van de gebruiker zwakker is dan in het echte leven, is ook de binding en trouwheid minder sterk. Een webshop waarbij de eigenaar niet reageert op vragen over producten, service, bezorging of andere vragen zal niet slagen. In Nederland wordt er bijvoorbeeld weinig gefocust op kwalitatieve

databasemarketing. Er worden databases vol e-mails blind ingekocht of zonder gerichtheid data opgevangen (Big Data). Bij de opvang van gegevens wordt soms weinig naar de wetgeving (Telecomwet) gekeken. We maken elkaar gek met databases vol 'prospects' daar waar in werkelijkheid databases massaal zijn vervuild en grotendeels onbruikbaar zijn. De focus kan ook op organisatieniveau worden gezien. KPN is bijvoorbeeld van telecomaanbieder contentleverancier geworden. Door het gratis bellen via het internet, afname van het sms-verkeer en de toename van transparantie in levering van telecomdiensten was KPN gedwongen tot een flinke verlegging van de focus.
Obama heeft tijdens zijn campagnes de focus gelegd op het via het internet benaderen van aanhangers om hem met een donatie van 5 dollar per persoon te steunen. Obama gebruikt daarbij gericht social media door middel van *storytelling*. Deze internetaanhangers werden vervolgens ambassadeurs die de focus en vooral de visie van Obama online op een positieve manier begonnen te verspreiden. De focus en interactie met eventuele stemmers gaf hem veel 'believers' terug. Een bijna viraal effect dat meer dan ooit invloed heeft gehad op de presidentsverkiezingen. Deze aanpak kent ook tegenstanders. De kritiek op de online aanpak van president Obama en zijn team was het feit dat hij de 'social media' veel macht geeft bij het bepalen van het overheidsbeleid in de VS.

Bekijk op www.handboekonlinemarketing.nl het video-interview 3-302 met Chris Sacca (ex-Google) over zijn rol bij de social media campagne van Obama en bijbehorende *focus*.

3.2.3 De visie binnen de online marketingstrategie

De visie uit het getoonde eenvoudige model, is gelijk aan het Mission Statement. Het Mission Statement zoals wij dat in de traditionele marketing kennen. De visie is naast de Focus noodzakelijk omdat operationele online marketingstrategieën te veel gericht zijn op het restylen en online brengen plus onderhouden van een website. De visie op de online marketingstrategie moet zorgen voor online samenwerkingen, voor het uitdragen van de focus en het versterken van de i-dentiteit van de strategie. De visie binnen de organsatie is bij online marketing nog te vaak bottom-up. Een clubje internetgelovigen dient het management op hoger niveau te overtuigen van het nut van een online marketingstrategie. Organisaties die de overtuigingen vanuit de top van het management juist top-down in de organisatie doorvoeren hebben een sterke i-dentiteit en daarmee sterke visie. Zij kunnen denken en werken naar de vereisten die de online wereld met zich brengt.

Afbeelding 3.8 Oscar Diele is Marketeer of the Year en manager bij Spilgames.

Bekijk op www.handboekonlinemarketing.nl video 3-303 met *Marketeer of the Year* Oscar Diele over zijn missie en focus bij Spilgames, een van de grootste gameproducenten van de wereld.

3.2.4 De i-dentiteit binnen online marketingstrategie

In het *Tijdschrift voor Marketing* werd in 2006 al geschreven over de veranderende visie op marketing door de opkomst van het internet. Het bijvoorbeeld gratis weggeven van diensten om een markt te veroveren is bijvoorbeeld op het WWW vrij normaal gebleken. De i-dentiteit komt voort uit de SWOT-anlyse en laat online zien waar je als organisatie aan kunt voldoen. Het is de positionering die de organisatie online meerwaarde en concurrentiekracht geeft. Ga je als organisatie online niet voordoen als een onderneming die veel communiceert met zijn klanten als dat niet zo is. Waar traditionele marketing sterk bezig is met image en imago, is de online marketing vooral bezig met het daadwerkelijke 'zijn'.

3.2.5 De overige succesfactoren binnen de online marketingstrategie

De puur rationele factoren die een marketingstrategie in het algemeen beïnvloeden zijn:

- het *budget*;
- de aanwezige *online ervaring*;
- de *online kennis* van de betrokken afdelingen en bureaus;
- de *online visie* die hoog in de organisatie aanwezig is en kan zorgen voor snelle veranderingen in de timing;
- de *dienst* of het *product* zelf;
- de *ontvankelijkheid* van de doelgroep voor online activiteiten zoals social media en online video.

Kijkend naar de organisatie die de online strategie zal moeten gaan uitvoeren, dan zijn de volgende vragen vitaal voor online succes:

- beschikt je organisatie over een flexibele ICT-afdeling?
- doe je zaken met (online) bureaus die de organisatie scherp houden?
- zijn de beslissers binnen de organisatie te overtuigen en wendbaar?
- zijn de middelen aanwezig om te focussen op de online campagnes, de sites, de content, de databasemarketing en andere instrumenten?
- kun je op termijn de organisatie 24/7 inrichten?
- kan het product of de dienst qua image en handling eenvoudig naar het web worden gebracht?

3.2.6 Sluit een iPACT voor online succes

Naast de genoemde voorwaarden van online succes, is het noodzakelijk een *PACT* te sluiten. Dit pact sluit je intern of met partijen die invloed hebben op de interne organisatie (bijvoorbeeld een ingehuurde ICT-afdeling). Er gaat technisch weleens wat fout als je online campagnes opeens succes blijken te hebben. Ondanks het bestaan van het internet sinds 1990, zijn veel organisaties nog onervaren met serieuze en strategische online campagnes en de vergaande gevolgen voor alle betrokkenen. Sluit nog voor lancering een internetPACT om het externe succes op te kunnen vangen. Een *iPACT:*

- **Personeel**: laat tijdig je collega's, het communicatiepersoneel, marketingpersoneel, het managementteam en anderen binnen de organisatie weten dat je online gaat met een (nieuwe) online strategie. Zij zijn de eerste testers van de online campagne, van de websites en andere instrumenten. Laat tijdig weten dat je live gaat en laat tijdig weten wat intern de consequenties kunnen zijn van de nieuwe online campagnes.
  De online marketingstrategie is vaak bedacht door een klein, geïsoleerd clubje binnen de organisatie. Toch heeft de hele organisatie te maken met de online uitingen en de reacties die via het WWW binnenkomen. Dit

brengt ons heel logisch tot de 'A' in 'PACT'.

- **Afhandeling**: mobiliseer een serieuze backoffice die gerichte vragen die via het web binnenkomen beantwoordt. Werk eventueel met een virtuele klantenservice zoals een actieve FAQ of actieve zelfservice. Het niet of niet tijdig afhandelen van reacties via webuitingen kan al snel de doodsteek zijn van de campagne en beïnvloedt de i-dentiteit.
- **Content**: organiseer dit nog voor het live gaan van de webuitingen voor een team dat zich serieus en dedicated op de content van de uitingen focust. Dit geldt voor het nieuws, de actuele productinfo op de website maar ook voor de inhoud van de e-mailings, het RSS-aanbod en de uitingen in de social media. Zijn het communicatiemedewerkers of zijn het contentprofessionals gericht op het schrijven voor het web en het schrijven voor zoekmachines en social media?
- **Techniek**: de grootste fout is het te laat betrekken van de afdeling ICT bij een online strategie en campagne. De marketeer die snel wil schakelen raakt te vaak gefrusteerd omdat de techniek de lancering van de online campagne nog niet mogelijk maakt. De technische afdeling kan in een voorstadium goed aangeven of alles wel mogelijk is binnen de campagne. Ook kunnen zij aangeven of er noodzakelijke technische koppelingen mogelijk zijn en kunnen zij technisch inzicht geven in de mogelijkheden en consequenties van databasemarketing binnen de organisatie.
  De samenwerking tussen marketing en ICT levert vaak de klassieke botsing op wat veel onduidelijkheid en stress geeft bij het in de praktijk brengen van online marketing. Het snel kunnen schakelen met de afdeling ICT levert een positieve bijdrage aan campagnes en leidt tot campagnes die snel bijgesteld kunnen worden.

3.3 De online strategieën

Na de uitgesproken focus, visie en i-dentiteit en het in acht nemen van de randvoorwaarden kunnen we beginnen met het benoemen van een strategie. Vervolgens gaan we de aloude 4P's omzetten naar de 4C's om de strategie online te vertalen voor operationalisatie.

Hoewel een strategie op het internet een minder lange looptijd heeft dan buiten het internet, is de impact van de gekozen strategie op de organisatie groot. De organisatie zal zich in kortere tijd een nieuwe focus en visie moeten gaan aanleren en leren omgaan met de gevolgen hiervan op de bedrijfscultuur.

3.3.1 Hoe sterk is de strategie?

Focus, visie en i-dentiteit kunnen wij omzetten naar drie hoofdkeuzes in de online strategie:

- *Internet als missie;*
- *Internet als kritische succesfactor;*
- *Internet als strategisch hulpmiddel.*

3.3.2 Internet als missie

Het internetbeleid dat wordt gevoerd met de strategie 'Internet als missie' focust zich op een strategie die is geïntegreerd in de visie en de missie van het bedrijf. De activiteiten van de organisatie zullen zich in deze situatie binnen en rond het internet afspelen. Voorbeelden zijn Wehkamp.nl, Managementboek.nl, Sunweb en Bol.com.

3.3.3 Internet als kritische succesfactor

Een organisatie die ervoor kiest om deze strategie te voeren is gefocused om een sterk internetbeleid te voeren. Deze noodzaak is aanwezig om concurrerend te blijven opereren of om simpelweg te overleven. Er kan achterstand opgelopen worden op de concurrenten door het niet, verkeerd of te laat inzetten van de internettechnologie. Voorbeelden van organisaties die deze strategie inzetten zijn internetmakelaars zoals Beetjehulp.nl, de reisbureaus, het online bankieren, internetdrukkerijen en online portals die steeds meer de functie van gedrukte kranten overnemen.

Afbeelding 3.9 Deze wijkkrant bestaat alleen online en kent internet als missie.

3.3.4 Internet als strategisch hulpmiddel

Bij het inzetten van deze strategie wordt het internet als kritische succesfactor afgezwakt tot een strategie waarin internet wordt ingezet als hulpmiddel om andere gestelde kritische succesfactoren te helpen realiseren. In de jaren negentig de kern van strategieën.

Bekijk op www.handboekonlinemarketing.nl het video-interview 3-304 met de creative director van SOUND!, een tv-serie van EndeMol die in het verleden puur voor het internet is gemaakt.

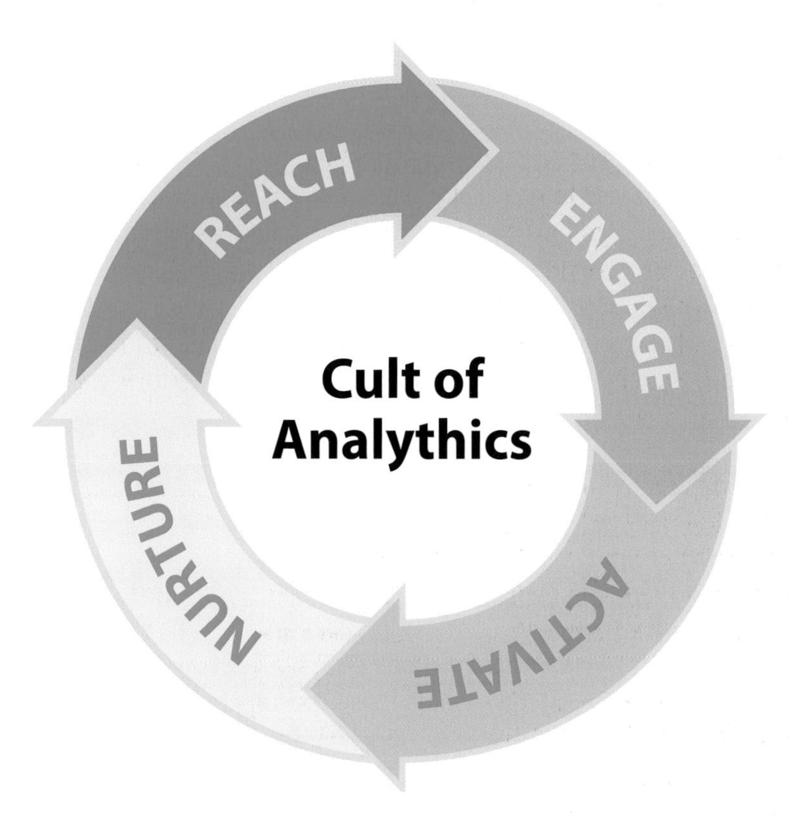

Afbeelding 3.10 Het REAN framework.

3.3.5 Strategie omzetten naar tactiek

Een snelle vertaling van strategie naar tactiek kan door middel van het *REAN framework* van Steve Jackson. Het REAN framework van Jackson (uit zijn boek de *Cult of Analytics*, 2009) draait heel logisch van *Reach* naar *Engage* naar *Activate* en *Nurture*. Nurture is het laten groeien van je potenties en beoogde doelen.
De in het model genoemde afkorting REAN staat voor:

- **Reach**: het creëren van *bereik* door middel van bijvoorbeeld zoekmachineoptimalisatie, webvertising of social media;
- **Engage**: door juiste *content* en online uitingen de bezoeker en eventuele klant vasthouden en boeien;
- **Activate**: *engagement* en dus betrokkenheid omzetten naar waarde en meerwaarde, contactmomenten worden leads
- **Nurture**: het *converteren* en waarmaken van de doelen en voorfases uit het framework. Relaties worden klanten en leads worden orders.

Het REAN framework is als model zeer zeker bruikbaar voor het benoemen van een snelle, compacte campagne. Wordt het complexer, dan zullen we doelen en stappen moeten uitschrijven en benoemen. REAN kan ook worden gebruikt bij het aansturen van social media marketing (hoofdstuk 12) gezien de focus op engagement en de activering bij het behaalde bereik. Meer hierover verderop in het boek.
In het Handboek Online Marketing nemen we een subtielere stap met concretere benoemingen. Deze benoemingen geven richting aan het samenstellen van de juiste online mix door middel van het benoemen van de 4C's. Dit kent een bijna gelijke benadering als de 4P's van de traditionele marketing.

3.4 De koppeling van de marketingstrategie aan de online marketingstrategie

De traditionele 4P's - Prijs, Plaats, Promotie en Product - kunnen wij niet zomaar online gaan inzetten. De essentie van de P's als instrumenten blijft. Als we de P's bijschaven en rekening houden met de voorwaarden die het online medium en de gebruikers stellen, dan worden de P's de C's.

3.4.1 Het 4C-model

Het 4C-model helpt ons de marketingmix die wij online hanteren samen te stellen. In de vorige hoofdstukken heb je kennis kunnen maken met de traditionele 4P's. De P's worden omgezet naar online instrumenten die online logisch zijn in hun verschijning.

Prijs **Cost**	**Plaats** **Convenience**
Product **Consumer value**	**Promotie** **Communication**

Afbeelding 3.11 Van 4P's naar 4C's.

De 4C's zijn logisch te hanteren en sluiten aan bij de kenmerken van het web. De online instrumenten zijn gericht op de eisen die online gebruikers of klanten bewust of onbewust hebben:

Cost Convenience Consumer value Communication

3.4.2 De C van Cost

Cost is niet alleen de prijs die online wordt berekend. Dat de prijs online een sterk wapen is, is een feit. Bij een scherpe en vindbare prijs worden sites vanzelf gevonden en gepromoot via bijvoorbeeld vergelijkingssites. Het instrument Cost doelt ook op de premiums of kortingen die worden gegeven. Ook de moeite die een consument moet doen om de dienst aan te schaffen of de moeite die de consument moet doen om de dienst te laten bezorgen behoort tot Cost. Het zullen moeten reizen om een bestelling op te halen, het veel moeten aanklikken op een site, het veel moeten invullen van een formulier zijn voorbeelden van Cost. Het kunnen printen van een bioscoopkaart neemt veel irritatie en 'effort' weg anders dan het dertig minuten van tevoren moeten ophalen van een toegangskaart bij de lokale bioscoop. Uit usability-onderzoek blijkt dat het online gemak net zo belangrijk is als de prijs.

3.4.3 De C van Convenience

'Gemak dient de mens.' Een uitspraak die online van hoge waarde is.
Gemak kan het online snelle en eenvoudige proces zijn. Gemak kan ook de gebruikersvriendelijkheid van de gehele site zijn. Sites die leuk zijn 'om naar te kijken' werken vaak niet goed. Wij laten ons niet meer langdurig misleiden door Flash-intro's, zware video's en onnodige informatie. Nu websites meer zijn dan

presentaties, wordt het handig gebruik van de site steeds belangrijker. De online leer die *Convenience* beschrijft heet usability. Usability is niet nieuw.

Jakob Nielsen(1957) is dé usabilitygoeroe. Hij heeft veel betekend voor het handig ontwerpen van interfaces, besturingssystemen en applicaties. Nielsen heeft onder andere voor IBM en SUN gewerkt. Zie zijn website www.useit.com.

De online marketeer die het belang van usability erkent zal meer resultaat boeken met zijn of haar online conversie. Het online gemak is iets wat te weinig wordt getest. Een website als Marktplaats.nl oogt als 'lelijke' site, maar dankt zijn succes vooral aan de eenvoud van het plaatsen van een advertentie of het opzoeken van een product. Nog meer voorbeelden van de C van Convenience:

- het in drie stappen volledig kunnen boeken;
- het direct kunnen bekijken van foto's en video's van het product dat te koop wordt aangeboden;
- een makkelijke betaalmethode zoals iDEAL;
- de status van de order en levering kunnen zien;
- tijdens de koop bijbehorende bijproducten direct kunnen meebestellen;
- een formulier dat meehelpt de juiste gegevens in te vullen;
- een navigatie die de klant gemakkelijk bij zijn einddoel brengt.

3.4.4 De C van Consumer value

Een unieke meerwaarde is wat elke succesvolle strategie nodigt heeft. Is deze meerwaarde overtuigend te communiceren, dan zitten we helemaal goed. Het zijn basisprincipes uit de leer van de marketingcommunicatie. De *Consumer value* is ook het hart van het 4C-model en verdient veel aandacht. Prijs is geen meerwaarde. Ook de manier van communiceren is niet zomaar een meerwaarde. Het feit dat websites ook op een mobiel gezien kunnen worden, is géén meerwaarde maar een eigenschap van het medium. Tijdens het lesgeven en het invullen van een online marketingplan wordt bij de C van Consumer value vaak het 24 uur bereikbaar zijn als meerwaarde aangehaald. Ook die 24/7 bereikbaarheid is een eigenschap van het medium en geen unieke meerwaarde. Een Consumer value is uniek, onderscheidend en ook als onderscheidend te communiceren meerwaarde van de onderdelen van de online mix. Voorbeelden van de online Consumer value die in het 4C-model benoemd kunnen noemen zijn:

- het online in 3D door een pretpark lopen om zo jouw route te kunnen bepalen en keuzes te maken;
- het kunnen inzien van delen van boeken die gekocht kunnen worden zoals op Amazon.com inclusief boeken met een gelijk thema;

- het online kunnen uitkiezen van jouw plek in het vliegtuig inclusief de persoon waar jij naast zit tijdens de vlucht;
- het online kunnen samenstellen van een op maat gemaakte poster die binnen 24 uur compleet en geprint wordt thuisbezorgd;
- het op de bank via de tablet computer kunnen zien van live-tv en direct in de online toepassing via Facebook of Twitter een reactie plaatsen;
- het kunnen doen van een studietest via de iPad om vervolgens tot de beste opleiding te komen en direct te kunnen boeken;
- het op maat kunnen vergelijken van producteigenschappen en prijzen van een product dat je wilt kopen zoals mobiele telefoons;
- het kunnen zien van reviews tijdens de aankoop van een product en daarbij de connecties uit jouw sociale netwerk die de reviews hebben geplaatst;
- het bestellen en direct kunnen printen van persoonlijke toegangskaarten zoals op www.livenation.nl;
- het online of via een mail met één klik kunnen bestellen van de derde editie van Handboek Online Marketing (HOM).

3.4.5 De C van Communication

De C van *Communication* heeft veel met de look-and-feel van webuitingen te maken. Te veel tekst op een site. Veel foto's. Relevante video's.

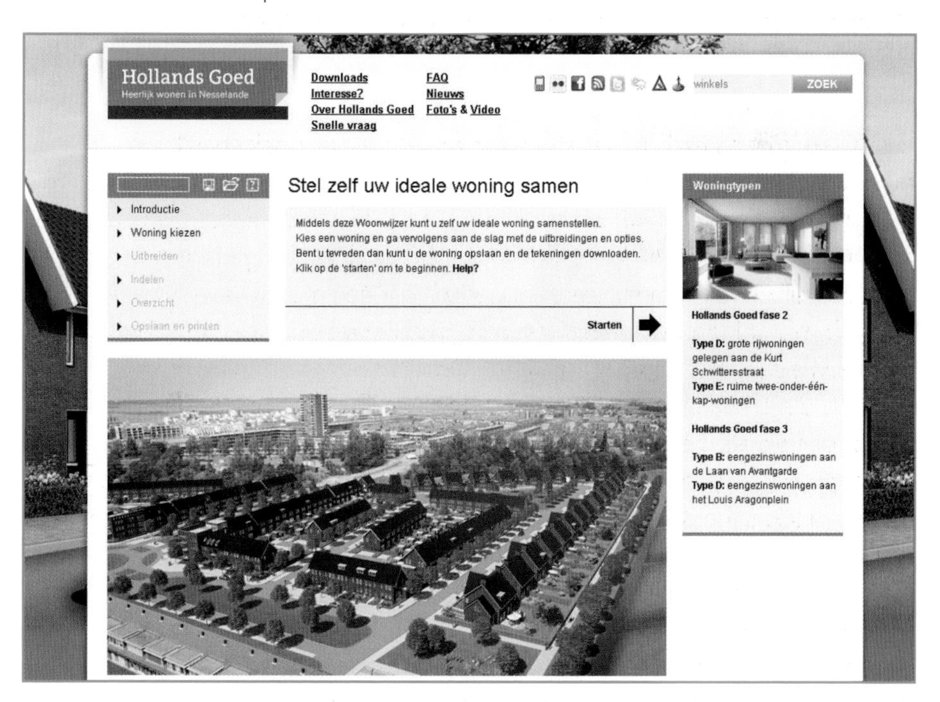

Afbeelding 3.12 Deze site biedt een optie tot het uitbouwen van een woning.

Signaalkleuren in de navigatie. Het zijn allemaal onderdelen van een zogenoemd interaction design. Surf eens naar www.gsmweb.nl , naar www.typhone.nl en naar www.studentmobiel.nl. Wat zegt hun uitstraling over prijsniveau en prestatie? Welke site vertrouw je het meest? Interaction design en Usability zorgen voor een vitale communicatie met de gebruiker. Een website die vertrouwen uitstraalt nodigt uit om bijvoorbeeld met een creditcard te betalen. Een e-mailing die scanbaar is en duidelijk aangeeft wat de boodschap is, nodigt uit tot doorklikken. Buttons die duidelijk aangeven wat je op de pagina erna gaat zien nodigen uit tot klikken. De C van Communication is moeilijk want communicatie lijkt zo gemakkelijk. Bij het invullen van deze C wordt de opdrachtgever te vaak verleid met mooie plaatjes en fancy tools plus animaties die een puur kortetermijneffect kennen.

Het doel van het instrument *Communication* is het meegeven van een goed gevoel bij de internetter. Dit goede gevoel zorgt voor vertrouwen, conversie, aanvragen, aankopen en voor het dieper in de site navigeren en het vaker terugkomen op de website.

Afbeelding 3.13 Bol.com straalt frisheid, gemak, volledigheid, snelheid en actiegerichtheid uit.

Voorbeelden van *Communication* zijn:

- het *kleurgebruik* op de gehele website;
- het subtiel gebruiken van *foto's* van aansprekende personen;
- een website die rekening houdt met de *voorkeur* van de bezoekers;
- de *verhouding* tekst/foto/video en overige onderdelen van het scherm;
- de *signaalkleuren* die aangeven wat goed of fout is;
- het gebruik van goed uitgekozen foto's die veel *vertellen* over het product of de organisatie;
- een website met een dure of goedkope *uitstraling*;
- een ontwerp en uitstraling die veel *vertrouwen* opwekken;
- een heldere *navigatie* die de gebruiker prettig door de site laat navigeren.

Bekijk op www.handboekonlinemarketing.nl de video 3-305 met interview met de genomineerde voor *Marketeer of the Year* commercieel manager Michael Schaeffer van Bol.com.

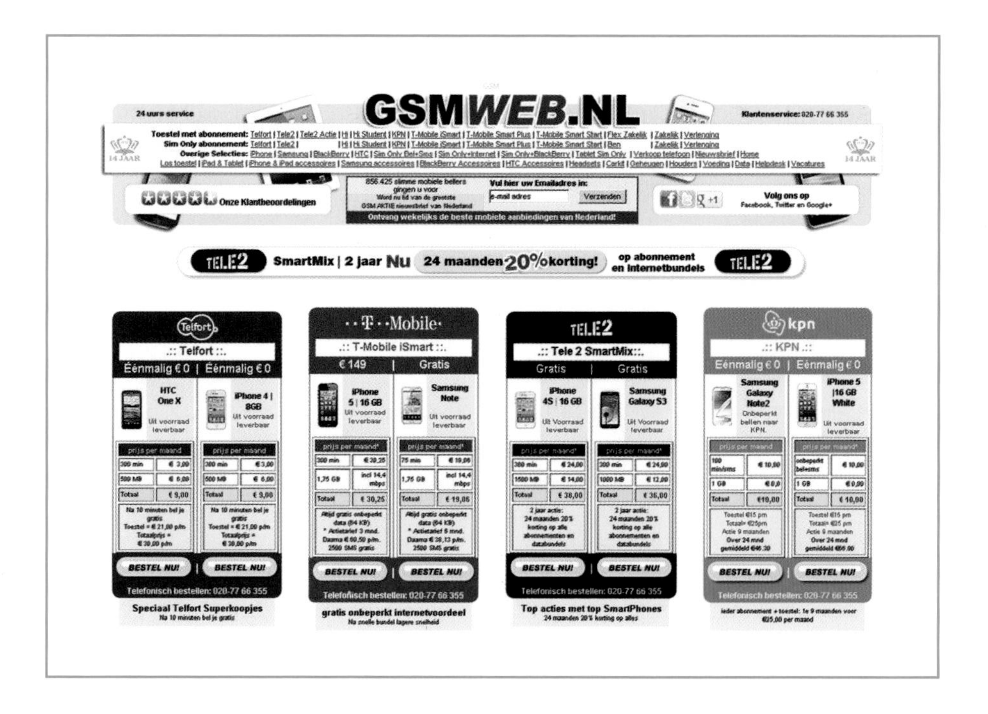

Afbeelding 3.14 GSMWeb.nl straalt prijsgerichtheid, actiegerichtheid en 'goedkoop' uit.

3.5 De Scorecard om de internetstrategie in kaart brengen

Een populaire manier om jouw internetaanpak en richting in kaart te brengen is de *Scorecard* van de auteurs Geert-Jan Smits en Joost Steins Bisschop. Doel is het in kaart krijgen van:

- *de online missie: waar staan we voor?*
- *de concrete online doelstellingen: wat willen we bereiken?*
- *de succesfactoren: welke factoren moeten we beïnvloeden?*
- *het opzetten van een effectieve internetorganisatie.*

De *Scorecard* kent diverse varianten waarin de maker de omzetting van de strategische keuzes in kaart brengt met de de gevolgen, doelen en actiepunten voor:

- het *financiële perspectief.* Hierbij gaat het om de financiële resultaten van de internetaanpak, strategie en benodigde organisatieopzet;
- het *klantperspectief.* Deze visie en Scorecard richt zich op de vraag: hoe bereiken we onze doelgroepen en hoe stellen we onze bezoekers tevreden;
- het *websiteperspectief.* Dit perspectief van de Internet Scorecard gaat over de website zelf en alles wat zich hierop afspeelt. Het is de website die uiteindelijk zorgt voor tevreden bezoekers en financieel succes;
- het *organisatieperspectief.* Hoe richt ik mijn organisatie in om succesvol te zijn met online? Heb ik de kwaliteit in huis om bijvoorbeeld serieus met social media aan de slag te gaan?

De benoeming van de succesfacoren en *KPI's* (kritieke prestatie-indicatoren) maken de nog globale internetstrategie en doelstellingen harder en duidelijker. De uitwerking van al deze scorecards balanceert op het feit dat de organisatie zichzelf nog richting een internetgeaccepteerde organisatie moet brengen. Dit met alle financiële en organisatorische gevolgen. Veel organisaties zijn al langere tijd bezig met online en hebben daar medewerkers voor vrijgemaakt of werken samen met een extern bureau dat is gespecialiseerd op online.

3.5.1 De Scorecard voor omzetting van de internetstrategie

Nu we een keuze en richting hebben bepaald met de inzet van het internet kunnen we deze *Scorecard* gebruiken om de internetstrategie met de benoemde succesfactoren en KPI's uit te werken. *Wat verwachten we van de afdeling Marketing?* Wat zijn concrete doelen voor de online afdeling of het externe bureau dat aanhaakt bij de uitvoering en wat moeten wij van de organisatie en het management verwachten?

Heeft directe relatie met online doelstellingen	Maakt de succesfactor meetbaar	Geeft het streven aan voor een bepaalde periode	Toont het initiatief om verbetering in de succesfactor te realiseren

INTERNET SCORECARD

Internetstrategie

Succesfactor	Indicator-KPI	Target	Actie
Online afdeling of bureau	Meer engagement met social media	Binnen 2 maanden 500 mentions op Twitter en 5 dagelijkse actieve discussies op LinkedIn	De Sociale netwerken actiever benaderen, dagelijks participeren in de social media, discussie-onderwerpen verzinnen, communitymanager benoemen
Marketingafdeling	Verbetering samenwerking met online en ondersteuning voor verbetering online zichtbaar	Elke maand een virale online marketingactie met bereik van minimaal 5000 unieken per actie	Ontwikkeling actiekalender en keuze betrokken creatieve bureaus, aanstelling webmanager
Managementorganisatie	Betere ondersteuning voor online activiteiten en acceptatie social media inzet	3 organisatiebrede online initiatieven en akkoord op 3 grote online projecten per jaar	Interne trainingen op het gebied van social media marketing, impact online op de organisaie en tooling
Siteanalist	Installatie en integratie analytics software	Binnen 6 maanden inzicht hebben in de websiteanalyses en resultaten door wekelijkse erapporten	Aanstellen siteanalist of inhuren, marketingafdeling opleiden voor bekijken analyses van het internet, keuze software

Afbeelding 3.15 De Scorecard maakt de internetstrategie operationeel.

3.6 De Online Strategy Map

De Scorecards kunnen voor de volledige organisatie in een kaart worden samengevat. De financiën, de organisatie, de klant en de website komen samen.

ONLINE STRATEGIE KAART

Organisatie: ....
Website: ....
Periode: ....
Auteur: ....
Betrokkenen bij de uitwerking strategie:
....
....

Online missie
Het geleidelijk transformeren naar een open dialooggerichte multichannelorganisatie die snel kan schakelen

Online strategische doelstellingen
Het verhogen van de online betrokkenheid van klanten, gebruikers en prospects jegens onze organisatie en diensten

Financieel

Flexibele besluitvorming voor snel op te zetten campagnes	Ophakken totaalbudget in kleine campagnebudgetten	....	....	....

Klant

Meer online dialogen met de klant	Online service via social media om de klant sneller te bedienen	....	....	....	....

Website

Aanbouw interactieve websites en blogs	Meer integratie met social media content	....	....	....

Organisatie

Interne kennis online marketing vergroten	Inrichting online campagneanalyses	Omscholing online managers tot communitymanagers	....

Afbeelding 3.16 Een voorbeeld van een ingevulde Online Strategy Map.

Uitgangspunten zijn opnieuw de Missie, Strategie en de harde doelen. De Online Strategy Map geeft op het beroemde 'A4-tje' een helder overzicht van de impact en betrokkenheid van de belangrijkste lagen van de organisatie bij de uitvoering van de gekozen internetstrategie. Uitgangspunt is een organisatiebreed platform dat betrokken is bij de uitvoering van de strategie.

3.7 Het maturitymodel voor organisatieverandering

Internet en het inzetten van online op niveau heeft een grote impact op de cultuur van een organisatie. Veel organisaties zijn al in de jaren negentig geleidelijk naar een aangepaste organisatiecultuur gegaan maar zien nu onder druk van social media dat de business opnieuw aan verandering toe is. Organisaties die hun organisatiestructuur en -cultuur al op orde hebben zullen hier steeds meer van profiteren. Toch zijn er nog veel organisaties die de echte slag naar online nog moeten maken. Het maturitymodel draait om de *Acceptatie* van de organisatiecultuur en eventuele onderbezetting of fase waar de organisatie in zit. De organisatie kan bijvoorbeeld al bezig zijn met social media. Dit bevindt zich in veel gevallen in een experimentele fase. Wordt het bewust ingezet en worden er doelen gesteld dan bevindt de organisatie zich in een functionele fase.

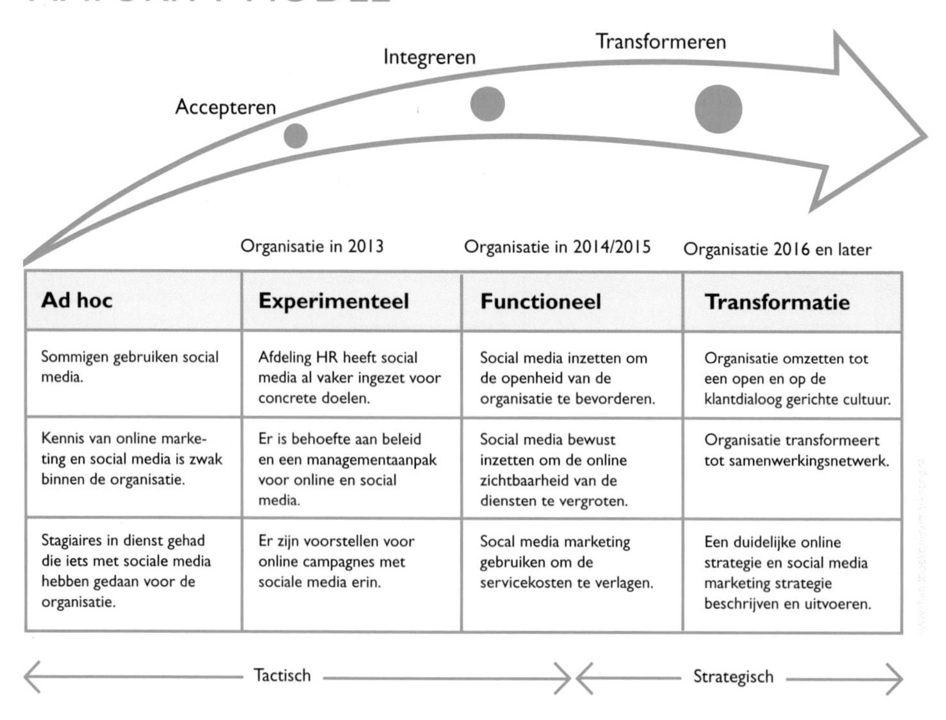

Ad hoc	Experimenteel	Functioneel	Transformatie
Sommigen gebruiken social media.	Afdeling HR heeft social media al vaker ingezet voor concrete doelen.	Social media inzetten om de openheid van de organisatie te bevorderen.	Organisatie omzetten tot een open en op de klantdialoog gerichte cultuur.
Kennis van online marketing en social media is zwak binnen de organisatie.	Er is behoefte aan beleid en een managementaanpak voor online en social media.	Social media bewust inzetten om de online zichtbaarheid van de diensten te vergroten.	Organisatie transformeert tot samenwerkingsnetwerk.
Stagiaires in dienst gehad die iets met sociale media hebben gedaan voor de organisatie.	Er zijn voorstellen voor online campagnes met sociale media erin.	Socal media marketing gebruiken om de servicekosten te verlagen.	Een duidelijke online strategie en social media marketing strategie beschrijven en uitvoeren.

Afbeelding 3.17 Het Maturitymodel toont de cultuuromzetting.

Na de doelgerichte en strategische aanpak kan de organisatie zich (intern) transformeren. Dit model van volwassenheid bij groots inzetten van online zoals social media is opgesteld door M&I/Partners in 2011. Een strategisch expert zoals Menno Lanting beschrijft in boeken de noodzakelijke veranderingen in management en organisatie om zo te kunnen slagen met de inzet van digitale marketing.

3.8 EXPERT-CASE Egbert Jan van Bel, Social Event Driven Marketing

In dit hoofdstuk spraken we over de verschillen en voornamelijk vertaling van traditionele marketing naar de moderne marketing. Dit is een verandering die veel organisaties dienen door te voeren om succesvol te blijven. Docent, auteur en consultant Egbert Jan van Bel (zie www.vanbel.nl) doceert aan de Beeckestijn Business School. Hij is auteur van bestseller *Kloteklanten* (2.0) en tevens de auteur van het handboek *Event Driven Marketing* (EDM).

Afbeelding 3.18 Auteur Egbert Jan van Bel.

Naast bestseller *Kloteklanten* kwam tevens van zijn hand het boek *Follow that Customer!* Dat is in Amerika uitgekomen.
Van Bel legt uit wat de scheidslijn is tussen social media en EDM plus permission marketing. De marketingmix tussen modern en traditioneel. Inclusief bijdrage van Sander van der Blonk.

Social Marketing, tot voor kort nog onbekend maar nu alom bemind. Nooit stonden we directer en meer 'real time' in contact met onze klant. Timing is daarom steeds relevanter geworden. Als ik jou vraag hoe laat het is, wacht je ook geen dag met je antwoord. Zo is het met de huidige marketing en communicatie ook, op een actie volgt een directe reactie. De eerste de beste is nog nooit zo waar geweest als nu.

Wat is het concept van EDM?

"Het concept van Event Driven Marketing (EDM) is eenvoudig uitgelegd; het juiste aanbod aan de juiste klant via het juiste kanaal op het juiste tijdstip…

En juist dat laatste is de essentie van 'Social EDM'. Zelf maakte ik onlangs een goed voorbeeld mee, toen ik problemen kreeg met mijn mobiele telco provider. Via Twitter meldde ik het probleem aan de webcareafdeling van de telco. Ik kreeg binnen een half uur het verlossende telefoontje, met gelijk de melding dat als ik nu mijn contract zou verlengen - de afloop was over drie maanden - kreeg ik een speciale korting en een nieuwe mobiel. Service en sales vallen samen. Door het toepassen van de nieuwe social media bij EDM krijgt ook dit concept weer een nieuwe dimensie erbij... timing!"

Is EDM een strategie?

"Event Driven Marketing (EDM) is een strategie, een mindset of misschien wel een filosofie. EDM is klantgericht denken en doen. De keuze houdt in dat EDM betekent dat je jouw aandacht meer en meer gaat richten op de klant en minder op prospecting. De ondernemingen die kiezen voor EDM zijn overtuigd van het belang van zaken als klantbeleving, interactief klantcontact en het streven naar de gewenst klantwaarde. De commerciële beleidsvoering voor de lange termijn staat door vooral de kortetermijnfocus behoorlijk onder druk. Het sales-gedreven agenderen, de jacht naar kortetermijnresultaat, door technologie gestuurde productontwikkeling en kwartaalgestuurd afrekenen op aandeelhouderswaarde... lijkt het fatsoenlijk opbouwen van een klantenbestand waaruit geoogst kan worden flink in de weg te staan. Neem daarbij mee dat klanten meer en meer zowel de toon als de maat bepalen in de omgang met organisaties, dan mogen we constateren dat het tijd is om strategieën aan te passen richting klantgericht ondernemen.

"Event Driven Marketing kan op vier niveaus worden ingezet. In afbeelding 3.19 worden deze niveaus geïntroduceerd aan de hand van het EDM Kwadrant. Tevens wordt beschreven volgens welk proces een event uiteindelijk leidt tot een actie richting een individuele klant."

We horen nog vaak zeggen dat klanten ongrijpbaar zijn, dat ze te kritisch en te onbetrouwbaar zijn, dat prijs (kortingen met aanbiedingen) leidt tot churn, dat klanten niet meer in een hokje zijn te zetten en dat we per saldo minder loyaal worden. Toegegeven, klantgedrag verandert en door de social media wordt de wereld wat transparanter, zijn product- en prijsvergelijkingen makkelijker uit te voeren en is reageren en ageren op ondernemingen 'in real time' aan de orde van de dag."

Hoe is de accountability bij EDM als marketingvorm?

"Acties moeten iets opleveren. Dat kan een sales zijn, informatie verwerven, naamsbekendheid verhogen... wat dan ook. Meten is weten en steeds vaker zien we dat acties pas uitgevoerd kunnen worden als het mogelijk is de resultaten zichtbaar te krijgen. De roep om accountability vertaalt zich naar het feit dat marketing ook dicht bij financiën komt te staan. Marketing dus op basis van feiten in plaats van buik-gevoel, met een wijze van accountability die verder gaat dan enkel de harde salescijfers. Marketing waar duidelijk wordt gekeken naar lange-termijnconsequenties (lifetime value, maatschappelijke waarde, klantwaarde, retentie en loyaliteit). Bedrijven besteden enorme bedragen aan marketing zonder dat daar een direct toegeschreven rendement tegenover staat."

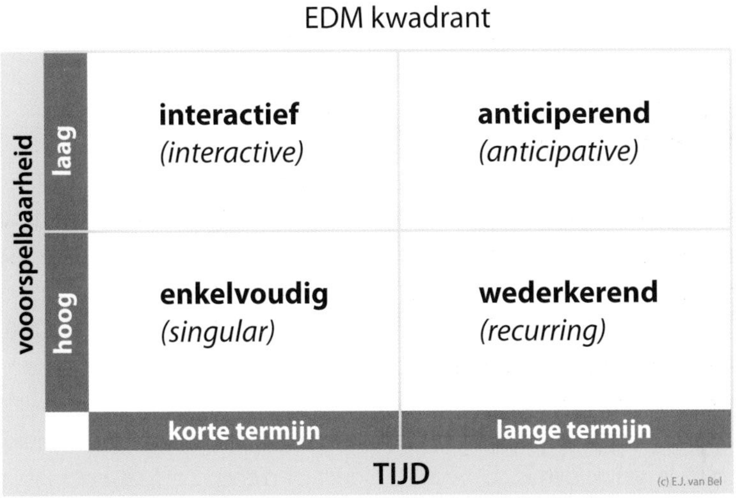

EDM kwadrant

vooorspelbaarheid
laag
hoog
interactief *(interactive)*
anticiperend *(anticipative)*
enkelvoudig *(singular)*
wederkerend *(recurring)*
korte termijn
lange termijn
TIJD
(c) E.J. van Bel

Afbeelding 3.19 EDM Kwadrant van Van Bel.

Natuurlijk, de concurrentie is moordend en het kan risicovol zijn ineens te veranderen van een 'market-getting' naar een 'customer-focussed' organisatie. Risicovol in die zin dat de managers en/of medewerkers niet zijn opgeleid of getraind om te veranderen, dat bestaande methodes, modellen en systemen anders georganiseerd moeten worden, dat reken- en afrekenmodellen anders dienen te werken, dat het psychologisch problemen kan geven 'omdat men het altijd al zo heeft gedaan...'. Een heel belangrijke meeteenheid bij accountability is de klantwaarde. Het is jammer dat er nog veel bedrijven zijn die weinig aandacht besteden aan klantwaarde en de factoren die klantwaarde beïnvloeden. We schuiven van marktaandeel naar klantaandeel op als belangrijkste 'metric'. Een goed product en/of merk hebben is vandaag de dag nodig, maar onvoldoende. In deze tijden waarin producten steeds homogener worden, proposities steeds meer op elkaar gaan lijken en consumenten door de roze wolk van branding heen prikken… is er echt meer nodig dan het ontwikkelen van een product en dat de markt in proberen te duwen. De focus zal dus moeten verschuiven van marktaandeel (het percentage gebruikers in de markt dat jouw product of merk gebruikt) naar Share of Wallet oftewel klantaandeel (het percentage van de aankopen van een consument dat wordt afgedekt door jouw merk of product). Oftewel, uit de klant halen wat erin zit. Op zich is deze theorie niet nieuw. Vooraanstaande databasemarketeers uit de Verenigde Staten hangen deze theorie al minstens 15 jaar aan. Steeds meer bedrijven krabben zich achter de oren en beginnen zich af te vragen of deze aanpak inderdaad niet een grotere kans van slagen heeft dan de klassieke marketing- en salesaanpak met de moeilijk meetbare effecten van massamediale bestedingen, sales promotions en buitendienstmedewerkers waarvan geen mens weet wat ze buiten allemaal uitspoken. En zo zien we meer en meer concepten de marketingwereld binnenwandelen of aan belang toenemen die de klant centraal zetten vanuit een dienstverleningsperspectief. Event Driven Marketing is zo'n concept."

Hoe zie jij de verandering in de marketingvormen?

"Het is duidelijk dat marketing zich (blijvend) dient te vernieuwen wil het een (blijvend) wezenlijke bijdrage leveren aan het bedrijfsresultaat. Niet dat marketing is 'uitgewerkt' maar het lijkt erop alsof zo ongeveer iedereen min of meer hetzelfde doet. Met als gevolg dat er maar weinig onderscheid optreedt tussen merken... Als alle energie groen is, als alle wasmiddelen nog witter wassen, als je gratis het nieuwe model XYZ bij het goedkoopste mobiele beltarief krijgt aangeboden… wat kies je dan? De klant koopt intuïtief en op goed geluk, zou je zeggen. Heb je geluk, dan is dat jouw product of dienst. Zo gaat het niet langer. Het is tijd dat marketing weer gaat doen wat het moet doen: onderscheidend vermogen creëren, toegevoegde waarde leveren, de klant een reële keuze geven. Maar ook: de klant werven die het beste bij het bedrijf past, zorgen voor klantbehoud en creëren van waarde, waardemanagement beheren. Het accent dient dan niet te liggen op het individuele product of dienst, maar op oplossingen voor de klant… op het juiste moment!"

"We hebben er een kunst van gemaakt om het verkeerde product aan de verkeerde persoon op het juiste moment te verkopen. Tijdelijk goed voor de sales-target, op de lange termijn slecht voor de customer lifecycle." Bron: Egbert Jan van Bel.

"Wie een hypotheek nodig heeft, heeft de keuze uit vele aanbieders die in essentie allemaal hetzelfde bieden, namelijk geld lenen tegen een bepaalde rente. Er wordt pas meerwaarde gecreëerd wanneer je een hypotheek aanbiedt die naadloos aansluit op de wensen van de klant. In termen van verzekeringen, salarisverwachting, pensioenopbouw, bestaande beleggingen, enzovoort. Dus geen losstaand product maar een oplossing die past en aansluit op het juiste moment. Biedt de klanten het passende product aan op het moment dat ze het nodig hebben. Is het inderdaad niet meer dan logisch een klant een flexibel krediet aan te bieden wanneer je ziet dat hij telkens tevergeefs probeert te betalen met zijn pinpas? Of wanneer je iemand attendeert op je verhuisservice wanneer zijn huis in de verkoop staat? Met behulp van de huidige social media is het eenvoudiger om de verschillende 'events' in het leven van vele klanten te traceren. Zorg ervoor dat je de social media accounts van jouw klanten in kaart hebt, volg ze niet alleen maar ga de interactie aan."

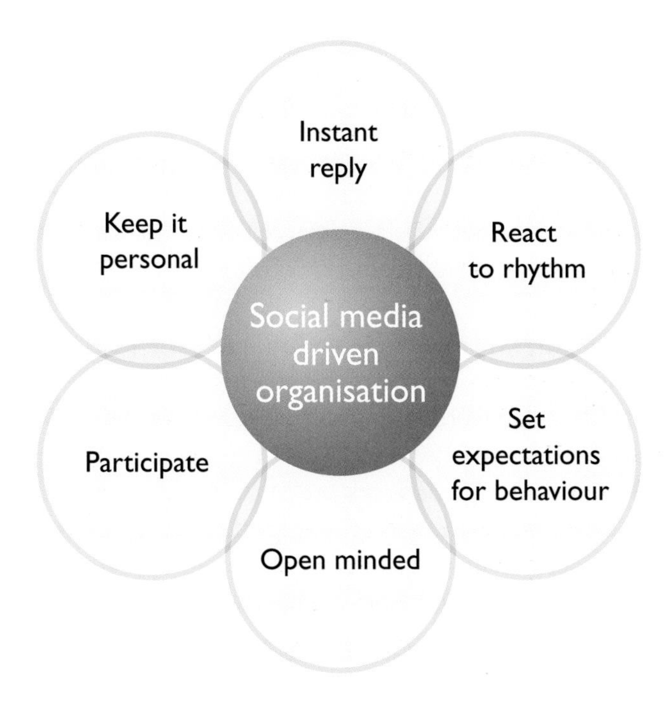

Afbeelding 3.20 Social media driven organisations (model: Patrick Petersen).

Wat is de rol van permission-based marketing bij de nieuwe vormen van marketing?

"We hebben inmiddels de eerste stappen gemaakt in een fundamenteel nieuw marketingtijdperk. Eén waarin harder schreeuwen niet langer voldoet voor de aandacht van de klant. Eén waarin mediadruk alleen onvoldoende is voor brand-building en vorming van een gewenste identiteit. Want de klant controleert. De klant wil zich best laten verrassen en ontvangt graag informatieve en commerciële boodschappen. Maar, de klant bepaalt in toenemende mate van welke bedrijven en merken. En zij moeten eerst zijn toestemming hebben om contact met hem op te mogen nemen. Anders gezegd: Mensen, jong en oud, gaan bewust hun eigen marketing context samenstellen:

- *Wil ik van jou informatie en reclame?*
- *Via welke (social) media of kanalen?*
- *Wat voor aanbod vind ik interessant?*
- *Wanneer wil ik het hebben?*
- *Wat voor persoonlijke gegevens wil ik dan met je delen?*

En hiermee is permission based marketing (PBM) een feit. Veel bedrijven hebben feitelijk al ervaring opgedaan met "op toestemming gebaseerde marketing" met direct marketing campagnes, tegenwoordig zien we het concept van PBM vooral toegepast in e-mailmarketing en mobile marketing. Twee tot drie jaar geleden was dit snel, gemakkelijk en goedkoop te doen. Tegenwoordig komt er meer bij kijken om er een succes van te maken. De heersende mening is dat opt-in slechts een wettelijke randvoorwaarde is. Om mensen daarna conform oude marketingwetmatigheden met 'koop mij' boodschappen te bestoken. Dit lijkt een doodlopende weg. Permission-based Marketing zoals we het gaan leren kennen draait om 'waarde', en niet slechts om de promotie van waarde. Opt-in is dus pas het begin. De technologie is dynamisch. Smartphones, MP3-spelers, instant messaging, toolbars, RSS, DTV en andere op het internetprotocol gebaseerde media zullen blijven komen en gaan. De grenzen tussen de pc en mobiele telefoon zullen vervagen. Hoe het ook zal lopen, feit is dat digitale media massaal gekocht en gebruikt zullen worden. En daarmee bieden ze de marketeer slimme, snelle, sympathieke en kosteneffectieve wegen voor het onderhouden van klantrelaties. Permission-based marketing via dit soort media is daarmee geen tactisch en tijdelijk dingetje maar een strategische kwestie. En heeft impact op de wijze hoe marketing en marketingprocessen zijn georganiseerd. De kunst en uitdaging voor de marketeer is niet langer om een e-mailnieuwsbrief te maken. Het gaat erom de klant in zijn context te gaan begrijpen en het bewuste moment (real-time) te benutten."

Wat is volgens jou de rol van consument in de nieuwe economie?

"De meest cruciale en ook meest onzekere factor in de nieuwe economie is de consument. Kon in de oude economie de consument gesegmenteerd worden, statistisch beschreven en door middel van marketing gemanipuleerd, dat gaat niet meer op in de nieuwe economie. Ook het motto 'de klant staat voorop' staat niet meer garant voor overleven, het is slechts nog een voorwaarde om mee te mogen doen op de markt. Wil een onderneming zich onderscheiden, dan is meer nodig. Segmentering van de consument wordt steeds minder relevant, vergelijken van klant en profielen wel. De aanbieder van producten en diensten moet denken in taste spaces, virtuele ruimtes, vormgegeven op internet, maar ook in bladen en winkels, waarin de consument producten en diensten vindt die inhoud geven aan een specifieke levensstijl. Een praktische consequentie van deze ontwikkeling is dat adverteren meer een kwestie van het produceren van beelden is geworden.

Old School = segmenteren.

New School = profileren.

Complexe beelden waarmee de nieuwe, met name jonge consument, opgegroeid met tv en met de pc, in tegenstelling tot de oudere generatie, geen moeite heeft te interpreteren en waaraan hij conclusies kan verbinden."

HOM opdrachten hoofdstuk 3

Dit hoofdstuk kent de volgende opdrachten:

1. Noem vier moderne marketingvormen die invloed hebben op online marketing en gezamenlijk een netwerk van moderne marketingvormen vormen.
2. Wat betekent *IFV*? Motiveer je antwoord bij deze onderdelen van de online strategie.
3. Wat wordt bedoeld met 'het sluiten van *iPACT*?'
4. Noem de drie online strategieën en maak een keuze voor jezelf.
5. Noem de vier C's en pas deze toe op je eigen organisatie.

4 De invloed van Web 2.0 en Web 3.0

De twee en derde generatie web kunnen we geen trends noemen. Dat de trends uit de Web 1.0-, 2.0- en 3.0-stromingen de online strategie kunnen beïnvloeden is een feit. We kunnen ook het Web 3.0 geen communicatie-verschijnsel meer noemen. Een variant van Web 3.0 lijkt door de mobiele re-volutie al aanstaande. Web 4.0 is in aantocht. Web 2.0 en Web 3.0 creëren nieuwe kaders in het benaderen van gebruikers en online presentaties. Web 3.0 wordt als term alweer sinds 2009 gebruikt voor de nieuwe online revolutie. De kracht van social media wordt voelbaar evenals het trekken aan organisaties richting social businesses. Om de toekomst van online en mobile te leren begrijpen zullen we soms even moeten terugkijken.

Afbeelding 4.1 Toepassingen van het Web 3.0.

Waar snelle marketeers al veelvuldig spreken over Web 3.0 - met de social media netwerken zoals Facebook, LinkedIn en Twitter als harde kern - hebben wij online maar ook maatschappelijk veel te maken met de verschijnselen van Web 2.0 en nog een beetje van de eerste generatie WWW. Bij de derde generatie van het Web - genaamd Web 3.0 - gaat het vooral om internettoepassingen die meer op elkaar zijn af te stemmen. Ook het integreren van bijvoorbeeld content uit social media netwerken op de traditionele websites is hiervan een voorbeeld. Het werken in de Cloud lijkt om het Web 3.0 heen te dansen. Online processen kunnen in het Web 3.0 samengaan of geïntegreerd worden. Bij Web 3.0 wordt het gebruiken van een inlog en password om toegang te krijgen tot online toepassingen een kerneigenschap genoemd. Het steeds meer werken in de Cloud is in de praktijk een voorbeeld hiervan. Ook het op de persoon aanbieden van online content via diverse gemakkelijk te bedienen en benaderen (social media) kanalen is een eigenschap van het Web 3.0. Het verschil met Web 2.0 is echter klein.

4.1 Het WWW en het W3C

Het internet is een niet-commercieel communicatiemiddel. Het W3C (WWW consortium) wordt - onder andere onder leiding van Tim Berners-Lee - vanuit het neutrale Zwitserland geleid. Het hoofddoel van het W3C is het bewaken van de richtlijnen die het internet schoon houden en geen commercieel karakter meegeven. Hierdoor kunnen browsers de internetprogrammering, zoals gemaakt met HTML, CSS of bijvoorbeeld XML, alle op een gelijke manier interpreteren en tonen. Het W3C biedt naast de richtlijnen ook openheid in de ontwikkelingen waar het instituut aan werkt. Zo konden wij jarenlang meekijken met de (door) ontwikkeling van de internetopmaaktaal HTML5 die als vervanger voor het commerciële Flash kan dienen. Ook online managers kunnen effectiever werken en brieven naar bureaus indien zij de inhoudelijke kennis hebben en bijvoorbeeld het verschil in impact kennen tussen Flash en HTML5 op zoekmachinemarketing.

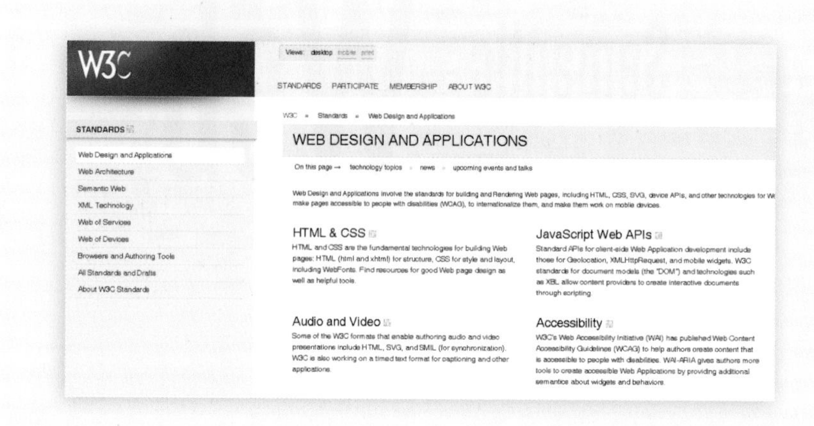

Afbeelding 4.2 Het W3C.

Het W3C biedt ook handige online tools om bijvoorbeeld te controleren of een website volgens de richtlijnen van het W3C is gebouwd.

Op de website van het W3C is een gratis online validator te vinden die controleert of websites zijn gebouwd volgens richtlijnen van het W3C. Surf naar validator.w3.org en controleer de eigen website.

Ook regelt het W3C de standaardisering van video en afbeeldingen en technieken gericht op gebruik van het internet op de mobiel. Het W3C verzoekt de aanbieders van browsers - zoals Chrome, Safari en Internet Explorer - zich te houden aan de door hun uitgegeven standaarden. Zo zijn Chrome en Safari al snel naar een adaptie van de moderne opmaaktaal HTML5 overgegaan. Internet Explorer heeft dit vertraagd doorgevoerd.

Op de website gs.statcounter.com kun je actuele statistieken vinden van het browsergebruik in Nederland. Wat de overzichten laten zien is dat Chrome en Safari de laatste jaren snel stijgen qua marktaandeel in Nederland.

De browser Chrome - van Google - en Apple Safari zijn in Nederland met een opmars bezig. De reden kan zijn het gebruik via het groeiend aantal mobiele apparatuur.

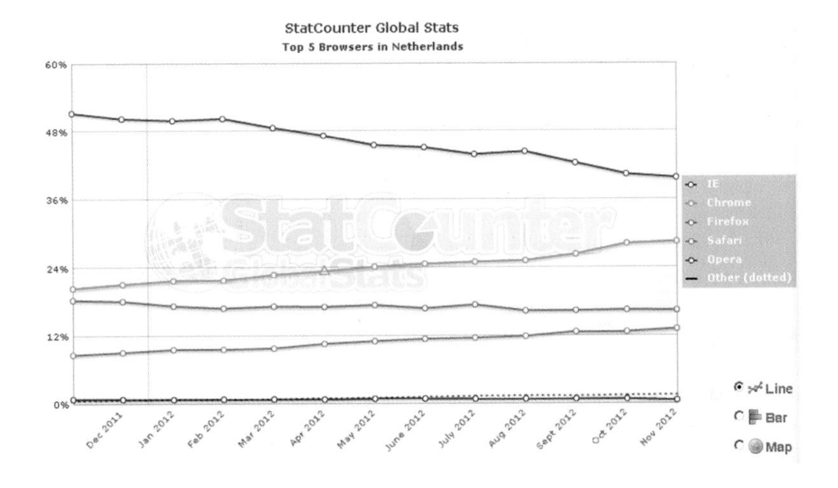

Afbeelding 4.3 De browsers.

Na een technische beginperiode is van 1990 tot ongeveer 1995 een periode gekomen van vergaande presentatie. Nieuwe technieken en moderne opmaak-talen maakten het internet meer dan een wereldwijd verbonden netwerk met informatie. Rondom 1995 werd het internet sneller en voor de massa betaalbaar. Niet alleen universiteiten, hogescholen en grote concerns hadden toegang tot het World Wide Web, ook de thuisgebruiker raakte geïnteresseerd in het internationale netwerk (internet).

Het technisch communicatiemiddel internet danken wij aan de Britse wetenschapper Tim Berners-Lee (1955). Berners-Lee is werkzaam bij CERN in Zwitserland. Hij heeft in 1990 het zoekprincipe op het World Wide Web, de zogenaamde HTTP, geïntroduceerd. Deze manier van addresseren stelde gebruikers in staat om pagina's op te roepen met software genoemd 'browser'. De eerste breed geaccepteerde browser was de browser die later bekend is geworden als de Netscape Communicator. Sinds de jaren negentig is de browser van Microsoft -Internet Explorer- dominant in de browsermarkt. Berners-Lee was in 1994 ook de oprichter van het W3C en is verantwoordelijk voor de ontwikkeling van onder andere HTML (5) en XML. HTML is de belangrijkste opmaaktaal van het internet. XML kennen we als het gegevensbestand dat ons onder andere in staat stelt RSS-feeds aan te bieden.

W3 staat voor WWW, de C van W3C staat voor Consortium. Het W3C is net als CERN in Zwitserland gevestigd en heeft de technische 'regie' over ons internet. Het W3C zet internetstandaarden neer waar internetbrowsers zich aan moeten conformeren.

Afbeelding 4.4 Tim Berners-Lee.

Microsoft week in de genoemde periode een lange tijd te veel af van het beleid en de webstandaarden van het W3C. Zonder de regulering van het W3.org zou het onmogelijk zijn geworden een website te bouwen die op verschillende systemen en in verschillende browsers gelijk werkt. In de generatie Web 2 en Web 3 speelt het W3C een belangrijke rol bij technieken als AJAX, de moderne opmaakscript CSS, de mobiele aanpassingen, de handige gegevenstaal XML (RSS) en HTML5 dat een niet-commerciële vervanging voor Flash-video kan gaan worden.


```
xmlns:content="http://purl.org/rss/1.0/modules/content/" xmlns:wfw="http://wellformedweb.org/Comme
:sy="http://purl.org/rss/1.0/modules/syndication/" xmlns:slash="http://purl.org/rss/1.0/modules/sl
annel>
itle>
Social Media, marketing, presentaties, onderzoek, cijfers, trends:SocialMedia.nl
title>
tom:link href="http://www.socialmediasocialmedia.nl/strategie/nieuws/tools/events/workshops/train
ink>
http://www.socialmediasocialmedia.nl/strategie/nieuws/tools/events/workshops/training/hr/media
link>
escription>
Social Media, marketing, cijfers, trends, strategie, presentaties, trends, video's en meer nieuws
description>
astBuildDate>Wed, 05 Dec 2012 14:15:39 +0000</lastBuildDate>
```


Afbeelding 4.5 De RSS-feed van SocialMedia.nl gemaakt met XML.

4.2 De gouden internetjaren 1995-2000

In de periode 1995-2000 volgden de online ontwikkelingen zich snel op. De acceptatie van het nieuwe communicatiemiddel internet werd door consument en producent massaal opgepakt. Het internet ging van inbellen naar 'altijd online'. Het grote aantal dotcom-bedrijven stuwde de economie en de eerste webshop deed zijn intrede in Nederland. Een HTML-programmeur verdiende al snel 5000 gulden in de jaren negentig en de eerste ervaren online marketeers waren schaars. Internetgoeroes deden het voor 5000-10.000 gulden per dag en internet-BV's werden massaal naar de beurs gebracht. De harde kern van internetters zat in die periode in de leeftijd van 15–35 jaar en waren vooral man. Veel grote internetbureaus zijn in deze periode ontstaan. De bestseller *Internetstrategie 2.0* van Ben Tiggelaar was in deze periode een toonaangevend boek voor de professionele inzet van internet binnen de marketing van organisaties.

Afbeelding 4.6 Ben Tiggelaar.

Op 17 november 2008 was het twintig jaar geleden dat Nederland als eerste land buiten de VS werd aangesloten op internet. Er was nog geen sprake van het het WWW zoals wij het nu kennen. De technische onderlaag was wel aanwezig. Systeembeheerder Piet Beertema, medewerker van het Centrum Wiskunde & Informatica (CWI), kreeg op 7 november 1988 om half drie in de middag de e-mail waarin werd aangegeven dat hij, en daarmee Nederland, als eerste waren verbonden met NSFnet. Nederland was hiermee het eerste Europese land met een verbinding die enkele jaren later tot het Word Wide Web zou uitgroeien.

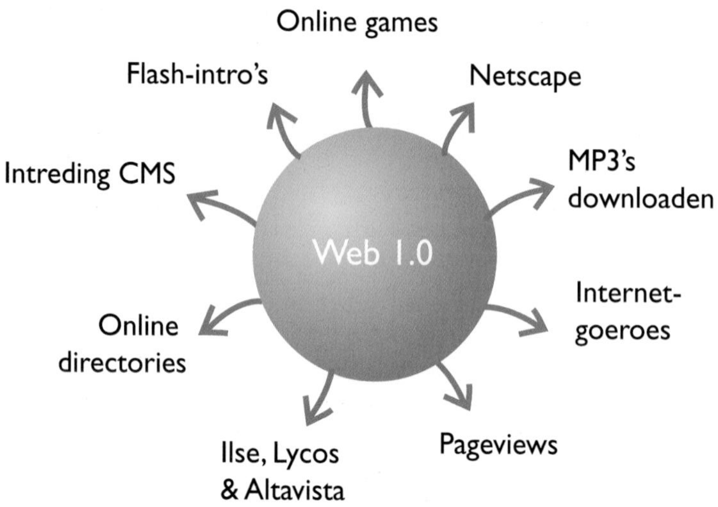

Online games
Flash-intro's
Netscape
Intreding CMS
MP3's downloaden
Web 1.0
Internet-goeroes
Online directories
Ilse, Lycos & Altavista
Pageviews

Afbeelding 4.7 Het Web 1.0 met kenmerken.

4.3 'After the boom' 2000-2004

Na het groots doorprikken van de internetbubble in 2001 heeft de gehele ICT-sector een grote deuk gekregen. Het wantrouwen groeide - net als tijdens de crisis van 2008 en 2009 - in het bedrijfsleven richting het juist inzetten van internet en dito investeringen in dit gekke communicatiemiddel. Was internet eind jaren negentig nog dé oplossing voor alle communicatie- en marketingproblemen, rondom 2001 zijn weinig internetinitiatieven tot een succes uitgegroeid. Achteraf bekeken zijn bepaalde initiatieven te snel op de markt gebracht en bleken de start-ups enkele jaren later wel marktrijp.

Afbeelding 4.8 Wordonline speelde een rol bij het inklappen van de internetbubble.

De ontwikkelingen en concepten van eind jaren negentig en de periode 2000-2004 zijn dé succesfactoren van de nieuwe generatie Web 2.0. In 2007 is er een boost van het aantal webshops in Nederland gekomen. De e-shops worden in Nederland begin 2013 op ruim 65.000 geschat *(bron:Thuiswinkel.org en UwWinkel.nl)*. Het aantel verzonden pakketjes via PostNL is explosief gestegen en tijdens de sinternetklaasaankopen van 2012 is ruim 10% van de aankopen via het web gedaan.

4.3.1 De opkomst van het bloggen en bankieren

Het online bijhouden van een blog - een verkorting van de term 'weblog' - is daarbij het hart geworden van Web 2.0. De blogs concurreren met websites. Adam Curry was met zijn Curry.com een van de eerste bloggers in Nederland. We zijn in de meerderheid online gaan bankieren en het aantal internetgebruikers dat nog nooit een online aankoop heeft gedaan behoort tot de minderheid. In de periode 2010-2012 lanceerde de ING haar mobiele toepassingen voor onder andere iPhone en Android om gemakkelijk en direct via de mobiel te bankieren. De Rabobank kent al enige tijd het betalen via de mobiel met een sms-toepassing en heeft in 2012 de mobiele betaler MyOrder overgenomen voor het nog eenvoudiger afrekenen via m-commerce.

Afbeelding 4.9 De weblog bij dit boek.

4.4 Het begrijpen van Web 3.0

Om Web 3.0 te begrijpen wordt eerst de voorgeschiedenis: (Web 2.0) geïntroduceerd. Web 3.0 is niet zomaar een derde generatie online denken. Het is de schokkende verandering van de online aanpak. met veel online integratie, meer data hangend in de Cloud en vergaande koppelingen (van data). Social media en social business plakken aan succesvolle Web 3.0 vast. Deze nieuwe inzichten hebben invloed op de toekomstige organisatiecultuur en

-structuur van afdelingen en organisatie. Web 2.0 was reeds een geheel andere internetbenadering dan die van de jaren negentig. Na de technische vinding 'internet' begin jaren negentig is het web uitgegroeid tot een grote bibliotheek waar doelstellingen en conversiegerichtheid nauwelijks naar voren kwamen. Het was vooral zenden en online presenteren. Het succes van het Word Wide Web heeft een nieuwe cyclus naast de *Product Life Cycle* van de eerste generatie web gezet. Een cyclus waar alles sneller en directer gaat.

4.5 Na 2004: Web 2.0

In 2004 kwam technisch uitgever O'Reilly - opgericht door internettechneut Tim O'Reilly - met de term Web 2.0. Deze tweede generatie internet heeft een focus op:

- **Social networking** en online communities zoals Flickr, Pinterest, Twitter, Facebook en LinkedIn;
- **Social media** waaronder weblogs, sociale nieuwssites zoals Digg, Dutchcowboys en meer platforms met onafhankelijke online verslaggevers en videobloggers;
- **Crowdsourcing en collective intelligence** zoals Wikipedia;
- **User-generated content** zoals de video's op YouTube of Vimeo;
- **Collaboration en sharing** zoals vakantiereviews op Zoover.nl en het fotoplatform Flickr.

4.5.1 Kenmerken van Web 2.0

De kenmerken van het Web 2.0 hebben meer invloed gekregen op de businessmodellen van de organisatie. De klant, de gebruiker en de prospect gedragen zich online wezenlijk anders maar zijn ook bij organisaties intensiever aanwezig. Profielkenmerken van Web 2.0-gebruikers kunnen we als volgt opsommen:

- veel bereidheid tot het *delen* (sharing) van informatie, nieuws en ervaringen;
- nieuwe online kanalen met macht zoals de onafhankelijke *blogs* als Geenstijl.nl (de grootste van Nederland), Marketingfacts,.nl, de iPhoneclub en Frankwatching.nl;
- het internet is niet langer een virtuele bibliotheek, wij delen ervaringen en belevingen via het WWW in tekst, beeld en video;
- *privacy;* het opslaan en beveiligen van persoonlijke gegevens op sociale netwerken begint een issue te worden;
- de *i-dentiteit* van individuele internetters en organisaties wordt steeds vaker ontleend aan de communities, weblogs of social media waar ze deel van uitmaken;
- het *microbloggen* via Twitter wordt populair;

- er wordt meer *visuele content* zoals foto's via Mobypicture gedeeld;
- van *consumer* zijn we *prosumer* geworden; we produceren dat wat we consumeren;
- een switch in *authority*; de erkende goeroes en professionals worden online omgeworpen door de autoriteit, het internet bepaalt wie ze goed vinden en vertrouwen;
- het web heeft ook zakelijk een sterk sociaal karakter gekregen waarbij campagnes op subtiele wijze gebracht moeten worden anders dan ze door het communicatiekanaal heen te duwen;
- sociale netwerken zoals Hyves (zij hadden op het hoogtepunt bijna 11 miljoen accounts) lijken dicht te slibben waarbij de eerste leden hun account verwijderen;
- de kenmerken van Web 2.0 zijn van invloed op de *focus, visie en i-dentiteit* die de online marketeer in acht moet nemen bij het bepalen van de online marketingstrategie en online toepassingen;
- de iPad van Apple doet begin 2010 zijn intrede en lijkt het begin van een tablet-revolutie te zijn, Android begint wereldwijd het grootste mobiele besturingssysteem te worden.

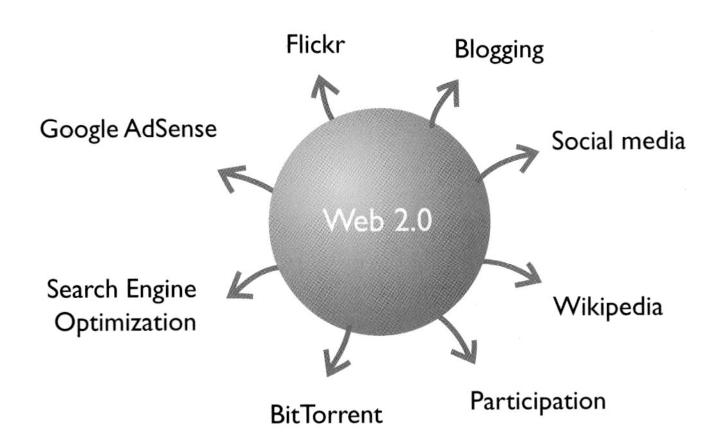

Afbeelding 4.10 Web 2.0 kenmerken.

4.5.2 Social networking en online communities tijdens Web 2.0 en Web 3.0

Sociale netwerken en online communities zoals Facebook en Hyves zijn van grote invloed in de wereldwijde tweede fase van het internet. Het online snel contact maken en onderhouden is het doel van een sociaal netwerk of online community. Zo heeft social video network YouTube diverse nieuwe popartiesten zoals Esmée Denters opgeleverd en is Obama mede dankzij zijn social network tot president verkozen. Sociale netwerken delen vooral ervaringen en meningen. Diverse onderzoeken geven aan dat zo'n 35% van de tweets een merk, of organisatie noemt. Ook YouTube speelt een rol in het onafhankelijk verslag doen van evenementen en snel delen van videocontent. De burgerjournalistiek is niet zomaar een verschijnsel uit een nieuwe generatie web, maar serieus gereedschap dat nieuwe manieren van online communiceren en participeren verwelkomt. Toepassingen zoals live-video via YouTube, FlipTV, Ustream, QIK en andere webvideo maakt het mogelijk om eenvoudig een online tv-kanaal te beginnen. YouTube is zo'n sterk social videokanaal dat het steeds meer populaire online tv-kanalen kent zoals die van een organisatie, evenement of bekend individu. YouTube is door het Nederlands Koninklijk Huis en ook door de Britse Koningin Elizabeth II ingezet om eigenhandig via YouTube nieuws te verspreiden. Kerst 2012 deed zij in 3D haar kersttoespraak. De koningin gebruikte hiervoor het eigen kanaal van YouTube. De paus gebruikt per 2012 Twitter net als diverse artiesten die via het kanaal en zonder tussenkomst van anderen hun fans willen bereiken. Ondanks een kritische nieuwjaarsspeech van koningin Beatrix over sociale netwerken, is het Koninklijk Huis ook van start gegaan met een eigen YouTube-kanaal en wordt er ook getwitterd.

Bekijk op www.handboekonlinemarketing.nl de video 3-401 met het interview van Patrick Petersen met Chad Hurley, de oprichter van YouTube.

Afbeelding 4.11 Kersttoespraak via het web in het 3D.

4.5.3 Vormen van social media

Social media, of de 'burgerpers' zoals het in het Nederlands wordt genoemd, heeft sterke raakvlakken met Web 3.0 en vooral de 2.0-kenmerken. Deze kenmerken richten zich op sociaal netwerken, de user-generated content, collaboration, sharing en crowdsourcing. De invloed die social media blijken te hebben speelt bij Web 3.0 een grote rol. De macht is steeds meer aan de actieve online klant en social media participant. Organisaties weten hier maar nauwelijks meer om te gaan in campagnes.

Social media zijn door online specialist Stowe Boyd ook wel als volgt beschreven: "*Social Media is the way that we are organizing ourselves to communicate, to learn, and to understand the world and our place in it.*"

Afbeelding 4.12 Online specialist Stowe Boyd.

De social media brachten de geboorte van Web 2.0 en zullen een steeds grotere rol gaan spelen in de toekomstige fases van het internet. Voorbeelden van social media zijn:

- weblogs zoals DutchCowboys.nl, SocialMedia.nl Marketingfacts.nl en Geenstijl.nl;
- sociale netwerken, zoals Facebook, Twitter en LinkedIn;
- afbeeldingenplatformen, zoals Instagram en Pinterest;
- sociale nieuwssites als Nujij;
- wiki's zoals Wikipedia;
- podcasts zoals die van Curry.com
- videosites met zelfgemaakte content, zoals YouTube;
- cocreatie en crowdfunding platform.

Social media kunnen we omschrijven als interactie, nieuws en uitingen zonder geredigeerde boodschap. Social media vragen vaak interactie, participatie en lokken reacties uit. Aan de andere kant is social media zeer invloedrijk binnen en buiten het internet.

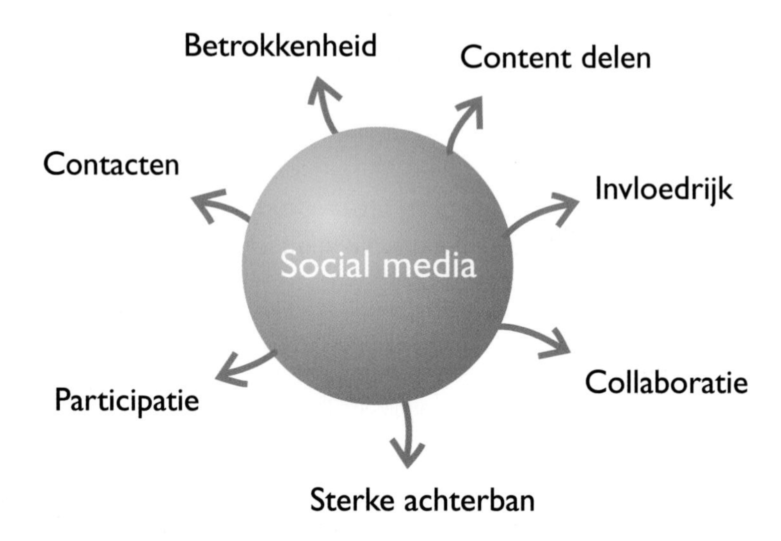

Afbeelding 4.13 Social media kenmerken.

Hoe werken social media in het echte leven?
Enkele voorbeelden op een rij:

- je zoekt een term of *achtergrond* van een persoon op via Wikipedia.org;
- je legt een *online netwerk* aan met collega's, vrienden, kennissen via Facebook of LinkedIn;
- je stelt vragen en bediscussieert onderwerpen op het interactieve microblog Twitter met gelijkgestemden;
- je begint een politiek debat met stellingen en snelle reacties in een microblog zoals Twitter zoals dit in Nederland de laatste jaren bij de #verkiezingen gebeurde;
- je begint een eigen *community* op Google Plus over een bepaald onderwerp;
- je zoekt op een heldere, informele manier en met een tone-of-voice van de *doelgroep* nieuws over iets specifieks;
- je hebt een bepaalde *prestatie* geleverd en je wilt dit kenbaar maken aan je vrienden, kennissen en andere geïnteresseerden en plaatst dit op je blog of in je sociale netwerk zoals LinkedIn;
- je gebruikt Instagram of Pinterest als communicatiemiddel voor visuele *storytelling*;

- Je heb kaarten gekocht voor een popconcert en wilt alvast concert-beelden zien van de tournee van de desbetreffende artiest zoals de bezoekers van de concerten dit hebben *beleefd;*
- je wilt *muziektips* delen in jouw online netwerk van vrienden of nieuwe muziek ontdekken via bijvoorbeeld LastFM;
- je wilt een reis boeken en gaat op zoek naar *beoordelingen* van vakantiegangers op Zoover.nl.

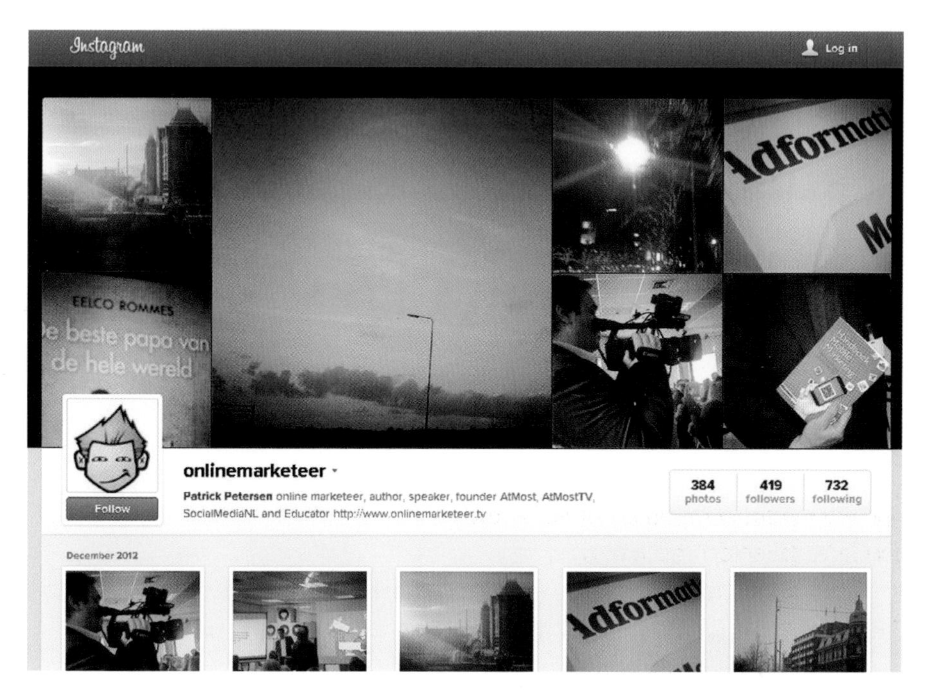

Afbeelding 4.14 Instragram is een middel voor storytelling.

Het wantrouwen dat het bedrijfsleven heeft richting het online middel social media vertaalt zich in de vraag: *'Hoe verdienen we geld met social media?'*

Een voordeel en ook soms nadeel van de social media is de participatie door social influencers. Influencers die online en vooral in de social media netwerken invloed hebben laten zich globaal kenmerken door:

- veel *volgers* via bijvoorbeeld Twitter of veel fans op Facebook;
- meer dan gemiddelde *actie* in social media;
- veel *produceren* zij veel social media content zoals blogposts, foto's, review's video's en tweets;
- veel *dialogen*, discussies en engagement (zoals retweets) op hun activiteiten in de social media;
- uitgesproken *meningen* die breed worden gedragen.

Klout is een online platform en dienst die bekijkt hoe invloedrijk jij bent op het gebied van social media. Op een schaal van 1 tot 100 krijg je een nummer mee dat jouw invloed aangeeft. Klout geeft daarbij een overzicht in het Dashboard met een opsomming van jouw te analyseren engagement. Zo zie je het aantal vermeldingen op *Twitter* en de groei in aantal vrienden op *Facebook* en ook de *Google Plus +1* hoeveelheden. Je kunt zelf bepalen welke sociale netwerken je kunt koppelen. Of je jezelf aangemeld hebt bij Klout of niet, zodra je een Twitter- of Facebook-account hebt, dan heb je ook een *Klout-score*.

Afbeelding 4.15 Klout.com brengt jouw online invloed in kaart.

Het middel *social media* is goed voor reputatiemanagement en het peilen en verstevigen van de concurrentiepositie. Branding en een sterke positionering zijn resultaten van het goed gebruiken van sociale online middelen. Social media bieden een informeel kanaal om informeel en op gelijk niveau met elkaar om te gaan. Ze kunnen gebruikt worden voor innovatie, het uittesten van nieuwe concepten en voor het verbeteren van klantfeedback zoals via het populaire *Twittercare*. Kijken we naar het microbloggen, dan kun je als merk of organisatie goed de betrokkenheid bij je merk, organisatie of campagne peilen. De kenmerken die hierna worden uitgewerkt tonen meer voordelen voor commercieel gebruik.

4.5.4 Crowdsourcing, crowdfunding en collective intelligence

Een voorbeeld van *crowdsourcing* en *collective intelligence* is Wikipedia. Crowdsourcing is betrokken bij een online community met werkzaamheden die vaak gericht zijn op innovatie, advies of productverbetering. Ooit heette dit in de traditionele marketing een panel of onderzoekspanel. De menigte levert vrijwillig een bijdrage aan de ontwikkeling van content, een dienst of product. De kracht van crowdsourcing is het op snelheid verzamelen van relevante informatie en het gebruiken van de collectieve intelligentie die gemakkelijk toegankelijk is. Geen crowdsourcing zonder het gebruik van online communities. Je spreekt immers je netwerk aan op hun intelligentie en je vraagt hun een bijdrage te leveren. Ook Zoover.nl - die miljoenen beoordelingen van vakantiegangers laat zien - is een platform dat gebruik maakt van crowdsourcing om de reviews te verzamelen. De ervaringen van vakantiegangers worden openlijk gedeeld zodat je een betere keuze kunt maken. De *crowd* of het publiek gebruiken bij de totstandkoming van producten, diensten en een kennisplatform is niet nieuw. Social media hebben het verschijnsel wel uitvergroot.

Bekijk op www.handboekonlinemarketing.nl de video 3-402 over de *StickNFind* Bluetooth stickers die via de financiële steun via *crowdfunding* als start-up van start willen gaan.

Ook het bijhouden en verfijnen van bijvoorbeeld routes wordt steeds meer door 'the crowd' gedaan. Vrijwilligers helpen bijvoorbeeld de fietsroutes van TomTom completer te maken.

Crowdfunding is in Amerika rond het jaar 2004 ontstaan. In 2009 werd dit begrip ook in Europese landen bekend. Crowdfunding wordt vooral gebruikt voor artiesten in de kunst, film, literatuur of muziekindustrie zoals ooit door het Nederlandse *Sellaband*. Crowdfunding wordt steeds vaker gebruikt voor het kunnen uitgeven van een boek of het beginnen van een start-up onderneming.

Het succesverhaal in de Verenigde Staten bij uitstek is Kickstarter. Kickstarter is te vergelijken met Sellaband met het verschil dat Kickstarter zich focust op creatieve projecten in het algemeen. Kickstart werft investeringen voor films, games, muziek, kunst, design en technologie. In de periode 2009 (de kickstart) tot aan 2013 is er ruim 350 miljoen dollar opgehaald door bijna 3 miljoen donateuren en investeerders. Kickstarter geeft aan dat 44% van de projecten door het platform en door middel van crowdfunding doorgang heeft gevonden.

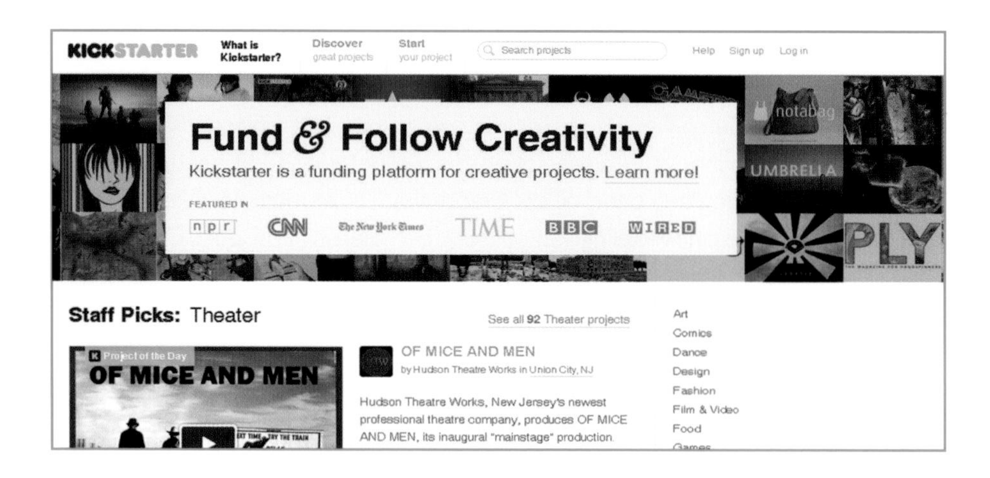

Afbeelding 4.16 Crowdfunding via Kickstarter.com.

4.5.5 User-generated content

User-generated content zoals video's op YouTube, Flickr of Vimeo is gemeengoed geworden. Bij user-generated content wordt er vanuit een sterke binding content gegenereerd door de consument. Dit kunnen bijvoorbeeld foto's, rapporten en presentaties zijn (zoals op www.slideshare.net), video's en teksten.

Wikipedia over de term *Crowdfunding*: "*Crowd funding (sometimes called crowd financing, crowd sourced capital, or street performer protocol) describes the collective cooperation, attention and trust by people who network and pool their money and other resources together, usually via the Internet, to support efforts initiated by other people or organizations. Crowd funding occurs for any variety of purposes from disaster relief to citizen journalism to artists seeking support from fans, to political campaigns, to funding a startup company or small business or creating free software.*"

4.5.6 Collaboration en sharing

Het sluiten van een pact met je klant of gebruiker is niet nieuw. Artiest David Bowie en auteur Stephen King hebben hun werk deels aangeboden op het internet om met hun fans en internetmenigte gezamenlijk het werk af te maken.

Zo ontstaat er een product vóór de doelgroep dat je maakt mét de doelgroep. Anders dan *crowdsourcing* wordt er met *collaboration* gefocust op het gezamenlijk opleveren van een volledig product van begin tot eind.

De term 'wiki' ooit als eerste gebruikt voor de Wikipedia wordt tegenwoordig gebruikt voor het aanduiden van een open contentsysteem waarbij gebruikers de inhoud -geredigeerd- kunnen bewerken en optimaliseren. Intranetten binnen organisaties maken steeds vaker gebruik van een wiki-achtig systeem om mede-werkers het bedrijf plus de processen in kaart te laten brengen middels een wiki.

De Wikipedia is hiervan het voorbeeld. Collaboration en sharing zijn sterker dan crowdsourcing en gestructureerder gericht op het leveren van een zo compleet mogelijk product of dienst.

Collaboration is vrijwillig en gaat uit van wederzijds dezelfde doelstellingen en/of belangen. Waar crowdsourcing gericht is op social media, wordt bij collaboration vanuit productieoogpunt - plus sterke merk-, organisatie- of productbetrokkenheid - gericht op de verhoging van de marktwaarde van een product of dienst. Meer voorbeelden van collaboration en sharing zijn:

- Kennisportal.com waar organisaties ervaringen en visies delen;
- GeniusRocket.com waar er gezamenlijk aan creatieve campagnes wordt gewerkt;
- Developer.mozilla.org/en/About_JavaScript van browserproducent Mozilla Slideshare.net waar wordt opgeroepen gezamenlijke presentaties over bepaalde onderwerpen te maken;
- Twitter.com waar met (bijvoorbeeld #TK2012) debatten tussen policiti en burgers op snelheid worden gevoerd en bijgeschaafd;
- Change.gov van president Obama waar de Amerikaanse president vraagt mee te denken en bij te dragen aan het nieuwe overheidsbeleid.

De Amerikaanse gratis website www.connotea.org spreekt medewerkers in klinieken en wetenschappers aan om deze 'gezondheidswiki' te vullen met omschrijvingen van symptomen en eventuele medicatie.

4.6 Visuele en technische kenmerken Web 3.0

De derde fase van het internet kent specifieke kenmerken op technisch gebied en op gebied van content. Voor het middel social media gaat tijdens Web 3.0 naar een stevige nieuwe fase. Slimme koppelingen en het slim gebruiken van content staan centraal bij het optimaal gebruiken van Web 3.0. De eigenschappen van Web 3.0 liggen niet heel ver af van Web 2.0 maar kennen wel diverse veranderingen in machtsverschuiving en kracht:

- vergaande contentkoppelingen;
- social influencers;
- integratie van social media op websites;
- vergaande machtskanalen door social media;
- het ontstaan van realtime web;
- koppeling en vergaande opslag van data uit bijvoorbeeld de social media;
- Content is King hadden we al. Web 3.0 is vooral: *Content is Queen;*
- multichannel en crosschannel;
- multiscreening en toename beleving van online content.

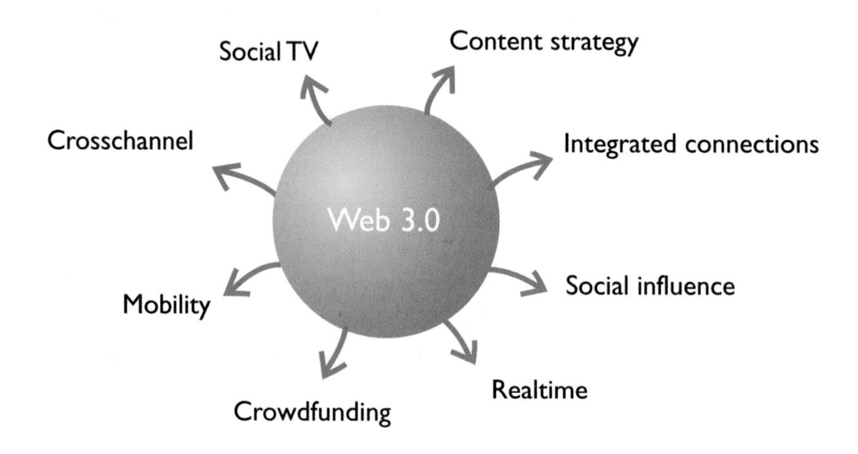

Afbeelding 4.16 Web 3.0-kenmerken.

4.7 Web 3.0? De toekomst met het Web 4.0!

Web 3.0 is het logische vervolg op Web 2.0. Waar Web 2.0 social en open is, zal Web 3.0 het ons internetters nog gemakkelijker gaan maken door vergaande relevante koppelingen van technieken, media, profielen, content en databases. Het massale aanbod van content zal worden gestructureerd op basis van relevantie en medium. Lokale relevantie door mobility (het steeds meer eisen en gebruiken van de mobiel) zal toenemen en het Web 4.0 gaan beïnvloeden. In Web 3.0 staat de relevantie meer dan ooit centraal. Als je op zoek bent naar een vakantie in Griekenland dienen alle relevante producten, diensten, ervaringen en tips via de verschillende media (crosschannel) tot ons te komen. Ook de 'location based' toepassingen zullen de derde fase van het web gaan beïnvloeden. Stel dat je door een woonwijk rijdt op zoek naar een koophuis, dan kan de mobiel een seintje geven wanneer je voor het huis staat dat voldoet aan je vereisten. Direct kun je op de mobiel naar foto's en video's surfen van de binnenkant van het huis en via sms, mail of de mobiele website een bod uitbrengen en in het Web 4.0 wellicht direct videobellen met de verkopende makelaar van de woning. Web 4.0 zal ons realtime beschikbaarheid brengen, maar dan vooral op snelheid en hoge kwaliteit van content. Er zal meer koppeling zijn tussen mobiel internet, tv en het vaste internet. De snelle, relevante manier van communiceren zal de boodschappen in waarde doen stijgen anders dan de massale spam waar we nog steeds mee te maken hebben. De voorman van het W3C - Tim Berners-Lee - beschreef het semantische web als een component van 'Web 3.0'.

Bekijk op www.handboekonlinemarketing.nl de video 3-403 met het interview van Patrick Petersen met Boris Veldhuizen van Zanten tijdens The Next Web.

4.8 EXPERT-CASE Interview Boris Veldhuijzen van Zanten over Web 3.0, The Next Web, inspiratie en ondernemen

Boris Veldhuijzen van Zanten is succesvol internetondernemer, spreker, consultant en oprichter van *The Next Web* (event, magazine en blog). Het event wordt wereldwijd gezien als een van de meest toonaangevend events. Het event vindt in diverse landen plaats.

Afbeelding 4.17 Interview met Boris Veldhuijzen van Zanten.

Welke inhoudelijke veranderingen heb jij met het TNW event meegemaakt?

"De uitdaging was vooral om bepaalde zaken op niveau te houden terwijl we groeiden. Toen we bij het eerste event 250 man in de zaal hadden kregen we veel complimenten over het persoonlijke karakter en de intimiteit. Bij onze actuele editie hadden we meer dan 1800 man en voelde heb toch nog steeds als een 'klein' event waarbij je persoonlijk contact had met iedereen onstage. Het is echt een enorme uitdaging om er geen gelikt en onpersoonlijk geheel van te maken als je hard groeit. Iedereen die weleens op een groot event is geweest weet wel wat ik bedoel."

Wat zijn voor jou (komende) TNW event-sprekers die een duidelijke futuristische visie hebben op het web?

"De echte visie komt vaak van opkomende sterren en niet van de beroemde CEO van een beursgenoteerd bedrijf. We zoeken dus juist naar nieuwe namen die verassingen in petto hebben. Vorig jaar hadden we de oprichter van *AirBnB* en in Sao Paulo hadden we bijvoorbeeld iemand die momenteel een revolutie veroorzaakt in PR-land. Daar heb je als bezoeker veel meer aan dan aan een bekende naam."

Wat zou jouw definitie zijn Web 3.0?

"Toen we de naam *The Next Web* bedachten was Web 2.0 heel populair en het lag voor de hand om iets met '2.0' te doen. We hoopten iets op te bouwen wat decennia mee zou kunnen gaan dus kwamen we op de naam *The Next Web*. Voordeel van die naam is dat er altijd een 'next' web is. Zelfs als het web morgen vervangen zou worden door iets nieuws zou je kunnen vragen 'So what is the NEXT web then?'. Web3.0 heeft ook deze belofte. Sommigen hebben het over connected devices en anderen over de Cloud. Ik weet het niet. Zie het maar gewoon als benaming voor alles wat nieuw is."

Je loopt als internetondernemer al een tijd mee, wat is nu het aantoonbaar verschil tussen het internetondernemen in de jaren negentig en nu?

"Wat me meteen opvalt zijn de overeenkomsten. Er zijn altijd mensen die denken dat je met 'een goed idee' de wereld kunt veroveren en anderen die rustig doorontwikkelen aan iets wat je niet ziet aankomen maar dan plots écht doorbreekt. *AirBnB* bestond vier jaar geleden nog niet en is nu een miljarden-bedrijf. Er zijn nog zo veel kansen en opportunities en dat wordt nog veel te weinig begrepen. De komende 20 jaar worden nog spannender dan de afgelopen 20 jaar. Spectaculair om dat mee te mogen maken."

Met het evenement *The Next Web* zijn jullie fanatiek bezig met internationale start-ups. Welk advies zou jij start-ups willen geven tegenwoordig?

"Stop met plannen maken. Het enige wat telt is de uitvoering dus schrijf alsjeblieft nooit een plan. Begin vandaag met programmeren, en als je dat niet kunt ga het dan leren en lanceer over een week iets wat je je vrienden kunt laten proberen. Als ze het leuk vinden dan zet je door, anders begin je aan iets nieuws. Zo is Google ooit begonnen net als Apple, Yahoo en eigenlijk elk bedrijf dat nu succesvol is. Expliciete indicatoren zijn externe prikkels die een gebeurtenis signaleren waarop we kunnen reageren. Voorbeelden hiervan zijn een informatieaanvraag, een verhuisbericht of een huwelijksaankondiging. Het signaal komt uit de buitenwereld, en is vaak direct van de klant afkomstig. Het is in dit voorbeeld dan ook de kunst om de externe data te kunnen koppelen met de eigen klantgegevens."

HOM opdrachten hoofdstuk 4

Dit hoofdstuk kent de volgende opdrachten:

1. Noem vijf verschillen tussen Web 2.0 en Web 3.0.
2. Noem een voorbeeld van Web 3.0.
3. Geef kenmerken van Web 3.0 die voor jouw organisatie van waarde zijn binnen de online marketingstrategie.
4. Wat is *crowdsourcing* en hoe kan het van betekenis zijn voor jouw organisatie?
5. Omschrijf *collaboration* en geef aan hoe je dat op de website van je organisatie zou kunnen inbouwen.

5 Online marketingmix van middelen en het 4R-model

De online marketingmix is de kern van de online marketingstrategie. Daarmee de start van het online marketingplan. (zie hoofdstuk 16). De online marketingmix is niet alleen een afgewogen middelenmix ter promotie van de website maar bewerkt de online doelgroep met de online marketingstrategie in het achterhoofd. Als kader en *focus* (de eerder benoemde online richtingen genoemd *focus, visie* en *i-dentity* uit de vorige hoofdstukken) introduceren we in dit hoofdstuk een 4R-model. 4R moet vooral het succes van de in te zetten middelen verscherpen. Het 4R-model van online succes dient bij de inzet van de online middelen in acht genomen te worden. Aangezien het Handboek Online Marketing een logische opbouw kent waarbij de onderdelen een logische volgorde kennen als opbouw voor het online marketingplan zetten we deze structuur ook door bij de mix van online middelen.

5.1 De 4C's en de 10P's

Hoofdstuk 3 toonde de 4C's (*Cost, Convencience, Consumer value* en *Communication*). De 4C's zijn de vier middelen die de richting en het plan van aanpak van de online marketingstrategie bepalen. De 4C's zijn vergaande vertaalslagen van de aloude 4P's. Naast de C's kennen we ook 'internet-P's'. Het gaat hier om een voor de 4C's aanvullend marketingmodel met 10P's geschikt voor internetmarketing.

5.1.1 Het model van de 10P's voor het internet

Traditionele marketing kent de 4P's die staan voor *Product, Prijs, Promotie* en *Plaats. Personeel* wordt soms als vaste vijfde P genoemd in de traditionele marketingmix. De 10P's die wij voor het internet kunnen onderscheiden zijn gebaseerd op een Amerikaanse internetaanpak. Deze 10P's zijn gefocust op e-business, het online verkopen van diensten, en kunnen -indien relevant voor het plan- een plek krijgen in het online marketingplan:

- Met **Positioning** wordt het claimen van een onderscheidende nichemarkt in de totale markt bedoeld. Dit is de nichemarkt waar je met je doelstelling en operationele online mix op gericht bent. Het positioneren houdt ook het onderscheidend positioneren van de eigen website in. Dit kan door middel van het tot uiting laten komen van de 4C's.
- **Portals** of portalvorming kunnen voor een overzichtelijk geheel zorgen waarbij de gebruiker alles gemakkelijk kan vinden. Portals kenmerken zich door veel gestructureerde informatie alsook een ongestructureerd

gedeelte zoals een forum en communities. Vergaande portalvorming geeft een autoriteitsstatus. Indien er binnen de online concurrentie al een portal bestaat is het lastig daar bovenuit te komen in korte tijd.

- **Pages** - of Pagina's - gaan om de soort en vooral hoeveelheid content. Is alle online content nodig, relevant en nuttig voor de bezoeker? Een beperkt online aanbod dat compact is en gelinkt is aan relevante content en andere websites werkt effectiever dan een scala aan verschillende content. De look-and-feel, het gemakkelijk kunnen bedienen (usability) en snelheid van laden worden meer gewaardeerd dan een kermis van uitingen. We naderen een tijdperk dat het communiceren via visuele content en dus de snelheid van het kunnen maken van keuzes belangrijker wordt. Voor mobiel gebruik dient er een afgewogen keuze te worden gemaakt in contentaanbod.
- De **Packaging** staat voor de manier waarop je informatie maar vooral online diensten aanbiedt. De figuurlijke verpakking kan bestaan uit de online mogelijkheid tot chatten met de serviceafdeling of andere interactieve manieren van communiceren met de online klant. De mogelijkheden tot het op maat aanbieden van de diensten via het online kanaal behoren ook tot de P van Packaging.

Afbeelding 5.1 De P van Pages en het maken van keuzes op de website.

- **Pathways** zijn de paden die de bezoekers dienen te volgen om op de site te komen. Het doel is zo veel mogelijk paden te creëren naar de online uiting. Directories zoals startpagina.nl of startkabel.nl blijven nog altijd belangrijk voor het inkomend verkeer. Goede posities bij speciale portals en directories kunnen zelfs direct voor conversie (resultaat) zorgen. Ruil links met sites die gratis linkplaatsingen aanbieden. Wees aanwezig in de social media zoals Facebook en LinkedIn, Twitter en gebruik relevante blogs. Gebruik eventueel affilliate sites of betaalde (tekst)links. Bovenal is de domeinnaam zelf een belangrijke factor voor het goed gepositioneerd staan in de blackbox van de internetbezoeker. Zo blijft 'AtMost.nl' goed hangen. Mijn allereerste internetonderneming 'CC Internet en Communicatie' bleef wat minder hangen. Het goed en relevant aanwezig zijn in zoekmachines vormt dan ook een extra en logisch pad tot de website.
- **Personalization** maakt de online omgeving *Persoonlijk*. Deze P is te vergelijken met de C van *Communicatie* uit het 4C-model. Het persoonlijk maken kan op twee manieren. Enerzijds een persoonlijke look-and-feel. Anderzijds door met beschikbare technieken relevante en persoonlijke content aan te bieden. Een nadeel van dit Web 3.0-instrument is de privacywetgeving. Er mogen niet zomaar persoonlijke gegevens worden opgeslagen en gebruikt worden zonder toestemming. Meer daarover in het hoofdstuk over e-mailmarketing.
- **Progression** hoort bij de vraag: *Hoe converteert een klant?* De kunst van het omzetten van een bezoeker tot klant wordt *conversie* genoemd. Niet alle producten kennen online de mogelijkheid tot het bieden van conversie in de vorm van verkoop. Ook het aanvragen van brochures, het vaker terugkomen op de site of het bellen naar aanleiding van het bezoek aan de website is conversie. In Amerikaanse conversiemodellen wordt het gratis aanbieden van een testversie vaak als middel van de harde conversie gebruikt. Het percentage kopers dat een testversie upgradet naar de betaalde volledige versie overgaat is nog altijd hoog.
- **Payments** zijn manieren van online betalen of afhandeling van de aankoop. Uit onderzoek blijkt dat meer dan de helft afhaakt in de winkelwagen door de onduidelijke manier van afrekenen of vraagtekens bij de veiligheid van de betaling. De online kassa geeft blijkbaar zoveel weerstand dat er goed nagedacht moet worden over de manieren van betalen.
- Met **Processes** worden de online processen bedoeld. Hierbij moeten we de voorkant of gebruikerskant onderscheiden van de achterkant van een weboplossing die ook 'backoffice' wordt genoemd. Het gemak (de usability) is online van vitaal belang. Aangezien er bij het gebruik van een website geen adviseur of verkoper aanwezig is die de gebruiker

zijn of haar weg wijst, komt het eenvoudig gebruiken en doorlopen van processen volledig voor rekening van de internetuitingen. Meer hierover in hoofdstuk 6. Indien een online betaling of aanmelding via een mail bevestigd dient te worden zou de mail in de spambox kunnen komen. Daarom kan een automatisch verstuurde sms voorzien van een code die direct online ingetikt kan worden het proces in conversie verbeteren. De routing (de stappen van een online proces) in de interface - vaak beschreven in het functioneel ontwerp van de website - is in het ontwerpproces zeer belangrijk en dient intensief getest te worden voordat er wordt gevisualiseerd naar een webontwerp.

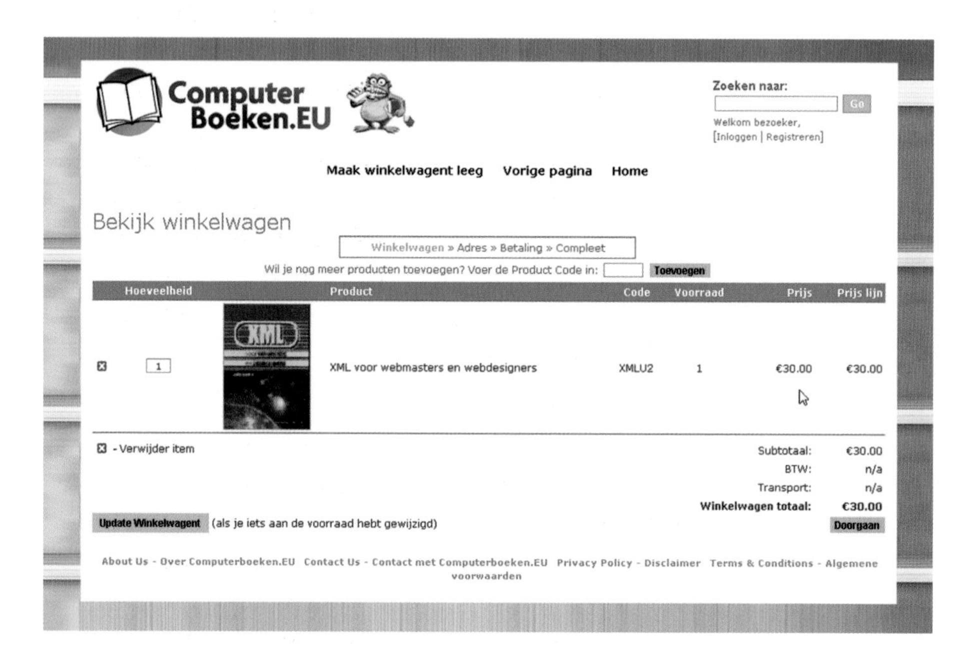

Afbeelding 5.2 De P van Payments op Computerboeken.eu.

- **Performance** is de uiteindelijke werking van de website. De snelheid, de doorloop van diverse online processen. De werking van formulieren, het snel kunnen bekijken van video's en andere multimedia-uitingen. Performance is vooral gericht op de conversiepaden op de site. Hoe kan de bezoeker sneller en gemakkelijker worden omgezet tot klant? Veel sites presteren slecht op het moment dat er campagnes lopen die de sites promoten. Het massale bezoek en gebruik van de website zorgt dan voor technische problemen en legt soms websites en server geheel plat.

5.2 De online doelstellingen

Na de modellen die de gekozen strategie, visie en het kader kunnen omzetten tot een mix van online middelen, moeten er meetbare doelstellingen gekozen worden. Hierbij onderscheiden we twee soorten doelstellingen:

1. de *doelstelling* die een directe afgeleide vormt van de algehele marketingdoelstelling en -strategie;
2. de *gekwantificeerde doelstellingen* die meetbaar en concreet zijn.

5.2.1 De afgeleide doelstellingen

Direct afgeleide doelstellingen van marketingdoelstellingen zijn doelstellingen waarbij internet niets meer dan een kanaal vormt om de (offline) marketingdoelstellingen doorheen te drukken (pushen). Een aanpak die door zijn hoge pushgehalte weinig succes zal hebben. Online heeft een eigenwijze maar vooral eigenhandige aanpak nodig wil het succes hebben. Tijdens Web 2.0 en Web 3.0 komt daar ook de invloed bij die social media hebben. De online doelstellingen kunnen de marketingdoelstellingen weliswaar versterken maar zullen ook met andere doelstellingen binnen de organisatie veel te maken hebben. Op het internet komen bij elke project organisatie-, communicatie-, marketing- en overige doelstellingen samen.

Specifieke online doelstellingen kunnen zijn:

- internet inzetten als *promotie-instrument* voor de organisatie of producten zoals met een virale videocampagne die men kan doorsturen;
- *directe verkoop* van goederen of diensten via een e-commerce platform;
- *productinnovaties/concurrentievoordeel* benadrukken door bijvoorbeeld participatie in de social media;
- *content en advies* verhandelen door bijvoorbeeld gebruik te maken van webcare;
- *advertentie-inkomsten* en sponsoring door eigen online platforms open-stellen voor online adverteerders;
- het verhandelen *consumentengegevens* zoals diverse datingsites doen;
- het maken van *producten voor derden* via het web door bijvoorbeeld te crowdsourcen.

5.2.2 De gekwantificeerde online doelstellingen

Online kan goed gemeten worden. Daarom rechtvaardigt een harde en gekwantificeerde doelstelling zich snel bij het gebruik van online marketing. De accountability van de online marketeer wordt belangrijker. Gestelde doelstellingen kunnen zo eenvoudig en tussentijds worden gemeten met bijvoorbeeld de gratis Google Analytics.

Voorbeelden van harde, meetbare doelen zijn:

- *20% meer unieke bezoekers(verkeer) op de website in 2014;*
- *1000 fans op Facebook en 200 unieke dialogen met fans;*
- *3500 downloads van de digitale brochure in het eerste halfjaar van 2014;*
- *een bereik van 150.000 views door de verspreiding van de virale video met introductie van het nieuwe product in de maand januari 2015;*
- *50.000 unieke bezoekers per maand per december 2014;*
- *400% meer unieke landingen op de bestelpagina van de webshop in het tweede kwartaal van 2014.*

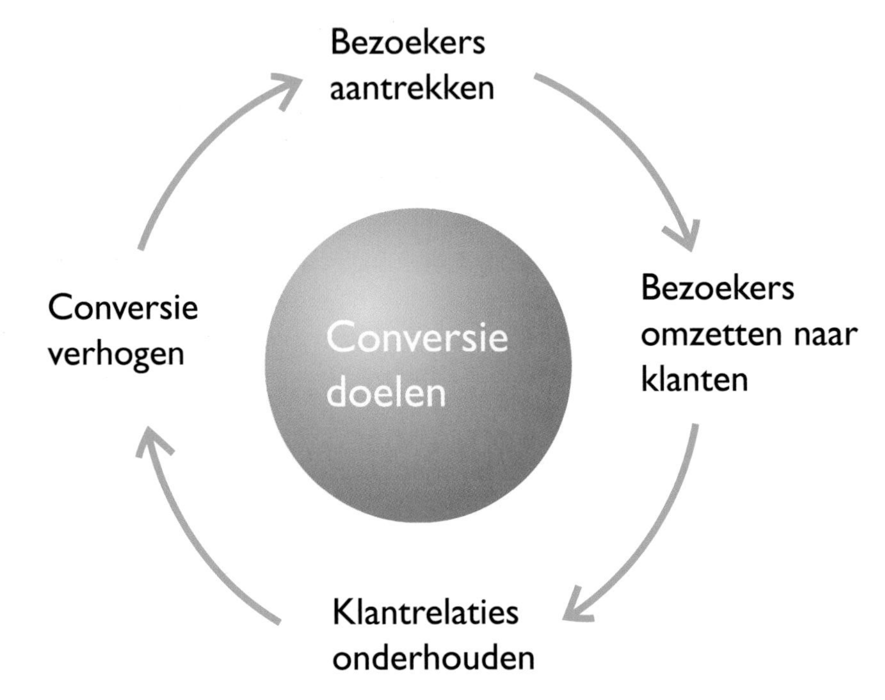

Afbeelding 5.3 Grafiek doelstellingen en doelen.

De gekwantificeerde voorbeelden zijn allemaal meetbaar met een statistische software. Meer over statistieken, rendement en conversie verderop in het boek.

5.2.3 Overzicht van online mediabestedingen

De online budgetten blijven ook in Nederland doorstijgen de laatste jaren. De besteding aan 'search', de bestedingen aan zoekmachinemarketing, vormen het grootste gedeelte van de bestedingen. Mobiel lijkt aan budget te winnen en de besteding aan social media (advertising) neemt tevens toe.

(Verwachte) online besteding in Nederland	2014 in miljoenen euro
Search en display advertising	1200
Mobile marketing (productie en campagne)	75
E-mailmarketing (campagnes)	45
Overig, zoals social media (platforms), gaming	60
Bron: DDMA Kennisrapport, Emma-nl, NIMA, IAB Nederland, Online Ad Spend studie.	

De branchevereniging DDMA geeft aan dat bij betaalde advertenties in de zoekmachinemarketing (SEA) de meeste adverteerders tussen de 1 en 2500 euro per maand besteden. Bij het bevorderen van de niet-betaalde zoekmachine ligt dit tussen de 1 en 1500 euro per maand. 66% van de adverteerders en 75% van de online marketingbureaus gaven aan dat zoekmachinemarketing het belangrijkste marketingkanaal is. In de VS wordt de online advertentiemarkt in 2013 op 20 miljard dollar geschat.

5.3 Overzicht van online middelen

Na de online marketingstrategie, de *focus*, *visie* en *i-dentity*, het benoemen van de 4C's en eventueel aanvullende 10P's wordt het tijd voor de operationele mix van te gebruiken online middelen.

De mix waar wij ons op focussen bestaat uit onder andere:

- de website zelf op basis van het ICT-model;
- zoekmachinemarketing;
- social media & blogging;
- virale marketing;
- e-mailmarketing;
- affiliates;
- mobile marketing;
- contentstrategie;
- online video advertising;
- microsites.

Het afsluitend hoofdstuk van het *Handboek Online Marketing* bevat de opbouw van een plan met een scala aan te gebruiken modellen. In het plan dienen de gebruikte online middelen goed te worden benoemd. De website is een middel van het online marketingplan. De website zelf kent een mix van fysieke online doelen. De onderdelen *Informatie*, *Transactie* en *Communicatie* vormen een gemakkelijke vertaalslag. We vertalen hiermee de strategie en doelstellingen naar een werkbaar concept voor een website.

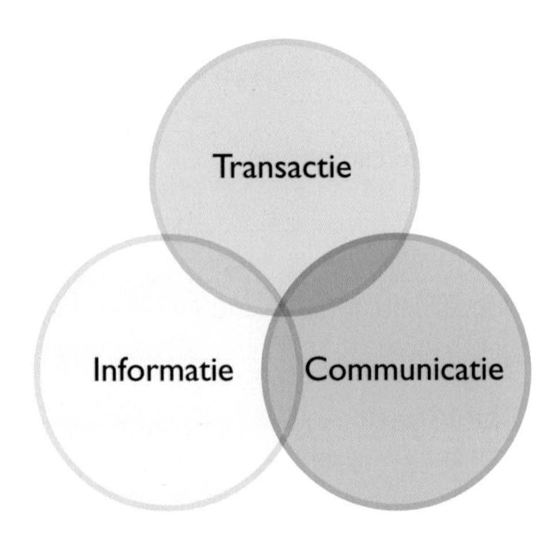

Afbeelding 5.4 ICT-model.

De vertaalslag van *Transactie*, *Informatie* en *Communicatie* (ICT) gebeurt op het moment dat het functioneel ontwerp (FO) en wireframes van de website gemaakt dienen te worden. Ook geeft dit eenvoudige model de belanghebbenden inzicht in de kernwaarden van de site. Met het FO en de wireframes kunnen creatieven aan de slag om de website visueel en functioneel te realiseren.

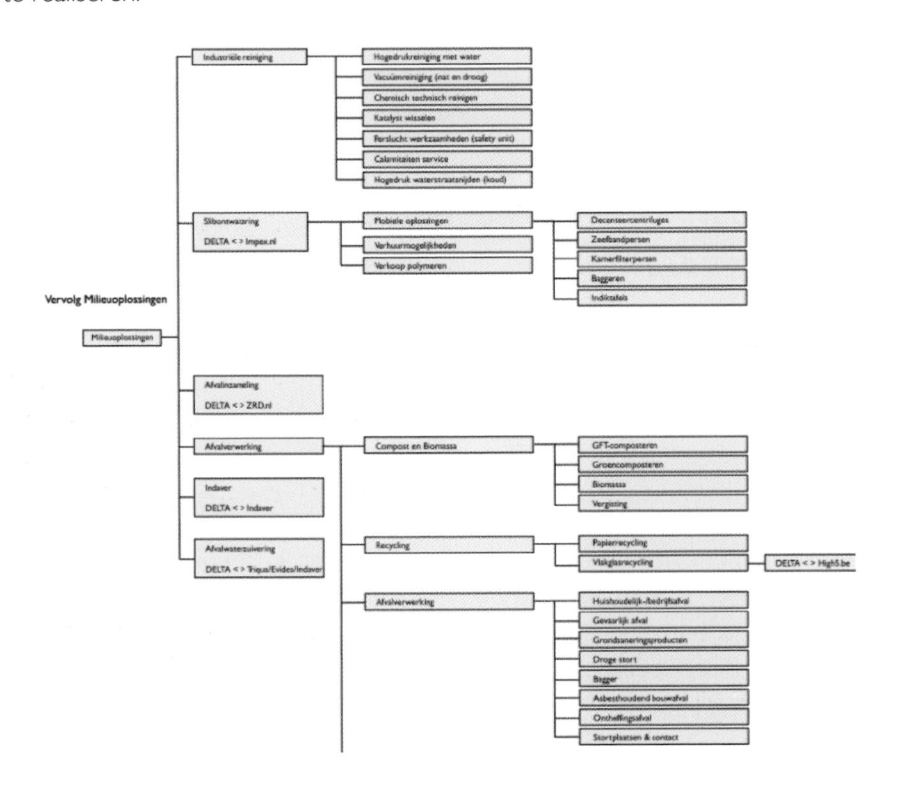

Afbeelding 5.5 Het functioneel ontwerp van AtMost voor de site DELTA.nl.

In het ICT-model geeft de grootte van de drie bollen de inzet van de drie componenten aan. Het model is bij presentaties een handig visueel hulpstuk om de doelstelling, productverandering en gekozen online mix kracht bij te zetten. Soms dient de website zelf totaal gerestyled te worden om aan doelstellingen en gekozen strategieën te voldoen.

Afbeelding 5.6 Het wireframe voor de site Beetjehulp.nl.

5.3.1 Virale marketing

Virale marketing is het 'buzzen' van het internet. Tegenwoordig spelen social media daarbij een grote rol en wordt het maken van de content ook wel *contentstrategie* genoemd. Fluistermarketing, buzzing, een hoax of gewoon het creëren van hypes zorgen ervoor dat de (online) gemeenschap de boodschap van de marketing op eigen houtje verspreidt. Dit creeërt een groot online bereik met intensieve impressie. Een viral kan een nieuwsbrief zijn met opvallend nieuws, een quiz of spel, een grappige video of een aankondiging van een nieuw product(kenmerk). De term *viral* lijkt op *virus* en komt van viraal; het mondeling overbrengen van een boodschap. Social media verstevigen de kracht van online virale marketing.

Amerikaanse consultants over virale marketing: *'It's more powerful than any other marketing technique that lacks the implied endorsement from a friend.'*

Afbeelding 5.7 Gangnam Style is een van de best verspreide online video's.

Meer over virale marketing in hoofdstuk 7 van het HOM.

5.3.2 Contentstrategie en engagement

Een contentstrategie heeft met het groeien van social media aan kracht gewonnen in de onlnie marketing mix. Het kent een meervoudige uitleg waarbij een contentstrategie in ICT-sferen ook wordt gebruikt voor het aanduiden van vergaande content- en documentmanagement. Een contentstrategie die we kunnen inzetten binnen de online marketingmix van middelen is gericht op het zo veel mogelijk verspreiden van content (multi-leveling) op verschillende niveaus:

- het aanbieden van de *actuele content* zoals nieuws of een actueel aanbod dat een-op-een kan worden overgenomen;
- *content bewust* gebruiken voor zoekmachinegerelateerde strategieën;
- *content inzetten* om meer paden naar de website te creëren;
- het *recyclen* van *content* waarbij de bestaande content wordt gerecycled om ergens anders op het WWW te verschijnen;
- het relevant aanpassen van het *contentaanbod* voor de diverse kanalen zoals mobiel, weblogs, Facebook en de desktop website;
- het opwekken van *engagement* met de content, de organisatie, de afzender of de boodschap.

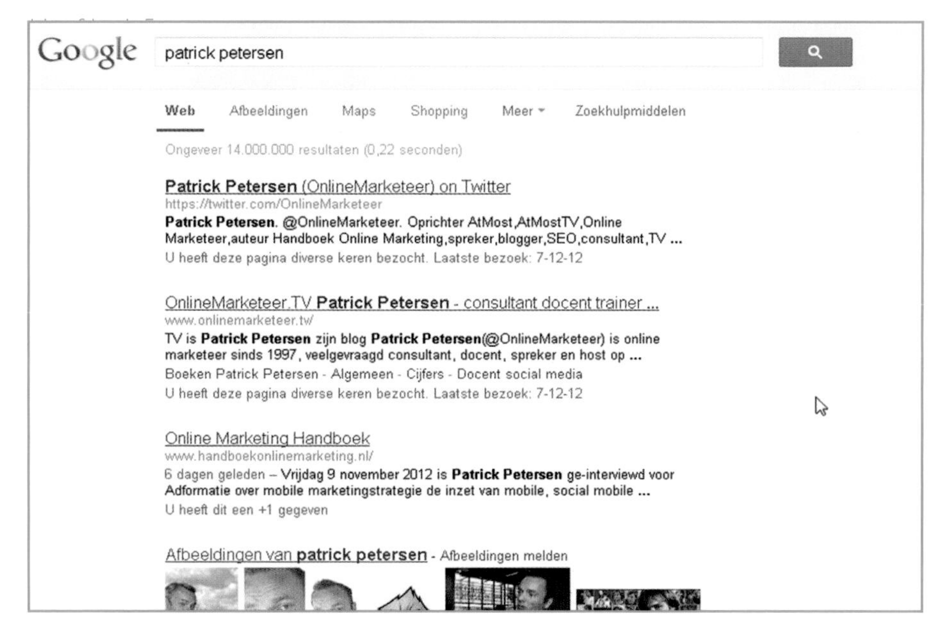

Afbeelding 5.8 Contentstrategie en het resultaat in Google.

Meer over *contentstrategie* in hoofdstuk 8.

5.3.3 E-mailmarketing

E-mailmarketing is een discipline waar we in de jaren negentig massaal mee zijn begonnen. Rondom 2000 werden er wereldwijd zo veel mogelijk databases met mails ingekocht om zo veel mogelijk boodschappen via e-mails te verspreiden.

Dit gericht mailen was ondereel van de toen populaire guerilla marketing. Nu noemen wij het 'spam' en is het bijna over de gehele wereld een strafbaar feit geworden. In 2004 is in Nederland een Telecomwet aangenomen die het zomaar mailen van boodschappen zonder toestemming verbiedt. Binnen de e-mailmarketing onderscheiden we een aantal vormen zoals:

- *buzzmails;*
- *nieuwsbrieven;*
- *aquisitiemails;*
- *retentiemails.*

Het 4R-model - dat aan het einde van dit hoofdstuk wordt toegelicht - is sterk van toepassing op e-mailmarketing. Een goed mailbeleid kenmerkt zich met een professioneel beleid op het gebied van databasemarketing.

Afbeelding 5.9 AtMost kent gekoppelde visuele online e-mailmarketingsystemen.

Uit diverse onderzoeken blijkt dat online marketeers -ondanks de sterke opkomst van social media- nog steeds een voorkeur hebben voor het middel e-mailmarketing. Vooral B2B is e-mailmarketing nog steeds een sterk middel. Dit vaak in combinatie met zoekmachinemarketing en online campagnes. Alle marketeers verwachten steeds meer uit te gaan geven aan e-mailmarketing. Het Amerikaanse e-marketer geeft aan dat marketeers jaarlijks zo'n 15% meer zullen besteden aan e-mailmarketing tot aan 2015. Voor zoekmachinemarketing is deze groei zo'n 25% per jaar. De basis voor succesvolle e-mailmarketing blijft gedegen databasemarketing. Hierin wordt helaas te weinig geïnvesteerd door marketeers in Nederland. Het goed in kaart krijgen van profielen van respondenten blijft een uitdaging van vele organisaties en leidt een nieuwe online trendnaam in: *Big Data*. Meer over e-mailmarketing in hoofdstuk 9 van het HOM.

5.3.4 Zoekmachinemarketing

In zoekmachinemarketing -of *search*- wordt veel geïnvesteerd door online marketeers. 50 tot 60% van de online mediabudgetten bestaat uit bestedingen aan zoekmachinemarketing. We maken onderscheid tussen de *natural search* -aan de linkerkant van de zoekresultaten en *SEO* genoemd- en de *paid search*, de advertenties in zoekmachines, ook wel *SEA* genoemd.

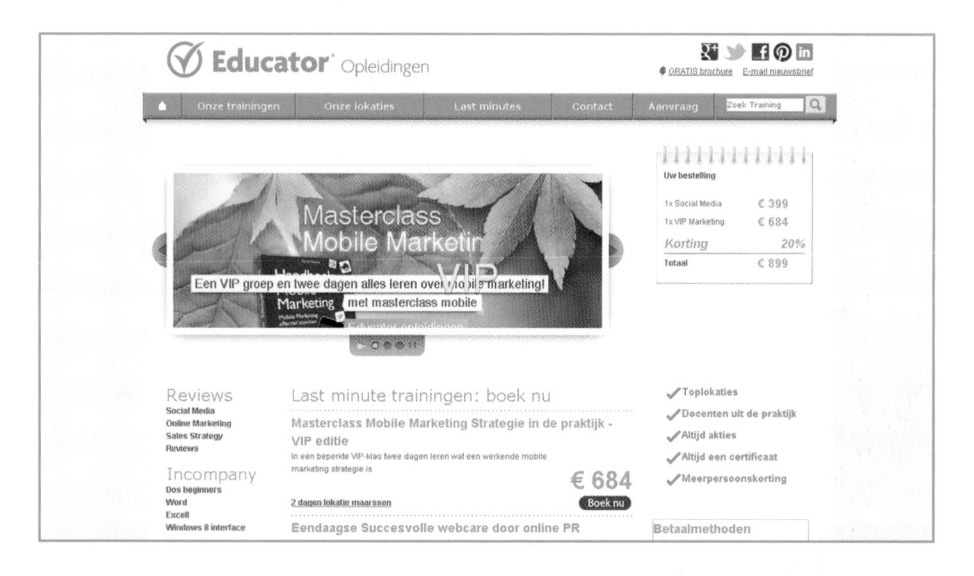

Afbeelding 5.10 De structuur, titels, links en de contentstrategie zijn succesfactoren voor zoekmachinemarketing.

De oprichters van DutchCowboys.nl, Henk de Hooge en Paul Aelen, zijn beiden zoekmachinespecialisten. Deze gave is terug te vinden in de noteringen van DutchCowboys.nl in de zoekmachines. Belangrijke succesfactoren voor onbetaalde zoekmachinemarketing zijn:

de titels per pagina	de contentopmaak
het vullen van de content met relevante keywords	het aantal links naar de site (inlinks)
de keyword-dichtheid per pagina	de gebruikte technieken

De weblog DutchCowboys.nl is gestart in 2003. Aanvankelijk was het de persoonlijke weblog van Henk de Hooge (Gouden Gids/Trivo) en Paul Aelen (CheckIt). Zij waren in Nederland de eerste bloggers die gevat publiceerden over interactieve marketing. In 2005 werd DutchCowboys door de jury van Dutch Bloggies uitgeroepen tot beste techblog van Nederland. De blog won tevens een Next Web Award tijdens het NextWeb Congres in Amsteram. Er zijn diverse varianten zoals StyleCowboys, MobileCowboys en DutchCowgirls bijgekomen.

5.3.5 Microsites

Micosites zijn al sinds eind jaren negentig bekende verschijnselen in campagnes. Een microsite is een extra vaak actie- of doelgroepsgerichte site die draait naast de hoofdsite. De hoofdsite wordt ook wel *corporate site* genoemd. Toen Google eind 2004 het ophakken van grote sites en het kopiëren van content op kleinere sites aan banden ging leggen, verdween een groot aantal van deze microsites. Toch blijven de strategische voordelen van microsites overeind. Je kunt relevanter je content met een hoge keyword-dichtheid richten op de verschillende doelgroepen en niches. Ook kun je beter targetten en bezoekers relevanter laten landen op een site die over een bepaald product of actie gaat. Microsites zijn de PMC's van de online marketing.

Afbeelding 5.11 Een microsite gericht op een bepaalde smartphone.

Na de bouw van de sites voor retailer Trendhopper heeft bureau AtMost lokale retailsites neergezet die op de microsite een hoge lokale relevantie kenden. Aangezien bezoekers graag naar de lokale Trendhopper-winkel gaan is de binding met een lokale microsite al snel groter dan de corporate site. De locatiefunctie wordt steeds belangrijker.

Meer over het gebruik van microsites in hoofdstuk 11.

5.3.6 Social media & blogging

Social media en bloggen worden apart behandeld omdat ze steeds vaker los opduiken in online marketingmixen. Een goede blogstrategie kan in een online marketingmix van een persoon, evenement of productlancering in zijn geheel de online marketingmix vormen gezien de vele voordelen van het instrument. Bloggen wordt geleidelijk meer ingezet op corporate niveau. Het meest populair blijft het gebruik van een persoonlijke blog of een blog gericht op een bepaalde actie of product(lijn). Het gemak van de interactie maar ook het snel opnemen van het blog in de zoekmachines vormen de voornaamste voordelen. Emerce schatte het aantal actieve bloggers of online actievelingen op blogs (met reacties bijvoorbeeld) in Nederland op ruim een miljoen.

De andere vormen van social media worden nog weinig ingezet in online marketingstrategieën. Twitter, microblogs en user-generated content worden als experiment zijdelings ingezet door organisaties. Het echt hard in de online marketingmix aanwezig zijn, zien we helaas nog weinig. Meer over het gebruik van social media in de online marketingmix in hoofdstuk 12.

5.3.7 Webvertising

Webvertising (of online display advertising) is samen met e-mailmarketing en zoekmachinemarketing een van de meest gebruikte online instrumenten. Social media beginnen zich op hoge snelheid in deze groep in te werken. Noemen we hierbij zoekmachinemarketing dan hebben wij de kern van zomaar een online mix te pakken. Ook social media groeien flink aan belangrijkheid in de mix en mixt daarbij goed met de genoemde middelen. Bij webvertising maken we onderscheid in:

bannering	ingame advertising
betaalde links	online premiums in bijvoorbeeld social media
linkruil	volledige take-overs van pagina's
advertorials	overige webpromotie
	omgevingsgevoelige advertenties zoals Adsense van Google

Sinds het begin van het beleidsmatige gebruiken van internet is er veel veranderd op het gebied van webvertising. Feit is dat we last hebben van *bannerblindheid* en minder vaak de banners zien en dooklikken. We worden wel steeds gevoeliger voor relevante *tekstlinks*. Deens usabilityonderzoeker Jakob Nielsen heeft een schokkend eyetracking onderzoek gepubliceerd. Hierin onderstreept Nielsen het gegeven dat *bannerblindheid* steeds vaker voorkomt. Steeds meer bezoekers

zien wel banners maar laten deze niet tot zich doordringen. Vervolgens vindt er geen actie plaats zoals het aanklikken van een banner. Dit wordt omschreven als *bannerblindheid*. Oplossingen zijn opvalende take-overs met paginagrote banners. Eyetracking is een methode waarbij de ogen van een websitebezoeker worden gemeten zodat precies kan worden achterhaald waar men naar kijkt op een pagina. Meer info over usabilityspecialist Jakob Nielsen op zijn website www.useit.com.
Meer over *webvertising* in de online marketingmix in hoofdstuk 13.

5.3.8 Affiliates

Affiliates -of tussenverkopers- bestaan ook online en helpen heel snel een netwerk van verkooppunten uit te rollen. "*An affiliate is a commercial entity of a relationship with a peer or a larger entity.*" In het Nederlands kan *affiliate* worden omgeschreven als een verkoopprogramma voor adverteerders en webmasters. Wordt het professioneler, dan spreek je van een heus verkooppunt of outlet van de hoofdaanbieder. Op het web is het opzetten van een affiliate relatief eenvoudig. Door middel van microsites die zijn gekoppeld aan het verkoopsysteem van de aanbieder kan er snel een netwerk van aanbieders worden opgebouwd.

Affiliates kenmerken zich door het feit dat ze direct conversieverhogend zijn. Conversie kan verkoop zijn, maar ook het aanvragen van brochures of een toename in het aantal unieke bezoekers.

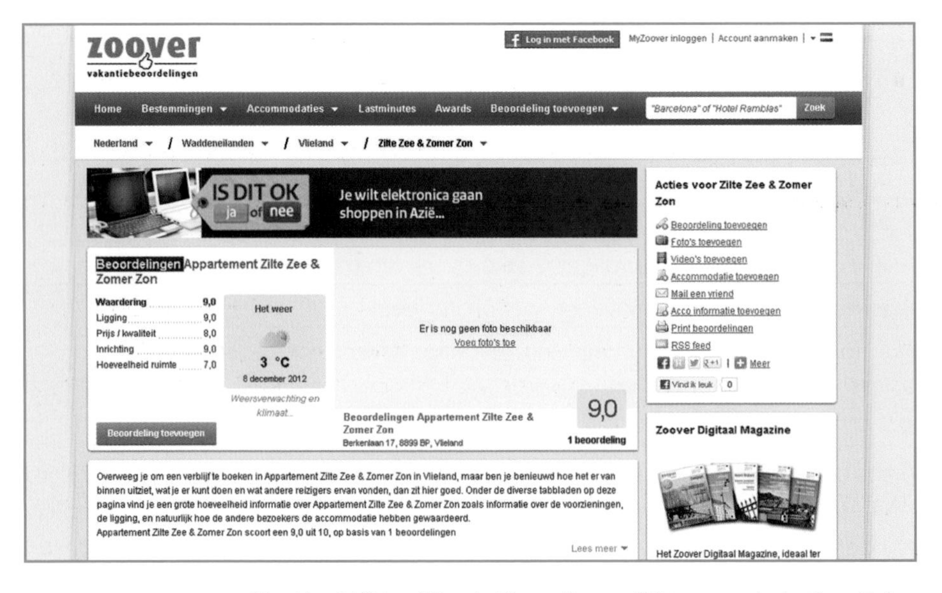

Afbeelding 5.12 Vergelijkingssite Zoover.nl is een affilliate voor veel vakantieaanbieders.

Bureau AtMost heeft het intranet en extra's voor IKEA Nederland mogen designen. Het persoonlijk gerichte intranet zit vol usability-kenmerken alsook een affiliate gedeelte. Na het inloggen op de persoonlijke account kunnen medewerkers van het Zweedse warenhuis bijvoorbeeld gemakkelijk theaterkaarten bestellen via het intranet. Zo fungeert het intranet als een toepasselijke affiliate. Meer over affiliates in de online marketingmix in hoofdstuk 14.

5.3.9 Campagnes, rendement en conversie

Het opzetten van een online campagne is anders dan offline. Door het enorme aanbod van verschillende online kanalen dient de marketeer goed na te denken over de content en de manier van zenden. Voordelen van online campagne voeren zijn:

- met *lage kosten* een *hoog bereik;*
- meer mogelijkheden tot *interactie* met de doelgroep;
- *minder afhankelijk* van tussenkanalen;
- met *databasemarketing* kunnen boodschappen subtiel en gericht worden gelanceerd;
- *uitingen* zijn online 24/7 beschikbaar;
- *differentiatie* is online beter mogelijk zonder aantasting van de merkwaarde van de aanbieder;
- de snelle manier van *vergelijken* van producten en diensten;
- het altijd online bereikbaar zijn (*Always on*) via smartphone of tablet;
- campagnes kunnen gemakkelijk worden *bijgesteld.*

Meer over campagnes, rendement en conversie in het laatste hoofdstukk van het HOM.

5.4 Het 4R-model van succes

Elk middel dat is genoemd in dit hoofdstuk kent een succesfactor die hangt aan het '4R-model van succes'. We gaan ook met online marketing naar hardere afrekenmodellen waarbij de gerichtheid is op conversie. Hoe hoger de budgetten des te meer focus op conversie.

Wat wordt er bedoeld met de onderdelen *Retentie, Rich, Relevant(ie), Reactie & Rendement?*

Dit eigenzinnige model is in campagnes dé stok achter de deur geweest bij het succesvol maken van online (content)campagnes.

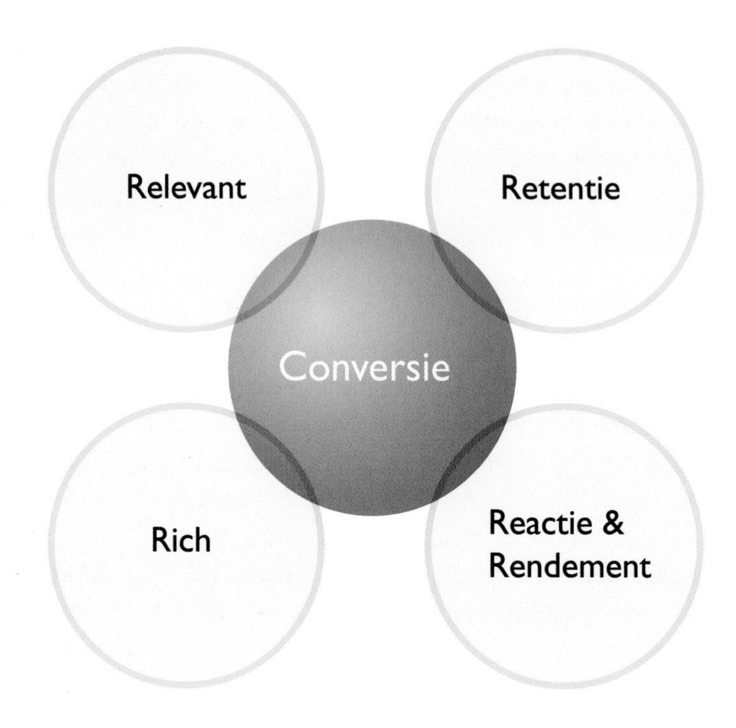

Afbeelding 5.13 Het 4R-model van online succes.

De onderlinge verschillen tussen de componenten zijn soms niets meer dan een nuance die het succes van een online aanpak - zoals een mobile marketing-campagne - vergroten. Daar waar online de afwijzing ('rejection') snel en hoog is zijn juist die nuances in de operationalisatie van de online marketingmix van groot belang. Wat wordt bedoeld met:

- **Relevant(ie)**, hiermee wordt de timing, de vorm en de gerichte content bedoeld. Op een mobiel kan de ontvanger weinig content ontvangen en als de ontvanger al in bezit is van een iPhone is een aanbieding voor de telefoon van Apple niet relevant.
- **Rich** is de waarde van de boodschap. Rich hangt erg tegen Relevantie aan en vormt de conversiefactor als de bezoekers, consument of gebruiker zijn aandacht op de boodschap heeft gericht. Waar Relevant vooral de vorm en timing betreft, gaat Rich om de inhoud en boodschap

die direct een behoefte dient te bevredigen. Hoe rijker, des te groter en sneller de conversie verloopt. Ook internetapplicaties (Rich Internet Applications) kennen de factor 'Rich'.

- **Retentie** is het richten op herhaling. van de boodschap. Door middel van herhaling kunnen meer klantgegevens worden opgevangen en kan er op een menselijk tempo een relatie worden aangegaan met de virtuele relatie. Is de klant bij een evenement geweest? Bied dan de volgende dag per mail de presentaties aan van het evenement. Bied enkele weken later een kortingsbon aan voor het volgende evenement. Is de relatie in stappen opgebouwd en heeft de klant vertrouwen in de relatie die met retentie nog steviger is gemaakt; klap dan geleidelijk het gehele arsenaal van diensten uit.
- **Reactie & Rendement** is de focus op de interactie. Te veel online boodschappen zijn relevant en rijk in het aanbod maar kennen een slechte methode van reageren. Een eenvoudige oplossing als 'klik hier voor het printen van de kortingsbon' verhoogt de reactie. Een verhoging van het rendement met het online instrument kan worden gerealiseerd door er een korte termijn aan te binden voor conversie. Online conversie heeft een hoog *consumptiegehalte*. Is het aanbod niet interessant genoeg, dan wordt de e-mail/sms verwijderd of er wordt doorgesurfd. 'Reageer voor morgen 16.00 uur en maak kans op een gratis exemplaar van het *Handboek Online Marketing*.'

"It only takes 7 seconds to lose a customer", is een befaamde uitspraak van de Deense usability-goeroe Jakob Nielsen. Nielsen benadrukt hiermee het commercieel belang van usability voor het web.

Alle instrumenten uit de online marketingmix in het Handboek Online Marketing worden aan het 4R-model gespiegeld om het succesgehalte van een online middel af te testen en te verbeteren. Zo word je bewuster gemaakt van het inzetten van een betreffend online middel en kunnen er ook op het niveau van het online middel harde doelen worden gesteld.

Bekijk op www.handboekonlinemarketing.nl video 3-501 met Bert Hagendoorn en Niels de Keizer van de Adobe User Group over trends in webdesign.

5.5 EXPERT-CASE Interview Erwin Blom (FMT, The Crowds)

Erwin Blom (geboren te Wormer, 1961) is onder andere een social media influential, journalist, auteur en spreker. Blom publiceerde als journalist voor onder meer Vara TV Magazine, de Journalist, Parool, de Volkskrant, NME en Wired. Verder maakte hij radio voor KRO, VPRO, Radio Noord-Holland en de BBC. In 1994 raakte hij gegrepen door de mogelijkheden van internet. Hij begon als programmamaker met de afdeling Digitaal van de VPRO samen te werken en schoof langzamerhand steeds meer richting nieuwe media op. In 1998 stond hij aan de wieg van 3VOOR12, het innovatieve project van de VPRO dat zowel prestigieuze journalistieke prijzen als nieuwe mediaprijzen (Gouden Pixel, Pop Pers Prijs, UPC Digital Award) in de wacht sleepte en tot de best bezochte sites van de publieke omroep behoort.

Afbeelding 5.14 Erwin Blom. zijn FMT platform.

In het jaar 2008 startte Blom (@ErwBlo op Twitter) samen met Wessel de Valk en Idse de Pree The Crowds, een bedrijf dat zich specialiseert in 'social media'. In 2009 kwam van Blom het boek Handboek Communities; De kracht van sociale netwerken uit. In 2010 werd hij in Nederland genomineerd voor de *Specialist Trendwatcher of the Year Award* in de categorie *Technologie*. 2011 was het jaar waarin The Crowds het initiatief nam tot Fast Moving Targets, een platform over innovatie op het gebied van media, technologie en communicatie. Blom haalde in dat jaar de 40e plaats in de Top 100 van meest invloedrijke mediapersonen in Nederland. We vragen Blom naar zijn visie op gebied van de *Realtime Revolutie* en de kracht van social media. Naast *relevantie*, *retentie*, *reactie* en *rendement* lijkt online marketing *realtime* steeds meer een succesfactor te worden.

Hoe omschrijf jij (in je boek) de *Realtime Revolutie*?

"Het feit dat alles en iedereen altijd en overal met elkaar in contact staat of kan komen, heeft ingrijpende gevolgen voor alle facetten van de samenleving. Het heeft grote impact op alles van nieuws tot commercie tot politiek. Alles gaat sneller en opener, iedereen moet flexibeler en transparanter opereren. Dat zet veel zaken op zijn kop, met nieuwe winnaars en oude verliezers."

Waarom is het *realtime* willen hebben van informatie daadwerkelijk een revolutie?

"Voor mij is een revolutie een snelle ontwikkeling met grote gevolgen. Op het gebied van media betekent het dat we zonder tussenkomst van klassieke partijen overal rechtstreeks bij kunnen zijn. Die impact werd onlangs mooi in de praktijk zichtbaar. Onmiddelijk na de ontploffing op een woonboot in het centrum van Amsterdam zag je op Twitter ooggetuigeverslagen, foto's en video's van het ongeluk. Tegelijk kon je zoals altijd meekijken met een verslaggever van Omroep Noord-Holland. Die zag je twintig minuten door de stad rijden op weg naar het ongeluk waar we dankzij burgers al veel van wisten. De reguliere media houden een rol bij het duiden en van context voorzien, maar zijn in veel gevallen hun rol van brenger van het actuele nieuws aan het kwijtraken. We kijken mee met de ruimtevaarder die naar de aarde blikt, zitten als het ware in de auto naast de 'stormchasers' op weg naar het oog van een orkaan, werpen een blik op een rel in Londen. Iedereen maakt media, daardoor versnippert de aandacht en staan nieuwe autoriteiten op."

Wat zou de link kunnen zijn tussen het opkomende gebruik van de mobiel en de realtime revolutie?

"De mobiel is het ultieme apparaat voor de realtime revolutie. Het symboliseert dat we altijd en overal connectie hebben. Het is het apparaat waar we continu mee kunnen zenden, ontvangen en communiceren. De mobiel is de realtime revolutie!"

Kunnen we al spreken van een mobiele *realtime* gebruiker?

"Als de marketing van mobiel goed gedaan wordt, speelt het in op mijn persoon, mijn locatie, mijn tijd. Dan zorgt het voor realtime relevantie. Dat zou het doel moeten zijn, al heb ik het gevoel dat de af te leggen weg nog lang is."

Bekijk op www.handboekonlinemarketing.nl de video 3-502 met quotes uit interviews voor het boek *De Realtime Revolutie; Hoe Twitter (bijna) alles verandert*. Ingegaan wordt onder andere op de impact op business, gezondheidszorg, marketing, overheid en sport.

Afbeelding 5.15 Erwin Blom tijdens een presentatie.

HOM opdrachten hoofdstuk 5

Dit hoofdstuk kent de volgende opdrachten:

1. Noem vijf van de 10P's voor het internet en omschrijf deze.
2. Benoem de 10P's voor je eigen organisatie.
3. Welke onderdelen van de online marketingmix worden genoemd in dit hoofdstuk?
4. Benoem de inzet van de onderdelen voor je eigen organisatie.
5. Wat is het ICT-model van een website?
6. Omschrijf het 4R-model van succes en de functie van het model.

6 Het ICT-model en de usability van de website

Binnen de online marketingmix van middelen speelt de website een grote rol. De website dient gericht in het middelpunt te staan van de overige middelen. Toch wordt de eigen website weleens over het hoofd gezien bij het optimaliseren van een online campagne.

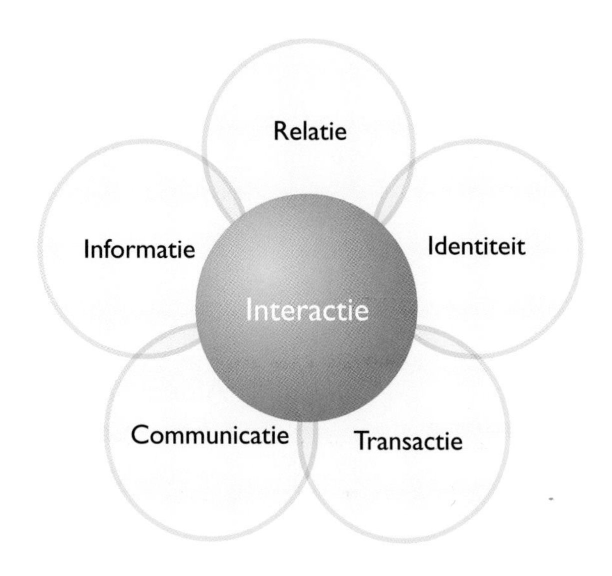

Afbeelding 6.1 ICT-model en aanvullende factoren.

6.1 Het ICT-model

In hoofdstuk 5 is het ICT-model geïntroduceerd. Het vertaalmodel kent als vertrekpunt de websiteonderdelen Informatie, Communicatie en Transactie. Relatie en Identiteit plus Interactie worden ook weleens benoemd als extra factoren maar die laten wij in dit model weg. Een aanpak die in de jaren negentig bij diverse vormen van communicatie reeds werd gebruikt. Het praktische model is niet nieuw en is reeds in verschillende IT-boeken aangehaald voor de beoordeling van interfaces van toepassingen. Kort de uitleg van het ICT-model:

- **I** van **Informatie** heeft betrekking op de eenzijdige informatie op een website waar niet direct interactie plaatsvindt met de lezer/bezoeker van de site. Het gaat hier om content, voorlichtingsvideo's, brochures, de webteksten en andere uitingen die puur gericht zijn op het voorlichten en eenzijdig informeren van de bezoeker.
- **C** van **Communicatie**: is gericht op de communicatie met de bezoeker of klant nog voor het stadium van Transactie. Het gaat hier om

uitwisseling van informatie en gegevens alsook ideeën. Denk hierbij aan fora, chattoepassingen, een viralgame, poll, vragenlijst, formulieren voor online vragen en andere vormen van interactie.
- **T** van **Transactie** is de meetbare overdracht zoals een online koop, een formulieraanvraag voor een brochure, een bezoekafspraak maken of meer onderdelen waar gegevens of diensten worden overgedragen met een wervend doel.

6.1.1 De I van Informatie uit het ICT-model

De I van *Informatie* is een must op elke website. Het begin van het internet kenmerkte zich door informatie. Presentatie en dus informatie was de focus online. Tijdens de periode waarin Web 2.0 is ontstaan wordt het grote aanbod van informatie losgelaten om door middel van communicatie en dus interactie op een prettige manier tot een relatie te komen met de bezoeker.

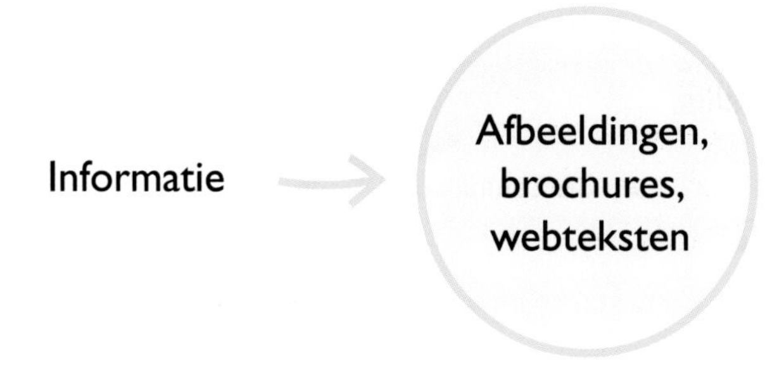

Afbeelding 6.2 De I van Informatie.

Sites die een grote aanwezigheid kennen van I zijn sites van de overheid en nieuwssites. Het zijn sites waar veel uitgelegd dient te worden (zoals procedures en processen) of die het brengen van informatie als doel hebben.

Sites die Informatie centraal hebben staan zijn bijvoorbeeld:
- *www.uvt.nl*
- *www.educator.nl*
- *www.ijslandtours.nl*
- *www.xml.com*
- *www.w3c.org*

Het ligt voor de hand om nieuwssites zoals Nu.nl en AD.nl als sites te bestempelen die Informatie als focus hebben. Toch behalen zij hun online doelen vooral door het gebruik van Communicatie en Transactie. Door het gebruik van social media gaan nieuwssites meer richting sites waar de *Communicatie* en zelfs

Transactie steeds belangrijker worden. Ook op deze sites geldt dus een duidelijke mix van I, C en T.

Afbeelding 6.3 Beeckestijn.org is vooral veel informatie (I).

6.1.2 De C van Communicatie uit het ICT-model

De C van *Communicatie* uit het ICT-model wordt steeds belangrijker. De fase waarin er eenzijdig wordt gepresenteerd zijn wij sinds eind jaren negentig ontgroeid.

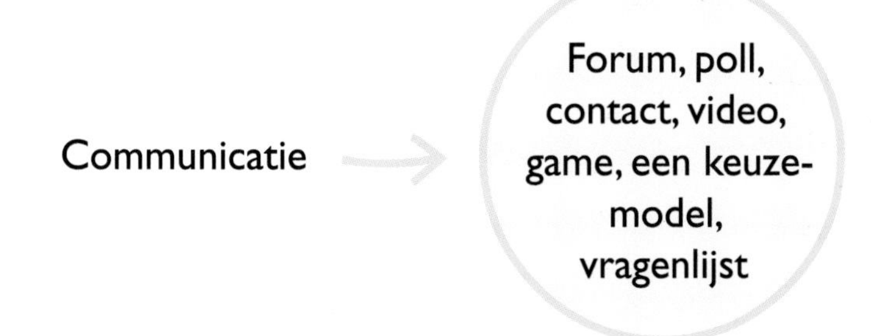

Afbeelding 6.4 De C van Communicatie.

De interactie van de tweede generatie van het internet richt zich vooral op *Communicatie* en bij gestelde doelen zal de T van *Transactie* snel naar voren moeten komen op een website. Interactie? Op de website van verzekeraar www.ditzo.nl kunnen klanten direct op de hoofdpagina via chat een vraag stellen over het verzekeringsaanbod. Voorbeelden van sites die een focus hebben op de C van *Communicatie* zijn:

- *www.marketingfacts.nl*
- *www.facebook.nl*
- *www.ditzo.nl*
- *www.socialmedia.nl*
- *www.speel.nl*

Afbeelding 6.5 Ditzo.nl kent veel Interactie op de site.

Vooral weblogs kennen een focus op interactie dus een focus op Communicatie. De artikelen op weblogs dienen reacties en discussies uit te lokken en zorgen zo voor de communicatie tussen zender en ontvanger. De tweede generatie web is gericht op interactie en communicatie met de bezoeker. De communicatie hoeft niet altijd doelgericht te zijn of tot conversie te leiden zoals het invullen van een offerte of een online koop. Communicatie is gericht op het verzamelen van reacties en input van de online klant of de online bezoeker. Communicatie en community gaan hierbij hand in hand.

6.1.3 De T van Transactie uit het ICT-model

Transactie is de meest wervende en meetbare vorm binnen het ICT-model. In geval van Transactie vindt er een online uitruil plaats. Van uitruil kan sprake zijn in geval van een online koop, het downloaden van informatie, een aanvraag voor een offerte door een geïnteresseerde of een andere opvang van leadgegevens. Uitruil (van gegevens) is ook het meedoen aan een prijsvraag waar de gebruiker zijn gegevens invult en overdraagt of het lid worden van een online dienst. Ook downloads zijn transacties. Na de relatiegerichte kenmerken van Web 2.0 komt er een hardere en meetbare vorm van online marketing waarbij de transacties centraal staan. Transactie en Communicatie komen al snel gemengd voor op een website. Alleen op onderdelen waar de bezoeker weinig communicatie nodig heeft vindt directe transactie plaats. Dit kan het geval zijn in een webshop bij het afnemen van een herhaalvraag. Webshop Amazon kent 'the one click'-optie. Daarbij is de communicatie zeer minimaal maar kan de online klant direct het relevant aangeboden product afnemen.

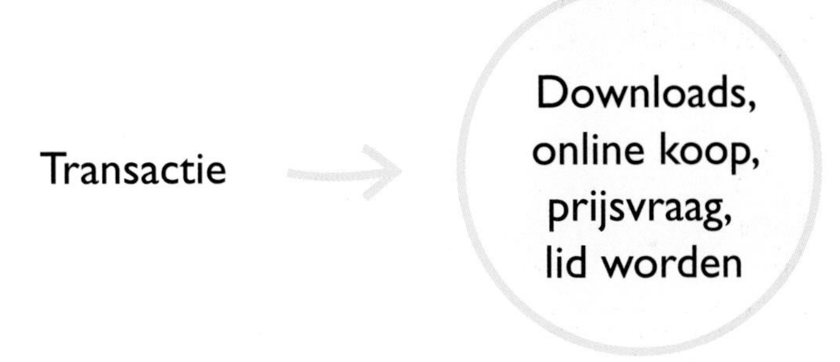

Afbeelding 6.5 De T van Transactie.

Ook Bol.com kent een succesvolle transactiegerichtheid, meer sites met een gerichtheid op Transactie zijn bijvoorbeeld:

- *www.wehkamp.nl*
- *www.ticketmaster.nl*
- *www.beetjehulp.nl*
- *www.frs.nl*

6.1.4 De verhoudingen van het model

Het doel van de website en online marketingmix bepaalt de verhoudingen binnen ICT-model. Soms kent Informatie een overwicht, soms Communicatie en bij op conversiegerichte websites vormt Transactie de grootste component.

Als alle componenten (lees: bollen) van gelijke grootte zijn, dan is de doelstelling afgevlakt. De website kent van alles een beetje en zal de gebruiker niet naar een concrete richting en daarmee doel brengen. Een webshop (Transactie) met een duidelijk productoverzicht met details (Informatie), een community (Communicatie) met mogelijkheid tot het plaatsen van beoordelingen (Communicatie en Transactie) zal de I en C inzetten om de T te stimuleren.

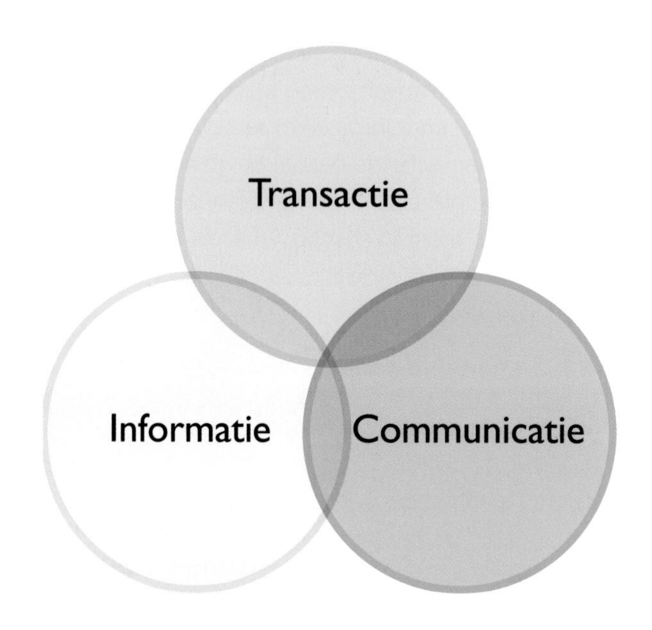

Afbeelding 6.6 Het ICT-model gericht op Transactie.

6.2 De usability van een website

Het gemak - of de usability - van een website klinkt wazig maar is een factor die direct van invloed is op de conversie. Marketeers zijn vaak onbekend met de link tussen usability en conversie. De T van Transactie kent een zogenoemd pad waarbij de C van Communicatie de online bezoeker en gebruiker naar het doel brengt op een prettige en snelle manier. Het pad is onderdeel van de eerder genoemde 10P's. De paden naar een conversiepunt, de signaalkleuren van buttons, de lengte van invulformulieren en interactieve onderdelen van de site vormen gezamenlijk de usability van een website. Elk jaar worden er awards uitgereikt aan de website die de beste restyling tot verbetering van de usability heeft ondergaan.

Winnaars van een usability award waren onder ander AH.nl, WNF.nl, Wehkamp.nl en Bol.com.

Bekijk op www.handboekonlinemarketing.nl het video-interview 3-601 met de oud-directeur internet van de ING - Jos Verwoerd - tijdens de Usability Awards.

6.2.1 Wat is usability voor het web?

Usability is de Engelse vertaling voor gebruiksvriendelijkheid en bruikbaarheid. Vrij vertaald staat usability voor gemak. Bij de usability van een website gaat het om de volgende vragen:

- is de website *effectief*?
- is de website *efficiënt*?
- stemt de website tot *tevredenheid* van de bezoeker/gebruiker?

De Deen Jakob Nielsen (Kopenhagen, 5 oktober 1957) is een bekend consultant op het gebied van gebruiksvriendelijkheid (in het engels Engels: usability) van software en websites. Nielsen studeerde aan de Danmarks Tekniske Universitet, waar hij promoveerde tot doctor in de informatica. Hierna werkte hij bij Bellcore, IBM en als 'Senior Researcher' bij Sun Microsystems. Nielsen schrijft sinds 1991 papers en boeken over de gebruikersvriendelijkheid van websites en mobiele toepassingen.

Een *effectieve* website is een site waar de bezoeker snel vindt wat hij of zij zoekt. Het zoeken moet dus snel overgaan in vinden. De irritatie is daarbij minimaal. Met *efficiënt* doet de bezoeker dit met een minimale inzet van zijn tijd, bijvoorbeeld in drie klikken. De *tevredenheid* van bezoekers is het subjectieve beleven van de bezoeker. Een bezoeker houdt een goed gevoel over aan de website indien de site *usable* is. Usability is dus het gemak waarmee een bezoeker of gebruiker informatie kan vinden, iets kan bestellen of gebruiken. Voorbeelden van usability voor het web zijn:

- *invulformulieren* die snel zijn in te vullen;
- *instructievideo's* in plaats van een pagina vol instructietekst;
- *scanbare* koppen in een lange tekst die direct al de alinea eronder samenvatten;
- *het alvast kunnen downloaden* van een digitale brochure bij de online aanvraag van de papieren versie;
- de *snelheid* waarmee een keuze gemaakt kan worden in het hoofdmenu van de site;

- de *voorselectie* van relevantie producten in een webshop;
- het gebruik van veel witruimte waarbij buttons en call-to-actions *herkenbaar* en *scanbaar* zijn.

Afbeelding 6.7 Het snel kunnen scannen van het keuzemenu.

De totale ervaring van een bezoek aan een site of het gebruik van een online dienst wordt aangeduid met *gebruikerservaring*. Dit wordt de *user experience* genoemd. Omdat het internetgebruik intensiever is geworden is de user experience dan ook steeds belangrijker. De derde generatie van het web, en het toenemend gebruik van mobiel internetten, richt zich meer op gemak (usability). Het gemak van een online toepassing wordt steeds meer een succesfactor. Het wordt zo aantrekkelijker om offline diensten online af te nemen als er een soortgelijke beleving van de koop ontstaat.

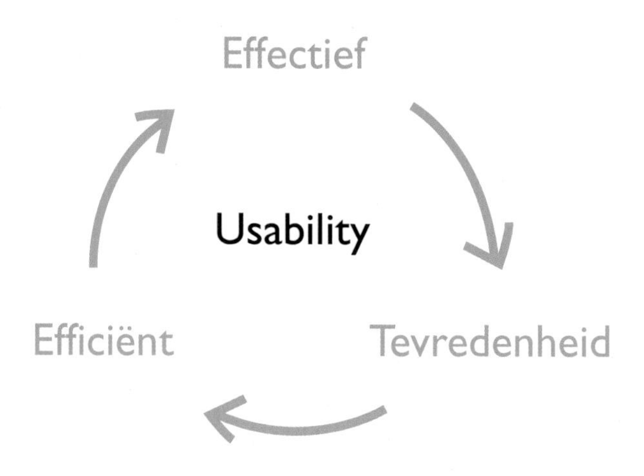

Afbeelding 6.8 Waar usability om draait.

Een call-to-action is een stap dichter bij conversie binnen de fases van het verkoopproces. Veelgebruikte call-to-action teksten zijn: 'klik voor meer info', 'bestel nu', 'vraag offerte aan' en 'call me back'. Goede call-to-actions kennen de volgende kenmerken:

- *concreet: 'Bel nu met 0800-...'*
- *actiegericht: 'Download nu uw e-ticket'*
- *bevatten een actief werkwoord: 'Surf naar...'*
- *kort en krachtig: 'Bestel nu...'*
- *duidelijk in de verwachting: 'Vraag een gratis brochure aan...'*
- *dringend: 'Vraag nog vandaag de offerte...'*

Afbeelding 6.9 Kpn.com heeft duidelijke call-to-actions.

6.2.2 De componenten van usability

Usability kent overlappingen met andere disciplines die belangrijk zijn voor het aanbouwen van een website die 'werkt'. De gebieden die dicht bij elkaar liggen zijn:

- *Usability* voor het web;
- *Accessability*, de toegankelijkheid van het internet en de website, zie paragraaf 6.3;
- *Interaction design*, het functioneel en visueel ontwerp van de website, zie paragraaf 6.4.

Het is gebruikelijk om functioneel ontwerpen en de usability van een website te testen onder gebruikers. Eyetracking is een voorbeeld van zo'n usabilitytest. Zo kan de doelgerichtheid, de look-and-feel (uitstraling) en het klikpad worden afgetest voordat de website live gaat.

Afbeelding 6.10 Heldere knoppen met korte omschrijvingen zetten aan tot actie.

Interactieontwerp of interaction design (ook wel afgekort als IxD) definieert de structuur en het gedrag van interactieve systemen. De ontwerpdiscipline is gericht op het creëren van producten en diensten die nuttig, bruikbaar en betekenisvol zijn voor de mensen die ze gebruiken. Interaction designers onderzoeken de behoeften, wensen en waarden van de mensen die het systeem gaan gebruiken. Op basis van deze informatie wordt de gewenste interactie mogelijk gemaakt door het ontwerpen van structuur, gedrag en interface.

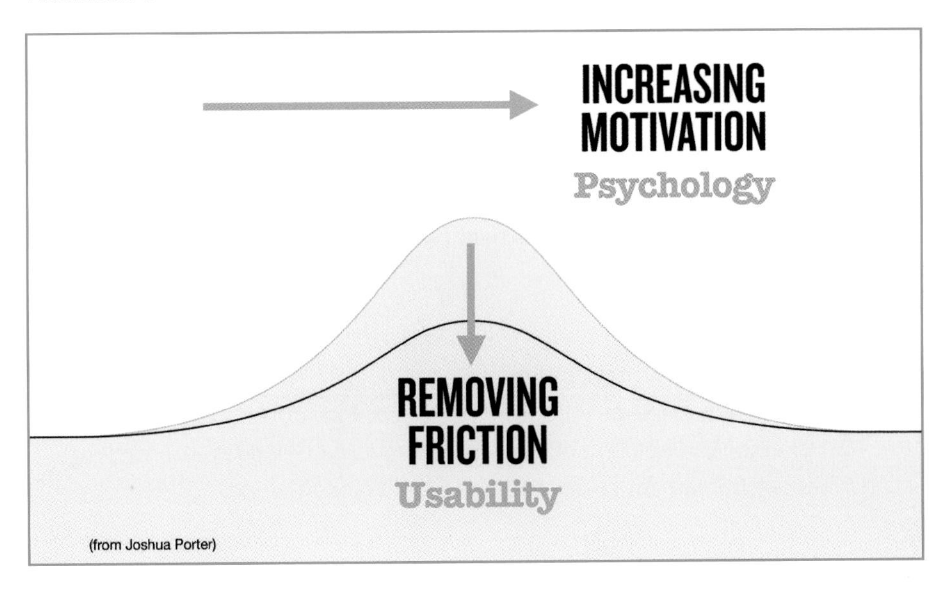

Afbeelding 6.11 De weerstand weghalen stimuleert de motivatie om tot actie over te gaan.

6.2.3 De aspecten van usability voor het web

Usability komt voor een gemiddelde marketeer veelal te vaag over. Concreet kent usability voor het web de volgende aspecten:

- **Lay-out**: de vorm waarin de webpagina getoond wordt. Lay-out is een middel om het doel c.q. de boodschap van de webpagina te ondersteunen.
- **Bedieningsmenu**: alle knoppen of buttons die gegroepeerd de onderdelen van de site weergeven. Er kunnen op één webpagina meerdere menu's staan.
- **Navigatie**: alle elementen die de bezoeker ondersteunen in zijn plaatsbepaling in de site.
- **Compatibiliteit**: het functioneren van de site in verschillende hard- en softwareomgevingen.
- **Informatie ontsluiten**: het zodanig aanbieden van teksten, afbeeldingen en andere multimedia op de website dat deze optimaal aansluiten bij (de beperkingen en mogelijkheden van) het gebruiksmedium.
- **Fouten en foutafhandeling**; de juiste afhandeling van de aanwezigheid van fouten.
- **Transacties**: de mate waarin transacties effectief, efficiënt, betrouwbaar en veilig kunnen worden uitgevoerd.

- **Vindbaarheid** van de website op het internet, zowel met als zonder het gebruik van zoekmachines; de vindbaarheid van content op de eigen site. Naast vindbaarheid gaat het ook om het terug kunnen vinden, in combinatie met het kunnen bookmarken van dieperliggende pagina's.
- **Toegankelijkheid**: de mate waarin de site voldoet aan de W3C-richtlijnen voor toegankelijkheid (voor onderzoek gelden de WAI-richtlijnen, prioriteit 1).

Bekijk op www.handboekonlinemarketing.nl het video-interview 3-602 van Daniëlle Schouten met Adam Richardson, de creatief director van het Amerikaanse ontwerpbureau Frogdesign. Frogdesign is het bureau dat onder andere voor Microsoft werkt.

6.3 Accessability

De toegankelijkheid van het internet is door de vergrijzing in Nederland een issue. Grote letters, een kermis aan kleuren, trage of slechte schermopbouw of te veel nieuwe plugins. Het zijn allemaal issues die de accessibility negatief beïnvloeden.
Met de toegankelijkheid wordt de gemakkelijke bediening en uniforme toegang tot de site bedoeld. Accessibility heeft niet alleen met de toegankelijkheid voor minder validen te maken maar ook met technische problemen bij het bekijken van een website op bijvoorbeeld een PDA, Netbook, iPad of mobiele telefoon. Issues binnen accessability kunnen zijn:

- is de site *printvriendelijk*?
- kan de *tekst* via de browser groter of kleiner worden gemaakt?
- bestaat er naast een *navigatie* in afbeeldingen ook een in de tekst?
- kan de site ook zonder de nieuwste *plugins* worden bekeken?
- zijn tekstlinks *herkenbaar* als tekstlinks?
- wordt er een *ALT-tekst* gebruikt bij afbeeldingen?
- zijn de *titels* boven aan de pagina helder en beschrijvend?
- zijn de *kleurcontrasten* op buttons helder en leesbaar?
- vertelt de *button* ook met tekst wat er gaat gebeuren na het klikken?
- worden er universele *signaalkleuren* gebruikt zoals groen voor 'goed'?

"Web accessibility means that people with disabilities can use the web. More specifically, web accessibility means that people with disabilities can perceive, understand, navigate, and interact with the web, and that they can contribute to the web. Web accessibility also benefits others, including older people with changing abilities due to aging." Bron: W3C.ORG/WAI.

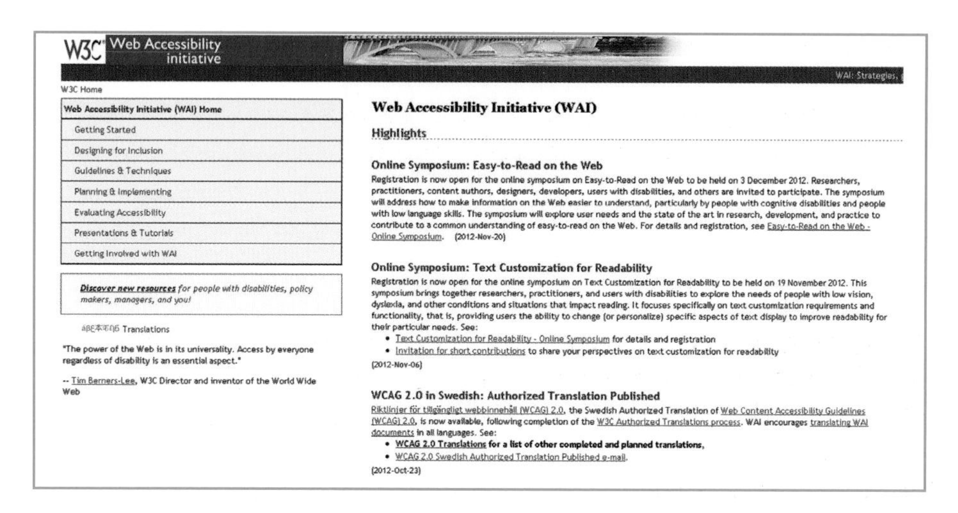

Afbeelding 6.12 W3C.org met de toegankelijkheidsrichtlijnen (WAI).

Sites die goed toegankelijk zijn kunnen een waarmerk krijgen. Het Waarmerk drempelvrij.nl is het kwaliteitsmerk voor toegankelijke websites in Nederland. Als een site voldoet aan de eisen van de Stichting Waarmerk drempelvrij.nl mag deze site het waarmerk (een groen logo) dragen.
Meer info op de website www.drempelvrij.nl

Afbeelding 6.13 Het Waarmerk drempelvrij.nl.

6.4 Interaction design

Interaction design -aangeduid als *ID*- is daar waar mens en machine elkaar tegenkomen. Het is de smoel en de look-and-feel van een website. Interaction design is het proces dat loopt vanaf de informatiearchitectuur, de vertalingen van de (online) doelen van de site in een functioneel ontwerp richting het uiteindelijke visuele ontwerp.

"Interaction Design is a field and approach to designing interactive experiences. These could be in any medium (such as live events or performances, products, services, etc.) and not only digital media. Interactive experiences, necessarily, require time as an organizing principle though not exclusively) and Interactive Design is concerned with a user, customer, audience, or participant's experience flow through time."

Goede interaction design heeft als kenmerken:

- communiceert *effectief* tussen interactie en functionaliteit; het helpt de gebruiker snel zijn doel te bepalen van de bediening van een systeem of website;
- kijkt naar het online *gedrag* van de gebruiker en reageert daarop;
- kan omgaan met complexe en simpele *processen*;
- geeft continue feedback naar de gebruiker van de website of online toepassing.

Interaction Design kent verschillende vormen zoals:

- *User-centered design* waar de gebruiker of lezer centraal staat zoals de site en mobiele applicatie van www.nu.nl;
- *Usage-centered design* waar het gebruik van de site centraal staat zoals Mijn ING;
- *User-experienced design* waar het opdoen van een gevoel, sfeer of ervaring centraal staat zoals www.nikeID.com.

De vragen (het 'begrijpproces' die een interaction designer dient te beantwoorden in zijn aanpak zijn:

- *Wie gaat het systeem gebruiken?*
- *Wat motiveert de gebruikers het systeem te gebruiken?*
- *Wat is de toegevoegde waarde voor gebruikers?*
- *In welke context gebruiken zij het systeem?*

6.5 Usability do's en don'ts voor de eigen website

Goede usability voor het web geeft al snel meer conversie. De juiste online mix en juiste bepaling van de usability en conversiepunten maken een website en online campagne succesvol.

De *don'ts* van usability:

- gebruik geen brochure-ontwerp voor het web;
- gebruik geen frames, die werken slecht voor zoekmachine-optimalisatie en zijn slecht voor de accessability;
- ga niet voor online branding; die impressie verdwijnt snel bij de gebruiker als de site niet *gemakkelijk* blijkt te zijn in gebruik;
- lange teksten;
- sites bouwen die alleen maar werken met de nieuwste plugins en technieken;
- open niet elke link in een nieuw venster;
- maak geen mooie sites, maar een site die werkt, snel bediend kan worden en toegankelijk is;
- vertel niet over je USP's maar laat ze zien.

De *do's* van usability:

- plaats de zoekoptie vast en rechtsboven op de site;
- gebruik visuele uitingen zoals afbeeldingen en video;
- benoem concrete conversiepunten ook wel KPI's (KeyPoint Indicators) genoemd;
- gebruik veel witruimte rondom componenten;
- visuele producten met prijs en info op de binnenkomende pagina plaatsen en niet naar laten surfen;
- nieuwsbriefaanmelding op de binnenkomende pagina of een vaste plaats zetten;
- keywords bepalen per losse pagina en daarmee je teksten eenduidig opbouwen;
- zorg voor weinig paginaverversing of extra laadtijd tijdens het surfen;
- geef elke pagina een eigen titel;
- zorg voor duidelijke call-to-actions die opvallend aanwezig zijn;
- korte teksten zijn scanbaar en communiceren dus;
- laat de klant direct beslissen op de binnenkomende pagina en laat hem of haar niet surfen naar bijvoorbeeld 'de last-minute aanbieding van de dag';
- denk aan de groeiende markt van mobiele surfers en mini Notes.

Bekijk op www.handboekonlinemarketing.nl het video-interview 3-603 met Mark Churchman (van Philips) over conversiegericht ontwerpen.

6.6 Het 4R-model, ICT-model en de eigen website

Als we het 4R-model -uit hoofdstuk 5- toepassen op de eigen website, krijgen wij de volgende beoordeling:

- **Retentie**: zorg met de website, usability, accessability en interaction design dat de gebruiker vaker wil terugkomen.
- **Relevant**: is de website relevant voor het doel, het product en de organisatie? Bevat de website puur die informatie waar de doelgroep naar zoekt of is er sprake van *waste* die afleidt?
- **Reactie & Rendement**: zorg voor heldere call-to-actions, zorg voor goed kleurgebruik en zorg dat het pad naar het doel kort, snel en duidelijk is. Houd rekening met het feit dat veel bezoekers ergens diep in de site landen via zoekmachines.
- **Rich**: gebruik video, scanbare teksten en aantrekkelijke content die bij de gebruiker/ doelgroep passen. Jongeren bekijken graag video's en komen dan tot (online) actie. Ouderen lezen graag de brochures die gedownload kunnen worden.

Bekijk op www.handboekonlinemarketing.nl de expert-case met nummer 3-604 van Bert Hagendoorn. Hagendoorn is consultant voor creatieve bureaus, werkt voor Adobe als marketing project manager en is hoofd van de Raad van Advies van de Adobe User Group Nederland. Voor het Handboek Online Marketing selecteerde hij een opvallende online case: de nieuwe website voor Spyker.

6.7 EXPERT-CASE Interview Marc J. Petersen

Marc Petersen (*@vormgevennl op Twitter*) is interaction designer, opgeleid aan het Grafisch Lyceum. Als designer voor print maar vooral ook web, mobiel en video heeft hij ontwerpen gemaakt voor onder andere Ohra, Centraal Beheer Achmea, IKEA, PCM Uitgevers, Carerix, Heijmans, Bouwfonds en ADO Den Haag. Petersen is met zijn bureau *Vormgeven.nl* tevens de ontwerper van het concept van het HOM, Handboek ContentStrategie en *Handboek Mobile Marketing*. Ook is hij oprichter van de blog InteractionDesign.TV.

Afbeelding 6.14 Marc J. Petersen.

Wat is volgens jou interaction design?

"Alles eraan doen om design te gebruiken om de gebruiker en bezoeker op zijn of haar gemak te stellen en over te halen tot actie."

Welke trends heb jij gezien op gebied van webdesign sinds de midden jaren negentig?

"Vroeger ging het alleen om een mooi webontwerp tegenwoordig moet alles kloppen en mag een ontwerp geen obstakel zijn voor een gebruiker zoals een bezoeker van een website. Wij zien tegenwoordig zoveel impressies dat we kristisch worden naar ontwerpen. Usability staat voorop en is belangrijker geworden dan het design als we spreken over het ontwerpen voor het web. De uitwerking moet bovenal in alle details professioneel zijn uitwerkt."

Als we kijken naar de verhoudingen Informatie, Communicatie en Transactie, waarop zou dan de focus moeten liggen bij interaction design?

"Het antwoord is simpel: de klant verleiden tot een (trans)actie."

Wat moet de focus zijn bij het ontwerpen voor mobiele toepassingen?

"De bediening staat centraal. Gebruikers zijn op de mobiel minder bereid lange teksten te lezen. Wees op de mobiel niet volledig maar beknopt en doelgericht. Laat bijvoorbeeld de gebruiker één actie per mobiel gebruik laten uitvoeren. Vooral niet afwijken van de relevantie die op dat moment geldt. Op de mobiel geldt vooral de regel: *niet zoeken maar vinden*."

Waardoor laat jij je inspireren?

"Mensen die voor zichzelf maar vooral voor anderen tegen de stroom in een eigen wereld hebben gecreëerd. Architect Norman Foster, de kunstige muziek van David Bowie en Depeche Mode met bewezen lange adem in muziekstromingen.

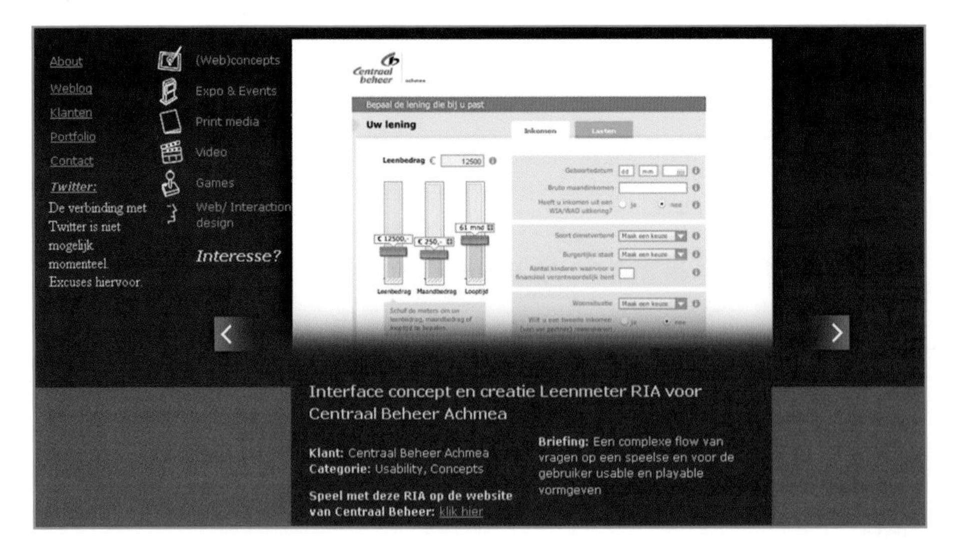

Afbeelding 6.15 Bureau Vormgeven.nl.

HOM opdrachten hoofdstuk 6

Dit hoofdstuk kent de volgende opdrachten:

1. Benoem de onderdelen van het ICT-model met voorbeelden gezien van je eigen website.
2. Geef vijf kenmerken van een goede call-to-action.
3. Verzin vijf call-to-actions voor je eigen website.
4. Wat is usability, accessability en wat is interaction design?
5. Maak een keuze uit de vormen van interaction design voor de eigen site.

7 Virale marketing en emotionele engagement

De online marketingmix is de mix van online middelen die gezamenlijk het online marketingdoel dienen. Virale marketing is daarbij een belangrijke marketingtechniek. Door de massale opkomst van de social media netwerken heeft virale marketing online aan kracht gewonnen. Middelen, instrumenten of trends, de online mix dient up-to-date te zijn en wordt beïnvloed door de trends die omgetoverd worden tot effectieve marketinginstrumenten. Instrumenten om online doelstellingen te bereiken. Het online middel *virale marketing* is een veelgebruikt en belangrijk *fluistermiddel* dat goed is voor de merkbeleving en naamsbekendheid. *Merkbeleveing* of *experience* is een kenmerk van een krachtige viral. Deze virale werking werkt zowel voor een organisatie, een product of (actie)site. Virale marketing kan worden omschreven als het *sneeuwbaleffect* van een markante boodschap. Offline spreken we vooral in de social media van de term *buzzen*. Online wordt het buzzen of fluisteren *virale marketing* genoemd. In de social media blijft men de term *buzzen* nog vaak gebruiken om een kleinere viral aan te duiden, bijvoorbeeld als hoax op Twitter of door het rondsturen van nepfoto's op Facebook. Een virale campagne begint met virale content; daarna volgt het zogenoemde *buzzen*.

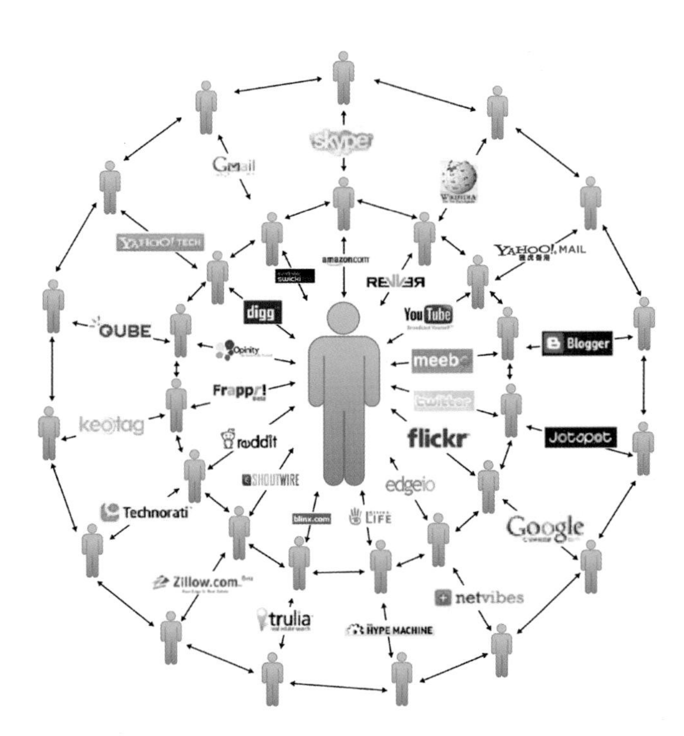

Afbeelding 7.1 Een sociaal netwerkmodel van virale marketing.

Virale marketing lijkt op de werking van marketingmethoden zoals:

- *relatiemarketing*, zoals de diverse vormen van direct marketing en e-mailmarketing;
- *multilevel marketing* en netwerkmarketing, zoals het commercieel gebruiken van social networks zoals Facebook bij databasemarketing en het op bepaalde segmenten richten binnen het netwerk;
- *experience marketing*, zoals portals waar enthousiast over het spelen van bepaalde games wordt verteld;

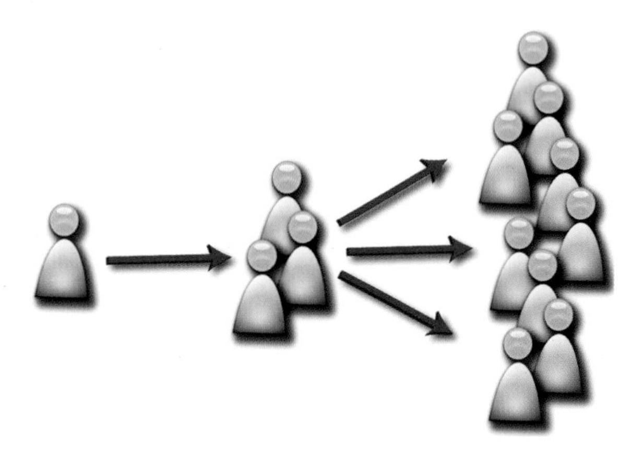

Afbeelding 7.2 Virale marketing of een buzz draait om het doorsturen van een boodschap en verworven bereik.

- *idea virus*, zoals video's plaatsen op weblogs om de unieke besturingen van de WII U spelcomputer te tonen;
- *fluistercampagnes*, zoals het op blogs plaatsen van afbeeldingen van de nieuwe Windows van Microsoft of afbeeldingen van de nieuwe iPhone met daarbij de influistering van nieuwe toepassingen op de telefoon.

De bestseller uit 2001 genaamd *Unleashing the idea virus* van Seth Godin, geeft een uitgesproken visie op alles wat als virale marketing in extreme vorm kan worden gezien. Ook zijn boek *Tribes* is een aanrader.

7.1 Wat virale marketing, buzzen, hypen en fluisteren is

Een *viral* staat niet gelijk aan zomaar een *hype* of *buzz*. Bij virale marketing is de sturing en de boodschap sterk doordacht. Ter verduidelijking wat feiten op een rij om de nuance tussen de verschillende vormen te laten zien:

- een losstaande *buzz* wordt veel gebruikt in de offline reclamebranche en heeft betrekking op het creëren van een boodschap die prospects laat *shaken*, *bewegen* en dus buzzen. Buzzen is letterlijk trillen met een korte boodschap. Zo bestaat er een buzzer, een mobiel apparaatje, dat kort en snel trilt en na het trillen een boodschap laat zien op het minischerm. *Buzz marketing* is een natuurlijke vorm van mond-tot-mondreclame om een boodschap snel, prettig en met snelle acceptatie de doelgroep in te schieten. In de social media wordt buzz marketing veel gebruikt en worden daarbij *social influencers* gebruikt zoals beschreven in hoofdstuk 6;
- een *hype* is een mediaverschijnsel dat puur gericht is op het trekken van veel media-aandacht. Een hype komt snel en bombastisch, maar kan ook weer snel verdwijnen omdat de tijdsperiode te kort is om een juiste beleving (*experience*) bij de consument te bewerkstelligen. Ook kan de hype de uiteindelijke consumentenbelofte in de weg staan. Blijft een hype aan, dan wordt het een 'rage' genoemd. Een hype dient de vooraankondiging te zijn van een grote verkoopboost maar mist weleens sturing en een duidelijke boodschap om daarmee serieus genomen te worden;

Bekijk op www.handboekonlinemarketing.nl de video 3-701 met daarin de virale commercial van een doorzichtige Apple iPhone 5.

- het verschijnsel *fluistermarketing* pakt het subtieler aan. Zonder bombastische aankondigingen worden taglines, vage screenshots, afbeeldingen of halve waarheden van social media bewerkt. Er wordt nieuws losgelaten op een terughoudende manier waarbij er sprake kan zijn van *lekken*. Het wordt gebruikt bij het naar de pers *lekken* van rapporten of onderzoeksresultaten. Zo worden in Nederland diverse politieke plannen bewust gelekt om zo de mening van het volk te peilen. Bij de uiteindelijke bekendmaking worden de plannen vervolgens gelaten geaccepteerd aangezien de inhoud al informeel is gelekt. Ook organisaties gebruiken deze methode om bijvoorbeeld het personeel voor te bereiden op een andere koers. Ook wordt *fluistermarketing* gebruikt om nieuwe versies van games en besturingssystemen geleidelijk naar de markt te brengen. Er worden reacties uitgelokt om zo in het productieproces te gebruiken. Bij fluistermarketing 'gonst het van de geruchten'. Een fluistercampagne wordt ook wel *whispercampaign* genoemd en is bedoeld om de reacties van de doelgroep, het publiek of crowd af te tasten voor eventuele verdere ontwikkeling en betere acceptatie.

Waar staat virale marketing in de online mix?
Bij virale marketing staat het persoonlijk contact en de persoonlijke overdracht van de boodschap centraal. Met relatief wenig kosten wordt door middel van een beoogd viraal effect een grote groep bereikt. Omdat de crowd op een natuurlijke manier wordt bereikt is de betrokkenheid hoger dan bij zomaar een advertentiecampagne.

Uit onderzoek blijkt dat wij in onze ontvangen mail de e-mails van bekenden als eerste openen. Dit geldt ook voor betrouwbare -soms social influencers-contacten in de social media. De status en reputatie van de afzender van een viral is een belangrijke succesfactor. Virale marketing speelt hierop in. en begint heel rustig in een kleine community en kan - met sneeuwbaleffect - heel snel maar ook heel intensief een brede doelgroep bereiken. Zoals een Amerikaans marketeer ooit zei: '*It's more powerful than many their marketing techniques that lack the implied endorsement from a friend.*' De verschillende versies van de iPad en iPhone kennen een flinke fluistercampagne nog voor de release. Apple is sterk in het (laten) opwekken van virals en kent een sterke betrokkenheid in de social media netwerken waardoor geruchten snel worden verspreid. Of dit doordachte campagnes zijn van de virale marketeers van Apple is niet duidelijk.

De blog www.socialmedia.nl heeft elke vrijdag gereserveerd voor blogposts die (actuele) virals en virale campagnes bevatten.

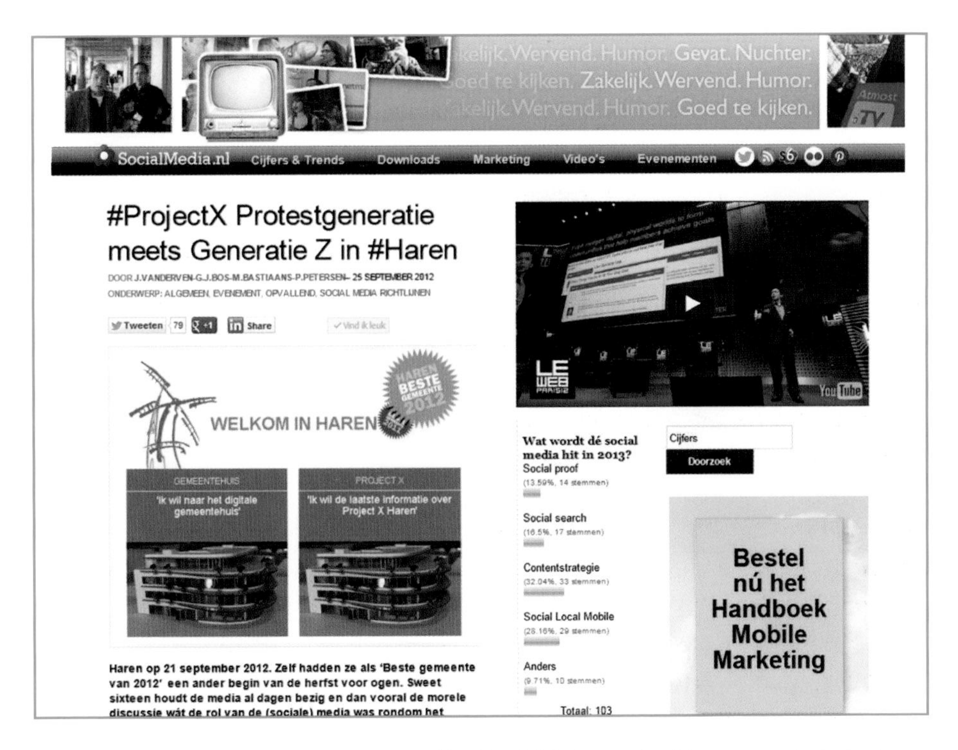

Afbeelding 7.3 De impact van fluistercampagnes die viraal gaan.

7.2 Succesfactoren van de virale en emotionele engagement

Viraal zijn wij allemaal. We vertellen graag over onze ervaringen en geven in Nederland graag onze mening. Ook zijn we snel bereid ergens een discussie over te beginnen of te beoordelen. Positief of negatief. In Nederland zijn wij op internet -gemiddeld genomen- vaak positief. De negatieve meningen hebben viraal de meeste impact. Hoe meer gebruikers contact hebben met elkaar, des te effectiever en noodzakelijker virale marketing wordt. Het massaal gebruik van zoals zoekmachines als Google, het Whatsappen en de social media zoals weblogs, portals, Facebook, Twitter, LinkedIn en Google Plus hebben een enorme boost gegeven aan deze virtuele mond-tot-mondreclame. Door de hoge snelheid van het buzzen kan de virale marketeer als snel zien of de campagne en boodschap aanslaan. De betrokkenheid van de afzender, de boodschap en iedereen die iets over de virale content heeft gezegd zijn een overall succesfactor. Daarnaast is bij het instarten van de campagne en het buzzen de emotionele betrokkenheid (*engagement*) van belang.

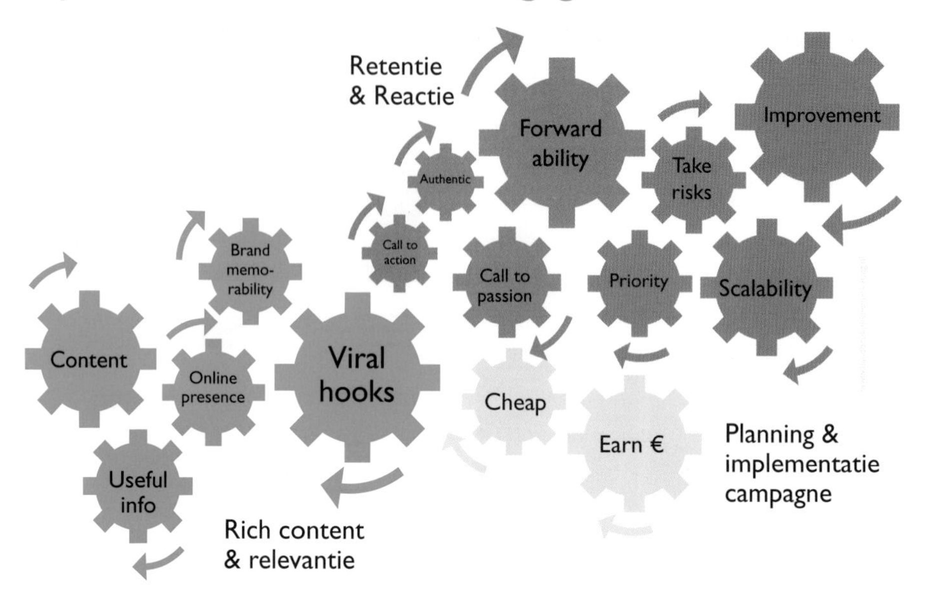

Afbeelding 7.4 Succesfactoren virale campagne aan de hand van het 4R-model van succes.

Hoe sterker de emotionele binding is met de viral, hoe sterker het succes is te garanderen.

7.2.1 10 redenen om virale marketing in te zetten in de online mix

Redenen waarom een organisatie of marketeer aan virale marketing moeten doen kunnen zijn:

1. het product of de boodschap is in de virale campagne *interessanter* dan de verkopende partij zelf, denk hier bijvoorbeeld aan een virale video om een training op het gebied van kantoorautomatisering te verkopen;
2. een virale campagne versterkt de *betrokkenheid* bij een product of organisatie of persoon;
3. virale campagnes kunnen de branding en merkwaarden van een product, persoon of organisatie in korte tijd verbeteren en versterken;
4. consumenten zijn *minder ontvankelijk* voor traditionele online uitingen zoals banners en advertorials;
5. virale campagnes worden als naturel, echt en authentiek gezien;
6. de natuurlijke manier van *imagebuilding*; de marketeer geeft onopvallende producten een spannend imago;
7. de (internet)klant acht de *betrouwbaarheid* van de eigen social community groter dan de verkopende partij;

8. een succesvolle campagne met gebruikmaking van social media kan de afzender direct bekend en geaccepteerd maken in die social media;
9. virale marketing is moderne en krachtige *mond-tot-mondreclame;*
10. de consument bepaalt door wie hij of zij *beïnvloed* wil worden; zo ontstaan er machtsverschuivingen in het verkoop-, marketing en communicatiekanaal.

Wikipedia.org over de term viraal: *"Viraal komt van 'virus'. Het effect en de manier van verspreiden lijkt ook op dat van een virus. Virale marketing is een marketingtechniek die poogt om bestaande sociale netwerken te exploiteren om zo de bekendheid van het merk te vergroten of positieve associaties te bewerkstelligen op een wijze die te vergelijken is met een virale epidemie. In die zin lijkt het op mond-tot-mondreclame die versterkt wordt door het internet, waardoor zeer snel en veelal op goedkope wijze een groot aantal mensen bereikt kan worden."*

7.2.2 De randvoorwaarden van een virale marketingcampagne

Virale campagnes opzetten is eenvoudig, maar ze moeten intensief en slim getimed worden uitgevoerd om ook echt succes te hebben. Campagnes worden binnen de organisatie al snel als *leuk, succesvol* en *viraal* bestempeld maar stranden bij lancering onder de doelgroep. Grondig testen is van belang bij het opstarten van een virale campagne.

"Virale marketing describes any strategy that encourages individuals to pass on a marketing message to others, creating the potential for exponential growth in the message's exposure and influence."

Globaal wordt over de content van de virale campagne gezegd dat hij *grof, geil* of *grappig* dient te zijn om succes te hebben bij de crowd. Omdat virals al snel flauw worden is het vakgebied van doordachte contentmarketing en contentstrategie sterk in opkomst. Meer over contentstrategie later in het boek.

Afbeelding 7.5 LG gebruikt deze virale video om hun nieuwe monitoren te buzzen.

Bekijk op www.handboekonlinemarketing.nl de video 3-702 van LG die door middel van een viral video met daarin een Scary Lift de beeldkwaliteit van hun nieuwe schermen viraal aan het publiek wil tonen.

Een belangrijke focus voor virale campagnes:

1. het weggeven van waardevol advies, producten of diensten werkt;
2. ga niet ten onder in het (tijdelijk) virale succes maar transformeer de virale campagne snel naar een gestuurde marketingcampagne als de boodschap eenmaal is opgepakt;
3. de organisatie en het product of de dienst moeten een virale factor hebben;
4. gebruik herkenbare, actuele, alledaagse motivaties, emoties, gedrag en plak deze aan je boodschap voor het emotionele engagement;
5. gebruik bestaande databases, relaties en sociale netwerken om van start te gaan met de viral;
6. de campagnes hebben een aaibaarheidsfactor waardoor de viral snel wordt opgepakt in de diverse media. De boodschap dient eenvoudig overgedragen te kunnen worden van het ene medium naar het andere door haar bijvoorbeeld te delen op Facebook of te retweeten op Twitter.

Afbeelding 7.6 Prijshethuis.nl is een online viraltest van de virtuele makelaar Beetjehulp.

Ethische voorwaarden die worden gesteld aan een virale campagne zijn:

- het verantwoordelijk omgaan met de *klantrelatie* aangezien de viral overal terecht kan komen;
- de *relevantie* dient voor de speler-gebruiker aanwezig te zijn;
- het respecteren van de (zakelijke) *verstandhouding*, mening en identiteit;
- het *beschermen* van privacy en gebruikmakend van permissiemarketing waarbij de gebruiker uitdrukkelijk toestemming geeft.

In Nederland is de Telecomwet nog strikter geworden en dit heeft ook invloed op virale campagnes. Deelnemers mogen volgens de nieuwe wet niet zomaar worden beloond voor het aanbrengen van nieuwe respondenten en e-mailadressen. Dit is voor de virale marketeer een grote tegenslag aangezien deze maatregel het virale effect negatief beïnvloedt. Het doel van het opvangen van de gegevens en het toekomstig gebruik van de viraal opgevangen gebruikersgegevens dienen nog beter te worden gecommuniceerd.
Meer informatie over de Telecomwet en eventuele privacyinbreuk is te vinden op www.opta.nl. De DDMA legt wetgevingen voor marketeers online op heldere manier uit, zie www.ddma.nl/tag/opta/.

7.3 De vormen en doelstellingen van virale marketing

Virale marketing kent verschillende vormen en doelstellingen:

- *Branded virals* zijn virals met als als doel experience (beleving) op te wekken en awareness (bewustzijn) over te brengen. Branded virals zetten een image neer door bijvoorbeeld het gebruik van afbeeldingen, video's en games. De afzender en het merk zijn zeer duidelijk aanwezig.
- *Virale content* is - meestal grappige of aanstekelijke - content in verschillende maar vooral eenvoudige vormen die gebruikers gemakkelijk aan elkaar doorsturen. De content van het middel staat hierbij centraal.
- *Virale Public Relations* is vooral gericht op de social media zoals blogs, Twitter, Facebook, LinkedIn en portals. Er wordt bewust op sociale kanalen gericht opdat die de boodschap overnemen en voor free publicity zorgen. Viraal wordt er naar de pers gelekt of gecommuniceerd in de hoop dat iedereen de boodschap overneemt. Zoals fluister-campagnes voor de introductie van een nieuw merk, model of dienst.

"Not only would the customers help resell product directly, they would innovate and discover new distribution networks."

Globaal kennen we de volgende doelstellingen bij virale campagnes:

- *imagodoelstelling* en het daardoor anders laten denken over product, organisatie of gebeurtenis. Zo heeft het Rode Kruis virals gebruikt om de organisatie een sexyer imago mee te geven;
- *exposure* en het *verspreiden* van de boodschap zelf; de bedoeling is de bezoekers van de viral(e website) een bepaalde boodschap te laten zien. Dit kan gebeuren door bezoek aan een specifieke website te stimuleren, door een advertentie te laten zien op sites van derden of door bijvoorbeeld een e-mailbericht, Tweet of Facebook-bericht (share) te versturen met daarin de uiting;
- het *verzamelen* van profielen van de gebruikers en/of direct registratie (voor een nieuwsbrief). Gebruikers worden gestimuleerd persoonlijke gegevens achter te laten voordat zij bijvoorbeeld een spel gaan spelen. Deze gegevens kunnen in een later stadium gebruikt worden voor doelgroepanalyses of voor andere (online) marketingacties. De opvang van gegevens kent strenge wettelijke regels;

- een viral met sterke *actiegerichtheid*, de gebruiker koopt iets of vraagt een voucher aan om met korting ergens anders iets te kopen. Dit is vaak het ultieme doel maar ook tevens de belangrijkste valkuil voor virale marketing. Zodra de gebruiker het gevoel heeft dat een actie ongewenst is, zal hij afhaken en het virus vooral niet verder verspreiden. Het komt zelfs voor dat de ontvanger zijn netwerk tegen u zal waarschuwen via bijvoorbeeld weblogs.

Afbeelding 7.7 Door de massa aan virals die wij online zien neemt de kracht van flauwe virals af.

Een virale campagne kent een bepaalde flow. Na het lanceren van de viral ontstaat de periode van buzzen en het bereiken van de massa. Na deze fase kan het eventuele commerciële deel zijn werking krijgen. Deze wervende fase wordt ook wel advertainment genoemd door de mix van virale entertainment en de commerciële waarde van de uiting. Ook kan in deze fase van het enorme bereik dat is behaald de organisatie achter de viral het bereik en de bekendheid gaan gebruiken voor de eventuele commerciële doelstellingen van de campagne.

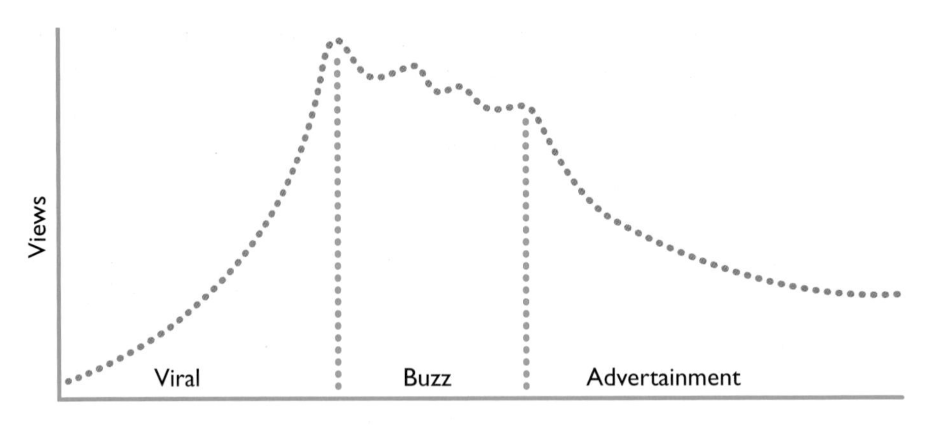

Afbeelding 7.8 De fases die een virale campagne doorloopt.

7.3.1 Het virale concept

Virals kunnen verschillend zijn qua verschijning. De top vijf van virale vormen of middelen waar marketeers in Nederland bij voorkeur voor kiezen zijn:

1. een opvallende *microsite*, hoax of opvallende mededeling;
2. een *videoclip*, opvallende video of commercial;
3. een *online spel* of quiz om bijvoorbeeld jouw kennis van online marketing te testen op de site van een opleidingsinstituut;
4. een *tell-a-friend* zoals het bekendmaken van een bepaalde aanbieding in jouw netwerk;
5. een *e-card* met speciale boodschap, zoals een overzicht gemaakt met een infographic of whitepaper.

Onderzoek van de Amerikaanse cocreatie-platform GeniusRocket.com - een social producent van virale campagnes - laat zien dat 80% van de virale content corporate is gerelateerd. 20% is user-generated content die wordt doorgestuurd en wordt dus zelf gemaakt. Denk bij user-generated aan zelfgemaakte homevideo's, commercials, spellen, opvallende foto's of berichtgeving.

7.4 De plaats van virale marketing

Virale marketing staat niet alleen. Het kan - bij introductiecampagnes - het hart en daarmee een essentieel onderdeel zijn van de online mix. Bij een viral is de landingspagina erg belangrijk. Als het gaat om de lancering van een nieuw product, dienst of merk kan het beste een microsite worden gebruikt.
Zo kan het effect van de virale campagne goed worden gemeten.
Ook heeft de bestaande (corporate) website geen last van het internetverkeer dat de campagne genereert. E-mail- en databasemarketing zijn belangrijk bij de start van de virale campagne. Het eigen netwerk kan op de hoogte worden

gebracht van de viral. Ook kan er met de doelgroep uit de opt-in e-maildatabase een test worden gedaan van het eventuele virale effect. *Zoekmachinemarketing* is het minst belangrijk bij virals. Het kan zelfs tegen de organisatie of het merk werken als de viral maanden na het verwijderen van de landingspagina nog vindbaar is in zoekmachines.

Webvertising kan gebruikt worden om met betaalde links, banners en overige uitingen online de viral een duw in de rug te geven. Meer over webvertising in hoofdstuk 13.

Voor Prime Vision, onderdeel van TNO-TNT, heeft bureau AtMost een corporate viral quizgame gemaakt. Deze quizgame genaamd Recognition Game laat subtiel de dienst zien van Prime Vision: het scannen van addressen en herkennen van verschillende talen en teksten.

De viral is vervolgens op internationale beurzen gelanceerd. Bezoekers werden uitgenodigd te spelen en anderen uit te nodigen via e-mail. Het uitnodigen gebeurde via flyers in de beurshal en door middel van een persoonlijke uitnodiging rondom de beursstand. Zo is het virale effect begonnen met uitnodigen van steeds meer spelers.

Rondom de beurzen is er een e-mailing uitgegaan naar de maildatabase die de game aankondigde. Het spel heeft voor een goede aanvulling gezorgd van de opt-in database en ook geholpen om de diensten van Prime Vision helder over te brengen. Berichtgeving op weblogs maakt het 'seeden' van de viral compleet. Gezien het internationale gebruik van de viral is er veel gebruikgemaakt van afbeeldingen en symbolen. Door het B2B-karakter van de viral is bewust gekozen voor de persoonlijke begeleiding op de beurzen plus e-mailmarketing.

Afbeelding 7.9 Een B2B-viral gericht op de opvang van leads.

7.4.1 Voorbeelden van succescampagnes

Van succesvolle (Nederlandse) virale campagnes kunnen we veel leren. In het kort enkele aanpakken en resultaten:

- het aanvragen van een Gmail-account: Google heeft het verspreiden van zijn gratis mailaccount aanvankelijk heel beperkt gehouden. Pinterest heeft dit vervolgens nagedaan en is over 2012 gezien het snelstgroeiende social platform ter wereld gebleken door het eerst gesloten te houden en mensen in hun netwerk te laten uitnodigen. Pinterest zelf zorgt weer voor een massale verspreiding van virale foto's en video's op hun platform;
- een virale marketingactie ter ondersteuning van een campagne voor tandpasta Sensodyne heeft in zes weken tijd 180.000 e-mails opgeleverd. Vrouwen blijken massaal vriendinnen per e-mail te tippen over de actie. De virale marketingactie via e-mail maakt deel uit van een grotere promotiecampagne via meerdere media: onder andere tv, print en online advertising. Sensodyne, een tandpastamerk van GlaxoSmithKline, biedt bij een duoverpakking een twee-halen-een-betalen-korting aan op een High Tea in een geselecteerd hotel of restaurant;
- de video met het Gangnam-dansje van de Koreaans rapper Psy. De rapper (die zijn opleiding heeft genoten in de VS) wilde met een ludieke videoclip de plaats Gangnam bij Seoul in Korea bekend maken. Zijn clip is in 2013 door de grens van 1 miljard views gegaan en verslaat de bekende virale video-artiesten zoals Lady Gagy en Justin Bieber. Meer virale video's en cases zijn te vinden op www.viralblog.com.

Afbeelding 7.10 Veel cases en trends op gebied van virals op Viralblog.com

7.5 De do's van virale marketingcampagnes

Van succesvolle virale campagnes kunnen we veel leren. Het lijkt allemaal heel logisch, maar toch slagen de meeste virale campagnes er niet in om hun doelstellingen te behalen. De do's voor het laten slagen van virals zijn:

- het concept is simpel en geschikt voor een brede doelgroep;
- eenvoudige maar authentieke virals werken het beste;
- geile, grofge of grappige content werkt;
- zorg voor een vorm van *engagement*, een binding met de gebruiker en doorstuurder;
- zet eventueel bij de start van de campagne social media influencers in voor de eerste verspreiding;
- zorg dat de boodschap of heel goed of zeer onderscheidend is;
- een leuke, aanstekelijke boodschap wordt snel doorgestuurd;
- wees klaar voor snel succes en reageer met bijvoorbeeld een parodie of vervolg om de buzz zo in gang te houden;
- gebruik geen technische belemmeringen zoals de meest actuele versie van Flash of een extra plugin die nodig is;
- het gebruik van een korte video is vaak succesvol en eenvoudig te verspreiden in de sociale netwerken;

- zorg voor interactie en dialoog met de virale gebruiker of spreek influencers aan wat ze van de viral vinden;
- houd doelstellingen realistisch, overschat de conversie naar een directe omzetverhoging niet.

7.5.1 De don'ts van virale marketingcampagnes

Behalve de geluksfactor die sterk meespeelt bij een virale campagne zijn er zeven doodzonden waar we voor moeten waken bij virale video's:

- flauwe virale concepten kunnen het corporate imago schaden: wees origineel, voel de crowd en timing aan en wees creatief met de virale boodschap;
- laat het creatieve concept niet door één persoon bepalen, maar door een team of groep;
- te dure virals produceren is niet nodig: geef geen grote budgetten uit aan de videoproductie en maak het niet te gelikt en 'overdone' en laat je inspireren door user generated content uit de doelgroep;
- een virale video is niet zomaar gelijk aan een tv-commercial met een puur zendkarakter;
- adverteer niet te veel voor de eigen viral; dit geeft aan dat het door de social media blijkbaar niet interessant genoeg wordt gevonden om te promoten. Het geloof in het virale effect wordt zo minder.

Bekijk op www.handboekonlinemarketing.nl de video 3-703 van Twitter met een parodie op de flauwe HR-video's die in de social media worden geseed om personeel te werven.

7.6 Plan van aanpak

Een virale campagne bestaat uit een *boodschap*, de bepaling van de *gegevens* die opgevangen worden, de *registratie* en de *actie*:

- de boodschap kan in de viral zelf zitten. Zogenoemde 'brand-elements'; het opnemen van een tekst die verwijst naar de voordelen van een product of dienst. Ook kan de boodschap gericht zijn op binding van de doelgroep en op communityvorming;
- gebruikers van een virale tool kunnen tijdens het achterlaten van gegevens gevraagd worden zich te registreren voor/ op een dienst. Uit ervaring blijkt dat gebruikers die zojuist een leuke tool gebruikt hebben, zich gemakkelijk opgeven;

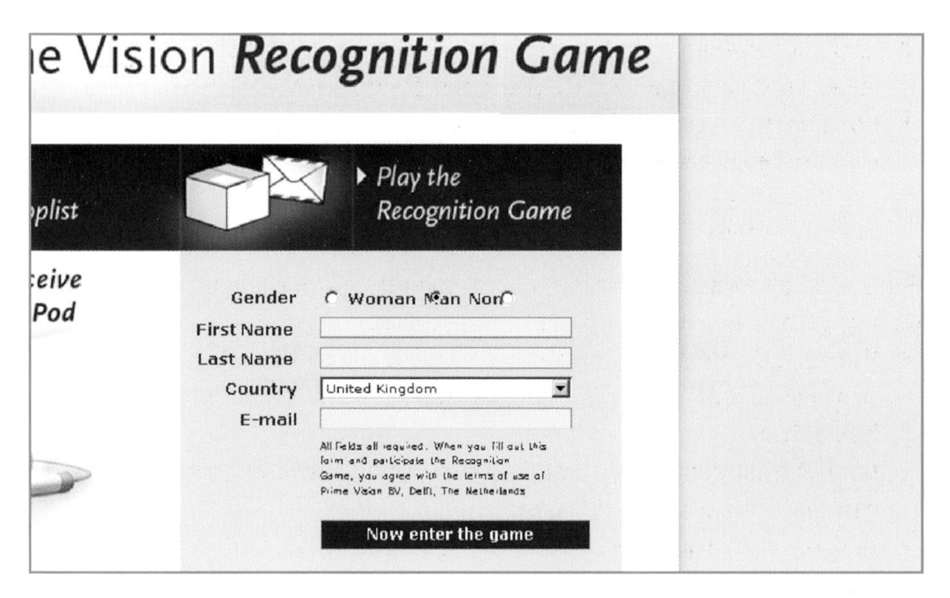

Afbeelding 7.11 Het opvangen van klantgegevens als doel.

- bij veel viraalgestuurde concepten (zoals een tell-a-friend, Like, share een spel of deelname aan een spel) laat de gebruiker een aantal gegevens achter zoals naam en e-mailadres. Deze gegevens kunnen gebruikt worden in de volgende stap van de virale campagne;

Waarom? Wat zijn de doelen → **Wat?** Hoe binden we de doelgroep? → **Hoe?** Hoe meten we welk effect? → **Welk?** Welk viraal middel?

Afbeelding 7.12 De virale stappen Waarom, Wat, Hoe en Welk.

- de laatste stap is de actieconversie en die is het lastigst. Het is niet waarschijnlijk dat iemand die zojuist een verslavend spel, een leuke quiz of test met een commerciële boodschap heeft gebruikt, direct voor conversie zorgt. Hier dient een creatieve oplossing voor gevonden te worden waarbij de opt-in -de uitdrukkelijke toestemming van de gebruiker- gebruikt wordt om bijvoorbeeld commercieel na te bellen of door middel van retentie een commerciële boodschap te doen.

Afbeelding 7.13 De plaats van virale marketing in de mix.

7.6.1 Het zaaien van een viral

Het zaaien of *seeden* van een viral zorgt voor het in omloop brengen van de viral. Met seeding stuurt de marketing de viral de juiste richting op of stuurt deze bij. Het virale succes begint bij de beïnvloeders of *influentials*. Influentials zijn de mensen met veel invloed op en buiten het web. Het kunnen ook personen zijn met een groot netwerk achter zich in bijvoorbeeld sociale netwerken of door hun bekendheid in of met de doelgroep. Vervolgens werken de social media met eventuele blogartikelen goed om de viral bij een groot publiek bekend te maken. Als blogs een viral oppakken pakken gelinkte blogs en RSS-nieuws de artikelen op om zo een sneeuwbaleffect te creëren.

Een aanvullende mailinglijst of het aan elkaar koppelen van social media netwerkaccounts kan het zaaien complementeren. Blijf vooral meten en blijf vooral bijsturen. Als een viral verkeerd valt en dus (imago)schade kan opleveren dan is het raadzaam de viral per direct te stoppen. Kort de manieren van seeden op een rij:

- **Connection points** zijn de (online) spots waar veel gebruikers samen komen en vaak iets delen. Dit kunnen portals zijn, dit kan Twitter zijn (zie www.twitter.com), levendige blogs zoals Marketingfacts.nl en Dutchcowboys.nl of het social netwerk Hyves en natuurlijk Facebook. Omdat zoekmachines deze plekken snel indexeren staat de virale boodschap al snel in zoekmachines of wordt de boodschap door middel van RSS op verschillende portals en blogs geplaatst. Ook workshops en evenementen kunnen connection points zijn die geschikt zijn voor lancering van een viral.

- **Influentials** zijn respondenten (in je doelgroep) die veel invloed hebben. Dit kunnen vooraanstaande bloggers zijn, bekende Nederlanders of drukdoende Twitteraars. Veelvuldig worden Facebook, LinkedIn, Twitter of andere sociale netwerken voorzien van influentials ingezet. Door de snelheid van bijvoorbeeld Facebook en Twitter en de aanwezigheid van influentials op Twitter kan een virale campagne een kickstart krijgen.
- **Advertorials** op weblogs of social communities zoals Hyves, Facebook of betaalde tweets op Twitter kunnen een versnellende werking hebben. Het effect is echter afhankelijk van de (onafhankelijke) boodschap die wordt gecommuniceerd met de viral.
- Een actieve en schone **maillist** waarbij de respondenten toestemming hebben gegeven voor mailings kan een eerste aftrap zijn voor de virale campagne.

Concluderend is de microblog Twitter samen met de social communities een ultiem vertrekpunt voor de lancering van een viral. De enorme doorgroei van Twitter maar ook Facebook, Google Plus, Instagram en Pinterest maakt het steeds grotere internationale bereik mogelijk van influentials.

Bekijk op www.handboekonlinemarketing.nl de video 3-704 van Ford met de uitleg van de virale campagne gebruikmakend van fotoplatform Instagram om viraal de nieuwe Fiesta te promoten.

7.7 Het 4R-model en virale marketing

Als we het 4R-model -uit hoofdstuk 5 van het HOM- toepassen op een virale campagne, krijgen wij de volgende beoordeling:

- **Retentie**: nadat gegevens zijn opgevangen tijdens de campagne dient er retentie plaats te vinden om de gegevens van de prospects om te zetten naar klanten.
- **Relevant**: de virale boodschap mag niet te ver van het imago, de proposities van de organisatie of dienst liggen. Hoe relevanter voor de relatie klant-aanbieder des te beter en sneller de acceptatie. Actuele thema's werken goed, evenals 'hypes' waarop meegesurft kan worden.
- **Reactie & Rendement**: een leuke virale campagne dient volledig gericht te zijn op reactie en rendement. Dit kan een rendement zijn voor de virale gebruiker en natuurlijk de afzender van de virale campagne. De zendergerichtheid van een virale campagne moet subtiele componenten in zich hebben waarbij de reactie en het rendement kwantificeerbaar en meetbaar zijn.
- **Rich**: de boodschap moet voor de verspreider van (emotionele) waarde zijn. Engagement is daarbij vitaal. Hij of zij moet in de relatie naar de personen die worden gemaild 'rijker' worden. Kortingsbonnen doorsturen of realistische kansen op het winnen van een prijs, een eenvoudig te bedienen spel of quiz maakt de persoon die de boodschap tipt daarmee 'rijker' in de relatie die hij of zij heeft met de personen. Je gaat immers je collega's, kennissen en vrienden niet lastig vallen met een 'lousy' virale boodschap.

Bekijk op www.handboekonlinemarketing.nl de virale video 3-705 met de acteurs Tim Murck en Tygo Gernandt om MTV Mobile bekend te maken.

HOM opdrachten hoofdstuk 7

Dit hoofdstuk kent de volgende opdrachten:

1. Wat is het verschil tussen een *buzz*, *hype* en een bewuste *marketingviral*?
2. Noem vijf succesfactoren voor een virale campagne.
3. Wat wordt bedoeld met *emotionele engagement*?
4. Wat zijn drie manieren van het *seeden* van jouw viral?
5. Verzin een viral voor de eigen organisatie, product of dienst en gebruik het stappenplan uit dit hoofdstuk.

8 Contentstrategie plus het schrijven voor het web en zoekmachines

De befaamde uitspraak *content is king* beïnvloedt elke website en menige campagne van een conversiegericht online marketeer. Door het succes van social media wordt niet alleen een massa aan social content gemaakt maar krijgt deze uitspraak een nieuwe lading. Contentmarketing als beleid is hot. "*On the internet content is king and always will be. The information on a site is its content. The more useful and interesting content a website has the more successful it will be. More people will want to visit the site again and again. This is especially true if a website is constantly adding more and more content on a regular basis be it articles, tutorials, news and reviews or whatever.*"

In de VS lijken ze het belang van een contentstrategie al eerder door te hebben gehad dan in Nederland. Een daadwerkelijke contentstrategie zal zoekmachinemarketing en de social media gaan overheersen in de nabije toekomst. Content is niet meer weg te denken bij het hedendaagse online gebruik. Kijken we een strategische stap verder, dan zal content vooral moeten *boeien* en *binden* wil het effect hebben. Contentstrategie kent een directe link met virale marketing (hoofdstuk 7), zoekmachinemarketing (hoofdstuk 10) en social media (hoofdstuk 12). Content wordt steeds meer het hart van online marketing.

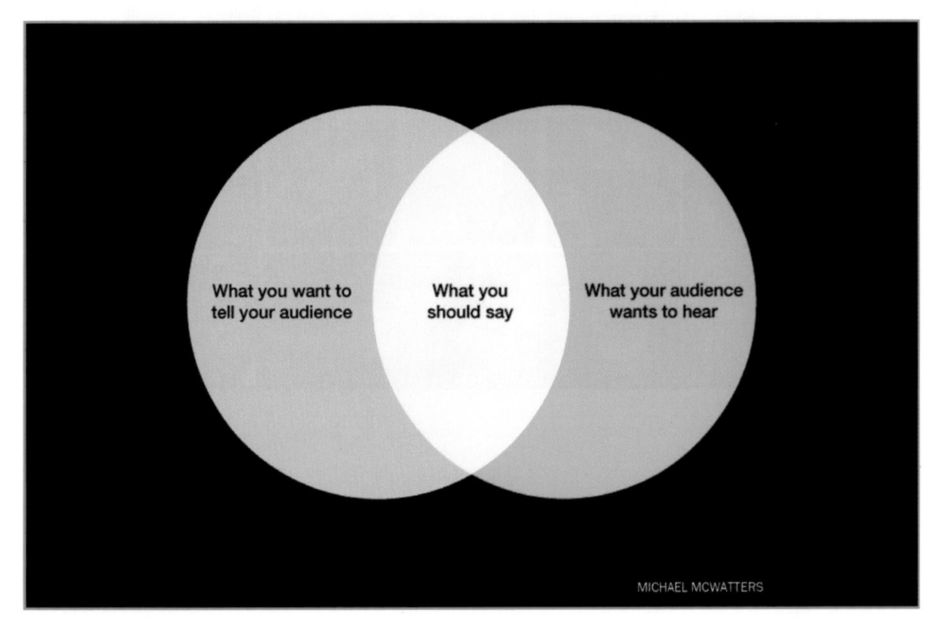

Afbeelding 8.1 Wat wil de crowd zien en horen qua content?

Bekijk op www.handboekonlinemarketing.nl de video 3-801 met het interview met contentspecialist Rob Punselie over *Content is King of... Content is Queen?*

Wat het *Handboek Online Marketing* met *contentstrategie* bedoelt is:

- het bewust willen *boeien, binden, bereiken* en laten *beleven* door middel van het gebruiken van een uitgesproken contentstrategie;
- *content* als onderdeel van usability voor het web, social media marketing en conversie;
- content als inzet van een *virale* marketingcampagne (zie hoofdstuk 7);
- het *voor- en nadeel* van het gebruik van diverse en *technische* contentonderdelen zoals het aanbieden van RSS;
- het *maken* van van content voor social media netwerken zoekmachines.

Afbeelding 8.2 Visuele marketing als contentstrategie om de nieuwe Ford te promoten met beleven.

Content speelt bij elk onderdeel van de online marketingmix een wezenlijke rol. Content bestaat niet alleen uit tekst maar met content worden ook de afbeeldingen, flash-objecten, dailogen, reviews, video's en eventuele formulieren bedoeld. Zonder content is er geen juiste informering en zonder content is er geen juiste communicatie met de gebruiker of bezoeker. Zonder juiste content geen interactie en dus weinig conversie. Zonder te boeien en beleven met aangeboden content komt er weinig binding tot stand met de doelgroep.

Het ICT-model uit hoofdstuk 3 laat duidelijk de link zien tussen *Informatie*, *Communicatie* en *Transactie*. Bij een contentstrategie is dit model net zo belangrijk. Het natuurlijk verloop van content tot conversie op een website wordt conversiepad genoemd. De online aangeboden content wordt gezien als een ongestructureerde contentomgeving. Oplossingen voor het gestructureerd houden van content is het aanmaken van een huisstijlboek voor content en communitymanagement voor social media netwerken. Ook handleidingen voor een webredactie houden content op niveau en zijn veelal goed gericht op de gestelde communicatiedoelen. Door de populariteit van social media, is het aanbod van contentdriven websites enorm toegenomen. Content uit die social media wordt steeds vaker gemixt op de corporate website. Denk hierbij aan tweets of Facebook-updates. Contentdriven sites zijn sites die met hun content (teksten, RSS-feeds, video, afbeeldingen en dergelijke) gericht zijn op één onderwerp. Deze *contentdichtheid* kent veel voordelen bij de optimalisatie voor zoekmachines.

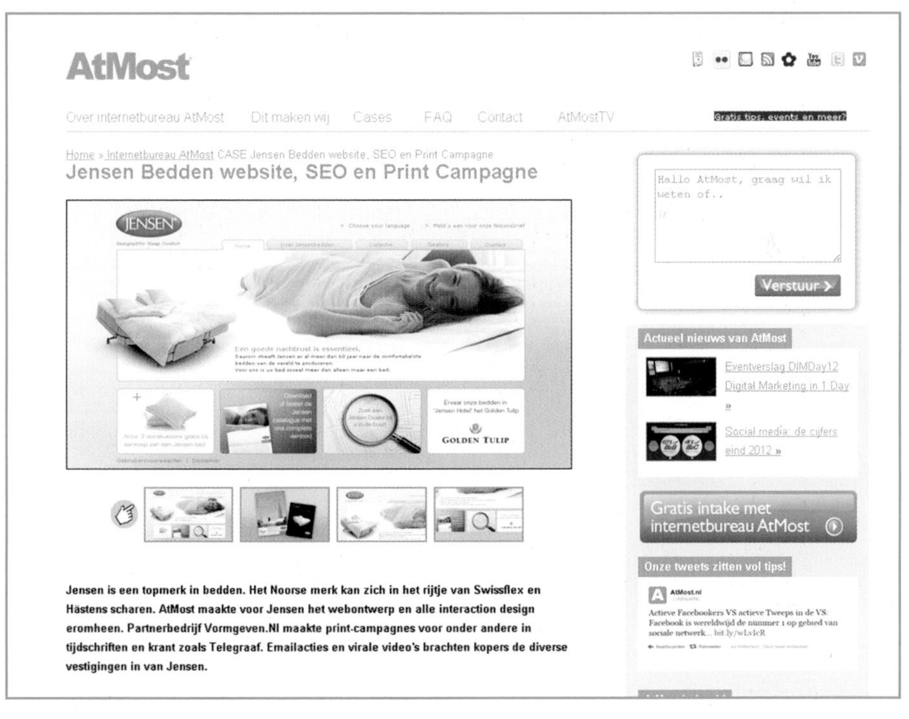

Afbeelding 8.3 Het mixen van eigen content en social media content.

Het aanbieden van content voor zoekmachines en social media netwerken hangt nauw samen met de populaire term *Long Tail*. De term Long Tail werd voor het eerst geïntroduceerd door Chris Anderson in *Wired Magazine*, oktober 2004. Long Tail heeft te maken met het vindbaar maken van het diepere assortiment of het archief van een website. Omdat veel online marketeers zich vooral richten op alles wat actueel is en in webshops gericht zijn op het aanbod met een hoge omzetsnelheid, worden de diepere lagen en het diepere assortiment van een website weleens vergeten. Het vindbaar maken van de diepere lagen en achterliggende content van websites kan een zeer positief effect hebben op de conversie. Je hebt immers op detailniveau minder concurrentie in zoekmachines. Prijswinnende webshops als Bol.com halen een groot deel van hun omzet uit de Long Tail. Zoekmachines indexeren daarbij steeds vaker beoordelingen en dialogen uit de social media.

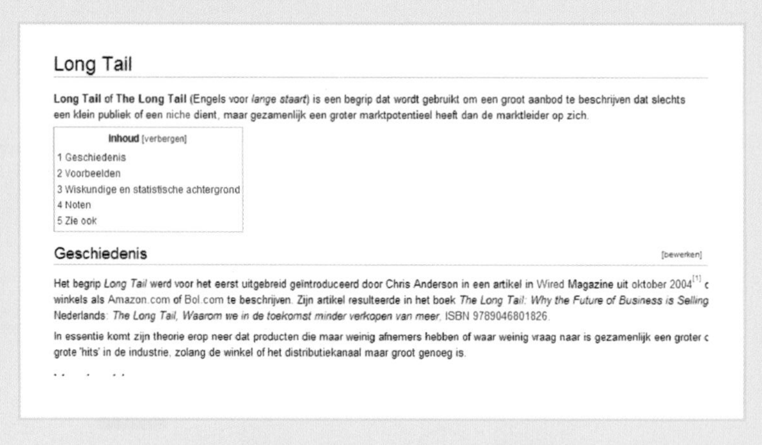

Long Tail

Long Tail of **The Long Tail** (Engels voor *lange staart*) is een begrip dat wordt gebruikt om een groot aanbod te beschrijven dat slechts een klein publiek of een niche dient, maar gezamenlijk een groter marktpotentieel heeft dan de marktleider op zich.

Inhoud [verbergen]
1 Geschiedenis
2 Voorbeelden
3 Wiskundige en statistische achtergrond
4 Noten
5 Zie ook

Geschiedenis [bewerken]

Het begrip *Long Tail* werd voor het eerst uitgebreid geïntroduceerd door Chris Anderson in een artikel in Wired Magazine uit oktober 2004[1] c
winkels als Amazon.com of Bol.com te beschrijven. Zijn artikel resulteerde in het boek *The Long Tail: Why the Future of Business is Selling*
Nederlands: *The Long Tail, Waarom we in de toekomst minder verkopen van meer*, ISBN 9789046801826.

In essentie komt zijn theorie erop neer dat producten die maar weinig afnemers hebben of waar weinig vraag naar is gezamenlijk een groter c
grote 'hits' in de industrie, zolang de winkel of het distributiekanaal maar groot genoeg is.

Afbeelding 8.4 Long Tail artikelen zijn goed vindbaar gemaakt in zoekmachines.

In dit hoofdstuk kent contentstrategie twee gezichten:

1. de contentstrategie die dynamisch is gericht op het continu boeien en binden in online kanalen en dicht tegen social media marketing aanhangt;
2. de contentstrategie gericht op Informeren, Communiceren en Transactie vanuit een statisch oogpunt.

8.1 Boeien en binden met contentstrategie

In dit hoofdstuk introduceren wij het *B-model* waarin *boeien* en *binden* centraal staan. In hoofdstuk 12, over social media marketing, wordt dit model uitgewerkt binnen de social media marketingaanpak. Om Seth Godin te citeren: "*Maak iets waar de crowd over praat of over in dialoog treedt, anders heeft het geen zin.*" Als we de overlap met social media marketing (hoofdstuk 12) erbij halen dan is het belangrijker om online te kunnen en te blijven boeien om zo binding te krijgen en te behouden met de online doelgroepen in de breedte (de *crowd*). De aloude merkwaarde van een organisatie lijkt online spontaan in te zakken als de organisatie of het merk niet kan boeien, binden, beleven en bereiken via online kanalen zoals Facebook en Twitter. Door te boeien en binden met content in de social media - zoals Twitter - kun je een grote schare fans en volgers werven.

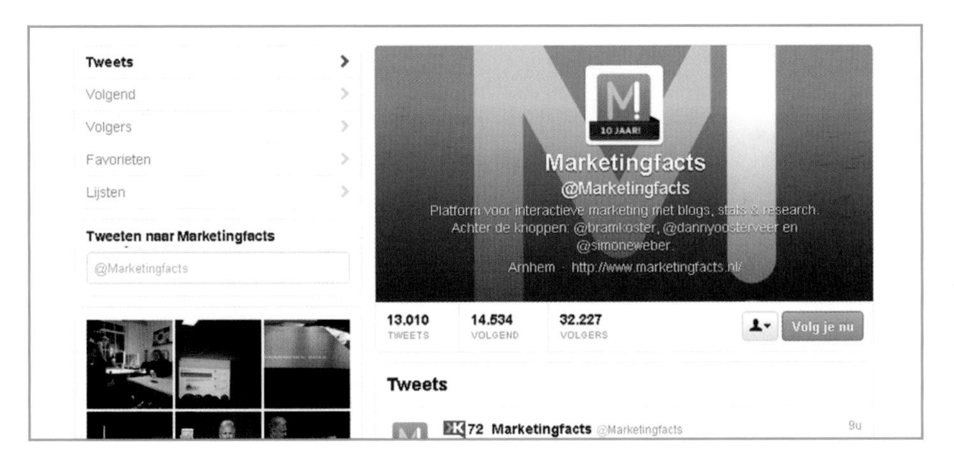

Afbeelding 8.5 Door te boeien en binden met een contentstrategie ontwikkel je een sterk en relevant netwerk.

Door gericht te boeien en binden in de gekozen contentkanalen (channels) met focus op interactie en het versterken van het gevoel met de content, de organisatie en de afzender ontstaat er een sterke beleving. Deze beleving kan worden gezien als eenzelfde top-of-mind beleving zoals branding had tijdens de traditionele marketingcampagnes. Concreet: ben je grappig, deel je veel tips, leuke foto's, komische dialogen en actuele virale video's.

8.2 Het 6C-model ter bepaling van de contentstrategie

Dat online steeds vaker om het boeien en binden gaat is duidelijk. Het binden draait om de relaties die bijvoorbeeld in de social media netwerken worden aangegaan door middel van een contentstrategie. Het boeien is een continu proces dat door de dag heen kan veranderen. Daarnaast is

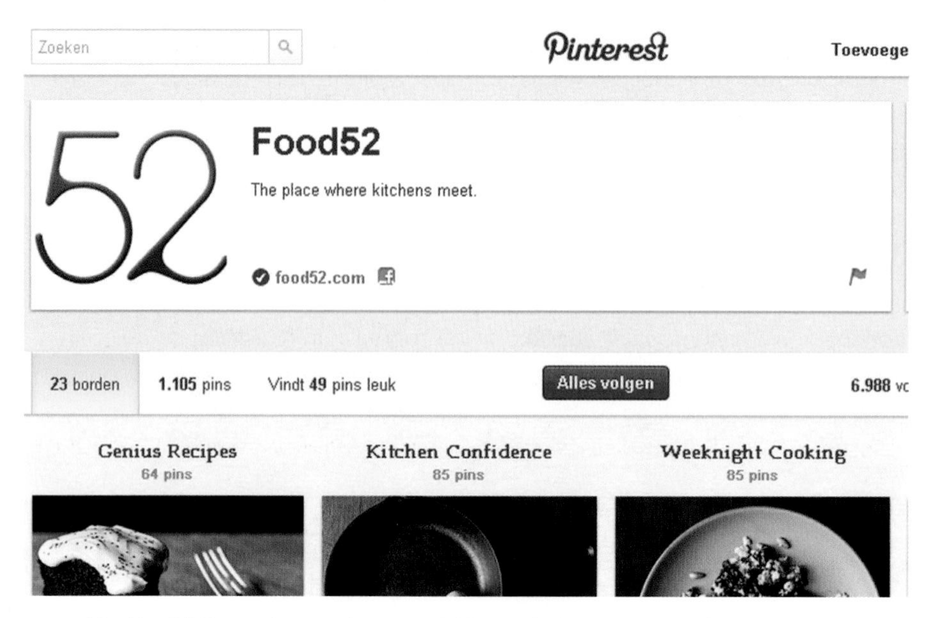

Afbeelding 8.6 Pinterest boeit met het massaal delen van foto's en belevingen als recepten en interieurfoto's.

het boeien en dus het engagement van jouw content goed meetbaar met bijvoorbeeld *Kred.ly*, *Peerindex* en *Klout*.

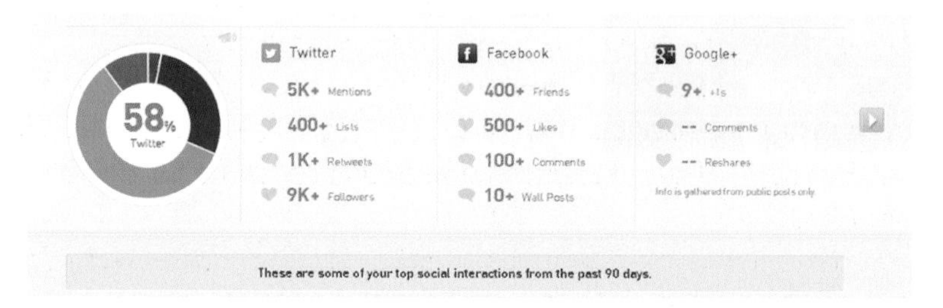

Afbeelding 8.7 Door te boeien en binden meet Klout jouw engagement.

Iedereen met een Twitter- of Facebook-account heeft een Kloutscore. Surf naar www.klout.com, log in met Twitter of Facebook en bekijk jouw Kloutscore. Koppel vervolgens de social media netwerken en bekijk in welk kanaal jij boeit en bindt.

Waar we met content in de oude media dachten aan bijvoorbeeld een artikel moeten we nu denken aan een onderwerp of topic geschikt voor verschillende kanalen. De content moet een koppel vormen met het *channel* waar de content wordt gedeeld, geplaatst en verspreid.

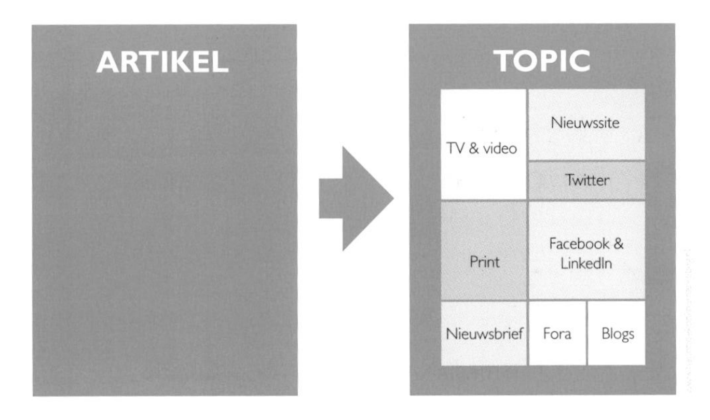

Afbeelding 8.8 Een artikel wordt topic dat per kanaal relevant boeit.

In het 6C-model draait het continu om de juiste combinaties. Daarbij maken we onderscheid naar de volgende C's die relevant zijn voor het opstellen van een contentstrategie:

- *Channels*: de kanalen zoals de social media netwerken waar de content voor gemaakt en verspreid wordt;
- *Content*: de soort content zoals afbeeldingen, dialogen, tweets en blogartikelen;
- *Curatie*: de mate waarin de aangeboden content door anderen gebruikt kan worden in bijvoorbeeld een eigen artikel of retweet;
- *Community*: de groep van gebruikers, klanten en algehele crowd die in de community deelneemt waar de content wordt geplaatst en gedeeld zoals Facebook of een discussiegroep op LinkedIn of segment uit de e-maildatabase;
- *Crossmedia*: de mate waarin tv, online, print, radio en andere media door elkaar worden gebruikt. Zo gebruikt The Voice of Holland bewust een mix van mobiele content, een tv-programma en een dialoog via Twitter;
- *Comfort*: is het gemak waarmee de gebruiker de content kan inzien, verspreiden, bewerken, lezen of beluisteren. De juiste combinatie van het kanaal en de aangepaste content voor dat kanaal bevorderen *comfort*. Door *comfort* wordt het engagement versterkt en zal de gebruiker eerder reageren, delen en zich betrokken voelen.

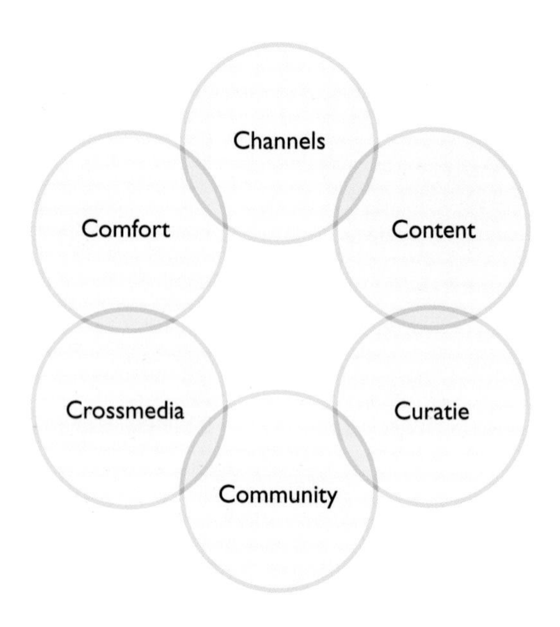

Afbeelding 8.9 Het 6C-model.

8.3 Het bepalen van het soort en doel

Bij de bepaling van een contentstrategie wordt onderscheid gemaakt tussen onderstaande vijf onderdelen:

- **doelen** binnen een contentstrategie:
  - *het bereiken van exposure;*
  - *verbeteren van het engagement;*
  - *het vergroten van het online netwerk;*
  - *storytelling en het binden van de online doelgroep;*
  - *top-of-mind-awareness door aanwezig te zijn.*
- **contenttypen** en -soorten zoals:
  - *foto's;*
  - *geluid;*
  - *video;*
  - *memes (foto's met komische boodschap erin geplaatst);*
  - *dialogen;*
  - *discussies.*
- **metadata** en het schrijven voor het web;
- **infrastructuur** van de aangeboden content;
- **tone-of-voice** van de content.

Content online plaatsen lijkt eenvoudig maar is in de praktijk arbeidsintensief. In de toekomst zal er veel vraag zijn naar community- en contentmanagers die de *content* en *channels* beheren en bewerken.

De valkuilen bij contentstrategieën zijn:

- er is geen contentbeleid, er wordt gewoon 'iets' online gezet in een bepaalde vorm;
- de aangeboden content is te omvangrijk om in korte tijd de essentie ervan te doorzien;
- de content leidt tot engagement en lokt discussies en reacties uit maar er is geen beheerder die hier iets mee doet;
- bij een redesign van de online uitingen wordt de content een-op-een overgenomen zonder mogelijkheden die de nieuwe technieken bieden voor presentatie van teksten (zoals de techniek AJAX);
- de aangeboden content is rommelig; er is binnen de organisatie nog nooit feedback geweest of analyse gedaan van het online aanbod;
- de content is politiek-technisch samengesteld met veel interne concessies anders dan een aanbod gericht op de online lezer die openheid wil zien;
- de content wordt niet met de interaction designs of het online bureau samengesteld maar op een ondoordachte manier aangeboden zonder beleid;
- content wordt in te weinig geschikte vormen aangeboden; grafieken (zoals infographics), opsommingen, tabellen, video's en afbeeldingen kunnen helpen grote hoeveelheden informatie een prettige manier te laten communiceren.

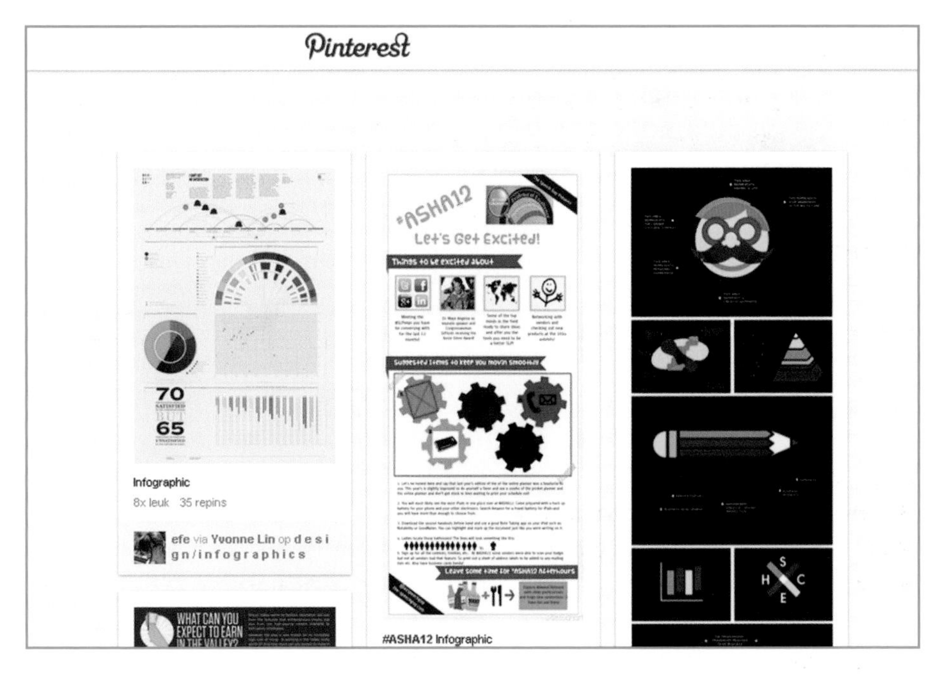

Afbeelding 8.10 Infographics engagen goed op Pinterest.

De techniek AJAX is een mix van aloude webtechnieken. Asynchronous Java-Script and XML is een techniek om content op een interactieve en prettige alsook geleidelijke manier op het scherm te presenteren zonder dat er veel en lang geladen dient te worden.

8.3.1 Doelen van het gebruik van de content

Gestelde doelen met het gebruik van content zijn gelijk aan algeheel gestelde offline communicatiedoelen:

- **Informatie**: hierbij staat het zenden van de juiste content centraal met als doel vragen terug te dringen. Denk aan de rubriek Veelgestelde Vragen (FAQ).
- **Cognitief**: informatieve overdracht door content met het doel te leren met meer focus op interactief en engagement. Denk aan fora, vragenformulieren en chatfuncties.
- **Conatief**: hierbij is de content gericht op actie en het gedeelte dat meetbare resultaten -conversie- moet behalen. Denk aan het aanvragen van offertes, het bekijken van aanbiedingen of het plaatsen van een review of beoordeling. Deze doelen kennen een direct verband met het ICT-model uit hoofdstuk 5 en 6, zie afbeelding 8.11.

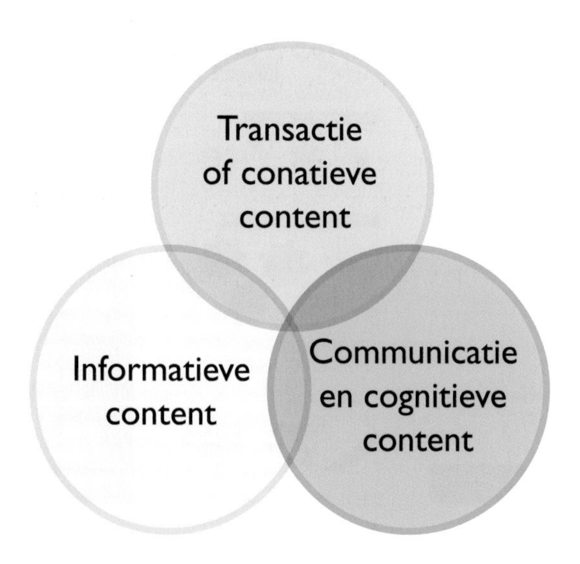

Afbeelding 8.11 Het verband tussen het ICT-model en de content doelen.

Naast de content die vooral bij social media marketing een juiste werking kent in de contentstrategie is er ook content die op een website of e-mail een gerichte functie kent. Daarbij is vooral het nut voor zoekmachinemarketing van hoge waarde. Deze content is statischer en heeft bij de *Informatie* en *Communicatie* een grote rol.

8.3.2 Technische contenttypes

Voor geavanceerde Contentmanagementsystemen is een definitie van technische contenttypen een must. Contenttypen kennen technische definities zoals de internetstandaarden van MIME (Multipurpose Internet Mail Extensions).

MIME (Multipurpose Internet Mail Extensions) kennen we als technische standaard voor e-mails. Toch reikt de internetstandaard van MIME verder dan mailformaten en bestanden die met e-mails worden meegestuurd. Ook het zenden over het internet door middel van HTTP maakt gebruik van contentformaten zoals MIME die omschrijft. Doel van MIME is een standaard omschrijven die op elk internetnetwerk of aangesloten computersysteem goed wordt overgestuurd en juist word getoond.

Contenttypen die wij in de online contentstrategieën onderscheiden zijn:

- alle content gebruikt in een *website* zoals foto's en video's;
- concrete *opmaakstijlen* zoals die voor koptekst, bodytekst en onderschrift die gestructureerd door de website worden gebruikt. Het opmaakscript *CSS* (Cascading Style Sheets) van het W3C is hierbij belangrijk;
- de content aangeboden als *download*;
- de content die naar *social media* netwerken wordt gestuurd;
- *losse elementen* op een website zoals Flash-objecten, afbeeldingen, video en AJAX-objecten;
- *overige* typen zoals *RSS* die technisch in de vorm van XML worden aangeboden.

RSS - Really Simple Syndication - is een eenvoudige tekstgerichte manier om automatisch op de hoogte te blijven van nieuws, tips, acties, blogpost en favoriete websites. Via RSS-lezers of online gereedschappen kunnen lezers eenvoudig op de hoogte blijven zonder direct naar de sites zelf te hoeven surfen. In de zogenoemde RSS-feed is de kop en soms een deel van het artikel te zien. Bij het doorklikken komt de lezer op de website terecht. Dit is goed voor de inlinks van een site of pagina (zie hoofdstuk 10 over zoekmachinemarketing) en verbetert de natuurlijke ranking in zoekmachines.

Onjuist gebruik van contenttypen kan leiden tot websites die slecht toegankelijk zijn (zie hoofdstuk 6 over interaction design en accessability). Deze toegankelijkheid kan zijn op technisch vlak (het niet kunnen zien van Flash-objecten bijvoorbeeld) of op het niveau van bediening (bijvoorbeeld bij invulformulieren). Bij een slechte structuur en plaatsing van de contentelementen kunnen zoekmachines moeite hebben met het diep indexeren van pagina's. Zo zal de website nooit volledig worden geïndexeerd.

8.3.3 Metadata en het schrijven voor het web

Metadata en het schrijven voor zoekmachines -of het web- is binnen de contentstrategie een van de meest belangrijke instrumenten. Hoe, waar en hoe lang er wordt geschreven met welke termen en schrijfdichtheid heeft direct invloed op de ranking in zoekmachines alsook op de werking van de interne zoekmachines op de website.

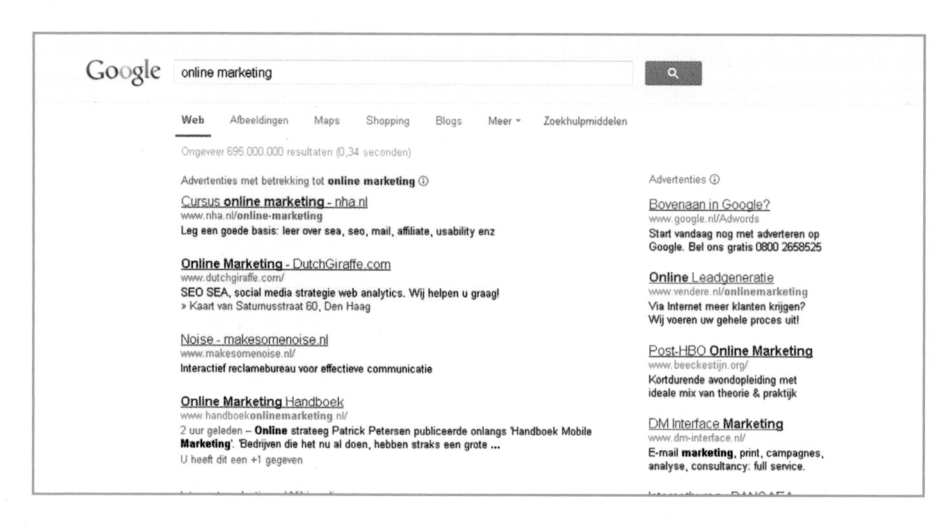

Afbeelding 8.12 Juiste metadata en tekststructuren zorgen voor hoge rankings.

8.3.4 Infrastructuur van de aangeboden content

Content heeft online een gemakkelijke structuur nodig, het dient in lagen gebracht te worden alsook in kleine stukken ('hapklare brokken'). Veel bezoekers hebben al diverse jaren intensief internetgebruik achter de rug en zijn zo geconditioneerd en gewend content op bepaalde vaste plekken te vinden.

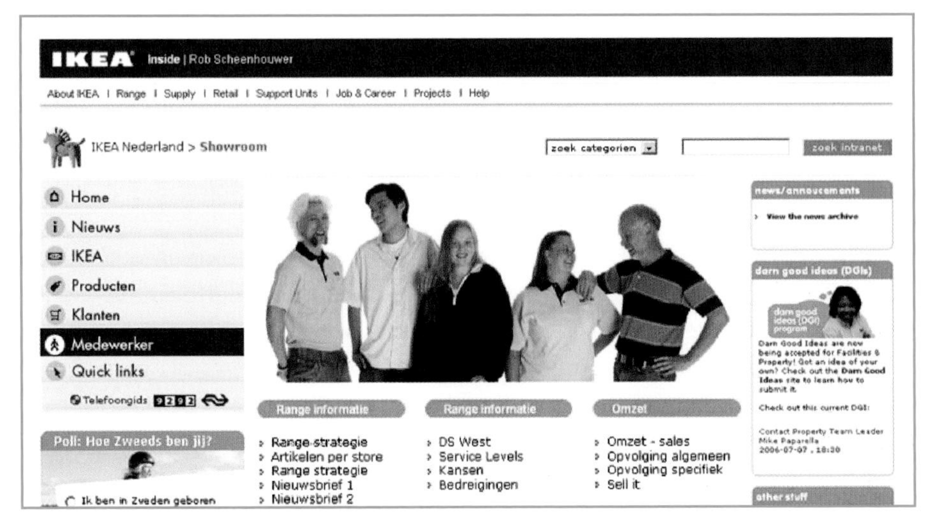

Afbeelding 8.13 IKEA intranet met doordachte infrastructuur van contentblokken.

8.3.5 Tone-of-voice van de content

Een tone-of-voice, een manier van schrijven en aanspreken van de lezer, is online net zo belangrijk als in brochures en andere offline-uitingen. Online kennen we andere regels, minder structuur en hier zit de gebruiker achter het stuur.
Tips voor een juiste tone-of-voice bij het schrijven voor het web:

- wees boeiend en deel belevingen;
- wees herkenbaar in je tone-of-voice; niet de ene keer 'je' en dan weer 'u';
- creëer een eigen stijl van schrijven die onderscheidend is van die van de concurrent;
- gebruik 'jij' als de concurrentie 'u' zegt;
- schrijf fris, vernieuwend en beeldend; veelal is er een uiting als afbeelding of video aanwezig waarmee de tekst ook beeldend wordt gemaakt;
- zorg dat de tekst online de overige contenttypen als afbeeldingen en video onderstreept;
- gebruik makkelijke woorden om de drempel zo laag mogelijk te houden voor een brede groep van lezers;
- gebruik alleen branchegebonden termen en woorden als je zeker weet dat dat je doelgroep is;

- spreek bezoekers persoonlijk en meerdere keren persoonlijk aan, maak de afstand tot de lezer klein;
- humor komt op het scherm en in webteksten vaak niet goed over;
- schrijf compact, gebruik korte zinnen en schrijf in de positieve vorm ('wij zijn goed in ...');
- als je nieuw en anders bent, klink dan ook nieuw en anders;
- zorg voor richtlijnen voor het schrijven voor het web binnen de organisatie.

Het niveau van schrijven voor een brede internetdoelgroep wordt vaak omschreven als het niveau van een 4 HAVO-scholier/MBO-student.

8.4 Het schrijven voor het web en de zoekmachine

Naast de bepaling van een boeiende contentstrategie is het schrijven voor het web een competentie die iedere operatief online marketeer dient te bezitten. Het schrijven voor online uitingen heeft vooral te maken met het bewust zijn van je doelgroep, medium en lezers. Eigenschappen van het medium en de moderne lezer zijn:

- niemand leest graag veel tekst vanaf een beeldscherm;
- de online lezer scant, anders dan lezen;
- we zijn gewend geraakt grote stukken tekst (een uitleg, een brochure, een handleiding) te downloaden in plaats van te lezen op een scherm;
- indien je iets het beste met een video kunt illustreren, gebruik dan ook een video;
- 'een afbeelding zegt meer dan 1000 woorden';
- ook tekst- en contentstructuren kennen een vorm van usability (gebruikersgemak);
- tekstlinks werken beter dan afbeeldingen, banners of buttons waarop gelinkt moet worden in de navigatie;
- scanbare opsommingen met deeplinks naar de 'Long Tail' informatie;
- uit onderzoek blijkt dat we per contentblok niet meer lezen dan twee tot drie regels.

In dit hoofdstuk tien gouden tips voor het optimaliseren van webteksten voor optimale leesbaarheid en vindbaarheid door zoekmachines.

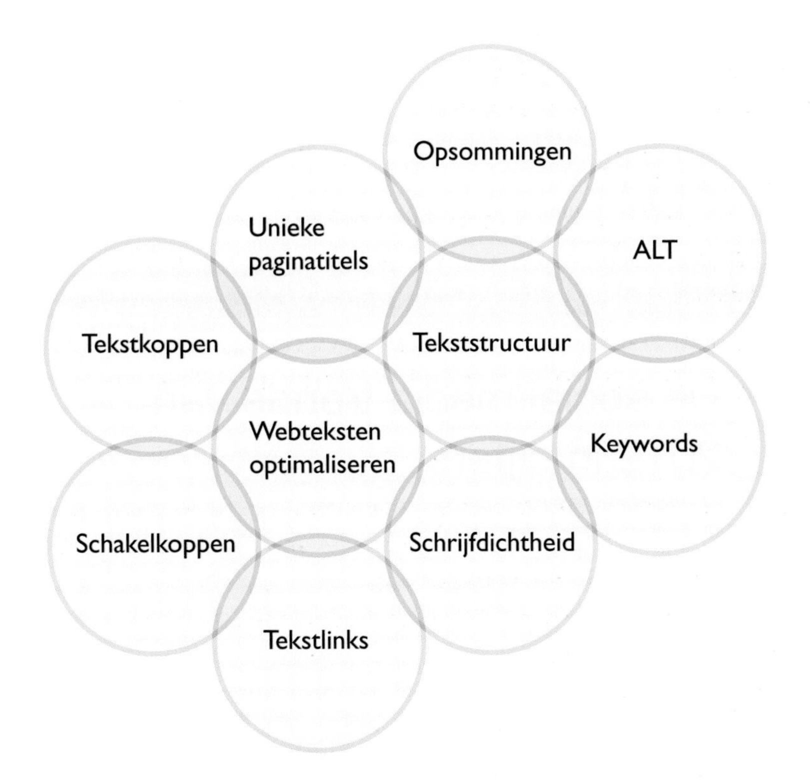

Afbeelding 8.14 Schrijven voor het web.

8.4.1 Tip 1: de titel

De titel van een webpagina is een van de factoren voor het optimaliseren voor het web en de zoekmachines. Zoekmachines hechten veel waarde aan de titel in de blauwe titelbalk die de pagina kort en to-the-point dient samen te vatten. De titel dient per pagina uniek te zijn.

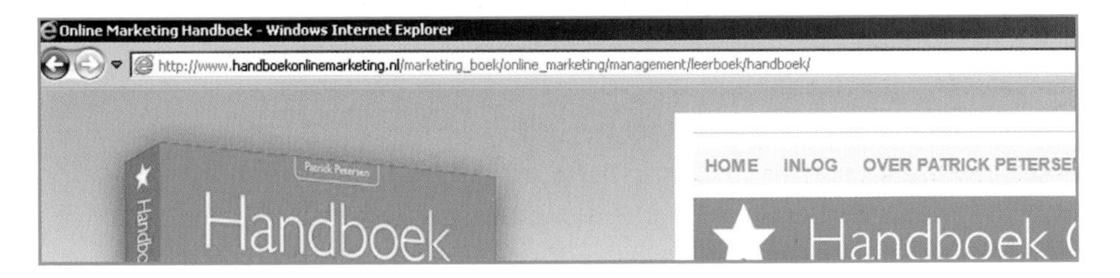

Afbeelding 8.15 De titel van een pagina. zoals Internet Explorer deze toont.

Ook kent een juiste titel een dichtheid van keywords. Keywords zijn gelinkt aan zoekwoorden van gebruikers en kunnen ook door de paginateksten worden verspreid. Het herhalen van keywords in de titel en het compact houden van de tekst in een titel helpt de pagina goed te laten indexeren.

8.4.2 Tip 2: de koppen

Lezers houden van scanbare teksten. Het 'koppensnellen' is populair op pagina's met veel nieuws of artikelen. Tekstkoppen die het artikel samenvatten of moeten opvallen mogen best 'schreeuwerig' zijn. Je helpt de lezer hiermee een juiste keuze in de content te maken en triggert om de essentie kort tot zich te nemen.

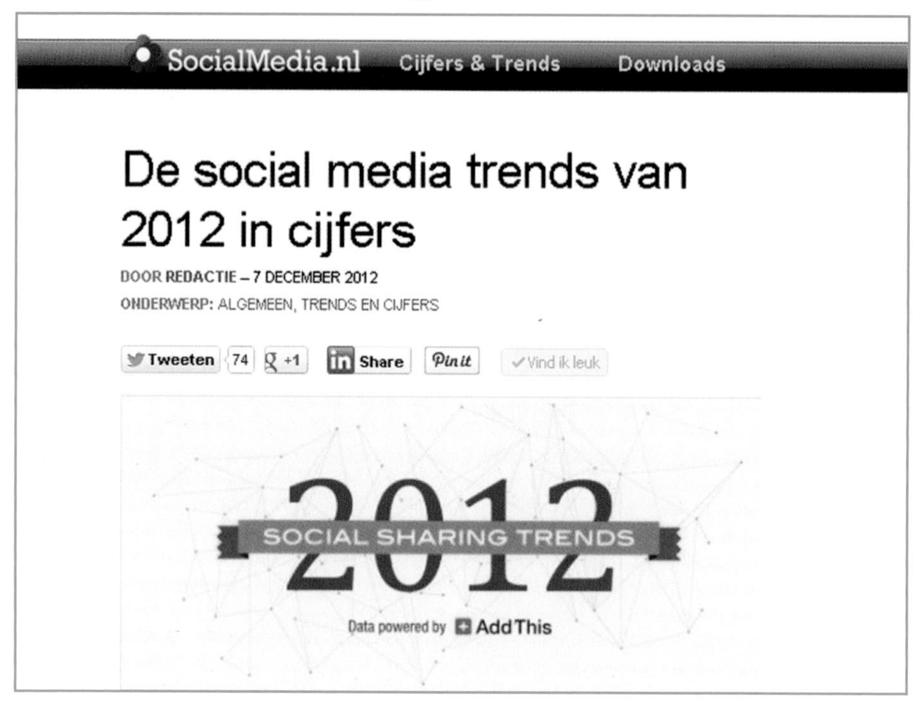

Afbeelding 8.16 De tekstkoppen op een pagina.

8.4.3 Tip 3: de tekstlinks

Tekstlinks doen het qua klikbaarheid gemiddeld genomen beter dan het klikken op buttons en banners. De links die bestaan uit tot links gemaakte delen van teksten kennen een associatie door de (tekst)omgeving waar ze in staan. Een combinatie van een opsomming, teksten die zijn omgezet tot links en eventueel licht opgemaakte vormen teksten waar zoekmachines veel waarde aan hechten. Voor de lezer is een tekstlink vooral relevant aangezien een link in de tekst of bij de opsomming een relevante omgeving kent van informatie. Zorg ervoor dat de tekst die wordt gelinkt niet bestaat uit 'lees meer', 'meer', 'lees verder', 'volgende' maar dat de gelinkte tekst omschrijft wat de gebruiker kan verwachten als hij of zij op de link klikt. Dit is de usability en verwachting van content.

Afbeelding 8.17 De tekstlinks op een pagina.

8.4.4 Tip 4: de schakelkoppen

Een schakelkop is een tekstkop waarmee gelinkt kan worden. De combinatie van grote koppen, een met tekst gelinkte kop en de dichtheid van keywords maakt de schakelkop tot een succesvol instrument bij het optimaliseren van teksten voor zoekmachines. Ook gebruikers zijn zo geconditioneerd dat ze verwachten door het klikken op de kop het hele artikel zien te krijgen.

8.4.5 Tip 5: de tekstopsomming gevuld met links

Opsommingen van teksten met een goede dichtheid van keywords is voor de lezer en zoekmachines scanbaar en indexeerbaar. Een lijst van belangrijke punten en keywords in een opsomming vol tekstlinks stijgt in waarde voor zoekmachines.

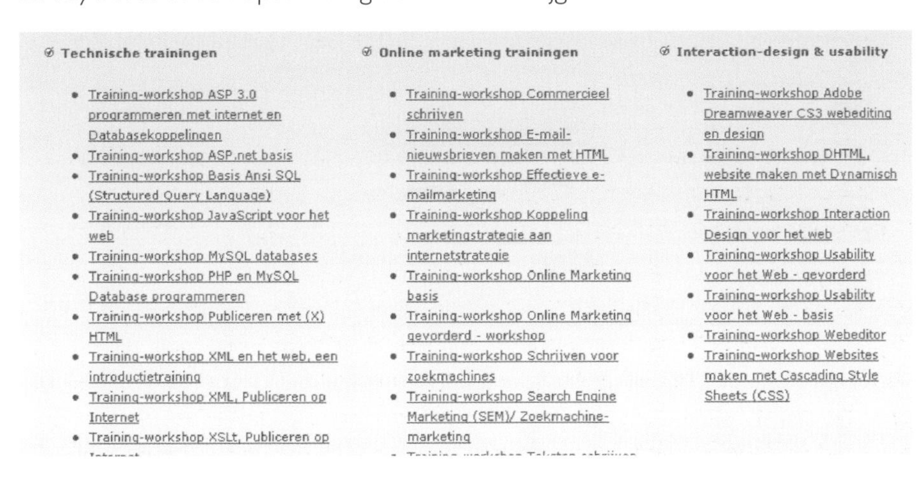

Afbeelding 8.18 De tekstopsomming.

8.4.6 Tip 6: de ALT-teksten

ALT-teksten worden vaak vergeten bij het optimaliseren van content. ALTernate teksten zijn tekstaanduidingen die in sommige browsers op objecten zoals afbeeldingen verschijnen indien je met de muis op het object staat. ALT-teksten zijn -door het W3C.org- in principe bedoeld voor slechtzienden maar kunnen ook dienen voor optimalisatie in zoekmachines. Een technische tegenhanger van de ALT is het attribuut 'title'. Ook een 'title' laat in browsers een tekst zien op een afbeelding indien de gebruiker met zijn of haar muis op het object gaat staan.

8.4.7 Tip 7: de keyworddichtheid

Bij het optimaliseren van webpagina's voor zoekmachines kijken spiders naar het vaak voorkomen van bepaalde woorden. Deze 'keywords' dienen bewust gebruikt te worden bij de opbouw van tekstkoppen, schakelkoppen en opsommingen. Ook de bodytekst -de normale tekst op een webpagina- moet zijn voorzien van een dichtheid van keywords. Het constant herhaald gebruiken van belangrijke sleutelwoorden (keywords) verhoogt de kans dat de zoekmachines deze woorden als keywords gaan erkennen. Google kent hulpmiddelen die meehelpen naar populaire keywords te zoeken, zoals op adwords.google.com/select/KeywordToolExternal.

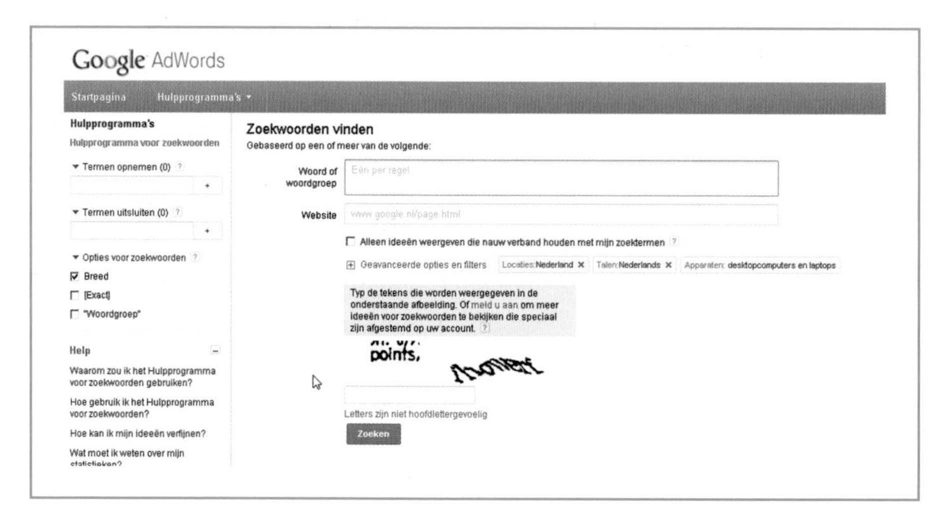

Afbeelding 8.19 De keyworddichtheid.

8.4.8 Tip 8: crosslinking

Gebruik crosslinking om kruislings teksten op te laten zoeken door de klant. Het op logische plaatsen linken naar pagina's of delen van teksten vergemakkelijkt het snel doorlezen van een pagina. Ook de webspiders zien relevante verbanden tussen tekstblokken en pagina's.

8.4.9 Tip 9: tagging

Populaire sites als de online filmdatabase www.imdb.com en grote nieuwsblogs gebruiken een opsomming van tags. Een tag is een (sleutel)woord dat het bijgaande artikel of de pagina kort met termen samenvat of benoemt.
Als het in de vorm van een wolk wordt geplaatst, dan wordt het 'tagcloud' genoemd. Tagging verhoogd de dichtheid van belangrijke woorden op een pagina zonder dat ze zoekmachines bij het indexeren op een verkeerd spoor brengen.

8.4.10 Tip10: plaats relevante links in de social media dialogen

De social media netwerken hebben een hoge ranking en waarde voor de zoekmachines. Plaats bewust -eventueel met een verkorte URL- links in dialogen, Facebook-berichten en LinkedIn-discussies zonder te gaan spammen. Google hecht bijvoorbeeld veel waarde aan een dialoog op Twitter waarbij een URL in de dialogen wordt geplaatst.

Afbeelding 8.20 De ALT-tekst en de link in een tweet.

8. 5 Het 4R-model en de contentstrategie

Als we het 4R-model -uit hoofdstuk 5- toepassen op een contentstrategie, krijgen wij de volgende beoordeling:

- **Retentie**: de herhaling van termen en het recyclen van teksten, titels en tekstblokken werkt positief voor de webspiders.
- **Relevant**: opsommingen, titels, schakelkoppen en teksten die artikelen en pagina's samenvatten dienen relevante woorden te gebruiken. Deze opsomming van relevantie verhoogt de keyworddichtheid en vergemakkelijkt de indexering door zoekmachines.
- **Reactie & Rendement**: zorg voor doorlinks, deeplinks en links naar 'to do's' in de aangeboden teksten en content. Interactie en cognitie werken beter dan een uiting met alleen maar informatie die nergens toe leidt.
- **Rich**: compacte teksten, video en interactieve formulieren worden als 'rijke' content ervaren. De relevantie van de content is hoog, net als het reactieve vermogen van de content. De aandacht gaat online eerder naar rijke content dan naar de passieve kolommen vol met tekst.

Bekijk op www.handboekcontentstrategie.nl meer modellen, cases, op gebied van contentmarketing en meer praktische aanvullingen op gebied van contentstrategie.

8.6 EXPERT-CASE Rob Speekenbrink (TEDxDelft)

Rob Speekenbrink is manager geweest bij grote bureaus zoals *ZaPPWeRK* (nu onderdeel van *Total Identity*) en *Fabrique*. Speekenbrink is momenteel verbonden aan de TU Delft. Hij is tevens blogger voor SocialMedia.nl en de licentiehouder en man achter *TEDxDelft*. De events van TEDx zorgen voor aansprekende content die letterlijk de gehele wereld over gaat. Het zijn events die aantoonbaar *boeien* en *binden*. We ondervragen Rob Speekenbrink over de aanpak.

Afbeelding 8.21 Expertcase Rob Speekenbrink van TEDxDelft.

Wat is het event TEDx en TEDxDelft nu precies?

"TEDx is een verzamelnaam voor onafhankelijk georganiseerde TED-evenementen. TED staat voor *Technology, Entertainment, Design* dat inspirerende evenementen organiseert rondom het thema '*Ideas worth spreading*'. TEDx is de lokale variant van zo'n evenement. Voor het mogen voeren van de naam dien je een licentie te hebben. Een TEDx-licentie wordt verbonden aan een stad, in mijn geval dus aan de stad Delft. Onder de noemer *TEDxDelft* worden evenementen georganiseerd in Delft waarbij inspiratie het belangrijkste is en mensen worden aangespoord nieuwe mensen te leren kennen en ideeën als inspiratiebron te gebruiken."

Als wij de sprekers van TEDxDelft als content zien; waar let je dan op en wat je focus daarbij?

"Iemand moet in maximaal 18 minuten een idee (dat de moeite waard is om verspreid te worden) over kunnen brengen op een groot publiek (meer dan 900 in de zaal en een veelvoud online). Het verhalende is belangrijk. We trainen daar de sprekers op. Wij vinden het mooi als we sprekers vinden die van zichzelf nog niet hadden bedacht dat ze op zo'n podium zouden staan. Sprekers en onderwerpen wisselen elkaar subtiel af. Dan wordt de linkerhersenhelft en dan weer de rechterhersenhelft geprikkeld door de sprekers. Bezoekers gaan vervolgens met meer energie weg dan dat waarmee ze aankwamen."

Welke content maken jullie tijdens TEDx?

"Wij maken veel en diverse content. Denk aan: tweets, webcare, video's, foto's, artikelen, verslagen, live. We hebben een webcareteam dat tweets maakt, retweet en antwoorden geeft rondom de events. We hebben livebloggers die verslag doen van de talks van de sprekers. Die worden direct op onze website gepubliceerd. Er zijn zes HD-camera's in de zaal aanwezig die de livestream verzorgen maar ook het basismateriaal waaruit we later video's editen. We hebben de capaciteit van onze Wi-Fi verhoogd tot ongeveer 1500 verbindingen zodat iedereen over alles kan twitteren met #TEDxDelft. Dat wordt flink van gebruikgemaakt aangezien we een groot deel van zo'n dag trending topic zijn. Er worden tekeningen gemaakt van sprekers en hun onderwerpen. Er lopen twee professionele fotografen rond waarvan het rechtenvrije materiaal gedurende de dag op ons Flickr-kanaal wordt gepubliceerd. Foto's op online platforms zoals die van Twitpic, Instagram en meer worden doorgezet op andere kanalen en live getoond in de pauzes van TEDxDelft."

Met welke content buzzen jullie het beroemde event en met welke imago- of reputatiedoelen?

"We buzzen tijdens het evenement voornamelijk de ideeën die door de spreker worden uitgesproken plus de tweets van de bezoekers, kijkers, het fotomateriaal en de livestream. Na het evenement is vooral de video (na de edit) het belangrijkste middel voor de buzz. Door de video's te gebruiken laten we zien waar TEDxDelft voor staat: inspirerende sprekers met inspirerende ideeën die dat op een aantrekkelijke manier presenteren."

Wat is jouw visie op het buzzen en neerzetten/positioneren van een TEDx-event en TEDxDelft in het bijzonder?

"TEDxDelft heeft ten opzichte van andere TEDx-evenementen in Nederland een technischere insteek die goed bij de stad past. Elk TEDx-evenement in Nederland heeft zo een eigen thematiek zodat ze ten opzichte van elkaar genoeg verschillen om al die evenementen interessant te houden. Het positioneren van een TEDx is vooral een kwestie van laten zien wat we bedoelen en we merken dat nu we meer dan 60 sprekers op onze podia hebben gehad een duidelijke lijn ontstaat. Het merk TEDxDelft is voor een deel van de bevolking geladen maar ook voor een heel groot deel nog onbekend."

Bekijk op www.handboekonlinemarketing.nl de video 3-802 met de storytelling rondom TEDxDelft genaamd *Never grow up: explaining TEDx fairytale style at TEDxDelft.*

HOM opdrachten hoofdstuk 8

Dit hoofdstuk kent de volgende opdrachten:

1. Leg de noodzaak tot boeien en binden uit binnen de contentstrategie en geef een voorbeeld hiervan.
2. Wat is *Long Tail* en welke onderdelen van je website behoren tot de *Long Tail*?
3. Noem de 6C's en benoem ze voor jouw organisatie of online marketingstrategie.
4. Wie is in jouw sector een social influential volgens de score van Klout?
5. Kijk naar het contentaanbod van je eigen organisatie online; wat kan beter in de presentatie van de content?
6. Omschrijf in het kort jouw aanpak voor het gebruik van content in je online uitingen.

9 E-mailmarketing

Het middel e-mailmarketing wordt net als virale marketing en zoekmachine-marketing veel uitgegeven binnen de online mix. E-mailmarketing kan bij het juist inzetten een goed instrument zijn voor directe conversie en een directe omzetverhoging. Business-to-business is e-mailmarketing nog steeds het middel dat meer leads en directe omzet oplevert, meer dan bijvoorbeeld social media. De meetbaarheid, de lage kosten en het hoge bereik maken e-mailmarketing tot een populair instrument binnen de online marketingmix. Het succes van e-mailmarketing zit in het goed inzetten van een flink aantal factoren. De strengere Telecomwet (met veel updates de laatste jaren) maken e-mailmarketing tot een gevoelig en doordacht te hanteren online middel. Opt-in is daarbij het toverwoord. Ook moet voor de prospects duidelijk zijn wat zij als (zakelijk) consument gaan ontvangen.

De wetgeving maakt het speelveld voor de online marketeer soms lastig. Het tijdperk van zomaar in bulk wat mails verzenden met wervende tekst is voorbij. Een marketeer heeft uitdrukkelijk toestemming nodig wil hij of zij zijn mailing kunnen versturen. Ook het zomaar opkopen van e-mailgegevens of een database met ingekochte profielen is passé.

9.1 Voordelen van e-mailmarketing

Dat e-mailmarketing een persoonlijke manier is van het benaderen van klanten, gebruikers en prospects is een feit. Dat de instant messages zoals *Whatsapp* of het *Pingen* het e-mailverkeer terugdringen is ook een feit. Dat e-mail nog steeds een sterk (zakelijk) instrument is, is nog steeds duidelijk. Kort de voordelen van e-mailmarketing op een rij:

- je kunt als ontvanger *zelf bepalen* wanneer je het leest en waar zoals via je mobiel onderweg in de trein;
- e-mail heeft meer *rust* dan bijvoorbeeld chat, je kunt de dialoog teruglezen;
- *webmail* houdt de mail in de cloud en kan zo als archief worden gebruikt;
- e-mail is *zelftiming* van het ontvangen van de boodschap door de ontvanger;
- het bericht is *persoonlijk* aanpasbaar;
- je kunt eventueel een *attachment* meesturen aan de mail;
- je hebt een *internationaal* bereik;
- e-mail kent een *bewaargehalte* en wordt soms meerdere malen teruggelezen;
- e-mail kent een *doorstuurgedrag* en heeft dus een mogelijk viraal effect;
- het is een *massamedium* dat gemakkelijk gesegmenteerd kan worden;

- e-mail is *persoonlijk*;
- het kent een *actiegerichtheid* en het is een actief medium;
- het is een *juridisch* erkend middel om overeenkomsten te sluiten.

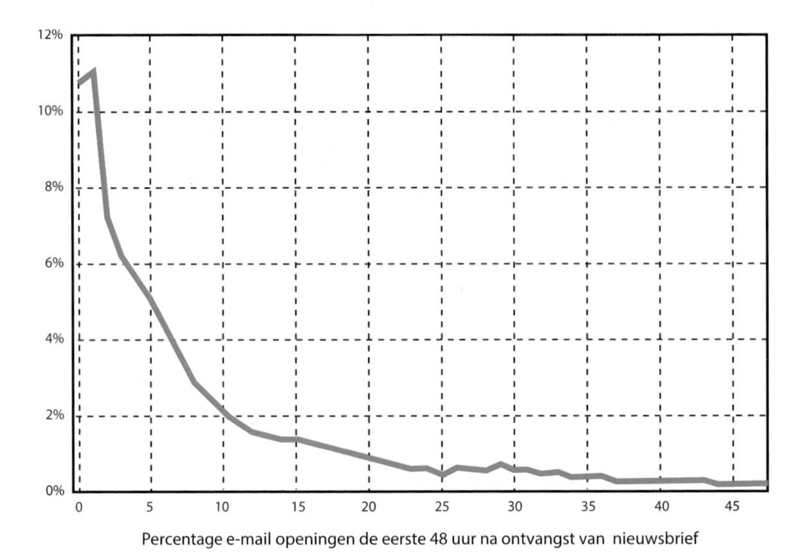

Afbeelding 9.1 De opening van e-mails is in de eerste 48 uur groot.

9.2 Feiten over e-mailmarketing

E-mailmarketing is een van de eerste en meest gebruikte online instrumenten en kent door zijn lange geschiedenis een eigen terminologie. Zo is de *Open Rate* (OR) het percentage van de mails dat daadwerkelijk is geopend door de ontvangers. Dit zegt niet veel over het lezen van de mail zelf. De boodschap is op het scherm van ontvanger verschenen. Of de mailboodschap daadwerkelijk is gelezen kunnen wij niet afzien aan de statistieken. Een *ClickThrough Rate* (CTR) is het percentage ontvangers dat in de e-mail doorklikt naar bijvoorbeeld een landingspagina. Het boeken van resultaat met gebruik van e-mailmarketing zit in het duo juiste call-to-action en timing en het laten landen van de actieve e-mailontvanger.

Een *BounceRate* is tot slot het gedeelte dat afketst in de mailing en dus niet aankomt. Door het opschonen van e-maildatabases neemt de *BounceRate* (BR) sterk af. Het verschil tussen het aantal verzonden mails verminderd met de BR wordt de 'delivery' genoemd. Helaas bouncet een mail niet altijd op een mailserver bij de ontvangende partij.

Afbeelding 9.2 Bol.com is sterk met relevante e-mailmarketing.

Bounces -afwijzingen van je e-mails- ontstaan doordat de content die wordt aangeboden niet meer relevant is. Technische bounces ontstaan omdat de e-mailadatabase niet zuiver wordt gehouden. Ook zijn er door overnames databases ontstaan die nauwelijks zijn ontdubbeld of vervuild zijn omdat men zich in het verleden heeft afgemeld maar dit niet goed is geadministreerd. Zo gaan ontvangers steeds meer van een Hotmail-mailadres naar bijvoorbeeld een tevens gratis Gmail-mailadres. Het gebruik van webmail neemt een vlucht ten opzichte van het gebruik van 'vaste' mail zoals een vaste Outlook-inbox.

Top 5 e-mail sites in Europa per totale doelgroep
juni 2011 vs Juni 2012
Totaal Europa: Leeftijd 15+, thuis- en werklocaties
Bron: ComScore MMX

	Totaal aantal unieke bezoekers		Gemiddeld aantal minuten per bezoeker	
	Juni 2012	% verandering van jaar tot jaar	% verandering van jaar tot jaar	% verandering van jaar tot jaar
E-mail	276.480	+14%	106,4	-6%
hotmail	108.202	+1%	110,7	-14%
Google Gmail	74.670	+18%	59,5	+7%
Yahoo! Mail	44.290	+4%	127,3	+29%
Mail.Ru - Mail	42.767	+22%	19,7	+15%
Yandex Mail	25.143	+37%	17,1	+58%

Afbeelding 9.3 De groei van webmail in Europa.

9.2.1 Meer feiten en cijfers over e-mailmarketing

E-mailmarketing is een meetbaar instrument. In de Verenigde Staten is het de sector die nog steeds groeit in volume en omzet. Daarom kunnen wij ook veel leren van cases, concurrenten en vrijgegeven rapporten.

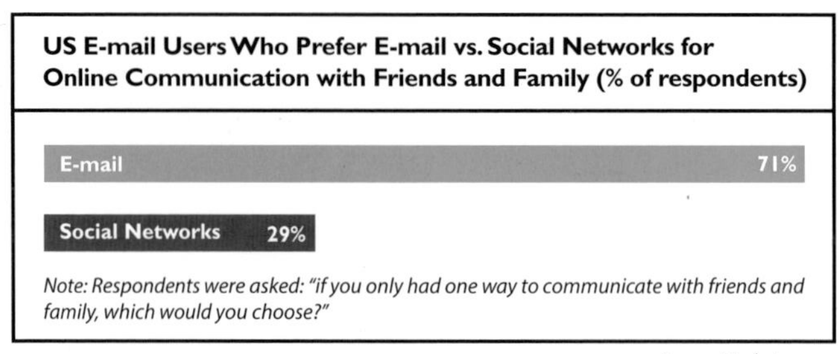

Bron: eMarketer.com

Afbeelding 9.4 E-mail blijft een belangrijk communicatiemiddel.

Feiten over e-mailmarketing: en het gebruik ervan:

- ruim 30% *opent* een e-mail 48 uur na ontvangst, dit aantal stijgt, het openen gaat steeds sneller;
- de *Open Rate* van e-mails is gezakt van 13,2% in 2008 en was in 2011 nog maar 10,2% en in 2012 iets onder de 10%;
- 75% van de openingen gebeurt in de eerste 24 uur na ontvangst van de e-mail;
- *Click Rates* zijn dalende;
- in de VS zijn zondagen en maandagen goede dagen voor het verzenden van mails, in Nederland zijn dinsdag en woensdag populair;
- e-mails worden steeds vaker via de mobiel (zoals smartphone en tablet) geopend en beheerd;
- het lezen van e-mail vanaf de mobiel is naast het volgen van nieuws en de sociale netwerken de nummer drie activiteit bij mobiele e-mailers;
- hoe korter de onderwerpregel van een mail hoe meer succes;
- persoonlijke e-mail ('Beste Jan Janssen,') scoort beter in CTR;
- *BounceRates* nemen elk jaar af omdat de mailtechniek verbetert en het databasebeheer toeneemt;
- de onderwerpregel en de afzender zijn de meest belangrijke redenen om een mail te openen;
- een grote database en mailinglijst heeft geen effect op de conversie zoals *Open Rate,* het gaat om de kwaliteit en relevantie in content;
- na aanpassing van de *Telecomwet* (onder beheer van de OPTA) die in Nederland de laatste jaren in hoog tempo is aangescherpt is het versturen van spam naar zakelijke adressen verboden.

Bron: Continuonderzoek www.mailermailer.com, eMarketer.com, AtMostmail cases.

"An open rate is calculated by dividing the number of email messages opened by the number of email messages delivered.The number is then expressed as a percentage." Bron: eMarketer.com.

De website MailMailer.com presenteert continu-onderzoeken (gericht op de VS) en daarbij concrete lijsten van e-mailcijfers in de verschillende sectoren. Dit zijn scores die voorheen lastig te traceren zijn geweest.

Sector (VS)	Open Rate (onderzoek onder maillijsten > 1000)
Overheid	11,20%
Marketing	8,60%
Entertainment	9,60%
Retail	14,40%
MKB	15,90%

9.3 Big Data en de onderdelen van e-mailmarketing

E-mailmarketing is nauw verbonden met databasemarketing. Databasemarketing is het effectief managen, schoon houden, beheren en laten groeien van de lijst van e-mailadressen en mailprofielen. Databasemarketing kan subtiel campagnes en responses analyseren en als basis dienen voor de komende mailcampagnes.

De databasemarketing kan de juiste segmenten samenstellen voor verzending en deze spiegelen aan marketingdoelen. De juiste vorm zorgt voor de juiste positionering en branding van de e-mailing. Het massaal opslaan van klantgegevens inclusief e-mailgegevens wordt *Big Data* genoemd Bij Big Data draait het om wat de naam al aangeeft: een enorme verzamelingen van (klant- en gebruiker)gegevens. De term is populair bij leveranciers van opslag- en CRM-systemen om bijvoorbeeld CRM, e-mail, social media gedrags- en client-servicedatabases te koppelen. De berg aan informatie moet de marketeer meer inzicht geven in klantgedrag en vraagvoorspelling. In de praktijk is maar 90% van de Big Data-databases marketingwise gestructureerd (*bron:Computerworld.nl*).

Afbeelding 9.5 De plaats van e-mailmarketing.

9.3.1 De doelstellingen van e-mailmarketing

Met e-mailmarketing kunnen we concrete doelstellingen formuleren. Globaal kun je met e-mailmarketing besparen op communicatiekosten, de kennis van de respondent verhogen, meer verkeer genereren naar de website maar vooral actiegericht conversie bereiken.

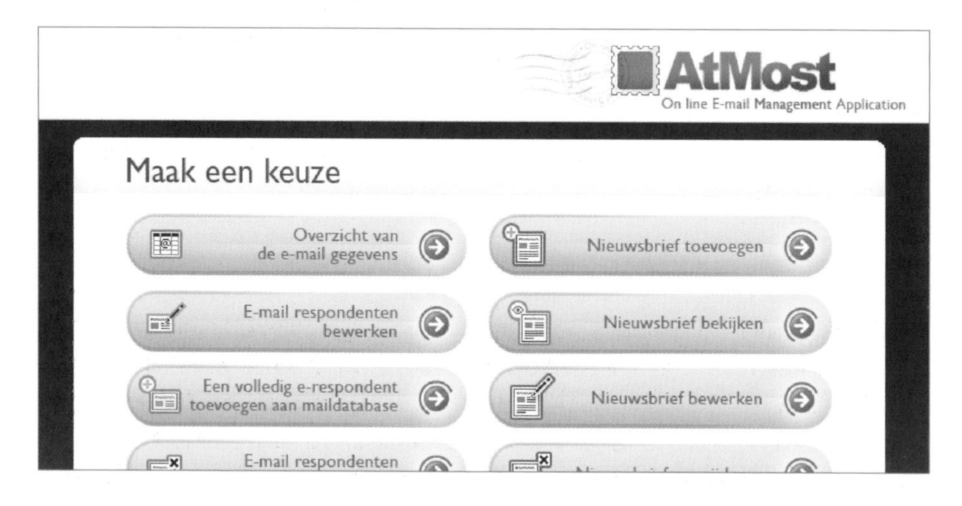

Afbeelding 9.6 Een databasegestuurd beheersysteem voor e-mailings.

Dit laatste wordt buzzen genoemd en is in hoofdstuk 8 uitvoerig uitgelegd. In online marketingtermen gezegd kunnen wij e-mailmarketing gebruiken voor targetting, buzzing en meetbaar de massa bedienen. Alle doelstellingen op een rij:

1. **Periodiek informeren** zoals met de aloude nieuwsbrief. Het feit is dat wij in Nederland totaal 'nieuwsbriefmoe' zijn. Het boeien en binden via een periodieke nieuwsbrief neemt snel af. Onder druk van de snelle dialogen en het snelle informatieaanbod in de social media, lijken e-mails al snel 'te lang'. De te lange mails met vaak weinig interessante informatie gaan door de onderwerpregel '*Nieuwsbrief x jaargang y editie z*' al de prullenmand in. Het aantrekkelijk en leesbaar houden van nieuwsbrieven is op lange termijn een lastige zaak en heeft alleen effect als de *fan*-betrokkenheid hoog is (bijvoorbeeld bij Apple of de mails van de HMH of Ziggodome) evenals de relevantie en timing.
2. **Direct verkopen** via e-mailmarketing door middel van herhalingsaankoop en te stimuleren met bijvoorbeeld een retentiemail of het bevorderen van impulsaankopen met buzzmails.
3. **Goodwill/imago kweken** bij de doelgroep door middel van virale marketing.
4. **Klantenbinding of contactmomenten creëren** met retentie- en servicemails of buzzmails die puur gericht zijn op het doorklikken (*de CTR*) of openen van de mailboodschap, zoals bij dagaanbiedingen.
5. **Nieuwe klanten** of prospects werven voor toekomstige database-marketing met virale mailcampagnes zoals de 'tell-a-friend' of 'stuur deze aanbieding door naar...' of social shopping waarbij er door meerdere ontvangers van een e-mailaanbieding wordt geprofiteerd.
6. **Klantinventarisatie** door middel van een vragenlijst bijvoorbeeld na een aankoop om zo de volgende aankoop van de klant gerichter te laten verlopen of om het databaseprofiel op te schonen.
7. **Bepaald segment** bereiken door segmentatie door middel van doordachte databasemarketing.
8. Meer **traffic** naar de site door tips, opsommingen, buzzende aanbiedingen en gratis of '*nu of nooit*'-aanbiedingen of het vervolg van artikelen op de website laten lezen.

9.2.2 Het kwantificeren van doelstellingen van online marketeers

Doelstellingen van online marketeers kunnen ook bij e-mailmarketing gekwantificeeerd worden. Voorbeelden van gekwancitificeerde doelstellingen zijn: '*45% CTR bij de e-mailing gericht op x verstuurd in periode y gevuld met lastminuteaanbiedingen*', '*20% aanwas van de marketingdatabase met schone profielen met een aanwas opgevangen uit de social media*' of '*25% meer traffic op de website door het versturen van meer actiegerichte e-mails*'.

Afbeelding 9.7 De Adformatie nieuwsbrief. is concreet en gericht.

9.2.3 De doelstellingen van online marketeers

Marketingportal eMarketer.com doet continu onderzoek naar de doelstellingen van online marketeers gericht op het inzetten van activiteiten rondom e-mailmarketing. Doelstellingen zijn onder andere het uitbouwen van e-maildatabases. Big Data is daarbij een relevante term. Daarnaast wil een deel op een meer gesegmenteerde manier gaan e-mailen en een deel wil de conversie verhogen via het gebruik van e-mailmarketing.

9.3 De vormen van e-mailmarketing

E-mailmarketing wordt helaas te veel gezien als het versturen van een nieuwsbrief. Soms lang, soms kort. Soms veel nieuws, soms een aanbieding erin en soms een leuke video of download. Deze aanpak gaat bij een gemiddelde organisatie door voor 'e-mailmarketing'. Deze beleidsloze vorm van mailen kunnen we eigenlijk 'guerilla' noemen. Erkende vormen van e-mailmarketing zijn:

- de *buzzmailing* met één specifieke boodschap zoals één vakantie-aanbieding die binnen 24 uur geboekt moet worden;
- de *retentiemail* zoals aftersales met daarin de vraag wat je van hun service vond en of je wellicht de gekochte producten wilt verzekeren;
- de *nieuwsbrief* met periodieke informatie zoals die van Adformatie.nl met een selectie uit de artikelen;
- *aquisitiemailings* met een selectie van het assortiment dat in de aanbieding wordt gedaan zoals die van Bol.com;

- virale vormen met een *tell-a-friend-effect* en aanwas van de marketing-database;
- *vragenlijsten* in de mail voor meer betrokkenheid door de klant en profielverbetering.

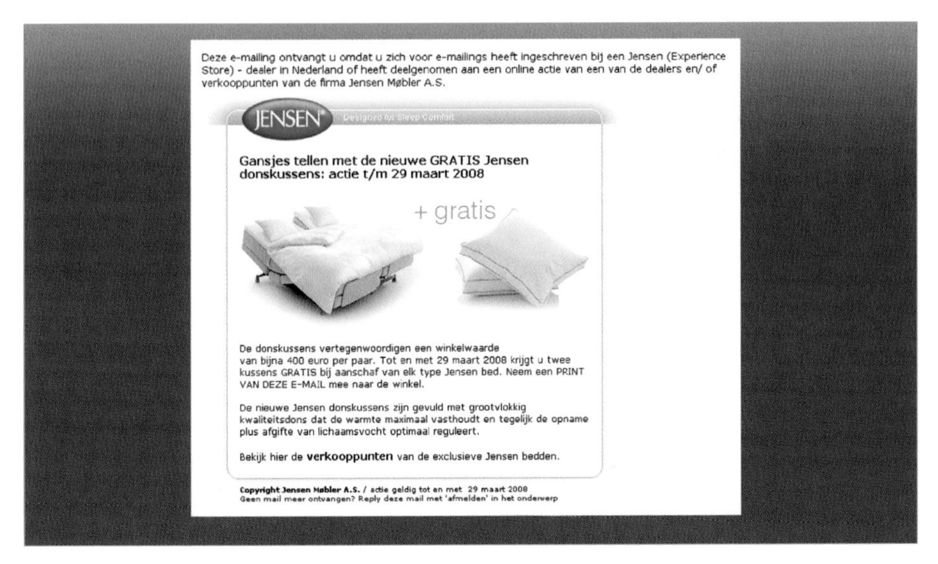

Afbeelding 9.8 Een buzzmailing van Jensen bedden.

9.3.1 De 'buzz' als vorm van e-mailmarketing

De buzz is een vorm waarbij er heel duidelijk één boodschap wordt verstuurd naar de respondenten. Deze boodschap wordt zowel tekstueel als visueel alsook in het onderwerp van de mailing kracht bij gezet. De boost die deze mail moet bewerkstelligen laat de ontvanger letterlijk trillen of 'buzzen' met de 'one message'. Eigenschappen en redenen voor een buzz:

- een buzz is vaak tijdsgebonden: *'reageer voor...'*;
- een buzzaanbod komt vaak over als exclusief en persoonlijk;
- bij de selectie en segmentatie is doordachte databasemarketing voorafgegaan om de relevantie van de boodschap te verhogen;
- een buzz is simpel, helder en krachtig opgesteld;
- een buzzmailing werkt goed wanneer de juiste boodschap bij de juiste persoon op het juiste moment binnenkomt.

Aangezien we te veel mails in onze inbox hebben heeft een buzz die zowel gericht is op consumenten als bedrijven een goed en direct effect richting conversie. De ontvanger ziet één duidelijke boodschap of aanbieding en raakt niet verward door te veel informatie op een te klein vlak. Als de relevantie van de boodschap inclusief timing goed is, levert een buzz veel doorkliks en conversie op.

9.3.2 De retentie als vorm van e-mailmarketing

Retentie staat voor *herhaalde attentie*. Het sluit aan bij de uitspraak dat herhaling de kracht van reclame is. Dit kan zijn na de koop of bijna bij de koop of in het keuzeproces. Retentie kan zijn:

- een aanbod van een bijproduct net na een aankoop:
- een reminder die de klant nog even helpt bij zijn of haar eventuele keuze;
- een lastminuteaanbod voor een respondent die interesse heeft getoond;
- een servicemail met een update voor software die de klant heeft aangeschaft;
- een aftersales mailing van een autobedrijf met een gratis eerste onderhoud bij de auto.

9.3.3 De nieuwsbrief als vorm van e-mailmarketing

De nieuwsbrief is de oudste vorm van professionele e-mailmarketing. Ooit was het het succes van de communicatieafdeling waarbij het periodiek maken van de nieuwsbrief een periodieke bezigheid was van een deel van de redactie. De nieuwsbrief is verheven tot een 'gilde' en wordt nog steeds dwangmatig door organisaties en afdelingen verstuurd zonder oog te hebben voor een concreet doel. Daarom kort de nadelen van het inzetten van nieuwsbrieven:

- de *nieuwsbriefmoeheid* van de ontvanger die veel lidmaatschappen heeft lopen op nieuwsbrieven uit het verre verleden;
- een nieuwsbrief staat te vaak gelijk aan een erg lange mail waaruit de ontvanger zelf het relevante nieuws moet halen in plaats van dat het nieuws voor hem of haar is *geselecteerd*;
- de content in een nieuwsbrief is veelal *zendergericht* in plaats van aangepast voor de ontvanger;
- een *nieuwsbriefeditie* die niet interessant is kan tot gevolg hebben dat de ontvanger het mailadres van de afzender blokkeert maar dat ook de merkwaarde en organisatie bij de ontvanger niet meer top-of-mind geraakt;
- een nieuwsbrief heeft geen *compacte* aanpak en vaak geen concreet doel maar is puur informerend. Handige technieken zoals RSS (zie hoofdstuk 8) en sms-alerts kunnen informatiedoelen beter, sneller en relevanter aanbieden net als de relevantie berichten via de social media of instant messages.

Tot slot: noem een mailing niet *nieuwsbrief* of *newsletter*. Informeer de doelgroep gewoon periodiek met tips, een buzz en een selectie uit het aanbod van de organisatie en gebruik een pakkende kop en vooral een wervende en actieve onderwerpregel.

U ontvangt deze nieuwsbrief omdat u klant of relatie bent van online bureau AtMost, SocialMedia.nl, Educator Opleidingen, het HMM of HOM heeft gereserveerd, heeft deelgenomen aan een actie van AtMost of training heeft gehad van Patrick Petersen

Twitter | mail AtMost | SocialMedia.nl | AtMost.TV

Het Handboek Mobile Marketing is uit! GRATIS INSCHRIJVING #VakdagMM 15 november, korting op DIMin1Day of 24 uur van Reclame. AtMost is er ook! *AtMost.TV aanbieding?* Lees snel verder!

AtMost.TV: meest gevraagde bedrijfsvideo en eventpartner van Nederland! Uitproberen?

AtMostTV is zichtbaar en aanwezig op alle grote events in Nederland. Hiernaast hebben wij -sinds 2005- meer dan 1500 productvideo's, social en virale video's plus interviews gemaakt. *Gebruik bij de eerste aanvraag de code MNOVTV en wij maken de eerste bedrijfs-, event-, viral of promotievideo voor 499 euro all-in, ex btw.*

Afbeelding 9.9 Een scanbare nieuwsbrief met showcases van AtMost.nl.

9.3.4 De aquisitiemailings als vorm van e-mailmarketing

De aquisitiemailing is puur gericht op verkoop en daarmee minder op het puur verstrekken van informatie via de mailing. Het is een zakelijke mail voorzien van een herkenbare afzender die business-to-business, maar ook vaker naar de eindconsument wordt gestuurd. De zakelijke en scanbare aanpak geeft snel succes. De valkuil hierbij is het opnieuw aanbieden van een te lange mail met te veel aanbiedingen. Een korte, compacte en goede selectie biedt meer conversie dan de gehele weekcollectie van de organisatie. Aquisitiemailings zijn de mailings van V&D met de weekaanbiedingen, de mailing met de boekentop 10 erin van Bol.com of de beste Nintendo WII-accessoires te koop bij BigDennis.nl. Een aquisitiemailing is to-the-point, laat het product en de prijs zien en geeft een sfeer waarbij de klant moet denken de beste deal te hebben als hij niet direct reageert of koopt.

9.3.5 De virale mail als vorm van e-mailmarketing

In hoofdstuk 7 kwam het middel virale marketing langs. De virale mail heeft drie concrete doelen:

- het *vergroten* van de maildatabase met nieuwe adressen en profielen;
- een *doorstuureffect* om de boodschap viraal te laten verspreiden;
- *branding* en het verbeteren van een imago.

Virale e-mailmarketing is een instrument voor de relevante aanwas van de marketingdatabase. Met het doorsturen van berichten en opvragen van de gegevens van de respondenten groeit de database vol gegevens van prospects. Bekenden sturen aan bekenden en creëren zo een opt-in waarbij de ontvanger sneller de boodschap zal opnemen en de mail zal openen om vervolgens weer door te sturen.

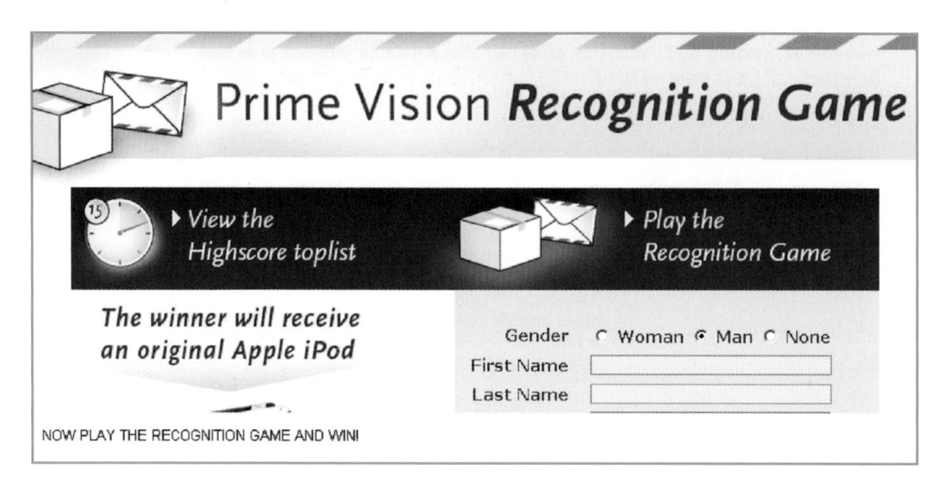

Afbeelding 9.10 Een virale mail om uit te nodigen voor het spelen van een online game.

9.3.6 De vragenlijst als vorm van e-mailmarketing

Een mailing kan goed gebruikt worden als niet-commerciële retentie. Na een koop wordt er snel en subtiel per mail gevraagd of je tevreden bent met de koop. Tevens kan de marketeer met deze vorm controleren of de gegevens van de koper juist zijn. Prijswinnend retailer Paradigit (www.paradigit.nl) doet dit subtiel door een prijs uit te reiken in de vorm van het terugverdienen van het bedrag op de aankoopbon. Autoruitspecialist Carglass vraagt ook klanten via mail een mening te geven na de reparatie. Snel, gevat en direct response.

9.4 Permissiemarketing, de Telecomwet

E-mailmarketing is pure permissiemarketing. De ontvanger moet uitdrukkelijk toestemming geven aan de potentiële mailverzender. Geen vinkje dat al klaar staat bij 'aanmelding nieuwsbrief' maar een serieuze handeling die de aanmelder dient te verrichten voordat hij of zij op de mailinglijst staat. Bij permissiemarketing maken we onderscheid tussen opt-in en opt-out:

- **Opt-in**: (in Nederland in de Telecomwet per mei 2004 met wijzigingen in 2008 en 2009): de klant geeft zich bewust op voor een e-mailing. Eventuele klachten kunnen worden ingediend bij de *Opta* en *Reclame Code Commissie* (RCC) in Nederland.
- **Opt-out**: de klant krijgt ongevraagd mails en kan zich wel uitschrijven. Dit is veelal een misleidende manier van mailcampagnes voeren. Bij spammailings denk je je via een link af te melden, maar meld je je juist *aan* via het aanklikken van de link.

Omdat veel mailgeadresseerden soms niet meer weten of ze zich opt-in hebben opgegeven voor een mailing is het aan te raden te verwijzen naar een aanmelding of de reden voor verzending: '*U ontvangt deze mailing omdat...*'

9.4.1 Belangrijke punten uit de Telecomwet en de DDMA @email

Het is duidelijk geworden dat de Telecomwet impact heeft op huidige e-mailcampagnes. De *DDMA* (Dutch Dialogue Marketing Association) is de brancheverenging voor dialoogmarketing en kent onder andere diverse onderzoeken, bijeenkomsten en een blog bereikbaar onder ddma.nl/blog/emailblog/ dat zich richt op e-mailmarketing.

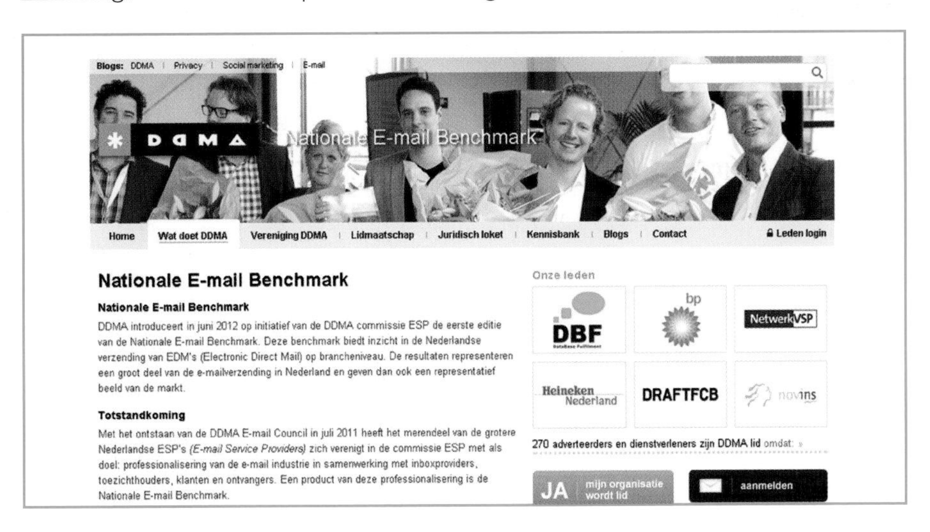

Afbeelding 9.11 De DDMA.

DDMA E-mail Council

In het DDMA E-mail Council heeft een deel van de Nederlandse ESP's (E-mail Service Providers) zich verenigd. Het Council heeft als doel: professionalisering van de e-mailindustrie. Een van de belangrijkste ideeën daarbij is het uitwerken van een representatieve benchmark voor de gehele Nederlandse (online) markt. Afgelopen jaren zijn er meerdere benchmarkrapporten met e-mailstatistieken verschenen. Deze rapporten zijn uitgebracht op initiatief van afzonderlijke ESP's of waren in mindere mate relevant door de internationale oriëntatie. Na oprichting van de *DDMA E-mail Council* in 2011, werkt het merendeel van de grotere Nederlandse ESP's nu samen om de *Nationale E-mail Benchmark* vorm te geven; een handige en relevante tool voor marketeers om hun e-mailmarketingdoelstellingen te kunnen toetsen.

De top acht van belangrijke punten uit de Telecomwet aangaande e-mailmarketing:

1. de mail -en afzender- dient herkenbaar te zijn als reclame;
2. het bericht dat de reclame via e-mail bevat mag maximaal een grootte hebben van 50 Kb (beter is het aanbrengen van een verwijzing waarbij de grootte van het bestand staat vermeld);
3. meegezonden bestanden of scripts dienen virusvrij te zijn;
4. bij de verzameling van de mailadressen dient duidelijk geïnformeerd te worden waarvoor het e-mailadres zal worden gebruikt (opt-in);
5. de bezoeker kan alleen vooraf -door middel van een actieve handeling- aangeven of hij reclame via e-mail wenst te ontvangen (opt-in);
6. het mailadres mag gebruikt worden indien het is verkregen in het kader van het leveren van producten, diensten en/of het doen van donaties;
7. het mailadres mag gebruikt worden door de adverteerder voor communicatie voor eigen commerciële, ideële of charitatieve doeleinden met betrekking tot vergelijkbare producten, diensten of verzoeken tot donaties (retentie);
8. indien bij de adverteerder de bedoeling bestaat een mailadres (ook) aan derden te verstrekken, dient de bezoeker hiervoor apart zijn toestemming te geven.

Bron: Telecomwet/ez.nl, Opta.nl, mei 2009.

9.5 De tien succesfactoren van e-mailmarketing

Juist e-mailmarketing kent succesfactoren die gebaseerd zijn op jarenlange ervaring.

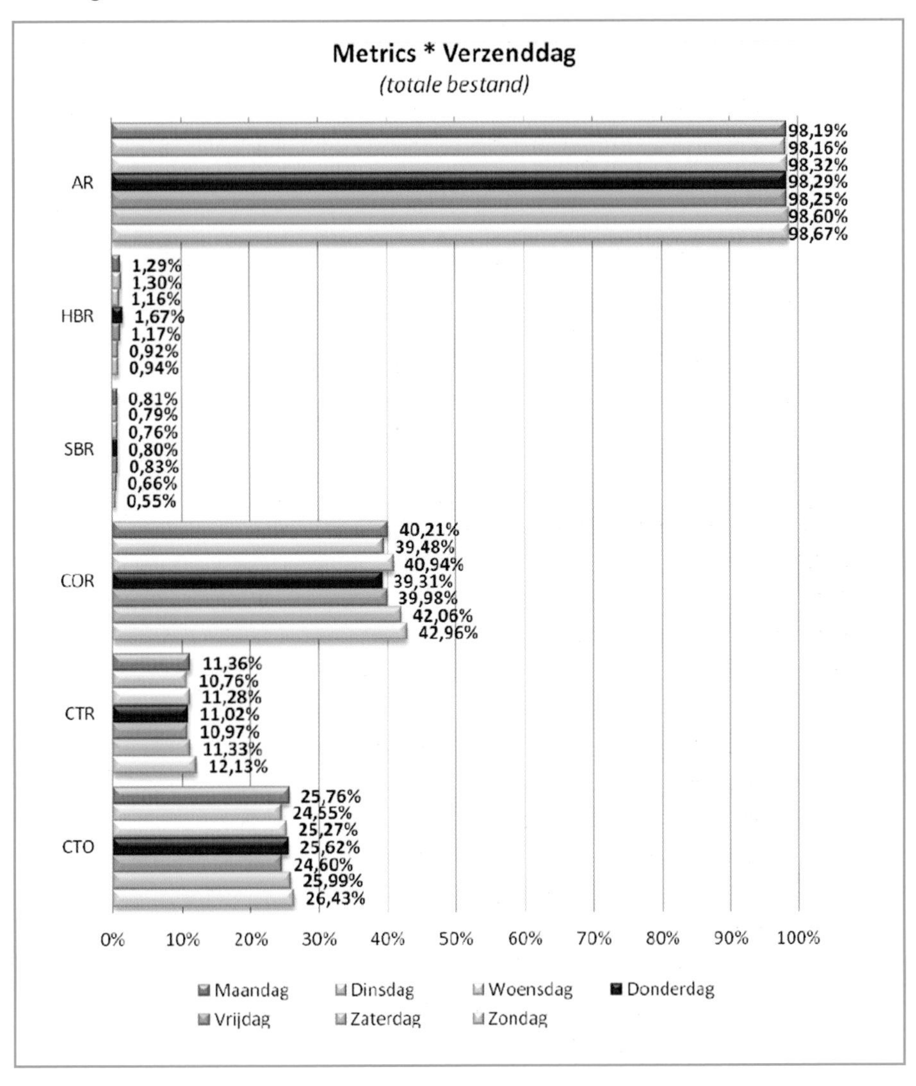

Afbeelding 9.12 De DDMA en het nationale onderzoek naar de beste verzenddag.

Naast zoekmachinemarketing is e-mailmarketing een veelvuldig ingezet instrument. Soms primair met directe omzetdoelstelling, soms secundair als viraal of als informatiemiddel. Tien succesfactoren voor betere e-mailmarketing:

1. Stuur relevante kwaliteitsinformatie in het verlengde van een doordachte contentstrategie, mail geen recycling van wat al bekend is.
2. Stuur scanbare, snel te begrijpen en goede (relevante) aanbiedingen en alerts voor updates.

3. Houd rekening met het feit dat de e-mail steeds vaker mobiel wordt geopend en dus de links ook daarop moeten werken, houd ook rekening met het feit dat veel ontvangers de afbeeldingen niet direct zien, plaats de afbeelding ook kort in tekst.
4. De tekst in het onderwerp/subject van de mail is belangrijk. Dit bepaalt of je mail gelezen wordt of niet samen met de herkenning van de afzender.
5. Maak de mail zo persoonlijk mogelijk, zoals je dat ook met gewone direct mail zou doen. Mail van bekende afzenders wordt vaker gelezen.
6. Formuleer compact en duidelijk, stuur geen zware plaatjes of PDF-en mee. maar mix de contentstrategie door de content te verspreiden over de e-mailing, de website of landingspagina en eventueel in de social media.
7. Zorg -als dat organisatorisch te doen is- voor een zekere regelmaat in het contact (retentie, nieuwsbrief).
8. Stuur de mail op het juiste tijdstip. Maandagmiddag, de dinsdagochtend en woensdagochtend zijn voor zakelijk verkeer meestal doeltreffend.
9. Zorg dat alle mail die wordt verzonden van de eigen organisatie of bedrijf een standaardondertekening heeft met de naam, adres, telefoon, e-mailadres, site-adres en links naar de social media netwerken.
10. Analyseer zo goed mogelijk de mailresponse zoals CTR en pas de dag en het tijdstip aan als de analyse dit duidelijk maakt.

9.6 Het 4R-model en de e-mailmarketing

Als we het 4R-model -uit hoofdstuk 5- toepassen op het middel e-mailmarketing, krijgen wij de volgende beoordeling:

- **Retentie**: stuur relevante en opvolgende e-mails na een koop of klantcontact of eerste interesse van de klant. Afterservice of aftersales via e-mail kent een hoge response, net als reminders voor bepaalde relevante aanbiedingen.
- **Relevant**: pas het aanbod in de mail aan aan de voorkeuren van de respondent. Databasemarketing en het goed analyseren van de Big Data helpen de boodschap relevanter te maken.
- **Reactie & Rendement**: bouw concrete (re)actiepunten in in de mailings. Call-to-actions zoals 'reageer nu', 'klik hier' of 'reageer voor...' nodigen de ontvanger uit tot actie te komen en geven zo meetbaar rendement.
- **Rich**: stuur relevante informatie van waarde en op de afzender(s) afgestemde aanbiedingen. Val de ontvanger niet lastig met periodiek, 'verplichte' mailings of gerecyclede informatie.
-

"You shouldn't wait until you have lots of news. The best emails are short, punchy, and have a clear call to action with a link to more information on the company website."

9.7 EXPERT-CASE Jordie van Rijn (DDMA-commissie)

Jordie van Rijn (zie zijn website op www.emailmonday.com) is e-mailmarketing-specialist, consultant en trainer met meer dan tien jaar ervaring in e-mail- en dialoogmarketing. Jordie is de oprichter van het internationale kennisplatform voor e-mail softwareselectie emailvendorselection.com en actief in de kennis-commissie van de brancheverenging DDMA.

Afbeelding 9.13 Jordie van Rijn.

Wat is jouw definitie van e-mailmarketing?

"E-mail is een prachtig direct marketing kanaal. Bedrijven proberen met (potentiële) klanten in contact te komen en te blijven. Dicht bij de klant zijn, customer intimacy. Dat contact, die touches zijn de basis voor actieve service, marketing en sales. Een klantrelatie is de som van opeenvolgende contacten en ervaringen (ook al is het bedrijf er zelf niet altijd bij). Die relatie wil je inzichtelijk maken, verrijken en er waar mogelijk sturing aan geven. Door te kijken naar Customer Lifecycle, Personas in de buying journey, RFM en egagementscoring en nog meer luxe termen - die ondanks de hoge BS(*BullShit*)-bingo score - de moeite waard zijn om echt te doorgronden en toe te passen. Online verschuiven deze contacten onder andere richting meer zoekgedreven, casual, community- en permissiegebaseerd. Een bedrijf moet dus vindbaar zijn, openstaan voor contact en prikkelen. E-mail is een van de weinige kanalen waar je proactief relatiemarketing kunt bedrijven. En de ontvanger heeft er zelf om gevraagd (*opt-in is in Nederland verplicht*). In dat proactieve zit hem ook direct de uitdaging, de verzender(!) moet de moeite doen om de e-mails precies op maat te maken en geheel aan te passen aan de ontvanger, zijn situatie, wensen, gedrag en interesses. Om op die manier de interesse van de ontvanger te vangen en te stimuleren. Aandacht in de inbox is schaars en slechts in pacht, maar e-mail is een ontzettend krachtig communicatiekanaal. Is de aandacht hoog, en de belofte ingevuld, is het eenvoudig om commerciële successen met e-mail te behalen. Ik zeg weleens een goede e-mail is als een digitale post-it: het vangt de aandacht, is duidelijk, actiegericht en de boodschap blijft plakken."

Hoe kan een bedrijf dan zijn resultaten verbeteren?

"Ik denk dat een van de grootste vergissingen is dat bedrijven niet genoeg tijd nemen om te testen wat werkt voor hun ontvangers. Er is eigenlijk maar een manier om dat te weten en resultaten te verbeteren en dat is door continu te testen: teksten, design, content, segmentatie, timing en boodschap. E-mail is daar overigens erg geschikt voor, omdat het zo goed meetbaar is. Verder werkt een klantsafari bijvoorbeeld erg verfrissend. Ga eens op bezoek bij je klanten en zie wat ze doen/denken als ze jouw communicatie zien. Op grotere schaal kun je de voorkeuren vragen via enquête, inschrijving en dataverrijking."

Jordie heeft met meer dan tien jaar ervaring voor heel wat mooie namen gewerkt zoals KLM en Kras.nl en AEGON. Voor zijn boek *E-mailmarketing in 60 minuten* sprak hij ook met marketeers van bijvoorbeeld Bol.com en Gamma. Wat is de grootste takeaway?

"In de praktijk kan een organisatie het beste doorgroeien in zijn resultaat als het resultaat ook zichtbaar wordt gemaakt en de (terugkerende) tijdsinvestering klein blijft. Iedereen heeft het druk, dus maak het efficiënt en leuk om met digitale marketing te werken."

Wat is er veranderd in de professionele aanpak van e-mailmarketing bij organisaties?

"Noem het maar 'new school marketing'. Een bedrijf kan tegenwoordig met de juiste tools, marketingcreativiteit en kennis ontzettend snel in de champions league van (e-mail)marketing komen te spelen. Als die wens er is, dan wordt er geïnvesteerd in specialistische marketingkennis. Ik heb het gezien in Amerikaanse projecten waar we in een aantal maanden van 'bar en boos' naar volledige volwassen e-mailmarketing gingen. Dat is wel kicken. De businesscase is vaak goed te maken. E-mail is goed meetbaar en al snel winstgevend, dankzij de lage kosten per contact. Er hoeft immers geen postzegel op. Veranderingen zijn er ook te zien in de manier waarop marketeers omgaan met digitale marketing. Wellicht zijn ze erachter gekomen dat klanten net mensen zijn? Zo worden transactionele mails, zoals bestelbevestigingen in de huisstijl gemaakt en ingezet als middel voor service, upsell en het 'delighten' van de klant. Ook zie je dat campagnes via traditioneel, e-mail en social worden uitgerold, dat er vaak wel aan meerdere kanalen wordt gedacht. De basics worden ook vaker vanaf het begin al redelijk ingevuld."

Over professionaliteit gesproken, hoe belangrijk zijn de e-mailtools?

"Eerlijk gezegd worden er ook nog op een hoop plekken flinke flaters geslagen. Dat zie ik bijvoorbeeld bij selectie van e-mailtools en leveranciers, die markt is zo ontzettend ontransparant. In 2009, toen ik Emailvendorselection.com oprichtte was er helemaal geen informatie beschikbaar over hoe je tooling moest kiezen en waar je op moest letten en al helemaal niet over de Europese markt. Een markeer doet zo'n selectie van een e-mailtool misschien één keer in zijn loopbaan. En de juiste leverancier maakt het verschil tussen succes en frustratie. Tegenwoordig wordt er dan iemand bijgehaald die verstand heeft van de markt, kennis van verschillende tools en echt de marketeers spreekt die met de tools werken. Op de verhalen van de leveranciers zelf kun je, logischerwijs, niet afgaan. Anders mist je auto straks een wiel, of koop je een dumptruck om boodschappen mee te doen. Een tip: pas op wat ik noem 'verborgen kosten'. Dit zijn de kosten die gemaakt moeten worden waar je in het begin niet aan had gedacht en maak goede afspraken met de leveranciers."

Is er een link tussen social media en e-mailmarketing te leggen?

"Zeker weten. Die link is de klant. Voor bedrijven die zowel social als e-mail inzetten zijn er heel mooie combinaties te maken. Zo kun je activiteiten van het ene in andere kanaal promoten. Bijvoorbeeld e-mail inzetten als 'social spark'. Fashion retailer Urban Outfitters stuurt ontvangers van de nieuwsbrief soms naar een Facebook-pagina waar hun nieuwste collectie staat. Dat brengt gelijk een discussie op gang, met extra shares en likes op Facebook. Of waarom B2B-ontvangers bijvoorbeeld niet naar een LinkedIn-discussiegroep of -pagina sturen in plaats van naar je website, zie wat dat doet voor je social activiteit. Wees daar ook iets losser in, af en toe (voor jou) nieuwe dingen proberen is helemaal niet erg. Andersom werkt het ook. Volgens onderzoek van MarketingSherpa blijkt een van de grootste uitdagingen van e-mailmarketeers het creëren van relevante content te zijn. Vragen, commentaar, discussies - het is een grote bron aan content die je in social kanalen vindt en zelfs zelf kan stimuleren. In die zin zijn product reviews op vergelijkingssites ook social en die kun je gebruiken door ze weer te geven in e-mails, maar ook aan je klanten vragen in een opvolgcampagne na productaankoop! Social content kun je in e-mail gebruiken, dat maakt het ook authentieker en levendiger. Als je je in een heel actieve community bevindt, kun je de mensen ook nog bij je eigen e-mails betrekken. Ik zeg als, want active social is hard work en niet voor iedereen weggelegd. Dat moet een bedrijf ook wel willen. De combi kan ook gebruikt worden om profielen te verrijken en segmentaties te maken. Social data aan te vullen. En een heel grote winst is te behalen met het verzamelen van opt-ins/inschrijvingen voor je e-mailprogramma via social media kanalen. Ongeveer een derde van mijn eigen nieuwsbrief over e-mailmarketing komt ironisch genoeg via Twitter. Er zijn elf manieren om je e-mailprogramma via Twitter te promoten, als je ze allemaal hebt gebruikt. Probeer dan ook een aardige verhouding te krijgen voor je EFT-ratio. Het aantal opt-ins, likes, volgers in de kanalen e-mail Facebook en Twitter (aan te vullen met welk ander (sociaal) kanaal goed voor jou werkt). Een van de kanalen een boost nodig? Zet dan de overige in om die te stimuleren. Marketeers komen hier langzamerhand achter en het is een van de leukste speelvelden om in bezig te zijn."

Is mobile e-mail de nieuwe uitdaging?

"Mensen openen hun e-mails steeds vaker op hun mobiel, op dit moment al zo'n 10% tot 50% daar moet je dus rekening mee houden. Stap 1: De e-mail moet wel goed worden getoond, 70% van de ontvangers zal hem anders direct deleten. Stap 2 is dat de mail ook begrijpelijk en actionable blijft. Je moet er nog steeds gebruik van kunnen maken. Hoe kleiner het scherm, hoe groter de boodschap moet zijn. Dus korter en krachtiger, meer gebruik van witruimte. Je kunt e-mails zo ontwerpen, dat deze flexibel worden weergegeven en bijvoorbeeld de plaatjes meeschalen. Een aantal devices zoals de iPhone ondersteunen ook responsive technieken. Daarmee kunnen je elementen weglaten, vervangen, lettertypes kleiner en groter maken of in een andere opmaak tonen. Er is binnen de beperkingen veel mogelijk. En mobile aware design heeft een positieve invloed op de resultaten, dus zeker doen. De derde stap is wellicht het lastigste. Door de verschillende devices en contactmogelijkheden wordt het lastiger om te bepalen welke actie nu direct de invloed heeft gehad op de aankoop. In ieder geval zorgt last-click (het toekennen van een verkoop aan het laatste contactmoment) tot meer en meer scheve toekenning. Onderzoek van Google gaf aan dat nu al 65% van de aankopen begint op de mobiel en daarna wordt vervolgt op een ander device. Dan is het toch noodzakelijk om de contacten te kunnen koppelen aan de verkoop."

Heb je nog een laatste tip?

"De hele e-mailmarketingindustrie - met name ook internationaal - bestaat uit erg open, vriendelijke en servicegerichte mensen, die iemand aan klantzijde best een handje willen helpen als je vragen hebt. Dus ik zou zeggen, als je een vraag hebt '*talk to your local e-mail marketer*'. Schrijf je in op een handige nieuwsbrief zoals op die van mij op www.emailmonday.com."

HOM opdrachten hoofdstuk 9

Dit hoofdstuk kent de volgende opdrachten:

1. Bepaal een e-maildoelstelling voor het instrument e-mailmarketing binnen de online marketingmix.
2. Wat is het verschil tussen opt-in en opt-out?
3. Wat is Big Data?
4. Benoem vijf vormen van e-mailmarketing.
5. Kies een vorm van e-mailmarketing en verzin een pakkende afzender en onderwerpregel gekoppeld aan jouw doelstelling.
6. Noem drie succesfactoren bij het versturen van e-mailings.

10 Zoekmachinemarketing

Alles rondom het middel zoekmachinemarketing wordt in de online marketing *Search Engine Marketing* (SEM) genoemd. SEM is - voor veel online marketeers - hét belangrijkste onderdeel van de online mix. Uit cijfers blijkt dat de online marketeer binnen de online mix het meest uitgeeft aan het instrument zoekmachinemarketing in 2012 en 2013 zijn de bestedingen relatief gezien nog zo rond de 40-50% van het gehele online marketingbudget. In Nederland gaat er (anno 2013) zo'n half miljard euro om in zoekmachinemarketing. In dit praktische hoofdstuk komen alle facetten van SEM aan bod, inclusief de succesfactoren van zoekmachinemarketing en de veranderingen zoals een zoekmachine als die van Google regelmatig doorvoert. Zoekmachines integreren steeds meer de waarde van de content zoals de content uit de social media. Een contentstrategie van een organisatie heeft dan ook directe gevolgen voor de online vindbaarheid.

Bekijk op www.handboekonlinemarketing.nl de video 3-1001 waarin Monique van Breda Patrick Petersen tijdens het *Search Strategies Event Amsterdam* interviewt over de mix van mobile, contentstrategie, social media en zoekmachinemarketing.

10.1 Veranderingen en feiten over zoekmachinemarketing

Acht feiten over zoekmachinemarketing:

1. social media en de vormen van content hebben directe invloed op de noteringen in de zoekmachines;
2. de markt van zoekmachinemarketing is een ongestructureerde markt, de zoekmachines geven hun manier van indexeren niet 100% prijs;
3. zoekmachinemarketing (SEM) bestaat uit onbetaalde zoekmachinemarketing genaamd Search Engine Optimalisatie (SEO);
4. SEM bestaat tevens uit betaalde zoekmachinemarketing genaamd *Search Engine Advertising* (SEA), die zorgt voor de hoofdinkomsten voor de zoekmachines;
5. SEM is direct meetbaar, goed te analyseren als ook goed bij te sturen;
6. SEM houdt sterk verband met de opbouw en indexering van de website en de toepasssing van de webcontent, zie hoofdstuk 8;
7. *Search Engine Positioning* is de manier van vermelden en de positionering binnen zoekmachines; hier wordt weinig aandacht aan besteed;
8. onbetaalde zoekmachinemarketing wordt ook wel natural search genoemd. SEO is voor online conversie nog steeds een van de belangrijkste ingangen.

De *Nederlandse IAB Taskforce Search* heeft een gedragscode opgesteld met betrekking tot zoekmachinemarketing. Het doel van deze gedragscode is het bevorderen van de kennis en transparantie van de Nederlandse markt voor zoekmachinemarketing. In de gedragscode staat welke richtlijnen, wet- en regelgeving mogelijk van toepassing zijn op de zoekmachinemarketingactiviteiten van bedrijven. De gedragscode laat bovendien aan de hand van voorbeelden zien hoe men de regels, richtlijnen en wetgeving kan interpreteren. De richtlijnen zijn te vinden op de website van het IAB: www.iab.nl/onze-kennis/standaarden-en-richtlijnen/richtlijnen.

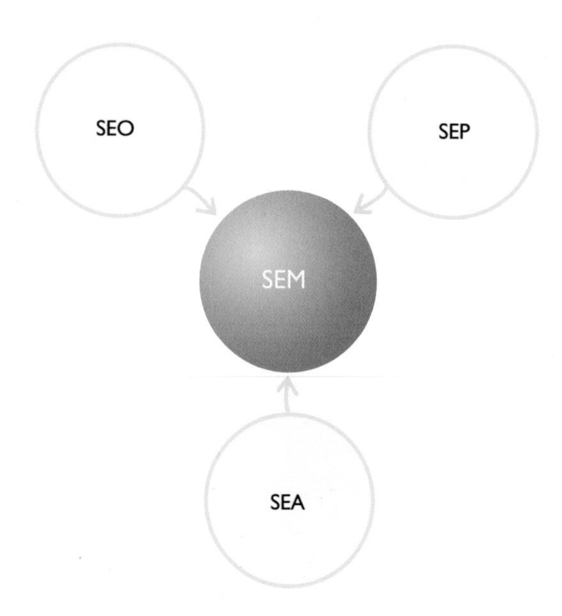

Afbeelding 10.1 Zoekmachinemarketing en de onderdelen.

Bijna iedereen die wel eens online is, heeft een zoekmachine gebruikt. De IAB Taskforce Search geeft in haar onderzoeken aan dat '*specifieke informatie zoeken op websites of surfen door 75 procent van de internetpopulatie (Nederland 13+) wordt gedaan.*' Na e-mailen en online bankieren is dit de meest voorkomende activiteit op internet. Zoekmachinemarketing of SEM bestaat uit drie belangrijke hoofdcomponenten die hierna uitgewerkt gaan worden:

- *Search Engine Optimalisation* (SEO), zie paragraaf 10.2;
- *Search Engine Advertising* (SEA), zie paragraaf 10.5;
- *Search Engine Positioning* (SEP), zie paragraaf 10.6.

10.2 Search Engine Optimalisation (SEO)

Search Engine Optimalisation is het belangrijkste onderdeel van Search Engine Marketing. SEO zorgt er op een natuurlijke manier voor dat je website hoger genoteerd staat bij zoekmachines. Het gaat hier om de ranking aan de linkerkant. Het hoog positioneren kan op verschillende manieren. De natuurlijke en vooral relevante manier van positioneren werkt duurzaam maar is wel van steeds meer factoren afhankelijk. Een doordachte contentstrategie is steeds meer de basis van SEO. Het doorzoeken van zoekmachines van de websites en losse webpagina's wordt *indexeren* genoemd. Bij Google hebben de veranderingen in indexeren vroeger de bijnaam *Google dance* gekregen. Tegenwoordig krijgen de updates een naam zoals Boston, Panda of Penguin. Voor zoekmachines gebouwde en contentgestuurde websites zijn door zoekmachines goed, snel en gemakkelijk te indexeren. Google stelt steeds meer eisen aan de snelle opbouw van een website.

SEO of Search Engine Optimalisation of zoekmachineoptimalisatie wordt ook wel *natural optimalisation* genoemd of *natural search*. De betaalde vermeldingen in zoekmachines worden ook wel *paid search* genoemd.

De zoektechnieken van de zoekmachines -de zoekalgoritmes van zoekmachines- veranderen constant. De reden voor de constante verandering is het behoud van relevante inhoud van websites, het weren van spam en de verfijning van verhoging van zoekresultaten. Het effect van deze constante veranderingen kan zijn dat je de ene dag op de eerste positie staat in de zoekresultaten en enkele dagen later op pagina vier. Deze voortdurende aanpassing van indexering, spidering en het in kaart brengen van webpagina's door zoekmachines maakt het vakgebied dynamisch. Dit vormt ook de noodzaak tot het voortdurend moeten bijleren.

Bekijk op www.handboekonlinemarketing.nl de video 3-1002 van zoekmachinespecialist Matt Cutts (van Google WebmasterHelp) die uitlegt hoe Google search werkt en hoe het crawlen of indexeren van sites werkt.

Een SEO-specialist is continu bezig de laatste trends en technieken in zoekmachine-indexering te analyseren en te leren begrijpen. Een huidige hoge positie is geen garantie voor een hoge positie in de toekomst.

Bij het te veel focussen op SEO kun je van Google weleens straf krijgen. Dit is vooral op basis van vermoedens. Zo kent Google bijvoorbeeld de 6 Ranking Penalty die wordt uitgedeeld aan sites met niet-logische ranking op de eerste plaats waarbij er een te grote zoekmachineoptimalisatie wordt vermoed. De 30 Suppression Penalty wordt gegeven aan websites die weinig tot geen echte of eigen content bevatten en gefocust zijn op het genereren van clicks via bijvoorbeeld Google Adsense. De max is de 950 Penalty, de zwaarste penalty van Google, waarbij duidelijk gemaakt wordt dat de site dicht bij een complete ban in de zoekresulaten is. Deze straf wordt vaker aan aparte pagina's gegeven dan aan complete websites. Je zult met Google contact op moeten nemen voor intrekking van de straf.

10.2.1 Marktaandeel van de zoekmachines in Nederland

In Nederland kent Google sinds 2007 een marktaandeel van minimaal 90% en is daarmee de meest gebruikte zoekmachine in Nederland. Facebook zou met hun plannen voor een eigen search de enige concurrent van niveau kunnen worden in Nederland. De *Search Engine Monitor* geeft al jaren de volgende marktverdeling van zoekmachines aan: Ook *StatCounter* geeft de marktaandelen van zoekmachines aan. In Nederland is het globaal:

- Google.nl 93%;
- Vinden.nl en Yahoo.nl 3%;
- Bing 1%.

Google heeft in Nederland - maar ook andere Europese landen - al jaren een extreem groot marktaandeel. In de VS wordt de top drie gevormd door: Google, Yahoo en Bing.

10.2.2 Search Engine Optimalisation (SEO)-regels

Elke zoekmachine kent zijn eigen regels van indexeren. Sommige zoekmachines zoals die van Microsoft (Bing) gebruiken bijvoorbeeld de score van Klout in hun zoekresultaten. Enkele regels die Google opgeeft zijn in het kort:

- zorg voor *relevante* content op de website en kopieer geen content van andere sites;
- maak een site met een duidelijke snelle *hiërarchische* structuur, plaats scripts zoals Javascript zo veel mogelijk in externe bestanden;
- gebruik een sitemap die actueel wordt gehouden, Google biedt hiervoor gratis tools in de *Webmasterhulp* van Google;

- zorg ervoor dat de meta-tags <title> en <description> plus ALT-attributen relevant en beschrijvend en nauwkeurig zijn;
- zorg voor relevante links naar de site die van hoge waarde zijn; dit zijn de inlinks van sites die ook een goede ranking kennen;
- wees relevant en slim aanwezig in andere toepassingen van Google zoals de Google Places voor het vermelden van jouw locatie en bijvoorbeeld Google Shopping of het social media netwerk Google Plus;
- gebruik zo veel mogelijk woorden op de website waar gebruikers naar zoeken in de zoekmachines en update de site regelmatig;
- houd het aantal links op een pagina enigszins binnen de perken (maximaal 100) en koop niet te veel links die werken als inlinks.

Tot ongeveer 2005 waren meta-tags belangrijk voor het vindbaar maken van webpagina's. Meta of MEssage TAgs zijn codes die in webpagina's geplaatst kunnen worden en sleutelwoorden, omschrijvingen en meer informatie bevatten voor zoekmachines. Een meta-tag zorgt ervoor dat zoekmachines de pagina's beter kunnen vinden. De tags zijn in de webpagina niet zichtbaar maar kunnen wel gevonden worden door zoekmachines. De voor SEO belangrijke meta-tags zijn titel, en description.

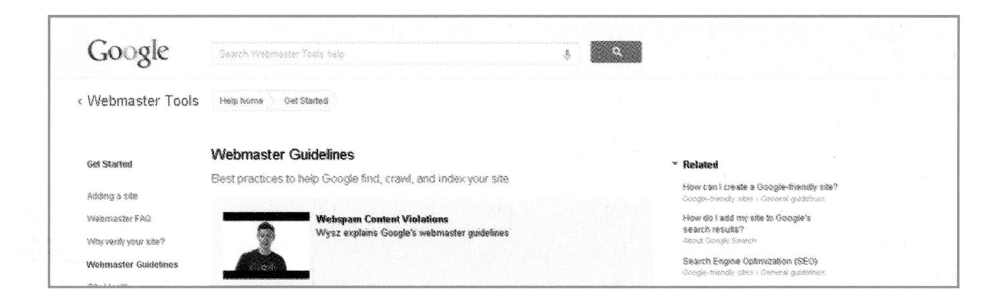

Afbeelding 10.2 De regels van Google voor het indexeren van sites.

Belangrijke punten voor indexering door Bing:

- de domeinnaam zelf is belangrijk voor indexering;
- let op de eenduidigheid van de gebruikte content en het taalgebruik;
- de title en description (meta-tags) zijn net als bij Google, Ilse en Yahoo! belangrijk;
- net als bij Google wordt er minder naar de keywords of meta-tags gekeken, maar wel naar de content en opgemaakte content op een pagina;
- de unieke tekst in de pagina is belangrijk;

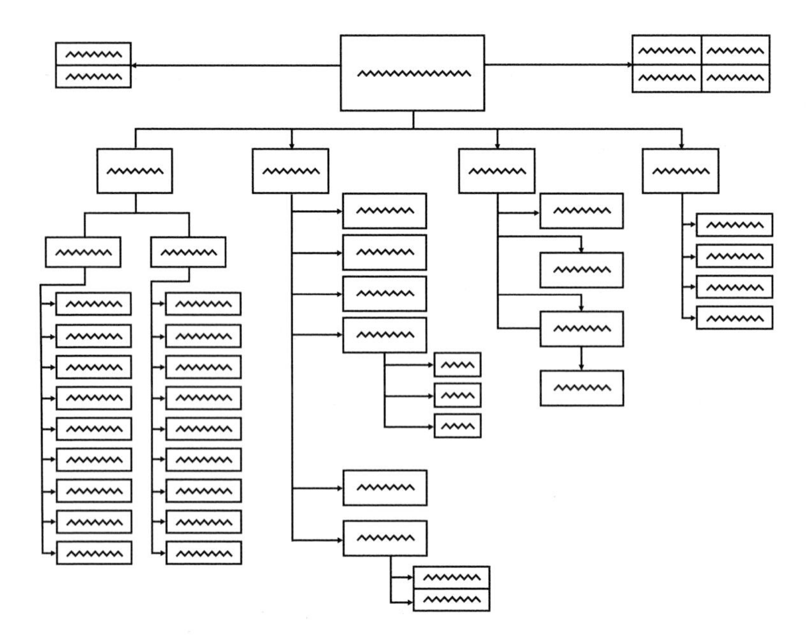

Afbeelding 10.3 Een sitemap helpt zoekmachines de site te indexeren.

- zorg voor een juiste structuur voor indexering;
- HTML-pagina's dienen kleiner te zijn dan 150 KB;
- zorg voor niet te veel diepte in de site en niet te veel tekst per pagina en bouw de webpagina's snel op, het liefst zonder tabellen.

Een sitemap is een losse pagina op een website waarin alle links van een website staan benoemd. De sitemap is een navigatiehulpmiddel voor bezoekers en ook voor zoekmachines om pagina's te vinden en te indexeren. Google biedt in met hun *Webmastertools* gratis gereedschappen om een sitemap aan te maken en deze op de eigen website te plaatsen. Deze webpagina met sitemap is niet altijd zichtbaar maar kan wel gevonden worden door zoekmachines. De voor SEO belangrijke meta-tags zijn titel, description en keywords. Tegenwoordig gebruiken zoekmachines zoals Bing en Google geavanceerde technieken om de site te indexeren.

10.2.3 Het gedrag relevant voor Search Engine Optimalisation

SEO is goed analyseerbaar. Hiervoor zijn veel gratis gereedschappen te vinden. Kijkend naar wat algemene feiten kunnen we het volgende stellen:

- 98% van de internetters in Nederland gebruikt regelmatig een of

meerdere zoekmachines;
- 85% oriënteert zich via het web voor een aankoop en kijkt daarbij steeds vaker naar beoordelingen uit de social media;
- 90% kijkt niet verder dan de top 20;
- de top 5 van zoekresultaten worden de resultaten 'boven de vouw' genoemd en gelden als meest belangrijke resultaten bij SEO; SEP dient ook hierop gericht te zijn;
- bij mobile search is de top 5 vitaal;
- Google verwacht dat er in 2014 meer zoekopdrachten via mobile zullen zijn dan via de desktop;
- jongeren beschouwen een top 10 site als een a-merk;
- 77% komt op de site via het web;
- in de VS en Frankrijk zijn Yahoo, Lycos en MSN-Live veel groter dan in Nederland;
- bij het zoeken worden vaak twee of drie zoekwoorden gebruikt en bijna nooit een (1) keyword.

Bron: Search Engine Monitor, IAB Taskforce, Multiscope.nl, Check-it.nl, zoekmachinemarketing congres SES 2012 te Amsterdam.

De impact van social media en het plaatsen van links op bijvoorbeeld Twitter of Google Plus wordt steeds groter. Zoekmachines kijken steeds meer naar jouw activiteiten in de social media. Ook losse content zoals afbeeldingen, dialogen in de social media en jouw profielen in de social media spelen steeds meer een rol bij de *social search*.

De meeste innovatie lijkt op de mobiele telefoon van Google plaats te vinden (Android). Zo kun je met de visuele zoekmachine *Goggles* met jouw Android-telefoon onder andere schilderijen scannen en analyseren.

Afbeelding 10.4 De hoofdfactoren van SEO.

Bekijk op www.handboekonlinemarketing.nl de video 3-1003 van de mobiele zoekmachine *Goggles*. Met deze mobiele zoeker van Google kun je met jouw Android-telefoon onder andere schilderijen, codes en wijnetiketten scannen en analyseren.

10.2.4 SEO-analyse door Google zelf

Naast deze marktgegevens en verschijnselen kennen de zoekmachines zelf query-uitdrukkingen die analyse van websiteposities en geïndexeerde content in de zoekmachine zelf gemakkelijk maken. Gebruik onderstaande opties eens in het zoekvenster van Google:

- in Google geeft het intikken van *link: www.handboekonlinemarketing.nl* geeft de inlinks of inbound-links naar een website weer, hierbij verschilt het zoekresultaat bij het weglaten van de spatie achter 'link:';
- *site:www.handboekonlinemarketing.nl* laat zien hoeveel pagina's zijn geïndexeerd door de zoekmachine;
- met *viral site:www.handboekonlinemarketing.nl* zoekt Google binnen de site van het HOM naar de term *viral*;
- *info:www.handboekonlinemarketing.nl* geeft de informatie weer die Google heeft over de website die is geïndexeerd;

- met 'marketingrapport *filetype:pdf* kan over het gehele web worden gezocht naar PDF-bestanden van marketingrapporten;
- Google kent zogenoemde *Webmaster tools* die online rapportages maken van zoekmachines. Op www.google.nl/webmasters zijn gratis gereedschappen te vinden die eenvoudig een continue analyse van sites opzetten.

De hulpprogamma's voor de webmasters bieden oplossingen voor:
- sitecontrole beheren;
- foutopsporing;
- communicatie bij een verbanning in de resultaten of straf;
- indexering in Google;
- statistieken van bezoeken aan de site en losse pagina's;
- meest gezochte termen;
- verschillende diagnoses voor het laten indexeren door Google;
- de controle op (in)links en de werking van de links;
- sitemap aanmaken en beheren.

10.2.5 Meer zoekanalyses door Google en extra gereedschappen

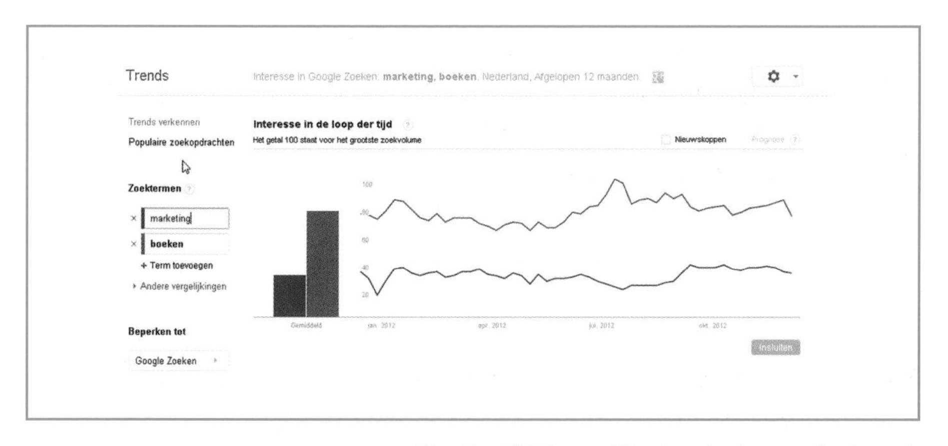

Afbeelding 10.5 De vergelijking in zoekverkeer met Google trends.

Meer gereedschappen voor het analyseren van zoekgedrag, de eigen website of keywords zijn onder andere:
- adwords.google.com/select/KeywordToolExternal voor het analyseren van populaire zoekinstructies en -keywords;
- Lindex.com voor de analyse van de inlinks naar een site;
- de online tool www.google.nl/trends maakt vergelijkingen tussen zoekgedrag over bepaalde perioden en in bepaalde landen;
- in de browser Chrome (van Google) is de app SEOrch beschikbaar, hiermee kun je jouw SEO-gehalte op de website verbeteren;

- bijvoorbeeld SEOmoz.org voor SEO-management en monitoring;
- en het Nederlandse SEOeffect.nl.

De gratis toolbar van Google geeft in de browser inzicht in het surfgedrag maar ook de PageRank (PR) van webpagina's. Een pagerank 5 of 6 is in Nederland goed te noemen. PageRank is een methode om pagina's op internet te ordenen naar belang. De echte waarde van een PR is niet altijd duidelijk. Zo kun je met een lage PR nog altijd top 3 staan in Google.

10.3 De do's van natuurlijke zoekmachineoptimalisatie (SEO)

De belangrijkste vraag is: '*Hoe richt ik mijn website in voor een juiste indexering door de zoekmachines?*' In deze paragraaf worden praktische tips en richtlijnen gegeven hoe de website op te bouwen, aan te passen en in te richten voor een juiste zoekmachineoptimalisatie of SEO. Hier geldt: 'overdaad schaadt'. Een natuurlijke optimalisatie is goed. De richtlijnen en 'wetten' van de zoekmachines blijven belangrijke kaders. In grote lijnen zijn drie aspecten zeer belangrijk:

1. de *content* die sleutelwoorden naar boven brengt en gewicht geeft aan de juiste woorden;
2. de *structuur* die de indexering door zoekmachines gemakkelijk maakt.
3. de *links* die de gehele site meer waarde geven en populariteit.

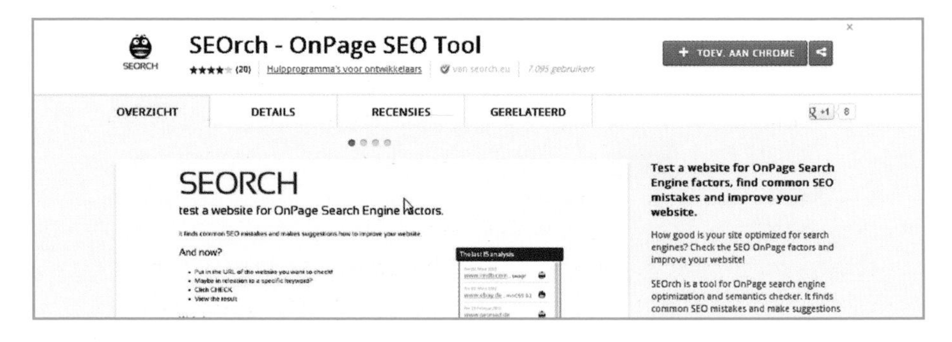

Afbeelding 10.6 Deze SEO-toepassing zit in Chrome.

De content bestaat uit de tekst, de afbeeldingen, video's en uitingen van scripts zoals AJAX. Ook Flash behoort tot de content. Het W3C heeft met HTML5 een variant voor Flash-video in handen die beter indexeert dan Flash.
De toekomst zal dit moeten uitwijzen. Voor de zoekmachines is het noodzakelijk dat de content ook indexbaar is. De spiders van de zoekmachines moeten bij de juiste en vooral relevante content kunnen komen en deze op waarde kunnen schatten. Belangrijke contentonderdelen die van invloed zijn op de indexering van zoekmachines:

- de *kopteksten* en grootte van de kopteksten; grote koppen worden beter gezien door zoekmachines dan bijvoorbeeld afbeeldingen die als kop dienen of kleine tekst;
- *opgemaakte* tekst zoals tekst die vet is gemaakt en teksten die zijn gelinkt naar anderepagina's. Een grote hoeveelheid tekstlinks -in bijvoorbeeld de footer van een pagina- werkt beter dan grafische afbeeldingen die als link werken;
- content zoals *YouTube-video's* (onderdeel van Google) vormen rijke content voor SEO, de video's worden ook los (indien goed getagged) goed geranked;
- *opsommingen* in teksten krijgen als content meer waarde mee, simpele tekstopsommingen met daarin een dichtheid van zoektermen vormen contentblokken waar de zoekmachines goed mee om kunnen gaan;
- de *titel* van een pagina wordt gezien als de belangrijkste content van een unieke webpagina;
- de *ALT-tekst* op een afbeelding helpt afbeeldingen en andere componenten een indexatie mee te geven. Een ALT-tekst is zelfs vanuit het W3C(.org) een verplichting om mee te geven bij een afbeelding;
- zorg voor een sterke *description*-tekst in de header, deze meta-tag en -tekst wordt getoond in de zoekresultaten en is ook doorvindbaar (dit wordt SEP genoemd);
- verse content zoals nieuws, een platteTwitter-feed of afbeeldingen uit jouw Pinterest, reacties en reviews van bezoekers (*User Generated Content*) en ander *fresh content* worden sneller gezien door zoekmachines en maken de site populairder;
- sites die volledig of gedeeltelijk zijn ingericht als forum, blog of nieuwsarchief lijken voorrang te krijgen in de zoekmachines. De reden kan zijn dat internetgebruikers daar teksten gebruiken op de manier waarop ook wordt gezocht in zoekmachines;
- de manier van *schrijven* (zie de uitleg en tips in hoofdstuk 8) met structureel gebruik van en een hoge dichtheid van sleutelwoorden verbetert de indexering en vindbaarheid; het toverwoord hierbij is: 'relevantie'. De contentgerichtheid van gratis blogsystemen zoals die van *Wordpress* kennen een voor zoekmachines ideale structuur;
- de content niet *verstoppen* met programmeringen en complexe tools maar juist zichtbaar maken en gemakkelijk vindbaar door de spiders; de eerste 100 tot 200 programmeerregels per webpagina zijn hierbij van belang;
- de website moet snel *opvraagbaar* zijn. Spiders slaan trage sites steeds meer over of indexeren maar een deel.

De titel van een pagina is de HTML-code die in de header van een webpagina staat geplaatst. De paginatitel dient te variëren en dient omschrijvend te zijn voor de pagina waar de titel boven staat.
<title>Preview: Handboek Online Marketing #HOM3 , onderdeel E-mailmarketing | Online Marketeer.TV: Online Marketing trainer usability consultant</title>

Flash is content die slechter wordt geïndexeerd en wordt door webontwikkelaars nog maar weinig gebruikt.

10.3.1 De structuur voor een goede en snelle indexering

De searchspiders zoeken naar structuren en logica. Structuren in de routing en sitemap van de site. Structuren in de opmaak van een pagina of tekstblok, in contentgebruik en in de kwaliteitsnetwerken die linken naar jouw site. Wat te doen met structuren voor een betere indexering en positie in de zoekmachines:

- goede *tekststructuren* voor kopteksten, subkoppen en vaste opmaak voor een opsomming, tekstlinks en andere content maken het de spiders makkelijk om de pagina's te doorgronden;
- de URL's -zoals de domeinnaam en de pagina's erachter- moeten zoekmachinevriendelijk zijn om ook daar sleutelwoorden in te laten ontdekken door de zoekmachines;
- de sitemap en gehele structuur van de website dient niet te diep te gaan met te veel niveaus;
- het toevoegen van een sitemap bevordert de snelheid en het tempo van indexeren door de zoekmachine;
- het *robot.txt* bestand in de hoofdmap van een website kan delen van sites buiten de indexering houden; zo weten de zoekmachines eenvoudig wat wel/niet op te nemen in de zoekdatabases;
- de structuren van paginatitels, kopteksten en opbouw van tekst moeten overeenkomen met zoekwoordstructuren;
- een domeinnaam die bol staat van de relevante zoekwoorden helpt zoekmachinevriendelijke URL's op te bouwen;
- de (social media) netwerken waar jouw inlinks in worden genoemd naar jouw pagina's en de +1-gegeven in Google Plus;
- de programmeerstructuur werkt mee als dit conform de regels van het W3C gebeurt en er compact wordt geprogrammeerd; de zoekmachines moeten code en content kunnen scheiden.

De volgorde van tekstopbouw en gebruik van woorden en sleutelwoorden in de paginateksten zijn bepalend voor de posities. Zo staat de site van dit boek al jaren top 5 met '*online marketing boek*'. Met de query '*boek online marketing*' staat de blog lager. Bij het zoeken toont Google onderdaan -indien aanwezig- relevante zoekopdrachten die veel worden gebruikt in relatie tot de zoekopdracht die jij hebt gegeven. Bij analyse uitloggen uit jouw Gmail-account of andere Google-diensten om een objectief overzicht te krijgen. Ook bij de zoekinstellingen de resultaten op basis van *Webgeschiedenis* uitzetten. Dit geeft namelijk een vertekend beeld van de resultaten en toont vooral de relevantie van SEO-resultaten in jouw (Google) netwerk.

Zoekopdrachten gerelateerd aan **boek online marketing**

handboek online marketing **samenvatting**	**best** online marketing **book**
boeken internet marketing	**principles of** marketing **book** online
marketing **essentials book** online	**handboek** online marketing
marketing **your book** online	boek **internet** marketing

1 2 3 4 5 6 7 8 9 10 **Volgende**

Afbeelding 10.7 Gerelateerde zoekopdrachten.

De opbouw van de content van een website, structuur en de mate van linking vormen gezamenlijk de manier van indexeren door zoekmachines. Het algoritme van de spiders geeft een waarde aan de gehele website dat zo een positie bepaalt.

Afbeelding 10.8 De Google-badge toont info uit Google Place en Google Plus.

Bekijk op www.handboekonlinemarketing.nl de video 3-1004 over de relevantie van location based search en de rol van Google Places en Google Plus daarbij.

10.4 De don'ts van een natuurlijke zoekmachine-optimalisatie (SEO)

Er zijn een aantal factoren die negatief werken voor de zoekmachineoptimalisatie. Veel van deze factoren weerhouden een website van een juiste indexering:

- het gebruik van *frames* en *iframes* waarachter content wordt geplaatst werkt negatief; de content in een frame of iframe wordt niet gezien door de spider;
- niet massaal *inlinks* inkopen van sites die hierom bekend staan, *Link Farming* kost je snel een penalty;
- te snel en *intensief* jouw pagina's en site voor SEO optimaliseren;
- *Flash-content* wordt niet of nauwelijks geïndexeerd door zoekmachines; deze objecten bevatten te weinig (meta-)informatie en structuur waar zoekers iets mee kunnen;
- rommelige sites en rommelige opmaak plus structuren weerhouden zoekmachines van het opbouwen van een logisch *algoritme*;
- voorkom sites met te veel onderdelen die niet of moeilijk geïndexeerd worden;
- gebruik geen *domeinnamen* waar geen relevantie voor de content in zit;
- creëer geen *doorways*, ofwel: sites die dienen als subsite of toegang tot de hoofdsite;
- vermijd *cloacking*, neem geen dubbele content op op sites of pagina's en neem geen content over van andere sites;
- gebruik geen *software* die de site bij duizenden portals en sites aanmeldt, zoekmachiens zien deze inlinks als spam;
- bij de aanschaf en het gebruik van *webtechnieken* zoals een contentmanagementsysteem (CMS) goed onderzoek doen naar de indexeerbaarheid van de door de CMS gecreëerde content.

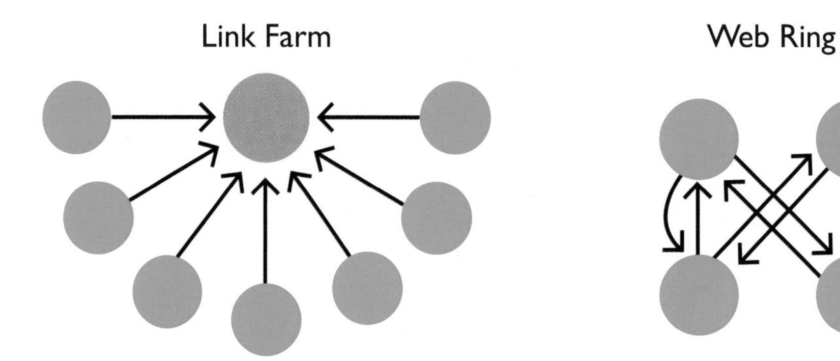

Afbeelding 10.9 Naturlijke manier van linken en spam.

10.5 Search Engine Advertising (SEA)

Search Engine Advertising (SEA) is de betaalde vorm van zoekmachinemarketing en de grootste bron van inkomsten voor de zoekmachines. Bij Google staat dit bekend als Adwords. De hieraan gekoppelde advertentieprogramma's bij Google worden *Google AdSense* genoemd. Search Engine Advertising is het adverteren in de zoekmachines. Google heeft het aantal plekken in de loop van de jaren flink uitgebreid. De zoekmachines Google, Yahoo! en Bing hebben een advertentieprogramma waar je betaalde zoekmachineadvertenties op basis van een *Pay Per Click* (PPC) kunt inhuren. Het PPC-systeem bestaat sinds 1997 en is ingesteld door Overture.com (waar ook Yahoo! onder valt). Het is aan de online marketeer -of het internetbureau- deze advertenties en campagnes te optimaliseren.

Afbeelding 10.10 AdWords-campagnes opzetten en beheren via adwords.google.com.

Het opzetten van een SEA-campagne is vrij eenvoudig:

1. Log in op het *advertentiegedeelte* van de zoekmachine.
2. Je kiest *keywords* uit die voor jouw advertentie relevant zijn.
3. Met diverse online tools is een *verwachting* van de *traffic* af te testen met de gekozen keywords. Ook kun je met gratis tools het zoekgedrag eenvoudig inzien.
4. De *keywords* worden ingekocht met een bedrag in de PPC.
5. Een *dagprijs* die ingesteld kan worden bepaalt de PPC; kost een klik één euro per klik dan kan er met 50 euro per dag in theorie 50 keer geklikt worden.
6. Stel een *(tekst)advertentie* op en activeer de campagne, maak eventueel gratis diverse varianten van jouw advertentie.
7. Laat je *periodiek* de analyses en rapporten toemailen.
8. Stel de *campagne* bij op basis van het resultaat.
9. Je kunt bepaalde displaynetwerken uitzetten of een voorkeur geven aan de tijd en plek van verschijning van jouw advertentie.

Afbeelding 10.11 De essentie en kwaliteitsscore van jouw SEA.

Om voor relevante vertoning in aanmerking te komen heb je een *kwaliteitsscore* nodig. De relevantie van jouw (tekst)advertentie, de keywords die jij ingeeft, de call-to-action en link naar de landingspagina zijn factoren. Ook de pagina waar de prospect landt zal voorzien moeten zijn van keywords die jij in je advertenties hebt staan. De kwaliteitsscore is van invloed op de prijs per klik en vooral op jouw *AdRank*; de plek waar jouw advertentie terechtkomt. Je kunt met bijvoorbeeld Google Analytics harde doelen stellen en analyses maken van de funnel en het behaalde doel zoals een aankoop in de webshop waarbij de klik via een Adword-advertentie kwam.

Bekijk op www.handboekonlinemarketing.nl post 3-1005 met zeven Google Adwords-tutorialvideo's voor het opzetten van een campagne inclusief het beheer en de bijsteling.

Er zijn sectoren en diensten die te maken hebben met een hoge prijs per keyword. Zo kunnen keywords rondom de term *lenen*, *student* en *hypotheken* meer dan 10 euro per klik kosten. Bepaalde zoektermen kunnen zijn beschermd op basis van merkenrecht en zijn daarom niet te gebruiken.

Van klikfraude is er sprake wanneer bezoekers blijven klikken op betaalde tekstadvertenties op internet. Aangezien er een *Pay Per Click*-model (PPC) werkzaam is wordt zo de adverteerder armer geklikt. Vooral Google heeft last gehad van klikfraude en hier diverse processen over gevoerd in de VS.

10.5.1 Redenen voor gebruik van Search Engine Advertising

Een duidelijke reden om SEA in te gaan zetten is het falen van de SEO. Over redenen voor het falen van SEO hebben we eerder in dit hoofdstuk kunnen lezen. Dit is dan wel een noodzakelijke reden die een sterke afhankelijkheid geeft van de advertenties in de zoekmachines. Redenen voor SEA kunnen zijn:

- *kortlopende* acties of productintroductie;
- de website is *net gelanceerd* en is nog niet geïndexeerd is voor natural search;
- er is een duidelijke *strategie* op het gebied van Cost Per Click;
- er is met SEO te veel concurrentie binnen de topposities;
- er zijn goedkope en bij voorkeur unieke termen die direct tot de organisatie of het product leiden.

10.5.2 Do's voor de optimalisatie van Search Engine Advertising

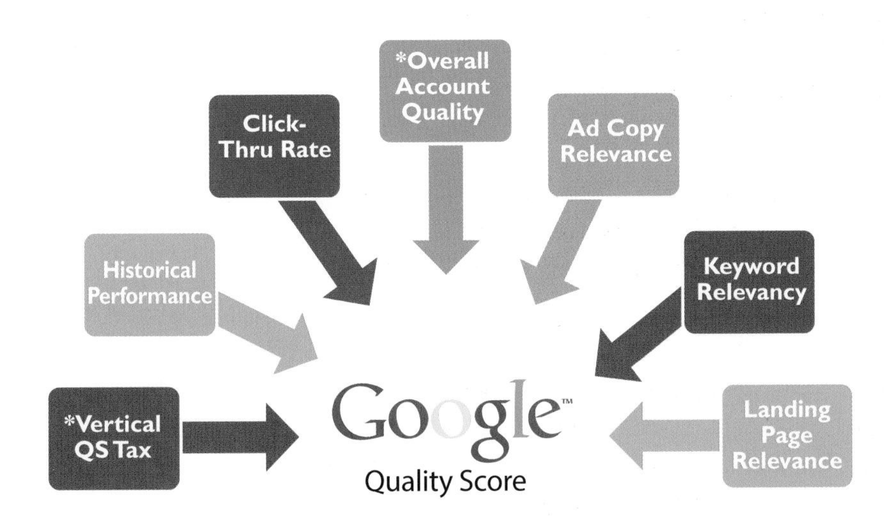

Afbeelding 10.12 De kwaliteitsscore verbeteren bij Adwords van Google.

Betaalde tekstadvertenties worden gezien het gemak van plaatsen snel gelanceerd. De *do's* voor optimalisatie van SEA zijn:

- gebruik geen *spam*-termen of merknamen die niet relevant zijn;
- schrijf actief zoals: '*bestel nu het Handboek Online Marketing*' bij het maken van de call-to-action in de advertentie;
- wees *concreet* en volledig in jouw belofte en beantwoordt de 'Wie, Wat, Waar en Hoe': 'bestel hier het Handboek Online Marketing voor 39,95 euro, bestelling binnen 48 uur bezorgd';
- noem *afzender*, naam van de organisatie, prijs en juiste dienstomschrijving

om vertrouwen en herkenning op te wekken;

- gebruik eventueel *Dynamic Keyword Insertion* om de zoekopdracht in jouw advertentie te herhalen, '*Bent u op zoek naar een woning in '{keyword}...'* om de relevantie te verhogen;
- gebruik verschillende *varianten* van de advertentie - de kosten van het maken van varianten zijn meestal niets of nihil en wees onderscheidend in de lijst van advertenties die verschijnen;
- een *top 1*-positie zorgt niet altijd voor het meeste succes: de top 5 wordt meestal snel gescand voordat er een beslissing wordt genomen tot *klikken*;
- *analyseer* na *lancering* veel en intensief en stel direct de advertenties bij in timing, tekst, variant en call-to-action;
- gebruik *tools* om de keywords nauwkeurig te bepalen zoals deze tool: adwords.google.nl/select/KeywordToolExternal;
- wees relevant; juist SEA kan goed getimed worden en alleen verschijnen op de momenten dat het relevant en gewenst is. Als klanten vooral tussen 12.00-14.00 op de dinsdag en donderdag online kopen, adverteer dan ook rond die tijden;
- gebruik analysetools zoals Google Analytics om het pad van advertentie tot conversie te analyseren en stel *Goals* in;
- gebruik uitsluitingswoorden waarmee jij zeker niet getoond wil worden.

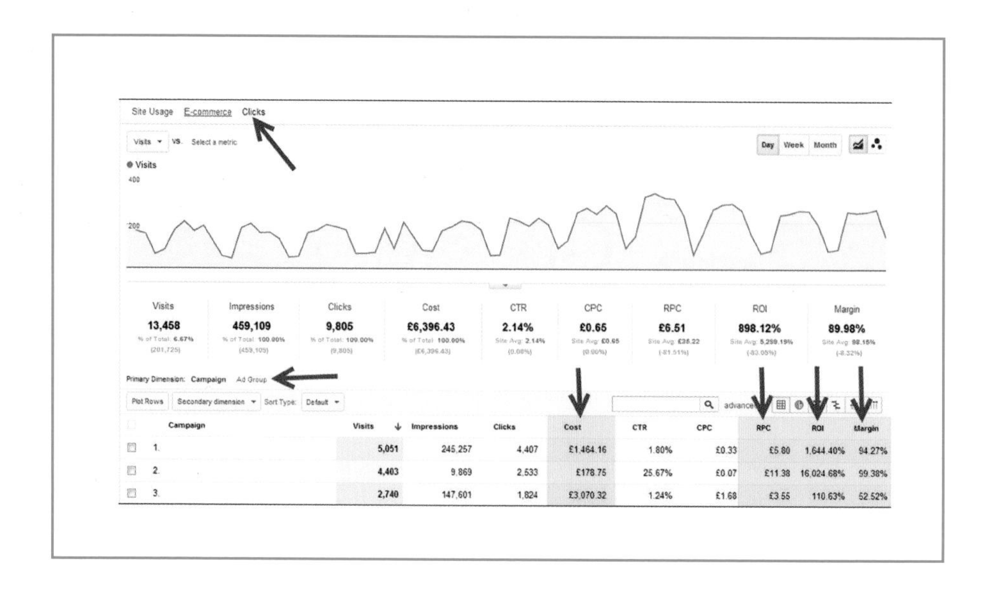

	Campaign	Visits	Impressions	Clicks	Cost	CTR	CPC	RPC	ROI	Margin
	1.	5,051	245,257	4,407	£1,464.16	1.80%	£0.33	£5.80	1,644.40%	94.27%
	2.	4,403	9,869	2,533	£178.75	25.67%	£0.07	£11.38	16,024.68%	99.38%
	3.	2,740	147,601	1,824	£3,070.32	1.24%	£1.68	£3.55	110.63%	52.52%

Afbeelding 10.13 Google Analytics kan direct het rendement van Adwords tonen.

10.5.3 Don'ts voor de optimalisatie van Search Engine Advertising

SEA is een mix van tekstadvertenties en natuurlijk ook banners. Er is een duidelijke verschuiving aan de gang richting tekstadvertenties aangezien die een duidelijke CTR creëren. Ook de SEA kent afraders:

- de uiting via SEA verschilt duidelijk van de natural search posities links in de zoekresultaten;
- de SEA-campagne wordt gelanceerd maar nooit meer bijgesteld;
- de tekstadvertenties zijn niet meer relevant en zijn niet getimed en bevatten oude gegevens;
- de advertenties kennen geen landingspagina die relevant en to-the-point aansluit op de SEA;
- de landingspagina achter de advertentie is gewoon de homepage van de aanbieder en kent geen doel;
- een verkeerde focus tussen shopzoekers en informatiezoekers; niet elke internetbezoeker wil direct iets kopen maar gewoon eerst informatie;
- een te brede focus op een te brede doelgroep; als het product een *Handboek Online Marketing* is, dan is de focus op *managementboeken* te breed;
- het hele budget opbranden voor SEA en niet denken aan het duurzame SEO;
- te weinig experimenteren met pakkende titels van de tekstadvertentie en te weinig analyseren en bijstellen.

10.5.4 De landingspagina

Een landingspagina is de pagina waar de doorklikker op terechtkomt. Op de landingspagina moet de bezoeker die heeft doorgeklikt direct zien wat hij of zij verwacht te zien. Een duidelijke *call-to-action* in de advertentie moet naar een landingspagina leiden waar direct een actie kan plaatsvinden.

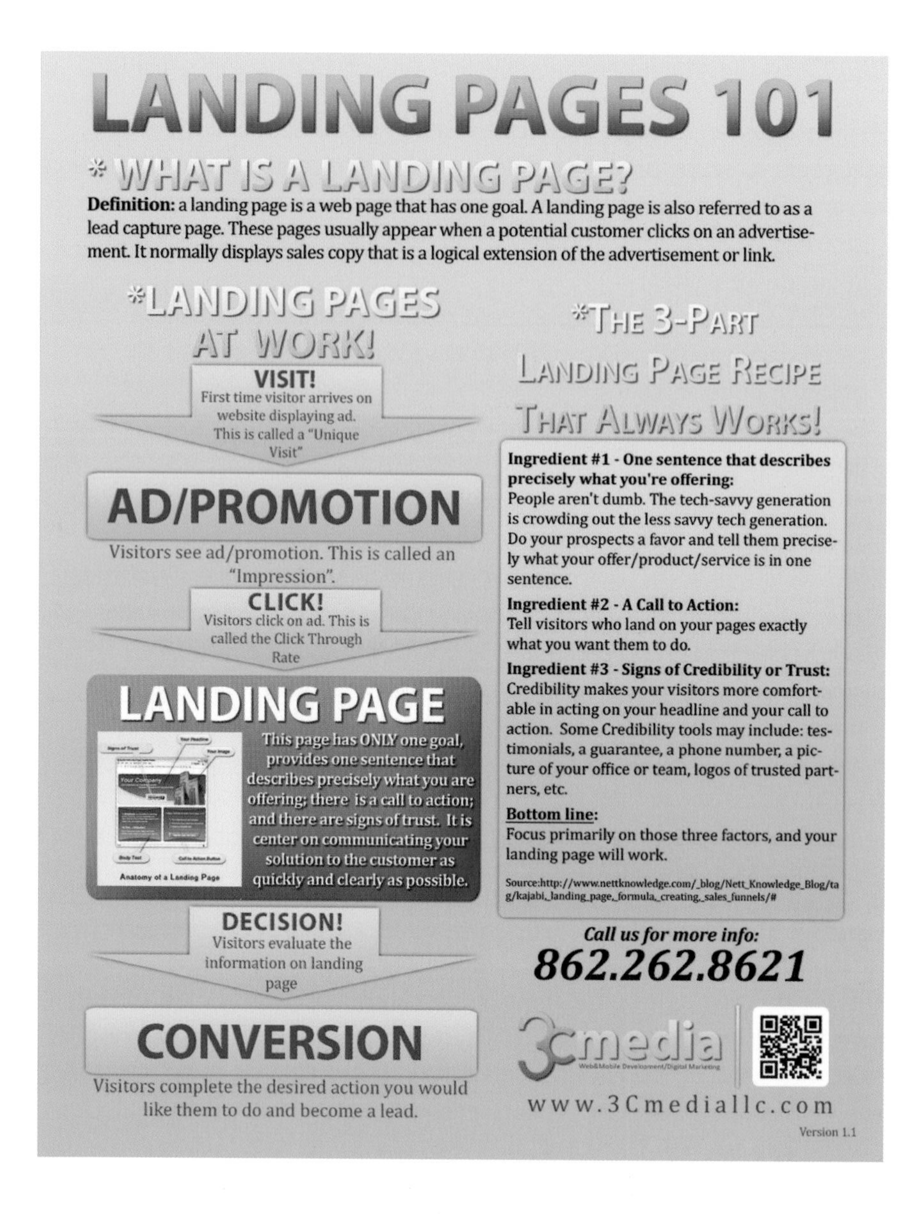

Afbeelding 10.14 Een 1-2-3-actie!-landingspagina.

Een landingspagina lijkt eenvoudig, toch is dit het gedeelte waar de conversie te vaak en onnodig strandt. SEA heeft -naast branding- de directe conversie tot doelstelling:

- maak visueel direct: het doel duidelijk van het landen op de pagina en toon het product uit de advertentie;
- communiceer niet te veel randinformatie maar omschrijf concrete conversie-doelen van het adverteren en maak dit duidelijk op de landingspagina;
- geef de bezoeker die landt niet te veel keuzes en werk volgens een

1..2...3 actie!-principe;

- wees concreet in de link naar de landingspagina: www.educator.nl aanmelden cursus emailmarketing is relevant en schept een verwachting dat de bezoeker zich daar direct kan aanmelden;
- laat duidelijk het verband zien tussen de advertentie en de landing;
- vang bij het eerste gedeelte van de ladingspagina eventueel gegevens van de klant op waarvoor weinig moeite nodig is: '*Laat uw e-mailadres achter voor aanbiedingen...*';
- leid de geïnteresseerde doorklikker direct naar het doel van het adverteren;
- creëer vertrouwen op de pagina door logo's te laten zien van de organisatie, de belofte van snelle levering en meer USP's, productfoto's, reviews en andere relevante informatie die vertrouwen in een juiste koop of handeling kunnen versterken;
- gebruik bij verschillende advertenties verschillende landingspagina's.

10.6 Search Engine Positioning (SEP)

De SEP is niet alleen de discipline die sites hoog moet positioneren. Een belofte die marketingbureaus alleen waar kunnen maken indien er een groot budget is. Uit onderzoek blijkt dat 80% de eerste vijf posities van de natural search (linkerkant) bekijkt. 50% ziet de eerste drie betaalde advertenties in de zoekmachines.

Online Marketing Handboek
www.handboekonlinemarketing.nl/
1 dag geleden – Het Handboek **Online Marketing** is genomineerd voor de ... **docent** en fulltime hyperactieveling Patrick @Onlinemarketeer Petersen spreekt op ...
U heeft dit een +1 gegeven

OnlineMarketeer.TV Patrick Petersen - consultant **docent** trainer ...
www.onlinemarketeer.tv/
Patrick Petersen(@**OnlineMarketeer**) is **online** marketeer sinds 1997, veelgevraagd ...
Als **docent** voor NIMA eMarketing-B – les social media **marketing**. By ...
U heeft deze pagina diverse keren bezocht. Laatste bezoek: 8-12-12

Afbeelding 10.15 Het effect van SEO.

Wat wordt vergeten is dat de klant na het zoeken een keuze maakt uit het zoekresultaat op basis van het getoonde aanbod en het vertrouwen dat de positie en advertentie geven. Google geeft daarbij steeds meer informatie in de zoekresultaten zoals reviews en prijsinformatie. Ook de locatie en link naar de eventuele Google Plus-pagina wordt gegeven.

Hoe de site dan (tekstueel) wordt gepresenteerd in de zoekmachine is ook Search Engine Positioning. Een hoge positie maar niet-wervende of onduidelijke omschrijvingen bij het verschijnen in de zoekresultaten kan tot 'rejection' leiden. Hoe concreet de informatie die verschijnt in de zoekmachine, des te meer click-through en dus meer conversie.

10.7 Het 4R-model en de zoekmachinemarketing

Als we het 4R-model -uit hoofdstuk 5- toepassen op zoekmachinemarketing, krijgen wij de volgende beoordeling:

- **Retentie**: als de bezoeker niet direct tot conversie wil overgaan vang dan eenvoudig gegevens als e-mailadres en naam op opdat er met retentie bij wijze van service conversie kan plaastvinden.
- **Relevant**: de advertentie die wordt getoond of de informatie die bij *natural search* verschijnt in de zoekmachine dient vooral relevant te zijn, net als de timing van het verschijnen (SEA). Ook de inlinks naar een pagina dienen van een relevante site te komen. Bij landingspagina's is de relevantie de factor voor directe conversie.
- **Reactie & Rendement**: de *call-to-action* bij vooral SEA en SEP dient sterk, duidelijk en vooral kort en bonding te zijn. Zo weet de zoeker wat hem of haar te wachten staat. Bij de landing staat de focus op een reactie centraal. SEO en SEA bieden beide hoog rendement in de online mix van middelen.
- **Rich**: in zoekmachines (SEO) dienen resultaten optimaal te zijn afgestemd op de zoekquery. De content die op webpagina's en in de social media wordt gebruikt dient rijke content te zijn. Bij SEA kan dit elk moment worden bijgesteld om de waarde en zo de effectiviteit van de advertentie te vergroten. Dit bijstellen wordt 'targetting' genoemd.

HOM opdrachten hoofdstuk 10

Dit hoofdstuk kent de volgende opdrachten:

1. Wat zijn SEO, SEA, SEM en SEP?
2. Wat is de invloed van social media op SEO?
3. Noem vijf regels van Google voor SEO.
4. Welk orgaan in Nederland houdt zich bezig met SEM-richtlijnen?
5. Wat is de actuele top drie van zoekmachines in Nederland?
6. Welke drie aspecten zijn belangrijk voor SEO?
7. Wat zijn de verschillen tussen SEO en SEA?
8. Noem tien keywords die je in een SEA-campagne kunt gebruiken.
9. Omschrijf een juiste SEP/description voor bij het zoekresultaat.
10. Met welke gratis tool kun je snel de zoektrends analyseren?

11 Microsites

Corporate websites bieden veel informatie. Soms te veel informatie in een te brede sitestructuur waardoor de bezoeker de informatie niet snel vindt. In Nederland is nog maar 30% van de websites aangepast aan de mobiel. Door de bulk aan informatie raakt de bezoeker de weg kwijt en geïrriteerd. *Usability*, *relevantie* en *conversiepaden* vormen hierbij de toverwoorden tot succes.

11.1 De noodzaak van een microsite

De online (mobiele) bezoeker is steed vaker de focus kwijt en gebruikt vaker een (interne) zoekoptie om de juiste informatie te vinden. In hoofstuk 6 is het noodzakelijke evenwicht tussen *Informatie*, *Communicatie* en *Transactie* op websites toegelicht. *Information overload* komt steeds sneller voor bij de scannende internetbezoeker maar ook het feit dat de (mobiele) surfer ongeduldiger wordt. De overdaad aan informatie en de onduidelijke sitestructuur leiden tot afwijzing van de content en daarmee de website en het product. In hoofdstuk 8 hebben we de noodzaak van toegankelijkheid en usability benadrukt. Een duidelijke online focus, het opdelen in hapklare brokken of deelsites maken met afgestemde content voor een specifieke doelgroep kan daarbij helpen. Net als de in hoofdstuk 1 en 2 genoemde *product-marktcombinaties* (PMC) uit de traditionele marketing, zullen we soms online een soortgelijke afstemming nodig hebben. De product-marktcombinatie vertaalt zich online naar een microsite en op de mobiel naar een mobiele app. Een afsplitsing van de corporate site die een eigen smoel en vooral eigen focus en doelgroep kent.

11.2 De definitie en het doel van een microsite

Microsites worden ook *deelsites*, *minisites*, *multisites* of *subsites* genoemd. Ook kunnen we een landingspagina voor een campagne een microsite noemen als deze los staat en een eigen domeinnaam kent. Microsites kunnen fungeren als landingssite of -pagina van bijvoorbeeld *Search Engine Advertising*-campagnes (zie hoofdstuk 10) of als site die een specifieke doelgroep bedient. De microsites zijn bedoeld om bezoekers naar leads om te zetten. De eigenschappen van microsites op een rij:

- ze dienen een *concreet* doel waarbij de bezoeker niet mag worden afgeleid met niet-relevante (corporate) informatie;
- de microsite is *gekoppeld* aan een campagne voor bijvoorbeeld een bepaald product of bepaalde dienst;
- microsites kunnen voor een *relevante* spreiding van zoekresultaten in de zoekmachines zorgen: de aanbieder is zo met meerdere sites in de zoekmachine aanwezig die duidelijker kunnen worden getarget;
- de microsite kan een *taalvariant* zijn van de hoofdsite, de microsite

kan een blog zijn en daarmee het social media gedeelte van de online communicatie;

- de microsite is een meetbare en *actiematige* site die tijdelijk draait;
- de microsite geeft *details* die op de corporate site niet gericht naar voren komen;
- de site is een snelle opgezette actie naast de corporate site en mag het verkeer en imago van de hoofdsite niet schaden.

Een prettige bijkomstigheid van het gebruik van microsites is het meerdere keren voorkomen in de zoekmachines. Google heeft dit weliswaar beperkt maar de mogelijkheden voor meerdere legale resulaten in de zoekmachines zijn groot. De zoekmachines behandelen de sites als aparte sites indien deze technisch los zijn gebouwd en gepositioneerd. Dit kan bijvoorbeeld door een aparte domeinnaam te gebruiken of aparte webservers bij de hosting.

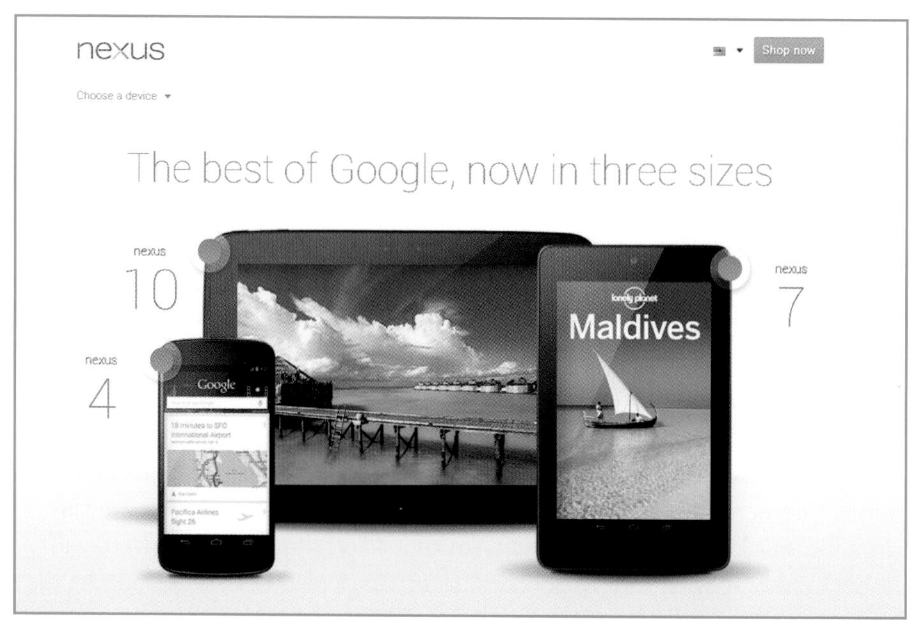

Afbeelding 11.1 Google focust met deze site op hun mobiele telefoon.

Algemene voordelen en kenmerken van microsites zijn:

- de sites zijn *concreet* en geven informatie over één product of dienst;
- de sites kennen weinig *afleiding* en zijn doelgericht;
- zijn vaak *opvolgend* op online campagnes;
- kennen soms een *tijdelijk karakter;*
- kunnen gebruikt worden als *zoekmachineduwers* om traffic op te pakken dat concreet zoekt en dus concreet de bezoeker oppakken;
- microsites kunnen de ranking van de hoofdsites positief beïnvloeden

omdat ze een relevant netwerk vormen;

- de *conversiegerichtheid* van microsites is hoog, corporate sites worden tegenwoordig steeds groter en kunnen nauwelijks voor conversiedoelen worden gebruikt en slibben dicht;
- de *microsite* kan dieper ingaan op het product met meer details en drukt de bezoeker zo dieper de funnel in in het conversiepad;
- microsites vangen de *klantinteractie* op of vormen een los platform voor klant-interactie zoals via een forum;
- het kan veel *dataverkeer/traffic* wegleiden van de hoofdsite en zo voorkomen dat de belangrijkste site offline gaat tijdens campagnes;
- een losse *microsite* biedt betere faciliteiten voor het analyseren van campagneresultaten;
- er kan voor een andere *propositie* of experience worden gekozen van een product of organisatie.

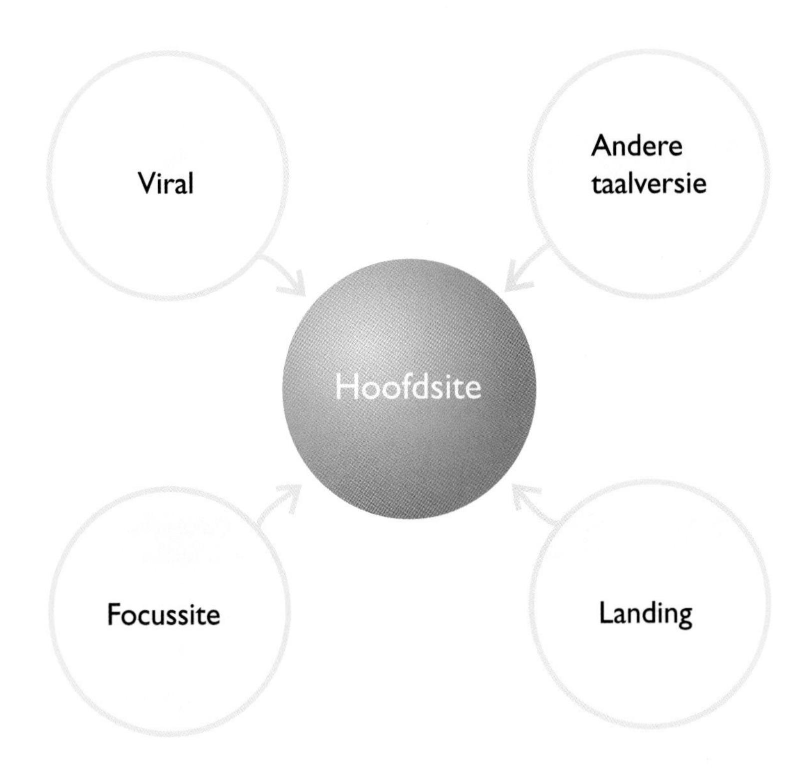

Afbeelding 11.2 Soorten microsites.

'A microsite, also known as a minisite or weblet, is an Internet web design term referring to an individual web page or cluster of pages which are meant to function as an auxiliary supplement to a primary website. The microsite's main landing page most likely has its own domain name or subdomain.'

11.3 De vormen van een microsite

De microsite kent verschillende *vormen* afhankelijk van het doel:

- de site dient als *actielanding* voor een online campagne waar een actie of één aanbieding centraal staat;
- de site fungeert als *taalversie* en de landingssite is een variant op de corporate site;
- een *focussite*; een uitdieping van een product of dienst voor een speciale doelgroep met bijvoorbeeld de hulp van social media;
- de site wordt als losse gepositioneerde site gebruikt voor bijvoorbeeld een *virale campagne*, dit is dan de virale landingspagina.

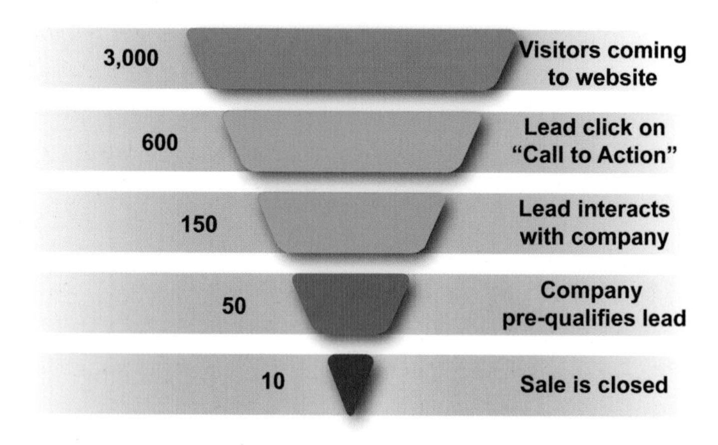

Afbeelding 11.3 Microsites hebben een betere funnel en een korter conversiepad.

11.3.1 De landing als microsite

Een landingssite kent de kenmerken van een online actie. Zo dient een landingssite van een online campagne niets meer te vertellen dan de gegevens die relevant zijn voor de actie waarvoor hij dient en het vervolg op de online advertentie. De vereisten aan de landing:

- de consument dient *direct* te landen op het meest relevante gedeelte;
- de site dient met pagina's (bij een microsite beperkt tot enkele pagina's) geen afleiding te vormen van het *landingsdoel;*
- de *vormgeving* kan afwijken van corporate site;
- de *landingssite* heeft een duidelijk tijdelijk gehalte, zoals de duur van de campagne;
- de site kan zichzelf *onafhankelijk* van de marketing van de hoofdsite profileren;
- indien de te *communiceren* content van grote hoeveelheid is, is een landingspagina niet voldoende;
- als de effort om van traffic *conversie* te maken groot is, dan is een landingssite noodzakelijk;
- de site kan *direct los* met een domeinnaam worden bereikt.

Meer over het maken van succesvolle landingspagina's en het hoog krijgen in de zoekmachines in hoofdstuk 10.

11.3.2 De taalversie als microsite

De taalversie is een site die politiek-technisch niet zomaar los gepresenteerd kan worden. Deze microsite plaats je achter een .com of ander hoofddomein voor een gemakkelijke vindbaarheid en juiste indexering door niet-Nederlandse zoekmachines. Nadeel van de aparte taalversie is dat de directe taal en taalpagina's niet altijd vanuit zoekmachines direct als landing kunnen dienen. Losse taalsites die als microsite worden gebruikt kennen de volgende voordelen:

- de *taalversie* kan los worden aangemeld bij zoekmachines of reageren met een browserinstelling;
- losse sites met eigen *landextensie* (bijvoorbeeld .be) krijgen in de zoekmachine van de landen voorrang;
- *taalsites* kunnen decentraal worden onderhouden en gemakkelijker lokaal worden ingezet bij lokale acties;
- er kan logischer worden *gecrosslinked* naar volledige andere taalsites.

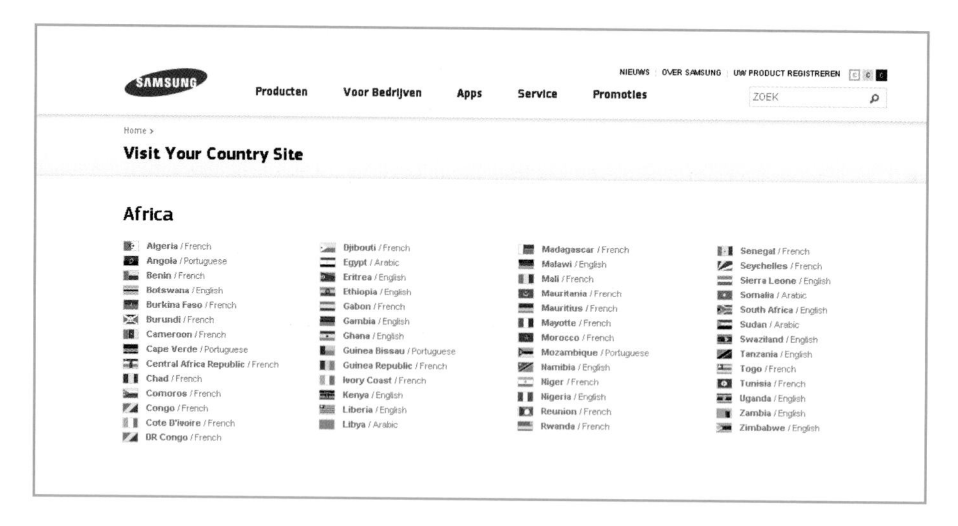

Afbeelding 11.4 Een taalversie.

11.3.3 De focussite en social media

De *focussite* komt vaak voor. Op deze losse site ligt de focus heel duidelijk op de product-marktcombinatie of de combinatie van dienst en (online) doelgroep die met campagnes bewust getarget kunnen worden.

Afbeelding 11.5 De website met focus op de iPhone met veel details.

De focussite heeft een diepte in details en kan bijvoorbeeld een geheel relevant portfolio tonen gericht op het product dat op de focussite centraal staat. De focussite kan voorkomen in de vorm van:

- een *weblog* die als een micronieuwssite een bepaald onderwerp op de achtergrond uitlegt, zoals de site www.onlinemarketeer.tv;
- een microsite die als *ondersteuning* of bijlage dient voor een product of dienst, zoals www.handboekonlinemarketing.nl;
- een *los kanaal* dat op een andere manier communiceert met de doelgroep, zoals www.atmost.tv dat alleen maar video laat zien;
- als een *focus en promotie* van een deel van de diensten daar waar de organisatie een groot aanbod van diensten heeft, zoals www.bedrijfsinterview.tv die een dienst van bureau AtMost.TV los en gefocust promoot.

Afbeelding 11.6 Bedrijfsinterview.TV is een losse dienst van waarop wordt gefocust.

Door de komst van social media groeit de populariteit van focussites. Er is steeds meer behoefte aan *Long Tail* informatie daar waar het vertrouwen in de content van het WWW toeneemt. De gebruiker wil simpelweg meer achtergrondinformatie hebben over bepaalde ontwerpen zonder zich door een grote site met te veel content te moeten graven. De microsite landt eenvoudig, is concreet en (samen)gevat. Social media kunnen met bijvoorbeeld eigen Facebook-pagina's gericht op bepaalde diensten en acties ook als microsites gaan dienen. Ook LinkedIn kent companypages, Twitter is bezig met bedrijfspagina's binnen de mircoblog. Google Plus kent tevens brandpages om als focussite te gebruiken.

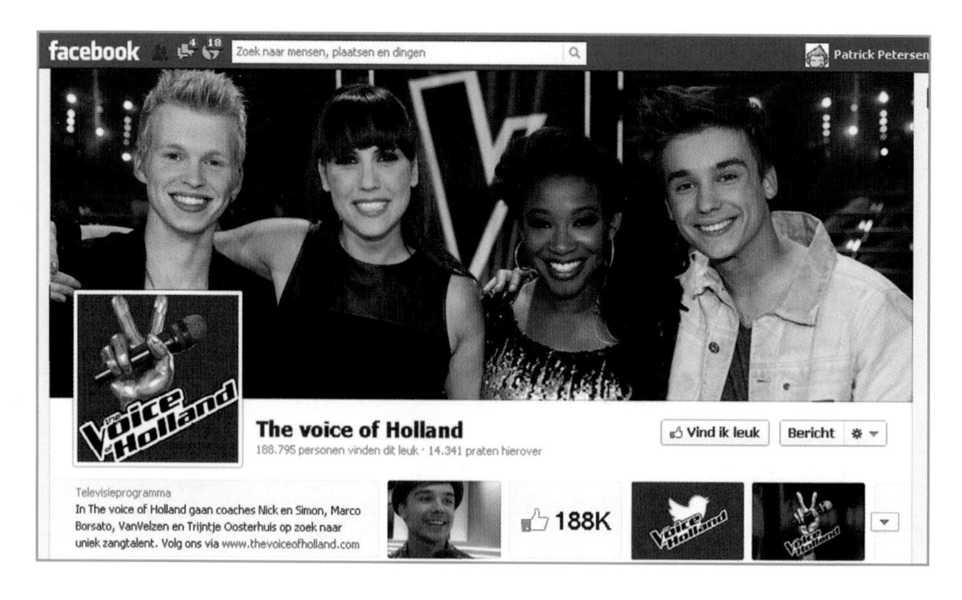

Afbeelding 11.7 Een Facebook-page als focussite.

11.3.4 Vormen van microsites: de virale site

Ook een viral kent een losse landingspagina in plaats van een volledige website. Dit hebben we in hoofdstuk 7 kunnen zien. Als hier de viral het doel en onderdeel van de campagne vormt, dan is een eigen website noodzakelijk. Conversie vindt plaats op het moment dat de bezoeker juist en prettig landt op een microsite. Voordelen en kenmerken van het gebruik van virale sites zijn:

- de losse *virale site* of social media pagina met game, video of zware online toepassing heeft geen negatieve invloed op de werking van de hoofsite;
- de site kan *los* worden *gepositioneerd* en *gecommuniceerd;*
- het wel of niet *slagen* van de *virale actie* heeft niet direct invloed op de branding en het imago van de hoofdsite;
- de site kan in *dezelfde vorm* worden recycled als de viral meerdere malen gaat draaien;
- projectmatig heeft de bouw van de losse virale site minder last van *technische beperkingen* die gelden voor een hoofdsite;
- er kan een losse *actiedatabase* worden opgebouwd via de site;
- de losse site kan *eenvoudig* worden geanalyseerd binnen de campagneaanpak.

11.4 Microsites: het relevantie kwaliteitsnetwerk voor SEO

Een hoofdsite met diverse microsites eromheen creëert een linknetwerk vol met crosslinks. Crosslinks zijn links vanaf bijvoorbeeld de corporate site naar de microsites en weer terug. De corporate site kan linken naar een bepaalde download van een brochure op de microsite. De microsite kan op zijn beurt weer teruglinken naar de hoofdsite. De kruislingse links zijn belangrijk voor de SEO en helpen alle sites een hogere positie te krijgen in de zoekmachines. Omdat zoekmachines het crosslinken van relevante content via sites die met elkaar verbonden zijn op prijs stellen, heeft dit een positieve invloed op de Page Rank. De *linkrelevantie* en kwaliteit is bij deze constructie voor de zoekmachines groot. Een te groot aanbod van microsites kan verwarring geven bij de online gebruiker. Als een actiesite niet meer nodig is, is aan te raden de domeinnaam van de actiesite door te linken naar de hoofdsite. Zo wordt het verkeer naar de microsite relevant opgevangen op de hoofdsite en verdwaalt de online bezoeker niet in een wirwar van aangeboden websites. Haal niet zomaar een actiesite uit de lucht zonder een alternatieve landing te plaatsen. Zoekmachines halen een domeinnaam of actiesite niet snel uit hun zoekarchief.

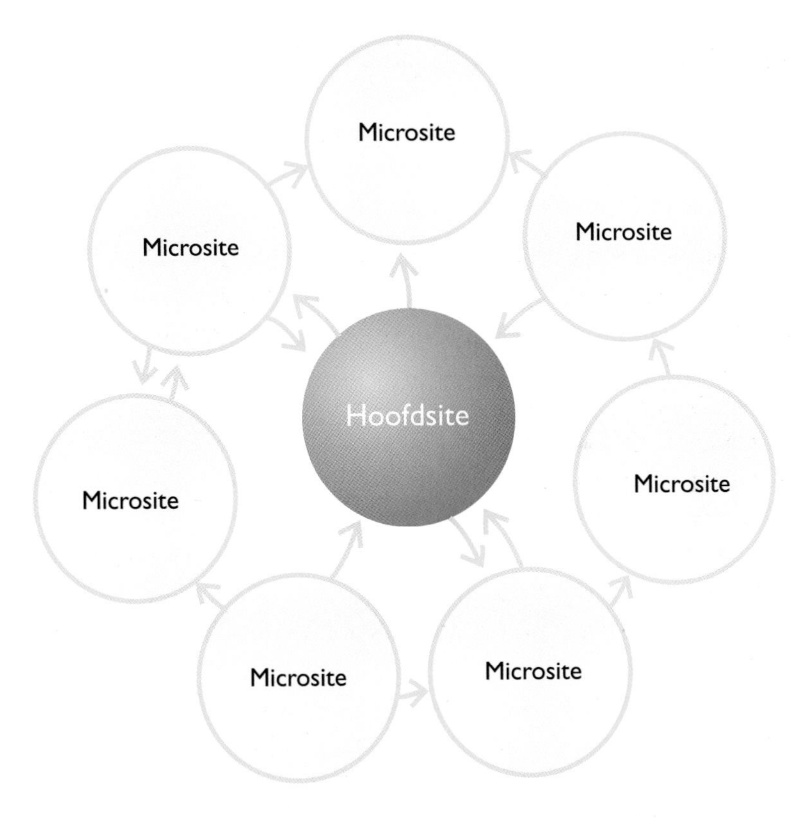

Afbeelding 11.8 Crosslinking is goed voor SEO.

11.5 Het 4R-model en de microsite

Als we het 4R-model uit hoofdstuk 5 toepassen op het middel *microsites*, dan krijgen wij de volgende beoordeling:

- **Retentie**: microsites zijn concreter van vorm en verhouding product/markt en kennen zo een hogere terugkeerratio in bezoek.
- **Relevant**: microsites ontlenen hun bestaansrecht aan het feit dat de relevantie van de landing zeer hoog is. Dit kan soms van tijdelijke aard zijn (zoals bij campagnes) of afhankelijk van het bestaan van de doelgroep waarop de site is gericht.
- **Reactie & Rendement**: conversiepaden en call-to-actions dienen bij microsites duidelijk en veelvuldig aanwezig te zijn. De scheiding tussen corporate informatie en de concrete wervende informatie op een microsite dient duidelijk te zijn. Als social media als microsite wordt gebruikt is er tevens een focus op reactie.
- **Rich**: microsites moeten gefocust en compact zijn in hun aanbod. De informatiewaarde is rijk en concreet zodat de bezoeker die op de microsite landt direct tot zaken kan komen.

Bekijk op www.handboekonlinemarketing.nl de tutorial video 3-1101 genaamd *What is a micro site - a website with focus.* Het effect op zoekmachinemarketing wordt toegelicht.

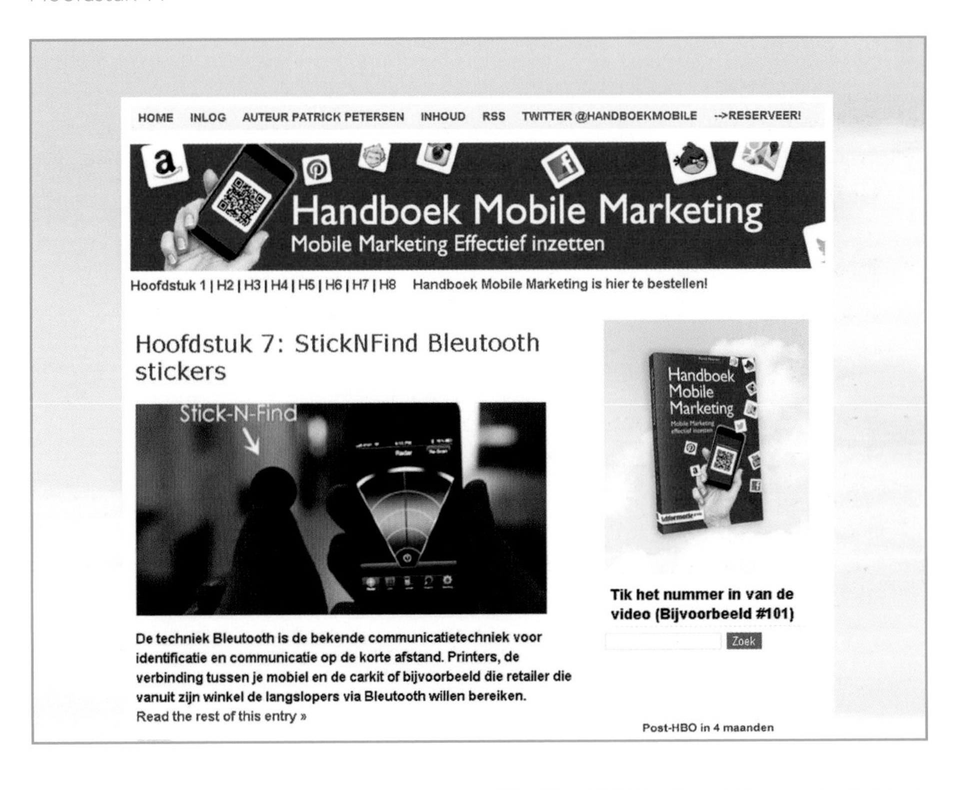

Afbeelding 11.9 Microsite gericht op een specifiek boek.

HOM opdrachten hoofdstuk 11

Hoofdstuk 11 kent de volgende opdrachten:

1. Wat zijn voordelen van microsites?
2. Noem drie vormen van microsites.
3. Welk sociaal media platform leent zich goed om als microsite page te dienen?
4. Geef drie verbanden tussen conversie en microsite.
5. Welke drie aspecten van microsites werken voor SEO?
6. Geef aan welke soort microsite je voor je eigen campagne of hoofdsite kunt gaan inzetten.

12 Social media marketing

Social media gingen tijdens Web 2.0 nog over *burgerjournalistiek* maar zijn tegenwoordig een volwassen middel voor relatiemarketing. Social media schudden de gehele online marketingmix op. Een contentstrategie om als persoon of organisatie te boeien is doorslaggevend voor het belangrijke *engagement* in de social media. Social media marketing gaat over reputatie, over het delen van informatie, netwerken en over het hebben van invloed via online middelen zoals via webblogs en platforms zoals Twitter en Facebook. Het gaat ook over discussies en crowdsourcen via bijvoorbeeld LinkedIn. Het is het online instrument dat zichzelf snel en stevig in de online mix heeft geplaatst als de hete olie in de marketingmix. Social media zullen niet meer verdwijnen uit de online mix. Social media zijn de moderne vorm van public relations en online communicatie waarbij de dialoog meer dan ooit voorop staat en de macht aan de kant van de ontvanger en participant ligt. Na de *communities* en opkomst van de social media channels zijn content en een contentstrategie het ideale smeermiddel van social media dat *boeit, bindt, beleeft, bereikt, betrokkenheid* creëert en doet *bestellen*.

Continu-onderzoeken van eMarketing.com geven aan dat social media marketing en contentstrategie de nummer 1 online marketingmiddellen zijn waar marketeers wereldwijd meer in gaan investeren in de toekomst.

12.1 De brede impact van social media

Social media draaien niet alleen meer op wat tweeten, Facebooken, bloggen en wat foto's delen vanaf de mobiel. Ze dienen als middel serieus te worden gemarket in de online marketing mix. De impact van social media op (online) communicatie en organisaties:

- van het aloude *zenden* via communicatie en marketing stelt social media marketing de dialoog, interactie en mening van de crowd voorop;
- social media hebben gezorgd voor een enorme toename aan *engaging content* zoals op Facebook waar meer dan 300 miljoen foto's per dag worden geupload;
- cocreatie en publieke *meningsvorming* zoals op fora van TROS radar waar producenten en producten kritisch worden bekeken, zie www.trosradar.nl of de debatsite deJoop.nl van de Vara;
- crowdsourcing en het plaatsen van reviews, reisverhalen en vakantie-ervaringen op Zoover.nl dat al meer dan miljoenen reviews presenteert;

- de betaalde media zoals commercials, advertenties en meer betaalde uitingen worden steeds meer *earned media*, zoals aandacht op Twitter, weblogs en op Facebook dat vrij wordt verspreid;
- de *branding* die organisaties de doelgroep willen meegeven verandert in het delen van de *beleving* met het merk, de organisatie of dienst door de crowd in de social media;

Afbeelding 12.1 Het #Twittercollege van spreker, consultant en auteur Menno Lanting.

- traditionele *reclamecampagnes* nemen af in impact en kracht van het top-of-mind krijgen van de boodschap;
- een bewuste *contentstrategie* en de focus op infuentials in de social media zijn belangrijk bij een kick-off van een campagne;
- social media dwingen organisaties en merken om *opener* en *directer* te worden in het contact en de beleving;
- het kunnen *boeien* en *binden* in de gelijke relaties in de social media krijgt meer waarde dan het pushen van organisatiewaarden en USP's;
- *Flower Power.* Social media lijken het gedachtengoed van peace, love en understanding terug te brengen in de marketinggedachte;
- Facebook kent al meer dan 1 miljard accounts en heeft als hyperactief *platform* steeds meer impact op de *berichtgeving* en meningsvorming naar organisaties en merken toe, en op de klantbeleving;
- social media lijken *vakgebieden* als communicatie, PR, marketing, online marketing op een eigenwijze manier te mixen en creëren nieuwe functies zoals contentmanagers en communitymanagers;
- door *dialoog* haalt de crowd de corporate waarden en voordelen van een organisatie of product zelfstandig op. Deze impact van eigenhandige beleving krijgt een merk of organisatie top-of-mind met koopbereidheid;
- de impact voor de organisatiecultuur is groot. Social media stellen veel eisen aan de cultuur, snelle bedrijfs- en besluitvoering en communicatie;

- het *vergelijken* en beoordelen van diensten en producten zoals op www.kieskeurig.nl en het gebruiken van reviews gegeven op Google Plus in de zoekresultaten van Google.

Social media verbinden inzichten uit de marketing en communicatie met elkaar. Het is een ultiem bindmiddel dat aan online een duidelijke meerwaarde geeft. Organisaties kunnen nog maar moelijk omgaan met de impact van social media. Het in korte tijd omzetten van een organisatiecultuur naar een social business is dan ook onmogelijk. De verandering moet stap-voor-stap plaatsvinden.

Afbeelding 12.2 European Excellence Awards.

Remco Janssen is PR- en social media specialist en oprichter van *Proudly Represents*: corporate PR for start-ups, social PR for corporates. Hij werkt onder andere voor 123people en Scoupy en heeft twee European Excellence Awards 2012 gewonnen met de virale campagne *Domino's Pizza Safe Sound*.

Waar zie jij de scheidslijn tussen PR, online communicatie en social media?

"De scheidslijn bestaat louter nog in de technologie en de hoofden van de dinosauriërs die de communicatie doen voor de grote corporates."

"Kijk eens naar onze case Domino's Pizza Safe Sound, waar we een PR-prijs mee hebben gewonnen. Diverse tweets zijn op de website www.handboekonlinemarketing.nl te vinden. De grap is dat een creative agency (*Indie Amsterdam*) een oplossing verzon voor een communicatieprobleem, namelijk geluidloze elektrische scooters. Om de oplossing te tonen, hebben we een social media release gemaakt en een simpele YouTube-video die eruitziet alsof hij op straat met een iPhone geschoten is. Vervolgens heeft Mediatic dat via een traditioneel persbericht onder de aandacht gebracht van landelijke media en heb ik datzelfde gedaan via blogs. Door de online nieuwsites en blogs die het verhaal oppikten en de video plaatsten, werd deze trending op YouTube, met als gevolg dat de volgende dag grote Amerikaanse blogs de video plaatsten. Voor grote nieuwsnetwerken als *CNBC* reden om in het nieuws de video te tonen. Een klein lokaal nieuwsfeitje - Domino's geeft 20 e-scooters geluid en verhoogt zo verkeersveiligheid - werd daardoor internationaal hét gesprek van de dag. Nu stel ik de wedervraag: is dit een social media campagne of een traditionele PR-actie? Ik zou zeggen, de kracht school hem erin dat wij drie werelden bij elkaar hebben gebracht: de creativiteit van advertising, de massa van traditionele media en het virale effect van social media. Kortom, de scheidslijn vervaagt steeds meer. Echt goede campagnes pakken het beste uit alle werelden van marketing."

Wat is het wezenlijke verschil tussen PR (public relations) en communicatie op en met social media?

"Een simpel, helder verhaal met een (eenduidige) boodschap komt veel krachtiger over in social media, vooral als het achterliggende verhaal nogal gecompliceerd of genuanceerd ligt. Dat kan met goed beeldmateriaal (infographic, video, plaatje), maar ook door alle ruis uit een boodschap te snijden. Veel bedrijven in mijn vakgebied - start-ups - vertellen alleen wat ze doen: we hebben een camera met een dubbele zoomlens. Wat ze niet vertellen is waarom ze als merk denken bestaansrecht te hebben en hoe ze het leven van de consument makkelijker maken. Maar het grootste verschil is dat merken en bedrijven direct met klanten communiceren. Dat maakt je heel sterk, maar tegelijk heel kwetsbaar: onzin verkopen werkt niet meer, daar wordt feilloos doorheen geprikt."

Waar voldoet volgens jou een goede social media campagne aan?

"Echte verhalen. Daarmee bedoel ik niet het gebruikelijke marketinggeneuzel wat bedrijven over consumenten heen storten: kijk eens hoe gaaf wij zijn. Stel je als merk kwetsbaar op, stel vragen, laat weten dat je de mening van klanten waardeert. Of maak content die amusant is, zonder je merkwaarde door allerlei gebbetjes uit het oog te verliezen."

Is het bewust bezig zijn met reputatiemanagement in de social media niet strijdig met het principe van 'eerlijk', 'open' en 'authentiek zijn'?

"Nee, integendeel. Juist door eerlijk zijn kun je als bedrijf een hoop winnen. Terwijl ik dit tik, wordt een klant van mij op Twitter beticht van *fucking hypocrisy* na een overigens prima discussie. Reputatiemanagement betekent dat je soms moeilijke gesprekken met je klant moet aangaan, in de soms ijdele hoop hem of haar te overtuigen of van gedachten te doen veranderen met een eerlijk verhaal. En laten we het ook niet overdrijven, vaak klaagt maar een klein deel van je klanten publiekelijk en is de impact relatief laag. Er is maar een Youp van 't Hek, per slot van rekening."

Waar denk je dat het vak van communicatie naartoe gaat?

"Ik denk dat alle communicatie online, mobile of social als eerste handeling gaat krijgen. Hetzij doordat er een social media release wordt gepubliceerd, hetzij door het uploaden van een filmpje op YouTube of het schrijven van een blog. Want communicatie draait om het bereiken van de consument. Hoe dat maakt niet uit, als het maar op relevante wijze gebeurt. De massamedia hebben daarop hun monopoliepositie verloren, bedrijven zien steeds meer in dat rechtstreeks communiceren met de consument niet alleen goedkoperer, maar ook leuker én effectiever is!"

12.2 De social media strategie en marketing

Om social media in te zetten binnen een online marketingmix zullen we eerst de marketingmogelijkheden van social media moeten leren kennen.

Bekijk op www.handboekonlinemarketing.nl het video-interview 3-1201 tijdens de opening van de *Social Media Club Amsterdam* waarin diverse communicatiespecialisten naar de definitie van 'social media' wordt gevraagd. Social Media Clubs zijn periodieke bijeenkomsten die ook in de grote steden in Nederland worden gehouden. De presentaties houden je (lokaal) op de hoogte van de laatste ontwikkelingen en/of lokale initiatieven.

Strategisch gezien draaien social media altijd om:

- het *luisteren* naar de klant, markt, gebruikers, crowd en anderen die iets vertellen over de organisatie en werkzaamheden en uitingen van de organisatie;
- het *openstellen* en vooral het je opstellen als een lerende organisatie die geleidelijk socialer en kwalitatief beter wordt en ook menselijker en interactiever wordt met behulp van de klanten, actoren en social media crowd;

Every good conversation starts with good listening.

Afbeelding 12.3 Waarmee de strategie begint bij social media marketing.

- het *(door)ontwikkelen* van de organisatie en het productaanbod met gebruikmaking van social media;
- het meten en *bijstellen* van doelen en plannen met behulp van de social media;
- het versterken van de *betrokkenheid* - ook wel engagement genoemd - met de organisatie, producten en visies. De strategie zal concreter worden op het niveau van de social media marketing die de inzet vertaald ziet in doelen die vervolgens meetbaar zijn. Verderop in het hoofdstuk een expertcase over de inzet van middelen die bijvoorbeeld het bereik en de betrokkenheid meten van social media.

Bekijk op www.handboekonlinemarketing.nl de video's met nummer 3-1202 met daarin de serie genaamd *Social Media Revolution.* Deze video's geven cijfers, feiten en tonen vooral de impact op organisaties en de marketingstrategie.

Net als bij de andere middelen zal de strategie bij social media tegen de overkoepelende online marketingstrategie aan moeten liggen. Ook zijn er kleine verschillen in aanpak tussen B2B (gericht op organisaties) en B2C (gericht op consumenten). Bij een aanpak gericht op organisaties staat het binden en het relatiebeheer centraal.

12.2.1 Succes met en de eigenschappen van social media

Om van een strategie een social media marketingaanpak te maken is het handig de eigenschappen van het middel kennen. Social media zijn op zichzelf geen instrument dat eenvoudig strategisch kan worden aangepakt. Het middel is het meest organische middel in de online marketingmix en kan niet altijd hard gestuurd worden. Het commercieel en strategisch benaderen van social media kan zelfs tegen de marketeer werken. Social media moeten in de DNA van de organisatie terechtkomen en zijn een online middel dat begrepen moet worden. Veel eigenschappen uit de sociologie -zoals reputatie, de mogelijkheid tot uiting, erkenning, sociale wenselijkheid en groepsgedrag- zien we terug in de social media. De hoofdkenmerken van social media zijn:

- de kanalen zijn niet sterk georganiseerd en komen organisch tot stand;
- de communicatie is niet strak geregisseerd en geredigeerd en kent geen vaste regisseur;
- het kanaal zelf vormt de strategische waarde in combinatie met de content;
- social media marketing werkt alleen als er sprake is van acceptatie door de crowd in de social media en als er betrokkenheid is bij de afzenders

en de boodschap;

- *engagement* wordt door relevantie en het echt en *authentiek* zijn versterkt;
- de *autoriteit* die geldt in de offline kanalen is niet zomaar gelijk aan die opgebouwd online of in de social media; het sentiment en het gevoel kunnen op hoge snelheid veranderen;
- het is een menselijk *communicatiekanaal* zonder regie en met een weinig zakelijke toon.

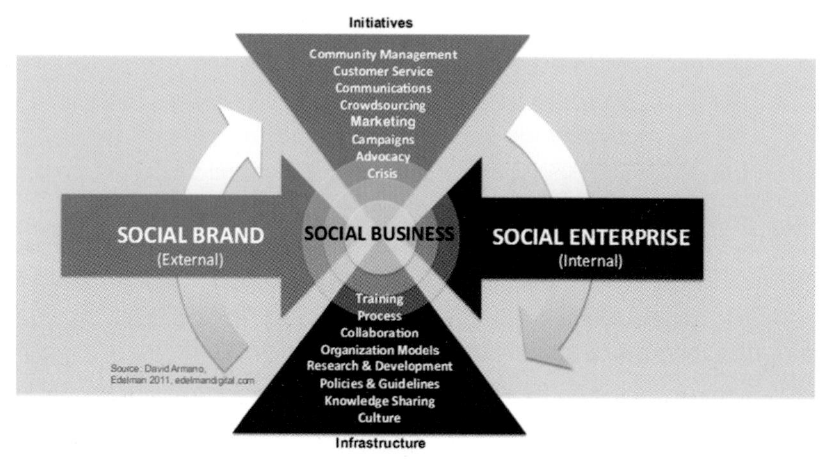

Afbeelding 12.4 Edelman Digital heeft de relatie tussen het merk, de organisatie en social media in beeld gebracht.

Bekijk op www.handboekonlinemarketing.nl de video's met nummer 3-1203 genaamd *Enterprise 2.0 and Social Business* (Harvard Business Review) waarin Andrew McAfee de transitie naar een social business uitlegt.

Social media zijn een duidelijke antireactie op de geregisseerde en strak geplande marketingaanpakken zoals we die decennialang hebben gekend. De consument beleeft een online *Flower Power* zonder regie, veel macht door gegroepeerde meningsvorming, minder consumptie en meer prosumptie. De consument wordt letterlijk *prosumer* en produceert en denkt mee met bijvoorbeeld *crowdsourcing*. Een hoge snelheid van het *delen* van ervaringen, een hoge snelheid van communiceren, de eenvoud van het communicatiekanaal (zoals bij Twitter) die de toegankelijkheid hoog houdt en de voortdurende drang naar innovatie en vernieuwing roepen om een middel als social media. Social media hebben een sterke invloed op het sentiment en daarmee op de attitude van consumenten.

Gereedschap zoals *Finchline* kan het sentiment meten in de social media.

Bekijk op www.handboekonlinemarketing.nl de video met nummer 3-1204 genaamd *The Big C&M Social PR Video: Hackett London* die het succes van social media binnen een traditionele organisatie laat zien.

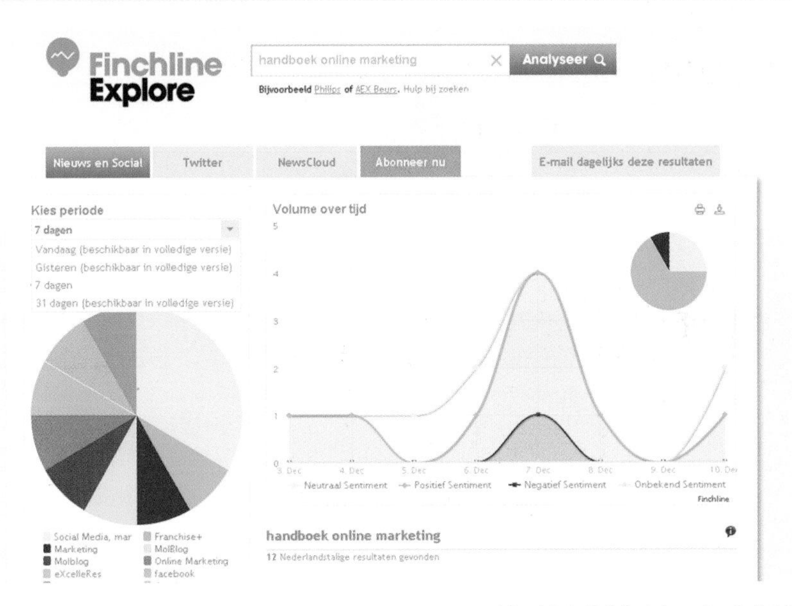

Afbeelding 12.5 Social media zijn S.O.C.I.A.L.

12.2.2 Social media zijn S.O.C.I.A.L.

Social media zijn *open* en *organisch* in vorm en ontwikkeling, bedoeld om te leren en eisen openheid van organisaties die zich bevinden in de social media. Vergaande participatie in de social media zal door interactie en collaboratie met de gebruikers en klanten de intelligentie van de organisatie verhogen. Social media zijn succesvol als ze S.O.C.I.A.L. zijn. De afkorting S.O.C.I.A.L. staat voor:

- *Snelheid* van handelen zoals met Twittercare of care via Facebook en de snelheid van het verplaatsen van de content in de social media.
- *Antistructuur* succes kan spontaan ontstaan en social media influentials hebben soms meer te zeggen over een bepaald merk of organisatie dan de organisatie zelf.
- *Collaboratie* is de vergaande vorm van crowdsourcing en het bewust samenwerken met de klant.
- *Intelligentie* & *Interactie* slaan op het ontwikkelproces dat de social media een organisatie of persoon bieden.
- *Learning* of *Leren* is het gevolg van de voorgaande onderdelen.

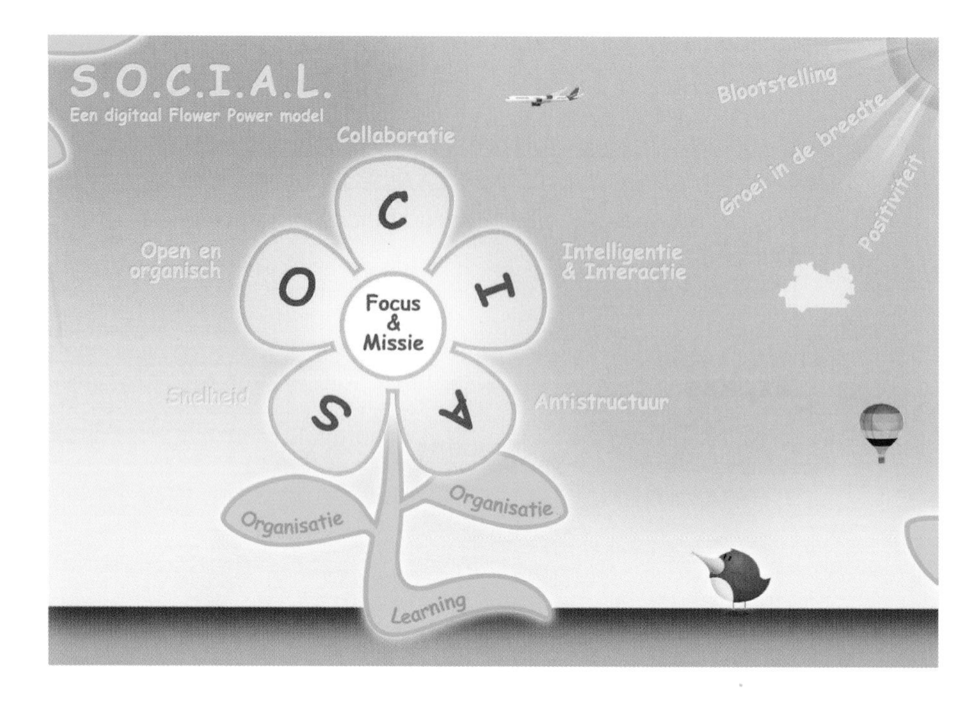

Afbeelding 12.6 Social media is S.O.C.I.A.L.

12.2.3 Social media kenmerken

Social media draaien om platformen die je de klant en gebruikers of crowd geeft. Het publiek wil een mening kwijt, meedenken, reageren of participeren in een beleving van een merk, event, organisatie en meer. Het consumeren wordt prosumen en meeproduceren. Merkwaarde en betrokkenheid ontstaan steeds meer door interactie en participatie met het merk en de organisatie. Campagnes en producten onstaan niet zomaar voor de consument maar samen met de consument en toekomstig gebruiker.

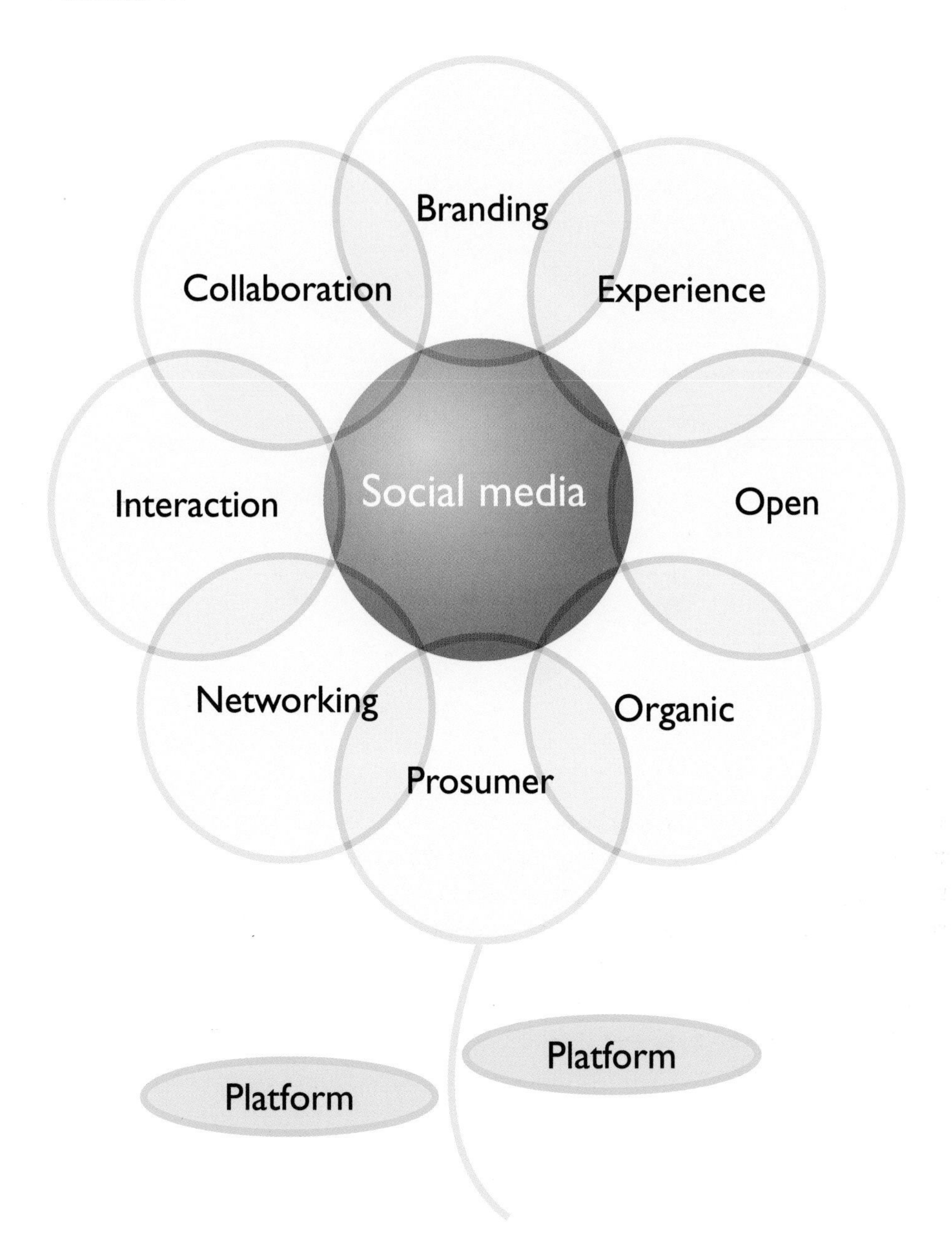

Afbeelding 12.7 Kenmerken van social media: Flower Power.

12.3 Social media marketing

De aanpak via social media marketing kent een mix. Wat alles bindt is het boeien, het versterken van de binding, het buzzen, de vruchtbare betrokkenheid en het niet-betaald bereik.

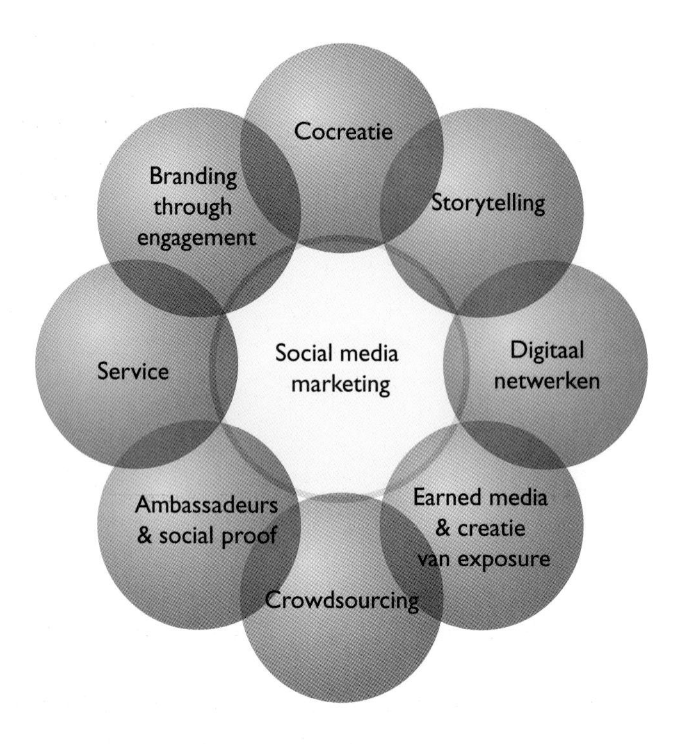

Afbeelding 12.8 Social media marketing.

Onder social media marketing verstaan we:

- *storytelling* en elkaar boeien en bijvoorbeeld het maken, schrijven en opmaken van een marketingboek vanaf het begin tonen via Pinterest;
- het aanleggen en verbeteren van de online (een-op-een) interactie en de *dialoog* met de klant en gebruiker;
- het *betrekken* van de ambassadeurs in de social media en het verzamelen van *social proof*, zoals likes op Facebook, likes op jouw Instagram foto's, reviews op Zoover.nl, beoordelingen op Google Plus of vergelijkingen via kieskeurig.nl;
- *social proof* is ook een onderdeel van social selling: je gebruikt reviews bewust om de kwaliteit van het product aan te tonen, Google gebruikt met Google Shopping de prijsvergelijking in Google en de reviews van Google Plus leveren steeds meer de proof of het bewijs in de vorm van een online oordeel dat is gegeven over een product of winkel;
- *digitaal relatie- en netwerkbeheer* door te binden via bijvoorbeeld een Facebook-pagina, LinkedIn-discussieplatform of Twitter met contentstrategie zoals het periodiek geven van tips;
- de creatie van (goedkoop en viraal) *bereik* door middel van *earned media exposure* zoals het maken van content dat veel wordt gedeeld in de social media;

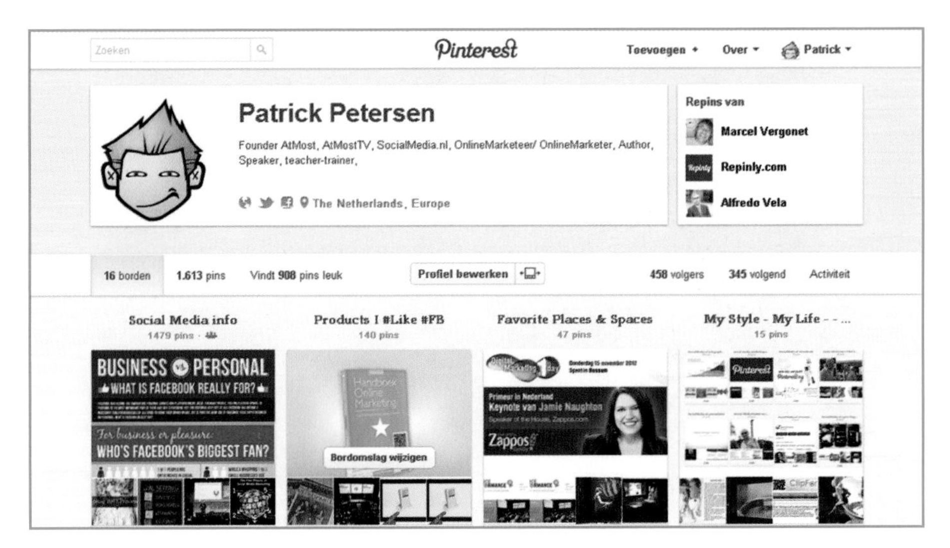

Afbeelding 12.9 Storytelling.

- social media gebruiken als verbetering van de *service* met bijvoorbeeld *Twittercare*;
- de klanten en gebruikers meer bij de organisaties *betrekken* door middel van *crowdsource* en *cocreatie* en zo de producten verbeteren en ideeën uitwisselen.

Bij social media marketing is het hebben van een concreet doel het kenmerk. Net als het meten, bijstellen en aanpassen van het doel.

Concrete doelen bij social media marketing zijn:

- het verhogen van het engagement op Facebook in aantal likes van bestaande gebruikers en van dicussies op de page met 200% in drie maanden;
- het verhogen van de dialogen op Twitter naar 100 dialogen per maand over product X;
- het ontwikkelen van een nieuw product binnnen zes maanden met gebruikmaking van LinkedIn-discussies;
- het verhogen van de tevredenheid met X door middel van proactieve Twittercare;
- het verhogen van het kwaliteitsverkeer vanuit de social media naar de webshop met 150% binnen een jaar;
- het verhogen van het aantal *mentions* op Twitter van ons product de komende zes weken.

12.3.1 Social media in Nederland

Social media passen goed in de Nederlandse samenleving. De calvinistische cultuurkenmerken zoals directheid, openheid, verkleining van machtsverhoudingen, de open economie en korte afstanden, de nuchterheid in de communicatie, de vergaande democratie en het open-minded denken zijn eigenschappen die we ook aan een sociaal kanaal kunnen toedichten.

Bekijk op www.handboekonlinemarketing.nl de video's met nummer 3-1204 met *Nico Dijkshoorn* tijdens het *MWG-congres editie 2013*. Dijkshoorn was ooit *Twitteraar van het Jaar*.

Ook delen wij graag en massaal meningen online. Uit onderzoek blijft dat binnen Europa landen als Spanje, Engeland en Frankrijk online socialer zijn dan de Nederlanders. Nederland is wereldwijd het land dat relatief gezien veel tweet en de meeste online discussies in LinkedIn kent. Hyves is relatief gezien een van de grotere sociale netwerken van een land geweest. Social media zijn niet alleen voor tieners of studenten maar gaan door alle lagen van de bevolking heen.

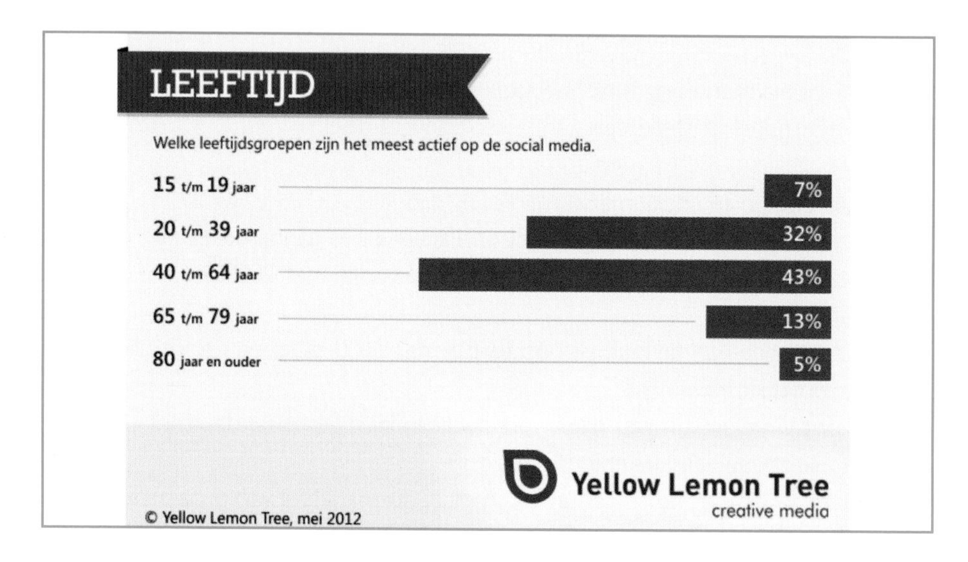

Afbeelding 12.10 Social media in Nederland. Bron: Yellow Lemon Tree onderzoek.

12.4 De vormen van social media

Naast de eigenschappen en kenmerken zijn er concrete vormen van social media te benoemen. Zo kennen we het zelf (laten) maken van content door de gebruiker (*User Generated Content*). Denk hierbij aan een video die een bezoeker van een evenement heeft gemaakt en deelt op YouTube. *Sociale netwerken* kennen wij in de vorm van Facebook en LinkedIn. Twitter is - gezien het bloggehalte in compacte vorm - een *microblog*.

Crowdsourcing maakt gebruik van social intelligence.
Bij crowdsourcing worden werkzaamheden en het vinden van een juiste oplossing aan een internetmenigte uitbesteed. Het internetpubliek levert vrijwillig een bijdrage aan de dienst of product.

Afbeelding 12.11 Social media vormen.

Social media worden gebruikt voor onder andere branding. De branding van een organisatie, product of van een persoon. Het bijeffect van social media *personal branding*, lijkt in Nederland een nieuw verschijnsel. Het bloggen, delen van meningen en visies via Twitter, Facebook, LinkedIn of andere sociale kanalen geeft ons een online reputatie. Het komt in de buurt bij de sociale behoefte zoals Maslov deze ooit heeft beschreven.

Afbeelding 12.12 Sociale behoeften van Maslov die ook terugkomen in de social media.

De stap van personal branding naar de invloedrijke gebruikers in de social media is klein. De website www.influentials.nl houdt een lijst bij van invloedrijke Nederlanders op social media. De *Klout*-score is daarbij leidend. De lijst kent meer dan 10.000 deelnemers.

1	tiesto	87.64
2	arminvanbuuren	86.65
3	Djafrojack	84.71
4	ferrycorsten	83.92
5	sneijder101010	83.60
6	heineken	82.81
7	LaidbackLuke	82.77
8	Neeliekroeseu	82.71
9	doutzen	82.31
10	borsato	82.13

Afbeelding 12.13 Invloedrijk in de social media.

12.4.1 De middelen uit de social media mix en het gedrag

Binnen het instrument social media kunnen we duidelijke middelen benoemen. Een erkende social media mix bestaat uit:

- bloggen, zoals Socialmedia.nl;
- microbloggen, zoals Twitter;
- wiki's, zoals Wikipedia;
- social news en social networking, zoals NuJij.nl;
- belevingscontent, zoals de foto's op Pinterest;
- webcasts, streams en RSS, zoals met Ustream.tv;
- discussie(groepen), service en dialogen, zoals op LinkedIn;
- crowdsourcing en collaboratie, zoals op Zoover.nl.

Kijken we naar het gedrag in de social media dan zien we dat maar 20% echt actief produceert als prosumer. Het grootste kijkt mee en deelt soms wat mee. Er is een harde kern -zoals op Twitter- die voor veel productie van social media content zorgt. Zo heb je in een campagne meer aan *Creators* dan aan de *Inactives* in de social media netwerken. Ook bestaan er *Joiners* die wel in het netwerk zitten maar niet echt actief zijn. Qua netwerken lijken Facebook en Twitter in Nederland het actiefst in gebruik en in het delen van content en dialogen. Ook het kleine sociale netwerk Pinterest kent een hoge activiteit maar in absolute zin weinig gebruikers.

Zes typen (volgens Forrester Research) op een rij:

- *Creators* zijn veelal jongeren tot 40 jaar waarbij tieners en studenten veel foto's en Facebook-content delen;
- *Critics* reageren op bijvoorbeeld blogposts of op Twitter, maken reviews en zijn gemiddeld ouder dan Creators en kunnen tot boven de 60 jaar doorlopen in acief gedrag;
- *Collectors* verzamelen vooral informatie uit de social media zoals whitepapers, meningen, nieuws en reviews;
- *Joiners* gebruiken social media netwerken voor bijvoorbeeld een snelle chat of snelle dialoog maar niet altijd voor discussie; jongeren gebruiken Twitter vaak als chat en Facebook om een afspraak te maken voor een event of het uitgaan;
- *Spectators* kijken mee, genereren view en bekijken veel content maar zijn verder niet proactief aanwezig;
- *Inactives* zijn lid van een sociaal netwerk maar niet actief. Vooral op Twitter en op Google Plus is dit een grote hoeveel accounts.

12.4.2 Bloggen

Het webloggen -verkort tot bloggen- is niet langer een online dagboek waarin wordt *gelogd*. Op Google Plus en op Facebook kunnen we in principe ook bloggen. Nederland telt ongeveer een miljoen bloggers. Hierbij kunnen we een splitsing maken tussen de blogbeheerders en de gastbloggers die af en toe een bijdrage leveren aan een blog. We kunnen vijf soorten blogs onderscheiden:

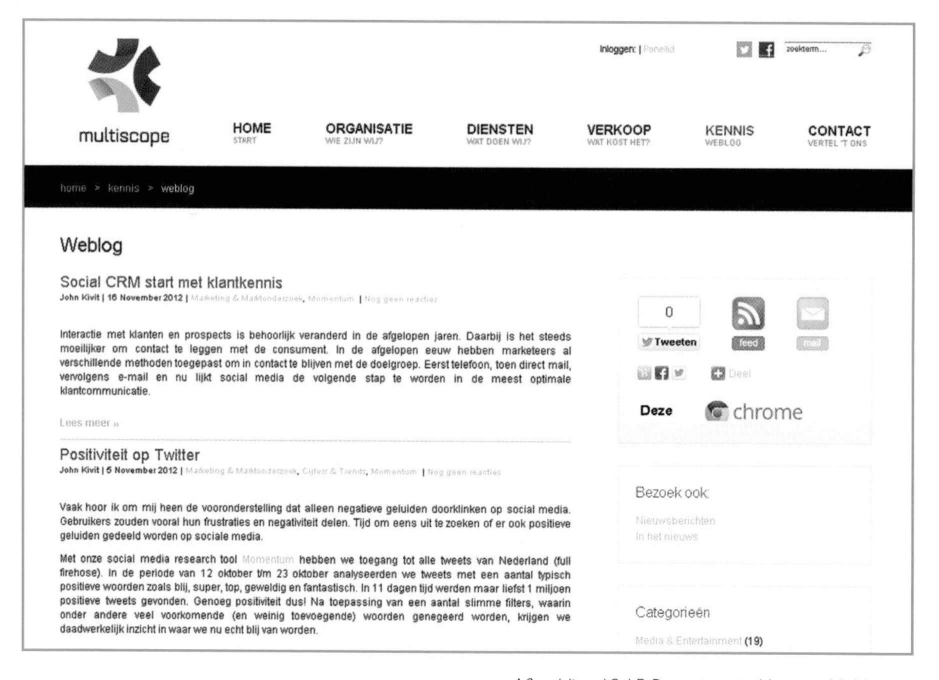

Afbeelding 12.15 De corporate blog van Multiscope.

- een *corporate of businessblog* die de visie van een organisatie uit door middel van artikelen (blogposts) die de visie en expertise onderstrepen;
- een *persoonlijke blog* zoals de vroegere Bieslog van Wim de Bie en de blog Onlinemarketeer.TV die de ervaringen en visie van een online marketeer beschrijft;
- een *politieke blog* zoals de blog van Mark Rutte op Google Plus;
- een *nieuws- en opinie(b)log* zoals www.geenstijl.nl, www.nujij.nl of www.socialmedia.nl;
- een *themablog* die praktisch en diep ingaat op een onderwerp zoals reizen, een speciaal product, een wijk in een stad, een hobby, een film of een artiest, zoals de Spaanse monsterblog over zangeres Lady Gaga die is te vinden op lg-monster.blogspot.nl.

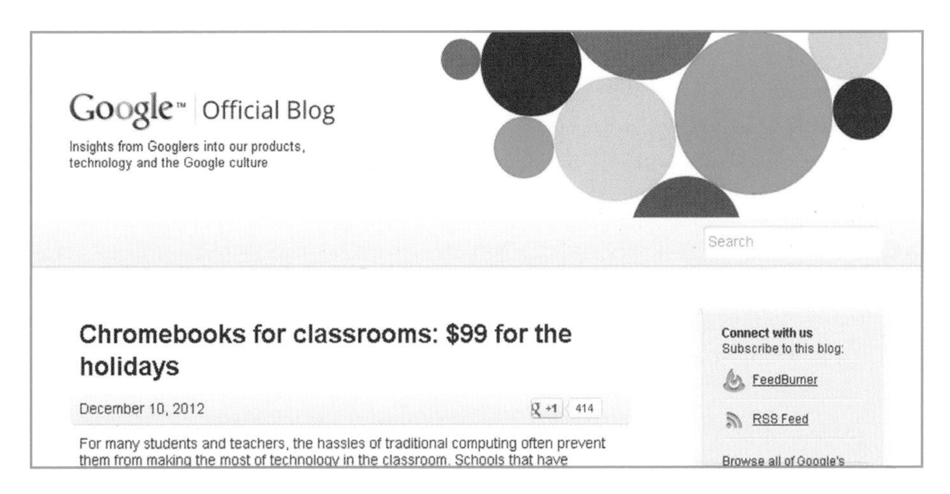

Afbeelding 12.15 De blog van Google.

Bekijk op www.handboekonlinemarketing.nl video-interview 3-1205 met ex-politicus Boris van der Ham over bloggen en social media.

Voorwaarden voor succesvol bloggen zijn:

- het *onderwerp* of de organisatie moet genoeg content bieden om jarenlang over te kunnen bloggen en te boeien;
- je zult een community moeten bouwen rondom de blog, de thema's en content;
- *participatie* in de vorm van reacties of gastbloggers;
- het *aanwezig* zijn van een open cultuur bij een organisatie of het kunnen geven van openheid over een bepaald onderwerp;
- de *middelen* hebben om tijdig te reageren op reacties op blogposts en open te kunnen zijn in online discussies.

Met technieken zoals RSS kunnen artikelen die in een blog zijn geplaatst gemakkelijk worden doorgeplaatst op andere blogs en op sites. Dit kan ook met afbeeldingen. Zie in hoofdstuk 8 de uitleg over het gebruik van RSS binnen een contentstrategie.

"Amerika's kersverse president Barack Obama is hét voorbeeld van jarenlang zorgvuldig gestuurde en opgebouwde Personal Branding, met de ultieme overwinning als resultaat. Alles klopte, alles was haarfijn geregisseerd en in lijn met het oorspronkelijke beeld. Tegelijkertijd was dat beeld authentiek aan wie Obama echt is. PB moet niet gelijkgeschakeld worden met al je tegenstrevers overschreeuwen. Het moet verfijnd gebeuren, niet al te plat. Soms kan dat misschien werken, maar op de lange termijn hol je daarmee juist je eigen merk uit. Geert Wilders is iemand die zichzelf uitstekend vermarkt heeft als anti-establishment-politicus, maar hij schiet dusdanig door met niet-onderbouwde aanvallen op de zittende machthebbers dat hij een onmogelijke kandidaat is geworden voor hoogopgeleide rechtse mensen die zijn hekel aan allochtonen delen. Hij overschreeuwt zich en maakt zichzelf daarmee redelijk belachelijk. Dat is niet slim van hem. Personal branding moet ook enig duurvermogen hebben." Aldus spreker en journalist Jeroen Mirck.

12.4.3 Microbloggen

Microbloggen is een beperkte, snelle, directe vorm van bloggen. Het kent dezelfde eigenschappen als het normale webloggen. Bij microbloggen is de sociale omgeving beperkter en gesloten. De manier van communiceren is snel en kort (veelal niet meer dan 140 tekens zoals bij Twitter) en kent een simpele vorm. Voorbeelden zijn Twitter of Path. Het kan gebruikt worden binnen de social media marketing als snelle manier van storytelling om engagement op te wekken.

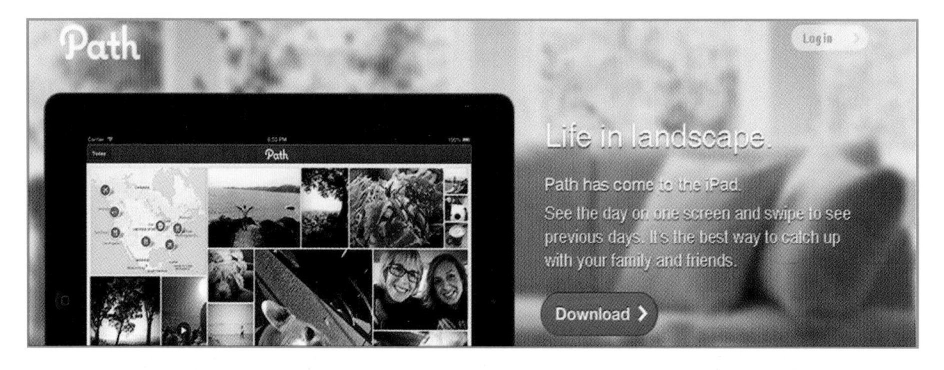

Afbeelding 12.16 Path is een microblog.

Anders dan bij webloggen gaat microbloggen meer over het loggen van werkzaamheden en belevingen en kent microbloggen een gerichtheid op een (gesloten) community. Zo gebruikte de Noorse zangeres Maria Mena haar blog en Twitter voor het bijhouden van optredens en zien we aan de hand van foto's en korte bijtekst wat ze dagelijks meemaakt op tournee. Ook politici hebben het microbloggen ontdekt. In Nederland zijn Geert Wilders, Alexander Pechtold en Femke Halsema populair op Twitter en kennen zij tevens een hoge invloedscore in de social media.

Afbeelding 12.17 Alexander Pechtold op Twitter.

Het groeiend gebruik van mobiel internet in Nederland heeft een sterke invloed op de groei van microbloggen. In Nederland wordt voor meer dan 50% gebruikgemaakt van de mobiel bij het twitteren en gebruiken van Facebook.

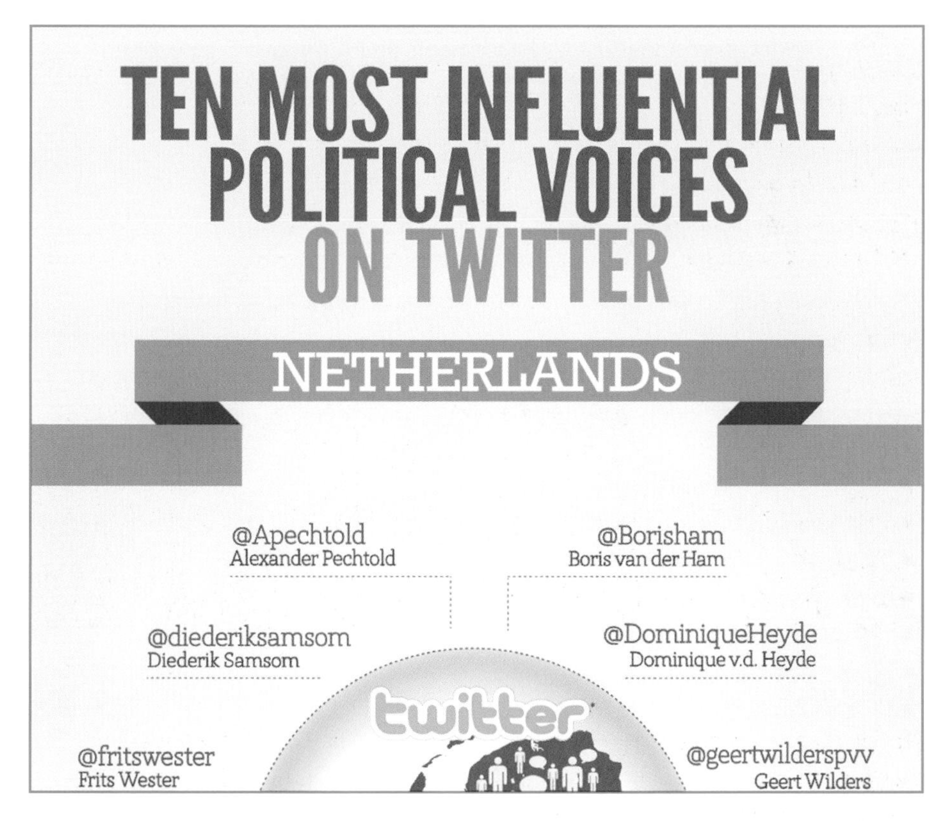

Afbeelding 12.18 Invloedrijk op Twitter.

Burson-Marsteller een Amerikaanse PR-bureau heeft samen met de invloedscore van *Klout* een lijst samengeseld van de invloedrijke tweeps in de Nederlandse politiek. Zie afbeelding 12.18 voor een impressie.

12.4.4 De wiki

Een *wiki* is een goed voorbeeld van een educatieve vorm van social media waarbij het leren voorop staat. Een wiki is een open en interactieve online toepassing waarbij de lezer tevens onderdeel kan zijn van de lerende gemeenschap. Feit is dat de wiki de traditionele encyclopedie overbodig heeft gemaakt. Het voorbeeld van een wiki is natuurlijk www.wikipedia.org. Nadeel van een grote open wiki zoals Wikipedia is het feit dat als het groeit ook de kosten van hosting toenemen. Wiki is dan ook op zoek naar manieren van crowdfunden om de servers te kunnen bekostigen.

WikiKids is een interactieve Nederlandstalige internetencyclopedie voor en door kinderen met meer dan 200.000 leden en meer dan 13.000 artikelen. Iedereen kan meehelpen de inhoud van deze encyclopedie te schrijven. WikiKids richt zich op kinderen in de bovenbouw van het basisonderwijs en de onderbouw van het voortgezet onderwijs. WikiKids heeft de IPON-award gewonnen voor innovatief educatief ICT-project. WikiKids wordt mede mogelijk gemaakt door *Kennisnet*.

12.4.5 Social news en social networking

De scheidslijn tussen een blog en sociaal nieuws is niet altijd te maken. De sociale aanpak en open manier van communiceren geeft veel overlap in beide vormen van social media. *Social news* wordt door de *crowd* voortgebracht en aangeboden. Voorbeelden van sites die social news brengen zijn:

- Nujij.nl;
- HandboekOnlineMarketing.nl;
- Marketingfacts.nl;
- Vastgoedjournaal.nl;
- SocialMedia.nl;
- Molblog.nl;
- Dutchcowboys.nl;
- Frankwatching.nl.

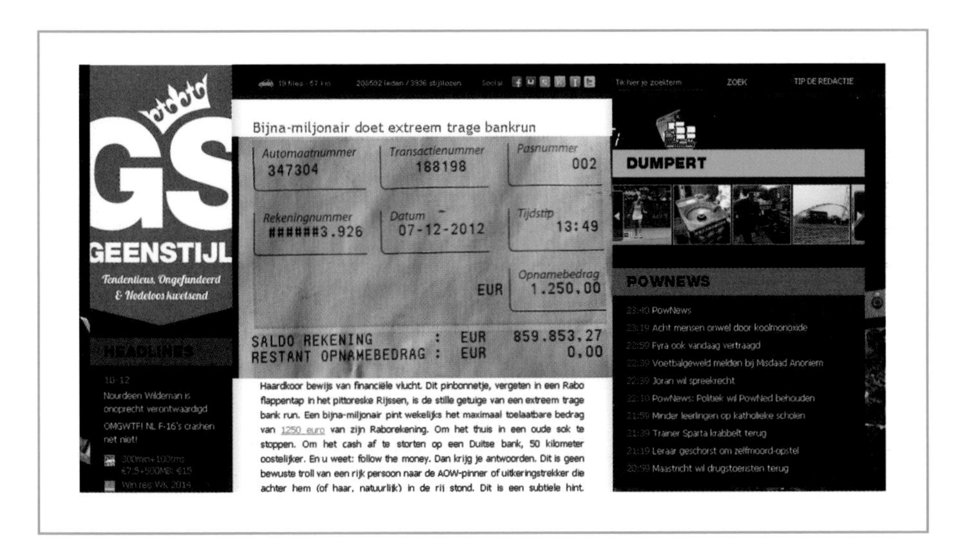

Afbeelding 12.19 Geenstijl.nl is de grootste blog van Nederland.

Het sociale nieuws is grover en minder strak geredigeerd dan het reguliere nieuws. Zo kunnen we onderscheid maken in twee soorten van social news: algemeen nieuws zoals op Nujij.nl en nieuws gericht op een niche zoals Marketingfacts.nl.

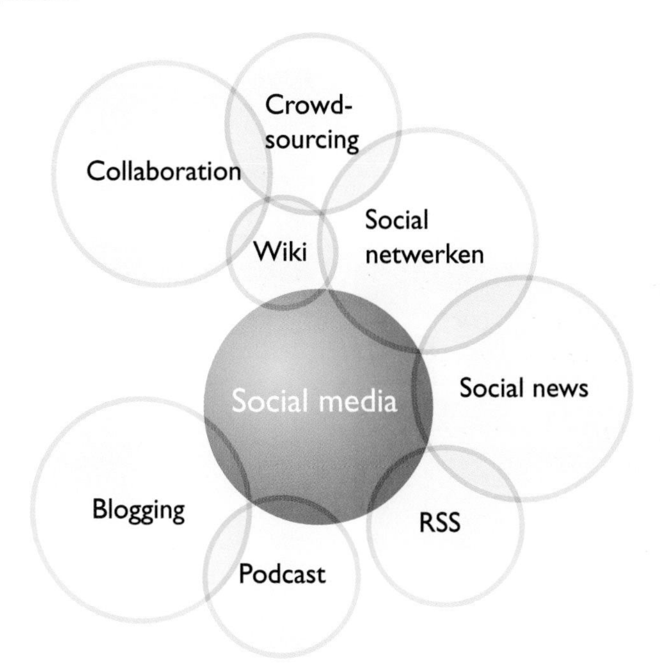

Afbeelding 12.20 Verhoudingsoverzicht van sociale netwerken en social news.

12.4.6 Webcast, streams en RSS

Podcast is een samentrekking van iPod en 'broadcasting'. Het zogenoemde 'casten' via het web is het uitzenden via het web van video en/of audio. Met Podcasts kunnen gebruikers (geluids)bestanden van het web downloaden om op de eigen MP3-speler af te spelen. Podshows van bijvoorbeeld Adam Curry kunnen als groot muziekbestand in MP3-vorm worden gedownload en gemakkelijk via de speler worden beluisterd. Bekende vorm van podcasts zijn:

- *radioshows* en (live) interviews zoals op FastMovingTargets.nl;
- *livestreams* op evenementen zoals die van TEDxDelft op weblogs;
- *interviews* gemaakt op evenementen en via bijvoorbeeld een videokanaal op ustream.tv uitgezonden;
- *presentaties* en toespraken.

Adam Curry en Dave Winer zijn beiden initiatiefnemers van het fenomeen *podcast*. Adam Curry is een bekend podcaster en biedt zijn oude (radio)shows in deze vorm aan via de site: curry.mevio.com.

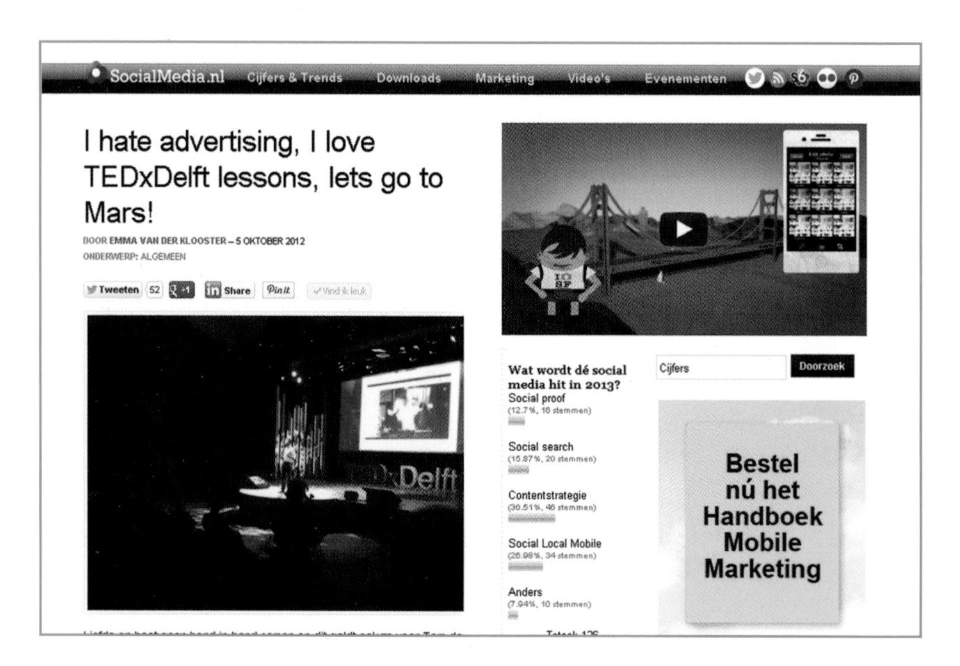

Afbeelding 12.21 Webcast van TEDxDelft op www.socialmedia.nl.

Waar podcast een vorm van content aanbieden is, is RSS een harder middel waarmee resultaat kan worden geboekt in de online mix. RSS valt - zie hoofdstuk

8 - binnen een contentstrategie. RSS staat voor *Really Simple Syndication* en wordt omgeschreven als een *Scripting News format*. RSS is ontwikkeld in 1997 door Dave Winer en vooral door Netscape bekendgemaakt. RSS is weer populair geworden binnen het middel social media. Met het middel RSS kunnen artikelen op weblogs en overige nieuwsberichten eenvoudig worden doorgeplaatst op andere sites of via bijvoorbeeld mobiele media gemakkelijk worden gelezen. Ook kan RSS gebruikt worden om automatisch nieuws of foto's naar Twitter-accounts of Facebook te *pushen*.

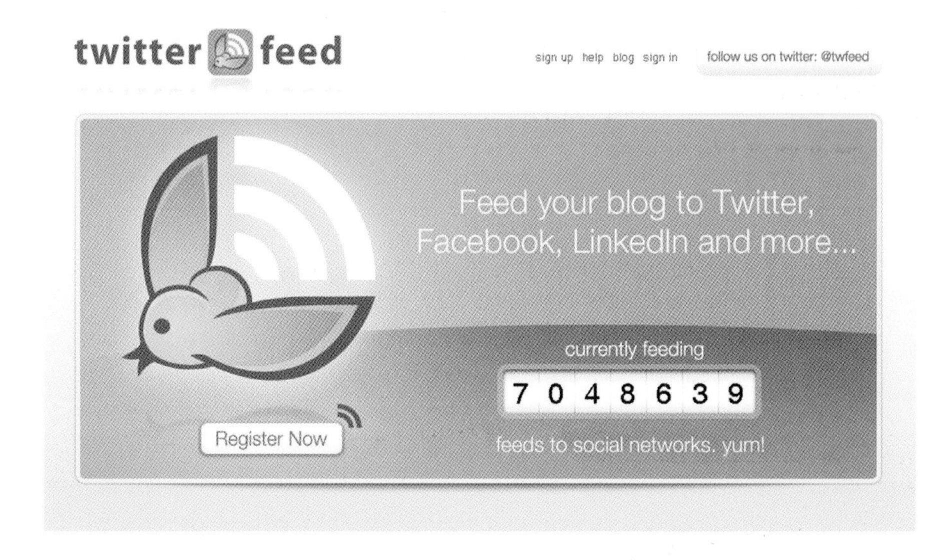

Afbeelding 12.22 Met Twitterfeed RSS naar Twitter pushen.

Door middel van RSS kan content zich gemakkelijk verspreiden. Bijna alle nieuwssites en blogs gebruiken RSS om het aanbod van artikelen over te laten nemen. Bij het aanklikken van een zogenoemde RSS-feed wordt de lezer doorgelinkt naar het originele artikel. Zo zorgt RSS voor veel extra verkeer op de sites. De voordelen van het gebruik van RSS binnen de online mix zijn:

- het is een gratis en open systeem dat gebruikmaakt van de gratis taal XML (zie www.w3c.org);
- het is een eenvoudige toevoeging aan het gebruikersgemak van de website;
- het kan gemakkelijk content pushen naar social media kanalen;
- het heeft een positief effect op SEO (zie hoofdstuk 10);
- de lezer kan de artikelen in zijn eigen relevante omgeving bekijken en doorlinken naar de bron zoals op de mobiel.

Het RSS-aanbod zorgt voor een vaste kern van verkeer naar de sites, de RSS-feed zorgt voor een toename van inlinks naar de hoofdsite en met RSS kan de doelgroep snel worden verbreed en kan de content eenvoudig naar mobiele media wordt doorgeplaatst.

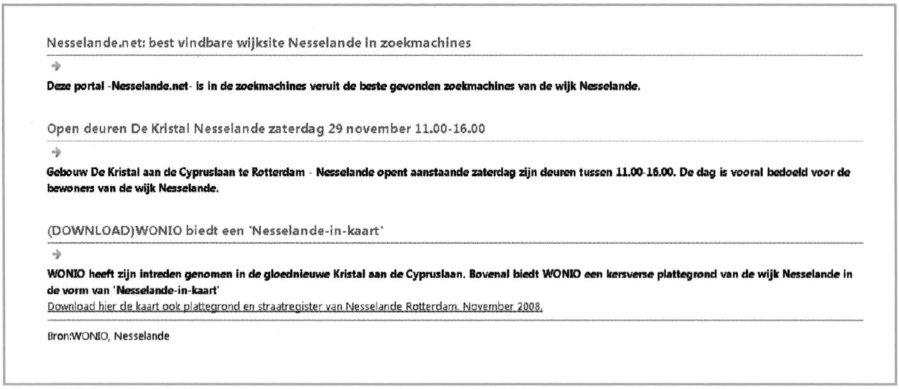

Nesselande.net: best vindbare wijksite Nesselande in zoekmachines

Deze portal -Nesselande.net- is in de zoekmachines veruit de beste gevonden zoekmachines van de wijk Nesselande.

Open deuren De Kristal Nesselande zaterdag 29 november 11.00-16.00

Gebouw De Kristal aan de Cypruslaan te Rotterdam - Nesselande opent aanstaande zaterdag zijn deuren tussen 11.00-16.00. De dag is vooral bedoeld voor de bewoners van de wijk Nesselande.

(DOWNLOAD)WONIO biedt een 'Nesselande-in-kaart'

WONIO heeft zijn intreden genomen in de gloednieuwe Kristal aan de Cypruslaan. Bovenal biedt WONIO een kersverse plattegrond van de wijk Nesselande in de vorm van 'Nesselande-in-kaart'

Download hier de kaart ook plattegrond en straatregister van Nesselande Rotterdam. November 2008.

Bron:WONIO, Nesselande

Afbeelding 12.23 RSS op een wijksite.

12.4.7 Crowdsourcing en collaboratie

Crowdsourcing is al enkele malen genoemd. Snelle sociale netwerken zoals Facebook, Twitter en ook LinkedIn geven instant manieren van crowdsourcing. Je stelt snel een vraag aan je netwerk en bij een juist *engagement* van jouw volgers, betrokkenen en lezers zul je snel een antwoord krijgen. De betrokkenheid van de crowd is een voorwaarde om crowdsourcing überhaupt te laten slagen. Begin dus niet direct met vragen stellen en eisen te stellen als je net aanwezig bent in het sociale netwerk. Begin met luisteren, leer de taal van het netwerk en jouw crowd kennen en begin geleidelijk een dialoog. Om de betrokkenheid te vergroten kan een evenement (zoals een Twitterborrel) werken om dat engagement te bewerkstelligen. Stel niet alleen vragen maar deel ook informatie en onderzoeken. Wees oprecht sociaal. *Collaboratie* is een vergaande vorm van crowdsource waarbij er een sterkere band met de crowd aan wordt gegaan om aan campagnes, producten en ideeën te werken. Het is een vorm van *cocreatie* en vereist een zeer betrokken groep wil het slagen.

Afbeelding 12.24 Crowdsourcing via Twitter.

12.4.8 Belevingscontent en visual social

Content engaged als het beleving geeft, uit of opwekt. Anders dan alleen tekst werkt dit bij video en beeld het best. Beeld geeft dus meer betrokkenheid dan alleen tekst pushen in de social media. Instagram en Pinterest zijn voorbeelden van visuele prikborden. Pinterest kent in 2013 een explosieve stijging in gebruik en vooral engagement. Het zijn vooral vrouwen die veel afbeeldingen delen van bijvoorbeeld interieur, vakantiebestemmingen en recepten. Je kunt op het platform afbeeldingen en video's pinnen. Anderen kunnen dit *liken* en eventueel weer in hun sociale netwerken delen. Zo onstaat exposure en wordt jouw boodschap viraal gedeeld eventueel voorzien van commentaar. Vooral de groei van het mobiele internetten heeft Pinterest maar vooral Instagram groot gemaakt. Instagram -begin 2012 gekocht door Facebook- richt zich vooral op mobiel gebruik ondanks de visuele profielen die je ook op de desktop kunt zien. Instagram is eenvoudig in gebruik en aanpak. Het succes zit in het feit dat je je foto's kunt filteren. Eind 2012 heeft Twitter net als Instagram een filter op de foto's die via de mobiel worden geupload toegepast. Begin 2013 heeft Twitter Vine geïntroduceerd. Hiermee kun je - in de social media - video's opnemen en delen van zo'n zes seconden.

Bekijk op www.handboekonlinemarketing.nl video-interview 3-1206 met volledige uitleg van Pinterest. Hierin wordt onder andere het pinnen en het aanmakken van boards toegelicht, net als het succes van het netwerk.

Flickr en Picassa van Google lijken de strijd te gaan verliezen van de eenvoudig te bedienen Instragram- en Pinterest-toepassingen.

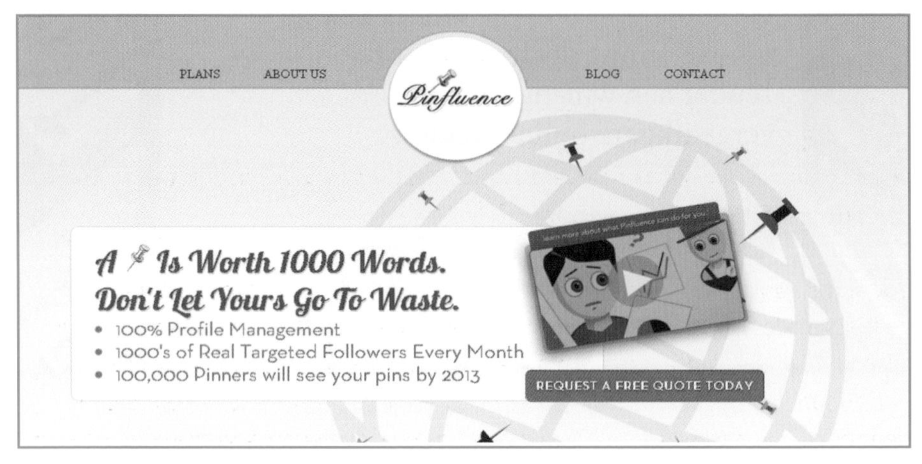

Afbeelding 12.25 Pinfluence.com berekent jouw invloed op Pinterest.

Kijken we naar het gebruik van video dan is YouTube een belangrijke speler maar ook bijvoorbeeld Vimeo of Ustream.TV. Met Ustream kan eenvoudig een eigen videokanaal (webcast) worden opgezet.

12.5 De succesfactoren en het rendement van social media

Veel marketeers hebben zo hun twijfels bij het inzetten van social media. Het eist een flinke openheid van de organisatie, een veranderende bedrijfscultuur en de opendheid van de (online) communicatie in het algemeen. Niet elke organisatie zal direct geschikt zijn voor social media en niet alle diensten boeien en binden. De to do's van social media op een rij:

- organisaties dienen *open* en toegankelijk te zijn om geaccepteerd te worden in de social media;
- consumenten delen graag *meningen en reviews,* speel daarop in;
- social media staan voor *openheid en betrokkenheid,* dit geldt voor de gebruikers maar ook voor de aanbieders en beheerders van social media;
- de *authority van weblogs* en daarmee de machtsposities van blogs zijn enorm, maak daarvan gebruik;
- laat social media zich gedragen als een open en *transparant persoon,* wees persoonlijk in de communicatie;
- communicatie in het algemeen wordt *authentieker* en menselijker;
- social media helpen bij *brand exposure* en het betrokken raken bij merken door prospects;
- ze zijn gebaseerd op (vergaande) *samenwerking,* onderken dat niet alles in je eentje lukt en je niet alleen zelf de kennis hebt;

- organisaties die bewust en *proactief* bezig zijn met social media laten zien dat ze trendsettend en vooral innoverend zijn;
- social media werken met social search positief voor de natuurlijke *zoekmachineoptimalisatie;*
- ze zijn geschikt voor *after-service en retentie;*
- bouw en onderhoud *relaties;*
- ze zijn een relatief goedkoop;
- naast *brand engagement* leveren ze bruikbare profielen en reacties op van een betrokken fanbase of klantengroep.

Social media zijn een gevoelig instrument. Het middel leent zich niet voor een geregisseerde aanpak vanuit een online mix maar moet zich organisch tot een succes vormen waarbij het normaal is diverse experimenten uit te voeren met het middel. Pleeg geen censuur indien de gebruikers negatieve kritiek uiten in de media. Buig deze juist om, zoek de gebruikers op en collaborate. We moeten social media geen grotere rol toebedelen dan nodig. Het is een vitaal middel in de online mix maar werkt alleen goed als de andere middelen goed zijn ingericht.

12.6 Het monitoren van social media en meer gereedschap

Social media is reactief, actief en interactief. Het luisteren en monitoren dient dan ook aan het begin van een campagne, tijdens en na een campagne te gebeuren. Concreet is het luisten een continu proces. Een discussie of 'buzz' ontstaat snel in de social media en kan zich bij te traag reageren tot een ware hetze ontpoppen zie www.uitgekotst.nl. Op deze site verschijnen Tweets die een klacht over een persoon of organisatie tweeten met de hashtag #fail.

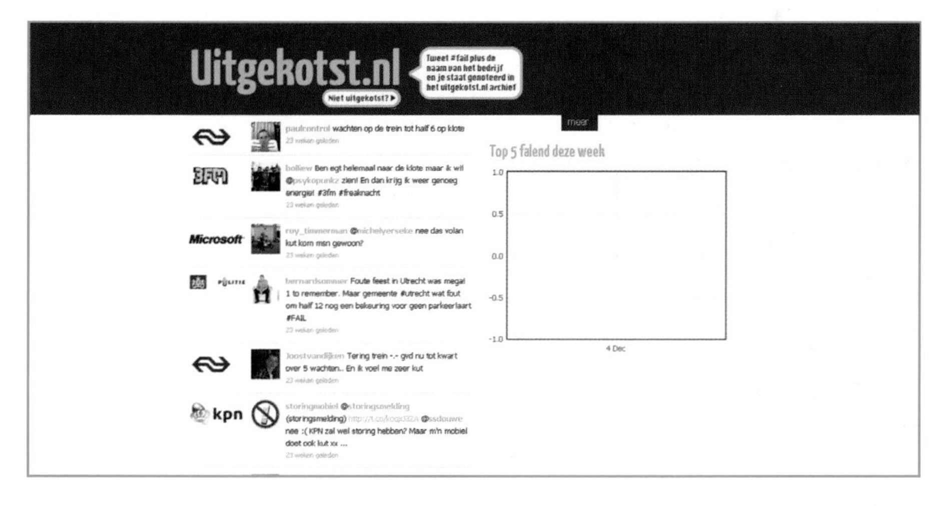

Afbeelding 12.26 Uitgekotst.nl #fail.

Het effect van de #fail en negativiteit in social media begon in 2009 en 2010 goed merkbaar te worden in termen van branding maar ook het verlies van klanten. Niet alle #fail dient serieus genomen te worden, zoals is te zien op www.uitgekotst.nl.

12.6.1 Gereedschap voor het monitoren van social media

Er zijn een aantal gratis online toepassingen om berichten in de social media te monitoren. Het monitoren is -gezien het grote succes van het middel- een must voor elke organisatie maar ook persoon. Enerzijds kun je met dit gereedschap het effect van (social media) campagnes meten. Anderzijds kun je reacties en de online reputatie peilen. Er is een groot aanbod van gereedschap dat helpt bij het monitoren van social media. Een van de meest populaire en meest eenvoudige tools is Google Alerts. Surf naar www.google.nl/alerts. Vul daar de termen in waar je op wilt monitoren. Het *Handboek Online Marketing* wordt strak gemonitord in de social media; wij vullen in het bovenste vak bij Google Alerts dan ook 'handboek online marketing' in. Finetune vervolgens met de opties zoals het aantal updates of vermeldingen en geef eventueel jouw e-mailadres in om zo periodiek een gratis monitoring in je mailbox te ontvangen. Google kent ook blogsearch.google.com.

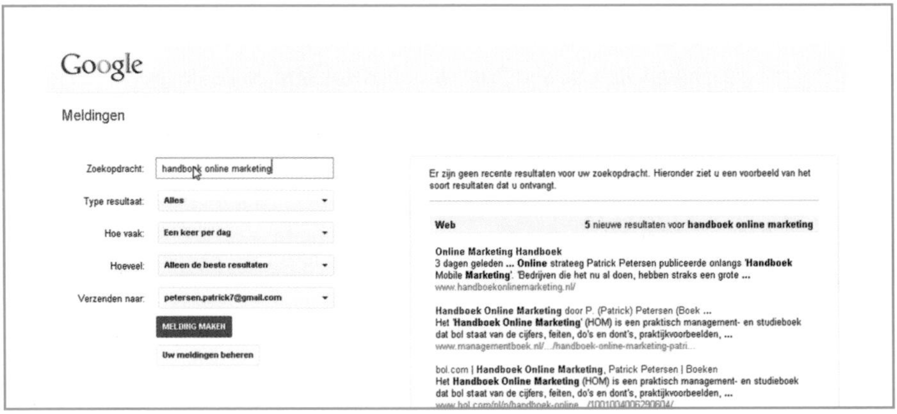

Afbeelding 12.27 Google Alerts.

Een handige tool is Xefer.com/twitter. Hier kun je het gedrag van jouw volgers en de relatie tot jouw content op bepaalde tijdstippen goed analyseren. Je ziet zo eenvoudig op welke dagen en tijdstippen je het best bepaalde content kunt delen. Retweets en replies via Twitter worden inzichtelijk gemaakt. Ook kun je zien wie de ambassadeurs zijn.

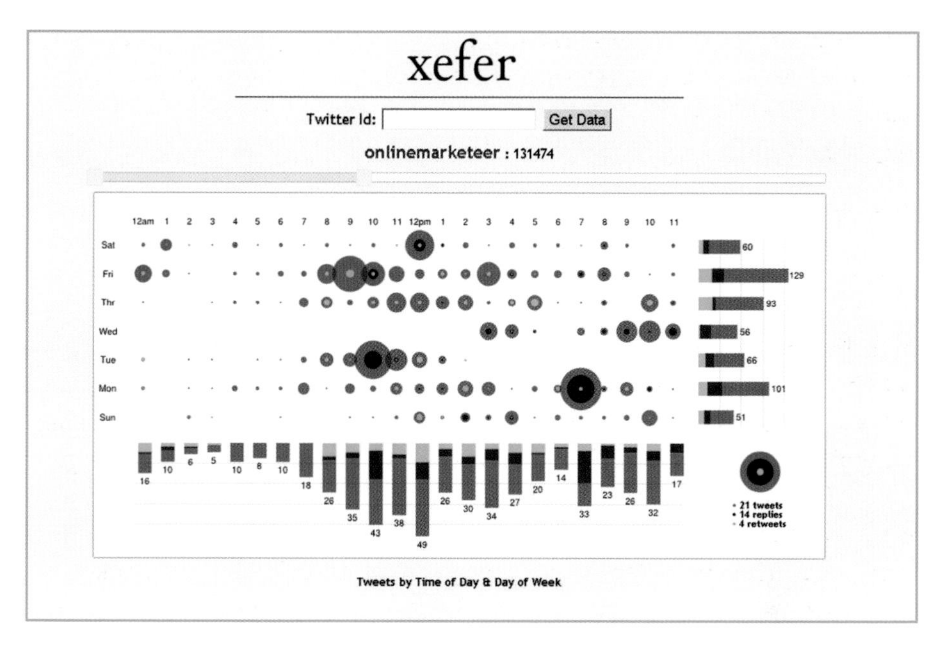

Afbeelding 12.28 Xefer.com.

De gratis tool *Xefer* analyseert in enkele minuten de betrokkenheid bij jouw content op Twitter en geeft een lijst af van jouw volgers die geretweet hebben of in dialoog zijn getreden.

Afbeelding 12.29 Topsy.com is handig en overzichtelijk.

Topsy.com is een uitgebreide en snelle sociale monitor die blogposts, video, foto's en Tweets feilloos uit de social media vist. Ook Topsy kent de mogelijkheid om zoekresultaten te laten malen of direct naar Twitter te posten. Een uitgebreide zoekmogelijkheid geeft de gebruiker de mogelijkheid om alleen in Tweets of foto's te zoeken. Ook kan er over een bepaalde periode worden gezocht. Het nadeel van de internationale tools is dat er natuurlijk geen 100% focus is op de Nederlandse social media.

12.7 Het P.O.S.T.-model voor een social media campagne

De voordelen van *social media marketing* (SMM) zijn voor marketeers aanleiding om het middel intensief in te zetten. Kijken we er met een marketingoog naar, dan is de opbrengst van social media niet altijd hard te meten. De aandacht in de social media is niet altijd harde conversie. We lijken dit te kunnen vergelijken met de aloude views bij display advertising. Het middel social media laat zich goed gebruiken voor het viraal verspreid plaatsen van jouw boeiende boodschap. Je plaatst ('seed') jouw bericht op Twitter, Facebook, op een blog, op een videokanaal of in een forum en hoopt dat de participanten het bericht oppakken, verspreiden of met jou een positieve discussie aangaan. Dit wordt curatie genoemd als jouw content wordt opgepakt en verwerkt. Indien dit gebeurt spreken wij van *engagement*. De crowd voelt zich betrokken bij jou, bij jouw organisatie, merk of jouw visie. Na de dialoog ontstaat er een ervaring ('experience'). Er is contact gelegd en er komt emotie bij. Experience kan worden bevorderd door middelen zoals foto's, video's, presentaties en meer multimedia in de social media te seeden.

Men heeft meer aan een presentatie of handige video dan jouw Tweets in 140 tekens. Op het moment dat jij regelmatig goede content deelt in jouw sociale kanalen ontstaat er een dialoog maar vooral een viraal effect. Meer geïnteresseerden gaan jou volgen, willen een online relatie met jou aangaan en met jou in discussie gaan. Na de connectie ('relationship') ontstaat er affiniteit. Affectie en betrokkenheid zijn de springplank naar een langdurige relatie. Kun je blijven boeien met content, conversaties, visies, ideeën en met sociale initiatieven dan ontstaat er rondom jou -en jouw organisatie- een crowd, een fanbase of beter gezegd: een community. Heb je dat eenmaal bereikt, dan kun je denken aan het gericht gebruiken van jouw virtuele gemeenschap. Wellicht willen ze meedenken met de lancering van jouw campagne, wellicht willen zie de actie wel voor jou viraal verspreiden of willen ze hun ervaringen met jouw diensten delen en positief doorvertellen.

Op basis van deze kenmerken bekijken wij het *P.O.S.T.-model* van *Forrester Research*. P.O.S.T. staat voor:

- **People**: wie wil je bereiken, welke belangrijke spelers zijn beïnvloeders binnen de campagne? Breng in kaart wie je wilt bereiken.
- **Objectives**: de doelen die je stelt voor jouw social media marketing.
- **Strategy**: welk langdurig pad ga je betreden om tot de doelen te komen?
- **Technology**: welke middelen zetten we in voor de campagne? Middelen zoals weblogs.

12.7.1 De P van People

People is de crowd of doelgroep die je wilt betrekken bij jouw social media beleid. Studenten bereik je bijvoorbeeld met sociale netwerken. Een zakelijke doelgroep is ontvankelijk voor beoordelingen en vergelijkingssites. Ook breng je met *People* in kaart wie veel invloed heeft in de (doel)groepen die jij wilt bereiken. Analysegereedschap zoals Tweetlevel.com brengt in kaart welke tweep veel invloed in de social media. Een tweep is een ander woord voor twitteraar. In deze fase is het monitoren van iedereen die over jou of jouw diensten of organisatie zeer belangrijk.

12.7.2 De O van Objectives

De *Objectives* of *doelen* kunnen wij voor social media marketing opdelen in vier fasen. Begin altijd met *Luisteren*. Monitor belangrijke sociale kanalen, analyseer en kijk wie welke dialogen voert. Als je het dialooggedrag van jouw crowd hebt bekeken, praat dan mee en stuur lichtelijk bij. Stuur bij in positieve zin ('energize'). Begin met het verlenen van *support* en *webcare* om zo de eerste bijdrage te leveren aan de social media. Als deze stappen positief zijn doorlopen -en dat kan weleens maanden duren- zal er een betrokkenheid ontstaan en vooral: acceptatie. De betrokkenen kennen een 'ambassadeursfunctie' vervullen binnen de social media. Apple is een voorbeeld van een merk dat in de Social media wereldwijd veel ambassadeurs kent. Rol in de fase van 'engagement' vervolgens jouw gekwantificeerde doelen uit zoals:

- het afhandelen van 200 vragen via Twitter en Facebook;
- het aanleggen van 1000 nieuwe volgers op Twitter per maand;
- het laten doorsturen van een virale video in de social media door 1500 Tweeps waarvan 10 influentials;
- het opwekken van 5000 Tweets die de hashtag #campagne gebruiken met totale exposure van 50.000;
- het plaatsen van een campagnevideo op 50 blogs met een totaal bereik van 500.000 bezoekers per dag;
- een discussie opstarten op een bepaalde weblog met als doel 100 reacties op te wekken in een maand;
- het laten plaatsen van 100 inlinks in de social media naar de webshop (landingspagina).

12.7.3 De S van Strategy

De strategie van social media marketing -het beleidsmatig inzetten van social media- zal een organisch karakter moeten hebben. Social media kennen te veel variabelen om daar marketingwise veel invloed uit te oefenen op de crowd en doelstellingen. De uitvoering van de strategie zal bestaan uit participatie, dialoog, discussies en seeding. Geef in je strategie aan hoe je de strategie gaat uitvoeren. Geef ook aan met wie je dit gaat doen en binnen welke termijn. De grote fout die wordt gemaakt is dat organisaties beginnen bij het middel, de techniek. Men maakt een Google Plus-pagina aan, of Facebook-pagina of Twitter-account aan maar kent daar geen doel aan toe. Ook wordt de doelgroep en worden de doelen per middel niet benoemd. Het blindelings inzetten van middelen in de social media kan grote gevolgen hebben voor de organisatie.

12.7.4 De T van Technology

De *Technology* staat voor de middelen die worden ingezet. In dit hoofdstuk 12 zijn de verschillende middelen in de social media reeds benoemd. Hieronder kort de middelen die binnen een strategie regelmatig worden ingezet vanwege hun grote impact:

- *Twitter-account(s)* aanmaken voor het aanleggen van relaties en directe dialoog zoals met Twittercare;
- een *Google Plus-pagina* aanmaken omdat het goed effect heeft op SEO en een online doelgroep bereikt die lastig is te bereiken;
- een *blog* dat informeel en interactief met de crowd discussieert in plaats van corporate informatie en nieuws te zenden vanaf de hoofdsite;
- een afgeschermd *forum* aanmaken op LinkedIn waarin leden van bepaalde voordelen kunnen profiteren;
- een *mobiele toepassing* die op de locatiegebaseerde informatie geeft via een sociaal netwerk.

12.8 Het B-model Boeien & Binden

Dit model gaat uit van contentstrategie in combinatie met sociale media. Content is hierbij king om de doelen te bereiken. Naast het binden en boeien staat betrokkenheid en het bestellen voorop. De B's bestaan uit:

- *bewust*: door monitoren bewust zijn van wat er gezegd wordt in de social media over de organisatie;
- *boeien*: content maken die boeit en geschikt is voor engagement zoals retweets maar ook storytelling;
- *binden*: door storytelling en boeiende content een relatie aanleggen en beheren;
- *bereiken*: door langdurig te *boeien* en *binden* een bereik opbouwen van earned media. Ga voor kwalitatief bereik en maak keuzes;
- *betrokken*: in deze fase raakt de crowd betrokken en wil eventueel meedenken en in dialoog treden;

- *bestellen*: na het boeien, het binden en betrekken mag de call-to-action een rol spelen (niet te commercieel, wel wervend);
- *beoordelen* en *best buy*: door te boeien en betrekken ontstaat de intentie tot (positief) oordelen en dus social proof. Dit zal de toekomstige omzet positief beïnvloeden.

12.8.1 Trends en innovatie met social media

De lage drempel die social media bieden geeft voor veel creatieve geesten openingen tot nieuwe business. Social media zullen op de lange termijn organisaties mee moeten helpen te innoveren. Trends en innovatie die wij aan social media kunnen ophangen zijn:

- *Footprint of social cloud:* het aanleggen van doorlinks van bijvoorbeeld de Twitter-meldingen naar Facebook of Google Plus of verzamelde berichten van Facebook of Twitter op een blog plaatsen. Dit doorplaatsen wordt footprint of social cloud genoemd.
- De focus op *social media invloed* door content te pushen en discussies aan te gaan en een sterk netwerk op te bouwen.
- Een gerichte *communitymanagementafdeling* of engagementmanager die continu bezig is met content engaging te maken.
- *Tv combineren met Twitter:* zoals The Voice of Holland doet of #bzb. Net als tweettekst van de omroep BNN, een experiment dat tv en twitter koppelt.

Bekijk op www.handboekmobilemarketing.nl de video 3-1207 van met de hoofd multimedia van BNN over Tweettekst.

- *Webcare* als 24/7 aanvulling op de gangbare klantenservice. T-Mobile, Aegon maar ook Thuisbezorgd.nl zetten Twitter in om nog directer en opener met hun relaties te communiceren. Het opdoen van ideeën (crowdsourcing) is hierbij een nevenactiviteit. Bedien je je Tweeps respectvol, social en goed, dan denken zij graag met je mee.

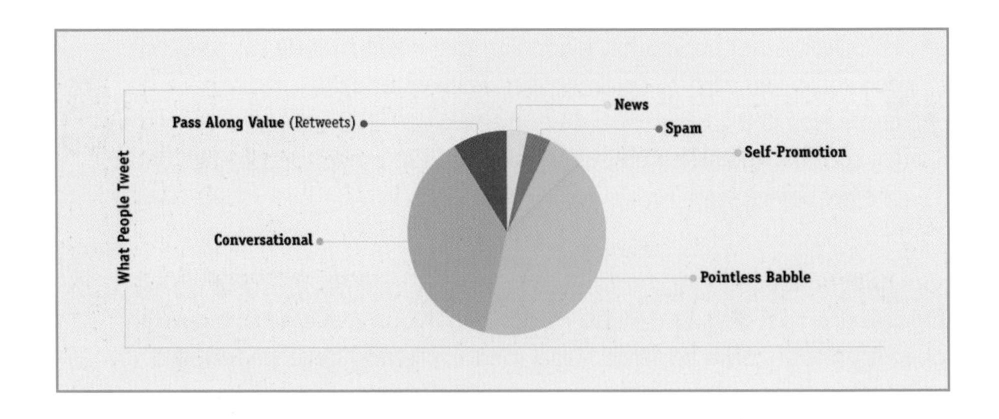

Afbeelding 12.30 Mashable.com maakt inzichtelijk wat we op Twitter doen.

12.9 4R en social media marketing

Als we het 4R-model -uit hoofdstuk 5- toepassen op social media, krijgen wij de volgende beoordeling:

- **Retentie**: het onderhouden en juist in zetten van social media zorgt voor terugkerend bezoek door gebruikers en een hoge betrokkenheid die tot retentie leidt.
- **Relevant**: de dialogen op social media en reacties vanuit de aanbieder dienen relevant te zijn met gevoel voor de ontvankelijkheid van de doelgroep.
- **Reactie & Rendement**: reageer op kritiek en opmerkingen en wees niet te veel gericht op de (commerciële) doelen.
- **Rich**: de aangeboden content en informatie in social media dient van waarde en vooral relevant te zijn. De openheid naar gebruikers en het samen met de gebruikers crowdsourcen moet zorgen voor oplossingen, artikelen en ideeën van waarde en actueel gehalte. Gezamenlijk wordt de content rijk en van waarde.

12.10 EXPERT-CASE Interview Herman Couwenbergh

Afbeelding 12.31 Herman Couwenbergh.

Herman Couwenbergh (1964) is onafhankelijk online consultant, spreker en geeft workshops onder andere op gebied van social media. Op Twitter is hij bekend @Hermaniak. Hij is tevens de drijvende kracht achter de praktische blog www.twittermania.nl.

In social media advies wordt als eerste stap neergezet: luisteren en monitoren. Vaak weet men niet precies wat te monitoren; wat is daarop jouw visie?

"Ik adviseer altijd te beginnen met monitoren van de eigen merknaam/ bedrijfsnaam. Dat geeft direct inzicht in wat er over het eigen merk gezegd wordt en biedt uitstekende kansen om 'het gesprek' aan te gaan. Daarna kan monitoring uitgebreid worden op productniveau en eventueel verder."

Wat zijn tools waar een beginnend social media manager sowieso mee aan de slag moet?

"Om te beginnen zou ik me eerst gaan oriënteren, kijken welke tools je zou willen en kunnen gebruiken. Ik raad altijd SocialBro, Commun.it en Bufferapp.com aan om mee te beginnen, voor respectievelijk analyses en lijsten, leadgeneratie en contentdistributie. Daarna kan men allerlei andere handige tools erbij nemen en zo groeien naar betaalde enterprise accounts. SocialBro en Bufferapp werken overigens heel leuk samen als het gaat om het vinden van de beste tijd om te tweeten en die daarna in te plannen. Voor monitoring heb je natuurlijk de gratis versies van Coosto, ClipIt en Finchline. Maar tools als Social Mention en niet te vergeten de uitgebreide mogelijkheden van Topsy.com horen ook in de gereedschapskist."

Zie jij in het massale aanbod van social media tools ook de kwaliteit beter worden?

"Tools zijn wat ze zijn, hulpmiddelen. Kennis van de materie is belangrijker dan tools. Wat wil je, waarom wil je dat, en wie wil je bereiken! Dat zijn de eerste vragen, de strategie dus. Tools kunnen je alleen helpen die strategie te monitoren en bij te sturen indien nodig. Maar tools zijn nooit een vervanging voor het initiële denkwerk. Sterker nog, te veel focus op tools in het begin kan zelfs remmend werken omdat de focus verkeerd ligt. Ergo: 'waarom krijg ik zo weinig nieuwe volgers' meten, terwijl de acties de verkeerde doelgroep aanspreken."

Wat moet een tool op het gebied van social media in ieder geval kunnen en doen wil het voor een manager bruikbaar zijn?

"Dat is moeilijk te zeggen en hangt af van welke tool je waarvoor gebruikt. Qua monitoring denk ik dat het meerdere platformen (social) moet kunnen monitoren, liefst ook blogs en internet zelf. Daarnaast moet het sentiment kunnen detecteren: positief, negatief en neutraal. Dat zie je nog maar weinig (goed) gebeuren in het Nederlandse taalgebied. Dat lijken mij de belangrijkste variabelen om mee te starten."

Zie jij het analyseren van social media gedrag en de daarbij behorende Big Data die ontstaan als een los vakgebied? Welke eigenschappen zou je hiervoor moeten bezitten?

"*Big Data* is een hypewoord geworden. Het is niet alleen de berg data, maar de mogelijkheid om zaken te combineren, aggregeren en visualiseren die belangrijk zijn. Ik denk niet dat al die functies in één persoon of vakgebied gevangen kunnen worden. Maar de verschillende afdelingen moeten wel als één fungeren om de waarde eruit te halen. Verkeerde data verzamelen, daar verkeerde waarde aan hechten en zo verkeerde conclusies trekken wordt voorkomen door verschillende disciplines en specialisaties intensief samen te laten werken. Of daar in de toekomst een apart vakgebied uit gaat ontstaan weet ik niet, maar ik denk het niet. Iets met hersenhelften die voor elk doel beter geschikt zijn."

De HOM3 opdrachten van hoofdstuk 12

Dit hoofdstuk kent de volgende opdrachten:

1. Noem vijf voorbeelden van social media.
2. Noem drie kenmerken van een organisatie die zich als social business wil positioneren.
3. Waar begint een social media marketingstrategie altijd mee?
4. Geef vijf redenen om met social media te beginnen binnen een online marketingstrategie.
5. Wat wordt bedoeld met storytelling?
6. Leg uit wat crowdsourcing en cocreatie is en hoe je dit zelf zou kunnen toepassen.
7. Waarom zou je Twitter/microbloggen inzetten binnen jouw online marketingstrategie?
8. *Wat betekent P.O.S.T. en van wie is het model?*
9. *Noems zes B's uit het B-model.*
10. *Waarom wordt contentstrategie steeds belangijker?*

13 Online advertising en affiliates

Online advertising of webvertising is sinds het ontstaan van professionele online marketing het hart geweest van de online mix. Het is ook het middel waar veel geld vanuit het online budget naartoe gaat. *Affiliate* of *performance based marketing* is een vorm van online marketing waarbij adverteerders hun tussenpartijen (affiliates) belonen voor de gegenereerde verkopen of leads die de affiliate heeft aangeleverd.

Banners, betaalde links, classified ads, advertenties in e-mails, in-app advertenties in smartphonetoepassingen en tablets en advertorials zijn nog steeds van groot belang in de online mix. In 2012 was dit middel in Nederland goed voor zo'n 1,1 miljard euro. Webvertising omvat dan ook alles wat te maken heeft met betaald adverteren op het internet. In principe moeten we SEA (zie hoofdstuk 10) ook onder webvertising kunnen plaatsen. De kosten van de betaalde advertenties in de zoekmachines worden veelal bij de uitgaven aan zoekmachines geteld.

Afbeelding 13.1 Performance based marketing.

13.1 Ontwikkelingen en cijfers

Feit is dat vanaf 2009 de bestedingen aan online media minimaal 10% per jaar stijgen. 2012 kende een stijging van zo'n 14% kijkend naar het jaar er voor en ook voor 2013 en 2014 wordt er een stijging per jaar van ongeveer 5% verwacht. Reden is onder andere dat meer organisaties budgetten naar online marketing verplaatsen. De uitgaven aan traditionele media dalen in Europe al jaren. De verschuiving van traditionele media naar online media gaat gestaag door, waarbij het gebruik van een effectieve online mix en daarbinnen een online mediamix meer aandacht krijgen. De onderdelen van webvertising worden al sinds het commercialiseren van het web ingezet en dienen zichzelf continu opnieuw uit te vinden. Grootafnemers met display advertising zoals banners zijn aanbieders van consumentenproducten, de financiële sector, telecom en de reisbranche. De bestedingen aan mobile advertising zijn met 2-3% nog laag te noemen maar de tablet lijkt een groeimarkt te zijn.

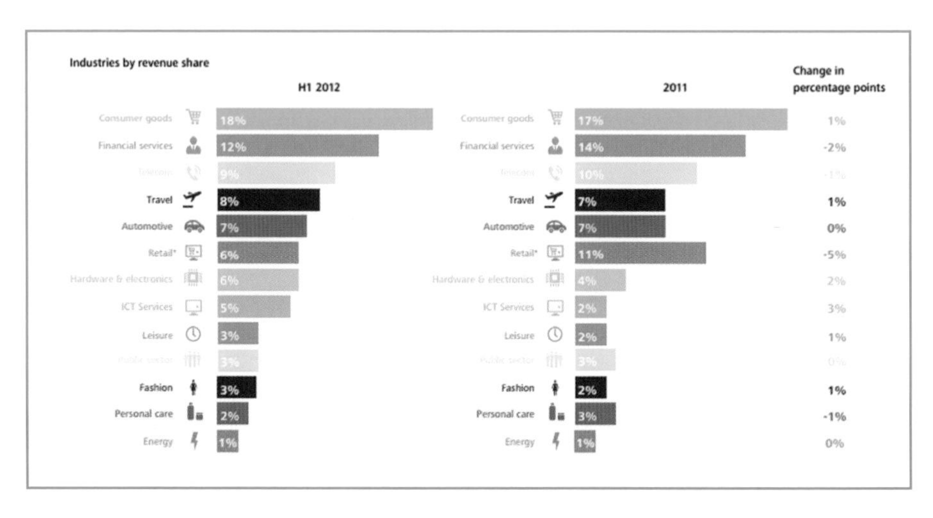

Afbeelding 13.2 Verdeling van de bestedingen in Nederland aan online advertising (IAB Ad spent report 2012).

De aloude *displaybanner* is noodgedwongen een complete *take-over* geworden in creatieve campagnes. Bij een take-over bevat een webpagina of website op (bijna) alle bannerplekken een uiting van één specifieke adverteerder. Een voorbeeld van creatieve, vernieuwende webvertising campagnes is *behavioural targeting*. Hiermee willen webadverteerders de effectiviteit van hun campagnes verbeteren. Tijdens het surfen ziet de internetbezoeker zo veel mogelijk relevante banners, tekslinks en andere uitingen van webvertising. De gebruiker wordt hierbij in principe gevolgd. De advertenties gaan - door middel van een cookiebestand dat op de computer van de surfer wordt geplaatst - mee in het zogenoemde advertentienetwerk. Door het zogenoemde 'volgen' ziet de surfer vaak een zelfde online advertentie.

Bekijk op www.handboekonlinemarketing.nl video 3-1301 met hoogleraar David Crystal over semantic advertising.

Per 5 juni 2012 dient iedere website in Nederland zich te houden aan de nieuwe cookiewetgeving. Dit houdt in dat er op voorhand toestemming moet worden gevraagd voor het plaatsen van cookies voor bijvoorbeeld het volgen van de internetsurfer met een banner.

DDMA handleiding

Cookiewet

'Wet en werkelijkheid'

Afbeelding 13.3 De DDMA heeft op de website een handleiding hoe om te gaan met de Cookiewet.

Webvertising of online (display) advertising wordt door moderne marketing gezien als:

- een *goedkoop medium* om te gebruiken met hoog bereik;
- een online middel dat voor *zichtbaarheid* zorgt;
- een *meetbare* en gerichte manier van adverteren;
- een flexibele manier van inzetten van media en online campagnes aangezien ze per eenvoudig aan te passen zijn in formaat en plaatsing;
- een *interactieve* manier van adverteren waarbij tegen lage kosten veel klantgegevens (profielen) kunnen worden opgevangen om zo onlnie campagnes nog gerichter te maken.

Forrester Research doet regelmatig onderzoek naar de voorspelde bestedingen in de marketingmix. De voorspellingen tonen een flinke stijging in bestedingen aan mobiele marketing en social media. *Forrester Research* heeft voor de VS tot en met 2016 een voorspelling gedaan naar de bestedingen in de online mix van organisaties en dan vooral advertenties. Dit is afgezet tegen de bestedingen aan e-mail, social media en mobile.

Bekijk op www.handboekonlinemarketing.nl de Ad Spent Rapport-video (met nummer 3-1302) van IAB en Deloitte met cijfers van de online bestedingen in Nederland.

Zowel zoekmachinemarketing als online display advertising vormen het grotere deel van de online bestedingen. Google verdient haar omzet voor meer dan 90% met online advertenties zoals Adwords.

US Digital Ad Spending by Format

The trend indicates that search will almost double in spending, while digital display advertising is on pace to nearly triple in 2016 (in dollars).

	2011	2012	2012	2014	2015	2016
Search Marketing	18.76	21.55	24.61	27.52	30.43	33.32
Display Advertising	10.95	12.86	16.09	19.78	23.92	27.60
Mobile	1.65	2.78	4.24	5.70	7.06	8.24
Social Media	1.59	2.12	2.76	3.45	4.22	5.00
Email	1.51	1.69	1.88	2.07	2.26	2.47
TOTAL	**34.46**	**41.00**	**49.57**	**58.51**	**67.89**	**76.62**

SOURCE: *Forrester Research*, "Interactive Marketing Forecasts, 2011 to 2016 (US)" as cited in *Advertising Age*, Aug 24, 2011.

Afbeelding 13.4 Ad spending in de VS tot en met 2016.

Het Amerikaanse eMarketer.com heeft een overzicht gegeven van de verwachtingen van online bestedingen voor de periode tot en met 2013. De onderzoekers van eMarketer verwachten qua trends in online mediabesteding:

- een toename van zoekmachinemarketing (search);
- een afname van de zogenoemde Classifieds Adds (standaardadvertenties met een vast formaat);
- een flinke stijging van online video advertising;
- een toename van affiliate marketing;

- een toename van mobile advertising.

De gemeten West-Europese bestedingen voor online advertenties bedroegen in 2007 meer dan 7 miljard euro volgens GroupM. Volgens IAB Europa was dit in 2011 al meer dan 20 miljard euro en gaat in 2013 richting de 25 miljard euro. Affiliate en mobile zijn opvallende stijgers. Kijken we naar de algehele mediabestedingen in Nederland, dan wordt meer dan 65% nog besteed aan traditionele media zoals tv, radio, tijdschriften en de kranten.

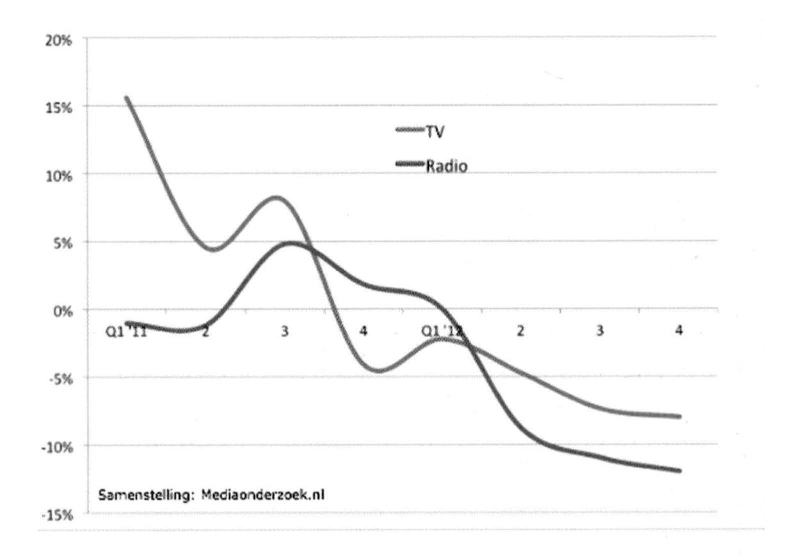

Afbeelding 13.5 Bestedingen aan tv en radio.

De verdeling over de drie onderzochte advertentiesoorten search, display, en classified ads ziet er volgens IAB Europe in globale verdeling als volgt uit:

- zoekmachinemarketing, zoals SEA en SEO consultancy 45%;
- display advertising, zoals bannervertoningen, affiliate en betaalde links 35%;
- overige vormen zoals classifieds, betaalde (tekst)advertenties en mobile 20%.

Nederland kent in Europa al jaren een plek in de top 10 waar het gaat om bestedingen in online advertising.

13.2 Onderdelen van display advertising

De onderdelen van display advertising zoals het HOM deze toelicht zijn:

- banners zoals full banners, take-overs en layer ads;
- betaalde links zoals de betaalde links op www.pagina.nl;
- zoekmachineadvertenties (SEA; zie hoofdstuk 10 van dit boek);
- game-advertising en inmail advertising (zie paragraaf 13.4);
- online video advertising (wordt behandeld in hoofdstuk 15);
- overig, zoals behavioral targeting, partnerships en linkbuilding.

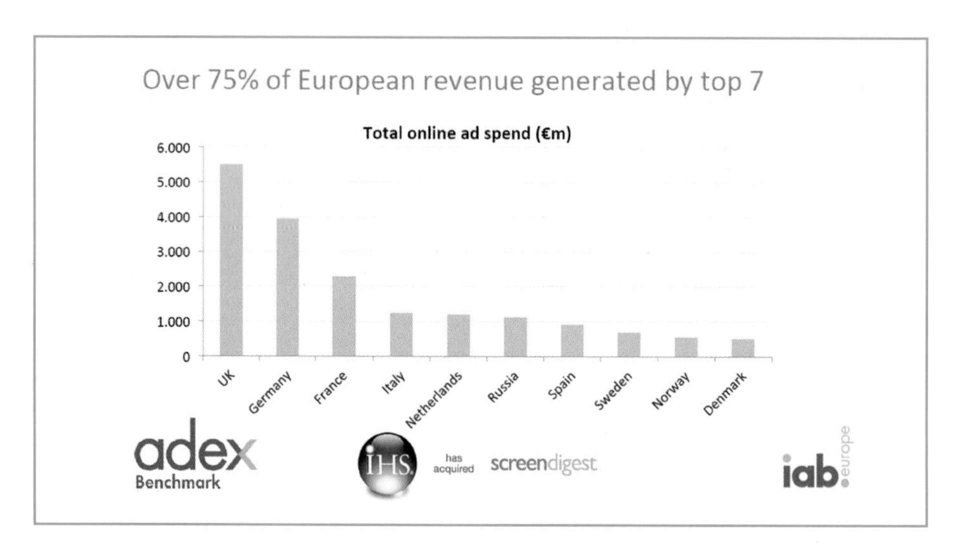

Afbeelding 13.6 Europese besteding display advertising.

Display advertising en vooral affiliate marketing zijn goed meetbare online instrumenten voor bereik en conversie. De verschillende manieren van online adverteren kennen als verrekenmodel de volgende opties in volgorde van zacht naar hard:

- **CPM** is het model dat afrekent per view. CPM staat voor *Cost Per Mille,* de kosten per duizend vertoningen of bekeken uitingen. Dit wordt bij bannervertoningen nog steeds veel gehanteerd. De klant koopt 'eyeballs' of vertoningen van een bepaalde uiting. CPM kan goed worden ingezet bij brandingcampagnes waarbij de doorklik niet altijd noodzakelijk is. Denk aan de introductie van een nieuwe bioscoopfilm. De kenbaarheid is al voldoende. Views kunnen worden ingekocht en geven een (uniek) bereik van de online uiting aan. Het gat richting daadwerkelijke conversie is echter nog groot. CPM wordt ook CPI genoemd: *Cost Per Impression.*

- **CPC** staat voor *Cost Per Click* en is het klikmodel dat afrekent per (unieke) klik op bijvoorbeeld een banner of link. De klant heeft de zekerheid dat er alleen bij daadwerkelijke doorklik wordt afgerekend. CPC kan het beste worden ingezet in (online) markten met veel concurrentie of kortlopende acties. De klant landt op een pagina waar conversie dient plaats te vinden. In marketingrapporten worden doorkliks (de klikratio) ook als conversie geteld.
- **CPL** staat voor *Cost Per Lead.* Bureaus die dit model hanteren worden 'leadbutlers' genoemd. Bij het CPL-model levert het mediabureau kant-en-klare leads aan zoals ingevulde offertes, aanvragen, bestellingen of aanvragen van brochures. De kosten van een lead kunnen hoog zijn en zijn afhankelijk van de aangeboden dienst of product. Deze campagnes zijn te herkennen aan banners waarin je bijvoorbeeld postcode/huisnummer of andere gegevens in kunt achterlaten.
- **CPS** is de *Cost Per Sales.* Het bureau levert de volledige inspanning en zorgt voor keiharde sales en ontvangt daarvoor een commissie. Deze campagnes kunnen bestaan uit sites die als affiliate dienen bij bijvoorbeeld de afsluiting van een telefoonabonnement. Je denkt zaken te doen met de organisatie achter de website maar deze verkoopt simpelweg zijn verkoop door aan een andere organisatie.
- **CPO** is de *Cost Per Order* en kent een gelijke definitie als CPS.

Adverteerder: Oad Reizen (77043)
Commissie: tot 5%
Website: www.oad.nl
Informatie: Bekijk programma informatie
Commissieladder:

Segment	Maandelijkse omzet (EUR)	Staffel Oad.nl sales	Staffel Disney sales
General	€ 0 – € 1.500,-	3%	2,5%
Silver	€ 1.500 – 15.000	4%	3,5%
Gold	€ 15.000 +	5%	4,5%

Afbeelding 13.7 Afrekenmodel affiliates.

Het *performance based model* wint aan populariteit. De klant rekent met gebruik van dit model alleen af bij voldoende bereik, leads en afgesproken conversie. De inspanning en bepaling van de in te zetten webvertising wordt door het mediabureau gedaan. Bij het bepaalde resultaat wordt afgerekend. Zo heeft het bureau de vrijheid om de online mix te bepalen. De klant heeft de zekerheid dat er daadwerkelijk een inspanning wordt geleverd die doelgericht is.

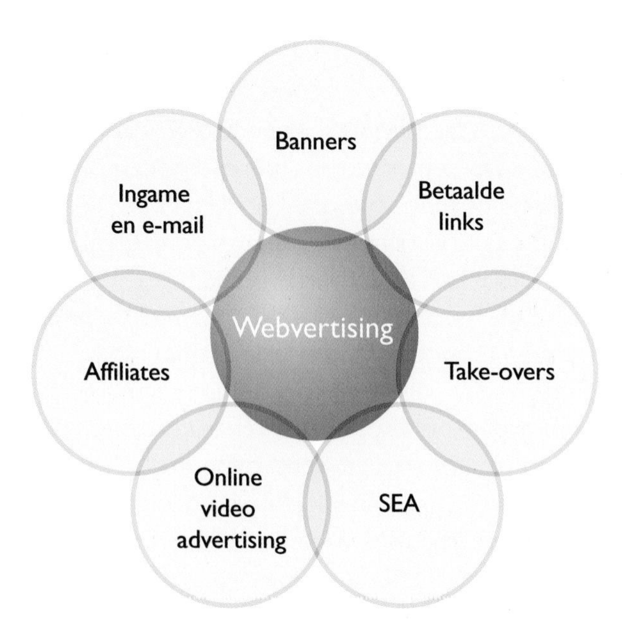

Afbeelding 13.8 Online (display) advertising.

13.3 Banners en overlays

Banners zijn er in verschillende vormen en kunnen divers worden ingezet op het web. Banners kunnen worden ingezet op:

- *intranet* of *extranet* om bijvoorbeeld een bepaalde organisatiegebonden actie op te laten vallen;
- op het internet op gekochte *posities* met standaard aangeboden formaten zoals een leaderboard van 728 x 90 pixels;
- in *e-mails* bovenaan of door de redactionele tekst heen;
- experimenteel in *mobiele pagina's* of in-app in applicaties.

De gangbare bannerformaten in volgorde van inzetbaarheid in bannercampagnes zijn:

- de *breedbeeldbanner* die vaak aan de bovenkant van een webpagina prijkt en 1000 pixels breed kan zijn;
- het *leaderboard* prijkt meestal op de bovenkantpositie van de site en is kostbaar. Een dynamische variant is de *expandable leaderboard* van 728x310 pixels. Deze kan uitklappen als de bezoeker over de banner beweegt;

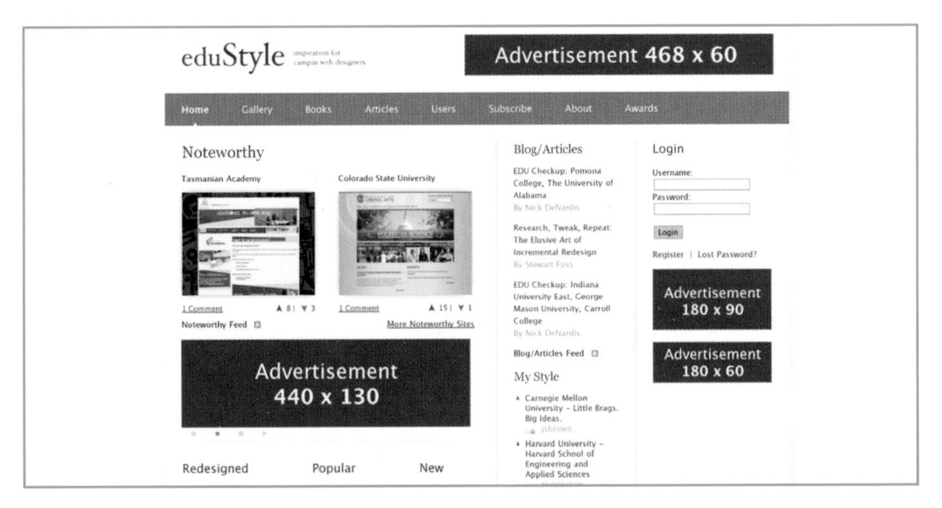

Afbeelding 13.9 Een klassiek voorbeeld van een plaatsing van een leaderboard. boven aan,.

- Het *leaderboard* heeft in principe de full banner van zijn troon gestoten. Deze full banner kent een grootte van 468 x 60 pixels en was jarenlang dé standaard webbanner en dook op op portals en nieuwssites. Te veel gewenning aan deze banner (bannerblindheid) heeft andere soorten en maten banners doen ontstaan;

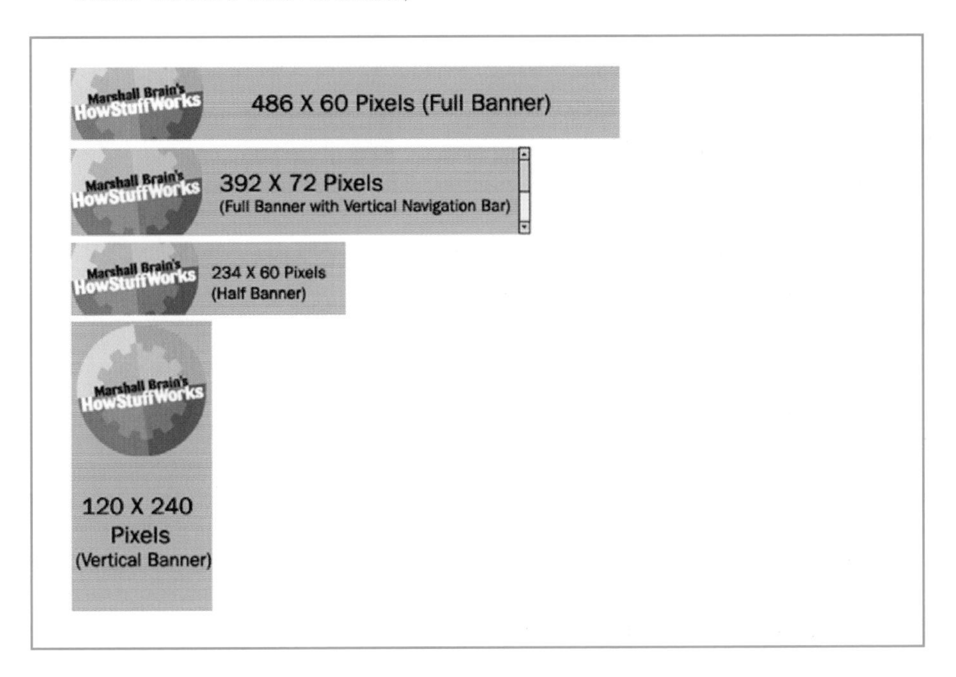

Afbeelding 13.10 Banners.

- de *half banner* kent een formaat van 234 x 60 pixels en is minder populair omdat het formaat zich lastig leent voor een duidelijk te communiceren boodschap. Een medium rectangle van 300 x 250 pixels is net iets groter dan een half banner. De banner is geschikt voor plaatsing in teksten of andere content;

- de grote broer is de *large rectangle* met een formaat van 336 x 280 pixels;
- de rectangles worden vaak geplaatst op nieuwssites zoals Nu.nl en online tijdschriften. De overduidelijke tekstkolomstijl op de sites maakt het inzetten van de rectangles opvallend en daarmee logisch. Rectangles worden gebruikt voor het laten afspelen van (HTML5 of Flash-)video waarvoor het formaat goed geschikt is;

Afbeelding 13.11 Een take-over.

- de banner met een formaat van 120 x 600 pixels wordt *skyscraper* genoemd. Naast een hoge klikratio heeft de banner veel creatieve mogelijkheden en kan de banner letterlijk haaks op de webpagina worden geplaatst. De banner is opvallend maar niet storend op de pagina aanwezig;
- naast de standaard reclameformaten willen website-eigenaren en mediabureaus weleens een variatie of mix van bannerplaatsen aanbieden. Een overduidelijk aanwezige mix van banners op een webpagina wordt *take-over* genoemd.

Afbeelding 13.12 Een layer-add met uitklapper.

- een creatieve en minder storende manier van *banneren* kan de layer ad zijn. Een boodschap ligt transparant over een deel van de webpagina heen als vriendelijke pop-up. Omdat de layer weggeklikt moet worden, wordt de boodschap snel opgemerkt.

13.3 Betaalde links

Betaalde links zijn rendabel. De meest bekende vorm van betaalde links inkopen zijn de Adwords van Google. Yahoo en Bing -van Microsoft- kennen een soortgelijk systeem waarbij wordt afgerekend voor het klikken op een tekstlink of tekstadvertentie (Classified ad).

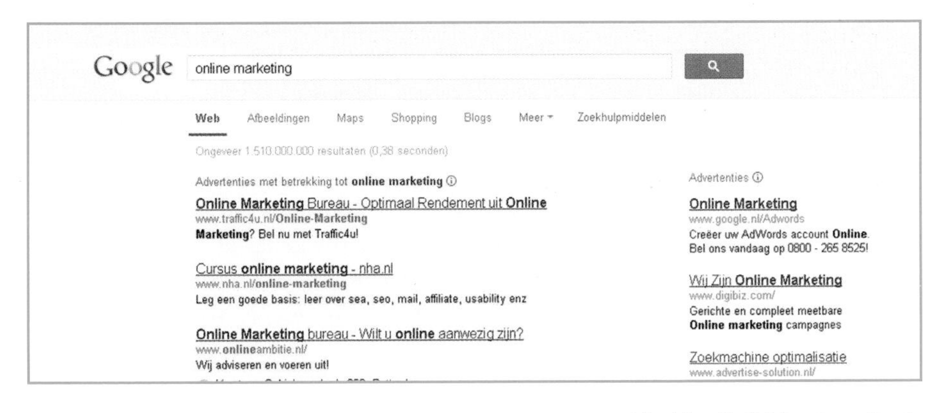

Afbeelding 13.13 Adwords van Google.

Bij het gebruik van banners wordt er gesproken over bannerblindheid. We zien de banners wel maar de uitingen dringen niet meer door. We klikken ook steeds minder door. Banners die echt opvallen qua plaats en creatie -zoals banners met video- willen nog wel een opleving in het effect geven. Er is een trend gaande dat bezoekers wel de tekstlink zien en er vervolgens ook op klikken. Dit is beter dan het wel zien van een banner en vervolgens geen actie ondernemen. Zolang de doelstelling van de campagne het generen van bereik en views is, is er niets aan de hand. Worden de verwachtingen concreter, dan zijn conversiegerichte modellen gewenst.

De betaalde links in zoekmachines worden Search Engine Advertising genoemd. Google kent ook Adsense. Adsense zet een vooraf bepaalde campagne van tekst- of banneradvertenties uit op de relevante sites. De 'sense' is de gevoeligheid van plaatsen. De Google-technieken lezen de pagina's door en bepalen welke advertentie vervolgens wordt geplaatst. Deze manier van gericht en relevant adverteren wordt behavioural targeting genoemd. De irritatiegrens is laag aangezien de relevantie van adverteren is toegenomen.

Met betaalde links werd voor de komst van Google het inkopen van links bedoeld op bijvoorbeeld Startpagina.nl. Je koopt daar -tegen een maandelijkse vergoeding- een plek op een overzichtspagina (directorie genaamd). Door het succes van tekstadvertenties en de hoge klikratio van tekstlinks bieden mediabureaus diensten waarmee met een budget de uitingen op diverse plekken op willekeurige sites worden geplaatst. Deze bureaus beschikken over grote netwerken van site die advertentieruimte aan bieden. Via mail wordt er door de bureaus aan aangesloten webmasters een verzoek gedaan tot plaatsing van een link op een bepaalde plek. Door het directe contact tussen organisatie en webmasters van de website wordt de meerwaarde van de mediabureaus steeds minder.

Diverse grote portals en directories zoals www.startkabel.nl zijn in particuliere handen. Zo zijn deze portals kostentechnisch interessant voor de plaatsing van betaalde links of banners. Ook een link op bijvoorbeeld Marktplaats.nl kent een goede conversie. Een andere trend is de creatie van een eigen en 'objectief' portal. Stel dat je aanbieder bent van managementboeken maar ook initiatiefnemer van een managementboeken-vergelijkingssite. Zo kun je tegen lage kosten adverteren op eigen sites. Uitgever Sanoma kent een sterke positie in de crossmediale markt van tijdschriften met bijbehorende sites en portals. Op vrouwonline.nl kan Sanoma tegen lage kosten adverteren voor hun printuitgaven als Margriet en Libelle.

13.4 De affiliates en performance based advertising

Een fysiek voorbeeld van een affiliate zijn krantenkiosks. Zij zijn de outlets van de uitgevers en ontvangen bij verkoop een commissie.

Affiliates kunnen zijn:

- sitebeheerders die op de eigen site(s) campagnes, banners, betaalde links, advertorials willen opnemen van andere aanbieders;
- webshops die na de aankoop de koop doorzetten naar de feitenlijke aanbieder;
- speciale actiesites (microsites) die als extra outlet dienen voor grote webshops of de hoofdonderneming.

Affiliates doen de inspanning die nodig is voor het opvangen van de doorklik, de lead of de koop. De affiliate zorgt voor de traffic op zijn site en bouwt zijn site zo in dat er conversie plaatsvindt. Affiliates worden steeds belangrijker. Sommige sectoren, zoals recreatie, verhuur en verkoop van vakantiewoningen, de makelaars- en de tijdschriftenmarkt, zijn sterk afhankelijk van affiliatemodellen.

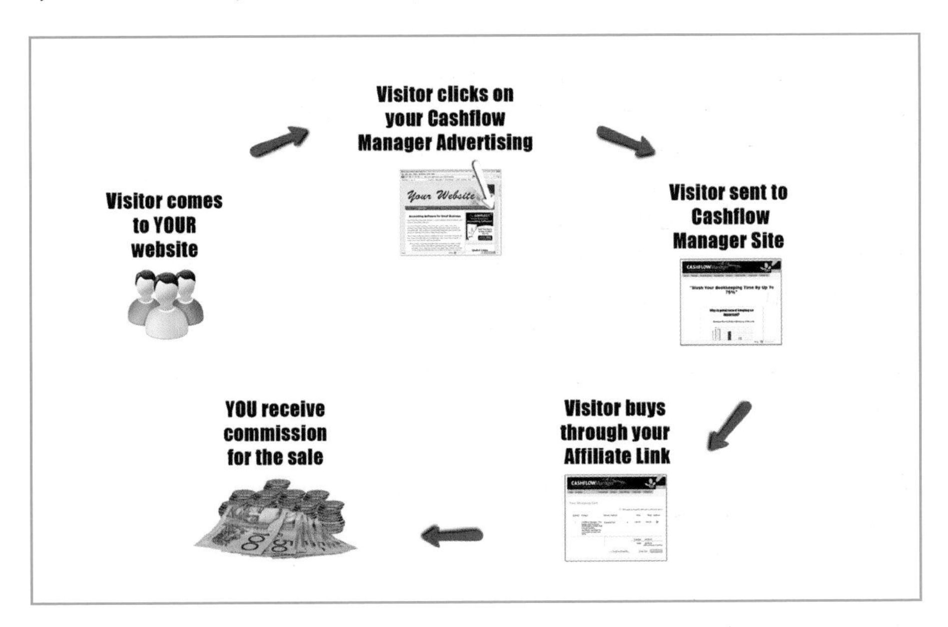

Afbeelding 13.14 Affiliates.

13.5 4R toegepast op online advertising en affiliates

- **Retentie**: herhaling van uitingen in verschillende vormen heeft een versterkende werking. Het goed herkennen van de klant en zijn of haar profiel is relevant voor retentie. Zonder relevantie zal herhaling gaan irriteren wat op het internet al snel het geval is. Retentie en relevantie horen bij webvertising sterk verweven te zijn in de uiting.
- **Relevant**: het rendement van webvertising hangt bijna volledig af van relevantie. Internetters klikken niet zomaar of vullen niet zomaar hun gegevens in.
- **Reactie & Rendement**: het laten zien van uitingen zoals bij bannering heeft gezorgd voor 'bannerblindheid' omdat de relevantie te vaak ontbreekt. Het laten participeren van een internetbezoeker in een uiting creëert awareness, vergroot de reactie en het rendement.
- **Rich**: dit is de combinatie van retentie en relevantie. Adsense van Google is een voorbeeld van display advertising waarbij de relevantie en retentie juist en veelal gewenst is. De uiting is meer van waarde voor de internetbezoeker en verhoogt daarom het rendement en verlaagt de irritatie.

13.6 CASE: Avéro Achmea en de adviseur

Nu de complexiteit van financiële dienstverlening is toegenomen is het virale effect van het verspreiden van onze de diensten vitaal. Consumenten maar ook ondernemers staan voor ingewikkelde keuzes die een grote impact kunnen hebben op hun leven of de bedrijfsvoering. Een goed advies van een vakkundige en onafhankelijke specialist is in deze situaties onontbeerlijk. Hier zit de toegevoegde waarde van een financieel adviseur.

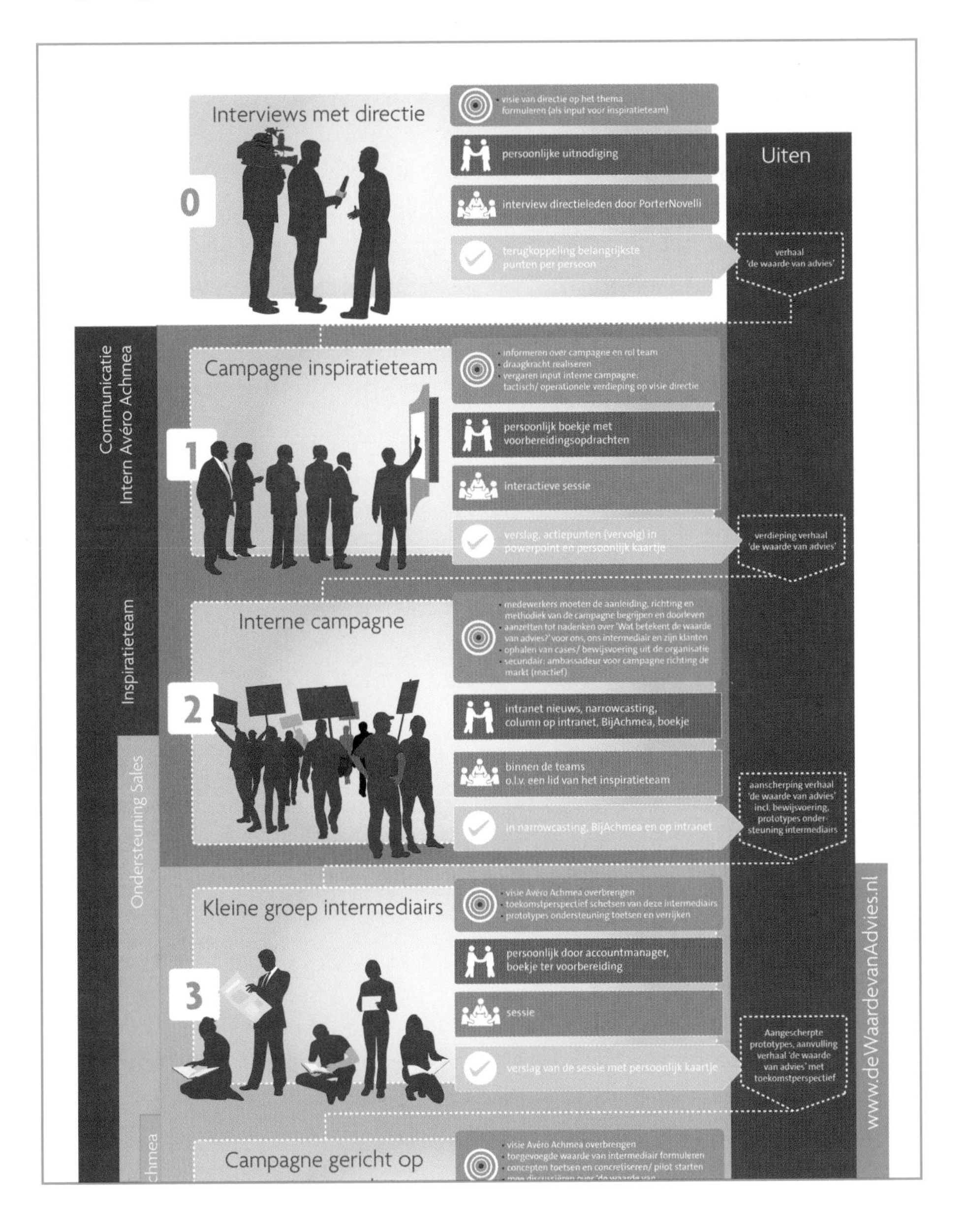

Afbeelding 13.15 Infographic van het proces.

Avéro Achmea wil financieel adviseurs ondersteunen om die toegevoegde waarde zo goed mogelijk tot zijn recht te laten komen en zichtbaar te maken.

De verzekeraar

Avéro Achmea is daarom in november 2012 gestart met een community voor adviseurs en klanten, www.dewaardevanadvies.nl. We brengen in kaart wat er speelt in de intermediaire markt op het gebied van de waarde van advies. We nodigen iedereen uit om mee te doen met de dialoog en zijn mening te geven. Zo werken we samen aan het duurzame succes van het intermediaire kanaal.

De waarde van advies

De waarde van advies staat centraal. Rondom dit thema publiceren we actuele informatie, zoals onderzoeken, nieuws en publicaties. Tegelijkertijd brengen we verschillende visies van financieel adviseurs, klanten en belangenbehartigers samen en voegen daar de onze aan toe.

Kwaliteiten van een adviseur

De belangrijkste kwaliteiten van een financieel adviseur zijn in de B2B-markt eerlijk, onafhankelijk en niet handelend uit eigen belang. In de B2C gaat het vooral om eerlijk en betrouwbaar. Financieel adviseurs bieden toegevoegde waarde als het gaat om deskundigheid en vakbekwaamheid en oog voor de persoonlijke situatie. Ze ontzorgen.

Keuze en de rol van de omgeving

Familie, vrienden en kennissen spelen nog steeds een grote rol in de keuze voor een financieel adviseur. 38% van de huishoudens geeft in een recent onderzoek van GFK aan in contact te zijn gekomen met hun financieel adviseur op aanraden van vrienden, familie en/of kennissen. De rol van internet bij het initiële contact met een financieel adviseur is in 2012 toegenomen.

Adviseurs gaan viraal

Financieel adviseurs moeten het dus steeds meer hebben van word-of-mouth (WOM). Online reviews en rankings zijn voor Nederlandse shoppers zelf een van de belangrijkste factoren voor het aanschaffen van een product of dienst. Voor intermediairs wordt dit in 2013 belangrijker dan ooit. Financieel adviseurs halen zelf ook kennis uit WOM. Hoe men over ze denkt, wat mensen delen, en hoe je het bereik verder vergroot. Maar het wordt ook duidelijk wat men van concurrenten zegt. Een financieel adviseur kan anno 2013 echt succesvol zijn als hij hiernaar luistert, de informatie toepast in zijn dienstverlening en hiermee zijn toegevoegde waarde vergroot. Een goed advies is namelijk goud waard.

Doelstelling

Avéro Achmea gelooft in de waarde van advies van de financieel adviseur. Avéro Achmea wil de dialoog in het vakgebied faciliteren en stimuleren met nieuwe inzichten en actuele discussies over belangrijke thema's. Op de website kan de adviseur inspiratie vinden en wordt hij gemotiveerd om zijn advies verder te ontwikkelen. Dit doen we door:

1. te informeren en te prikkelen;
2. reacties uit te lokken;
3. te activeren, de doelgroep gaat actief aan de slag.

Social media spelen hierbij een centrale rol. Na twee maanden heeft de website meer dan 5.500 bezoekers.

HOM opdrachten hoofdstuk 13

Dit hoofdstuk kent de volgende opdrachten:

1. Wat is performance based marketing?
1. Noem vijf instrumenten die vallen onder online display advertising.
2. Welk instrument werkt voor jouw doelstellingen het beste? Waarom?
3. Wat betekenen CPL, CPM en CPS?
4. Wat is een take-over?
5. Geef drie voorbeelden van affilliates.

14 Mobile marketing

Het middel mobile marketing wordt in de jaren negentig als dé trend voor het marketingjaar daarop genoemd. Het middel is maar in weinig marketingmixes vast aanwezig. Dit ondanks de relatief lage investeringen in mobile marketing. Kijken we naar de kosten gemaakt voor de gehele marketingmix, dan is mobile marketing en mobile advertising nog maar een paar procent van de totale online besteding door marketeers. De snelheid en acceptatie van het gebruik van de mobiele technologie voor diverse diensten zijn dé succesfactoren om het middel mobiel te overwegen in de mix van marketingmiddelen van zomaar een organisatie. Door de enorme groei van het aantal mobiele apparatuur en het *engagement* met de mobiel is het een volwaardig online middel geworden. M-commerce is een serieuze optie voor een online marketeer.

Bekijk op www.handboekonlinemarketing.nl video 3-1401 van Google die de *Mobile Movement* en de revolutie gestart door de opmars van de mobiel toelicht.

Afbeelding 14.1 Mobile Movement.

We spreken van de term mobile gezien het internationale karakter van mobiele marketing. De mobile is niet alleen een 'handheld', zoals een mobiele telefoon of tablet, maar beslaat het brede terrein van mobiele apparatuur dat met het internet is verbonden. Mobile internet draait om de apparatuur die de mogelijkheid kent om draadloos bereikbaar te zijn via bijvoorbeeld GSM- of internetverbinding. Spelcomputers zoals de Nintendo WII en Microsoft XBOX zijn al jaren verbonden met het internet en bieden ook de mogelijkhed om met speciale applicaties te browsen over het internet en het installeren van (web) applicaties.

14.1 Mobile ontwikkelingen

Draadloos zijn kan met steeds meer apparatuur. Ook auto's zijn steeds vaker 'wired' -zoals de *Connected Drives* van *BMW*- en daarmee draadloos verbonden met het WWW. Deze auto's kennen de mogelijkheid te surfen op het World Wide Web.

Afbeelding 14.2 Connected drive.

Kijken we naar de omschrijving van de uitdrukking *mobiel internet* dan kunnen we stellen dat mobiel internet het gebruik van internet betreft met behulp van een mobiel apparaat. Dit wordt steeds breder aangezien steeds meer apparaten wired zijn.

Bekijk op www.handboekonlinemarketing.nl de video 3-1402 met het interview van videoproducent AtMost.TV met Niels Baas (MTV) en HI! over de lancering van *MTV Mobile*.

Naast audiovisuele toepassingen die –in huis- gebruikmaken van Wi-Fi, gebruiken ook weerstations en tv's Wi-Fi om actuele informatie van het web te halen of mediabestanden te synchroniseren. Kodak bracht al in 2008 een digitale fotolijst op de markt die draadloos was verbonden met online fotoplatforms.

Gebruikers konden foto's van andere gebruikers bekijken via de fotolijst en delen via fotoplatforms zoals Flickr.com. Deze mix noemen we social moble. Door middel van het touchscreen kunnen foto's naar een printer worden gestuurd.

Wi-Fi is de afkorting waarmee de technologie wordt aangeduid waarmee het mogelijk is op korte afstand draadloos gegevens te versturen. Dit wordt ook wel WLAN genoemd. Wi-Fi staat voor *Wireless Fidelity*.

Afbeelding 14.3 Kodak heeft een draadloos verbonden fotolijst op de markt gebracht.

Mobiele betalingen zijn tegenwoordig onder andere mogelijk gemaakt door het systeem genaamd *Google Wallet*. De Google Wallet maakt gebruik van de korteafstandzendtechniek (*Near Field Communication* of NFC).
Tijdens de Black Hat-hackersconferentie in Las Vegas in 2012 liet expert Charlie Miller zien dat een Android-telefoon te hacken zou zijn via NFC. Bij bestudering zou dit alleen bij oude Android-toestellen met een besturingssysteem versie 2.3 en lager kunnen. Het systeem wordt als veilig bestempeld en een standaard voor de toekomst. Naast de ontwikkeling aan de kant van de hardware en integratie van 'draadloos' -in bijvoorbeeld auto's en spelcomputers- worden er steeds meer toepassingen in de vorm van 'apps' aangeboden.

Near Field Communication (NFC) is een contactloze digitale communicatiemethode dat radiofrequenties gebruikt. NFC heeft een fysiek bereik van ongeveer 10 centimeter en wordt gezien als variant op RFID. *Google Wallet* maakt gebruik van NFC.

Afbeelding 14.4 De Google Wallet maakt mobiele betalingen mogelijk.

Tv-producenten zoals LG, Philips, Panasonic en Samsung bieden hun kijkers een eigen 'store' met tv-apps. Deze 'SMART' toepassingen maken het onder andere mogelijk om via de televisie Buienradar te bekijken, online games te spelen of te browsen. Er kan tegelijk tv worden gekeken en bijvoorbeeld getwitterd.

14.1.1. De opkomst van de apps en het jaar 2014

In 2011 werden er voor *Google Android* telefoons en tabletcomputers en de telefoons en iPads van Apple meer dan 25 miljard mobiele apps gedownload. Onderzoekers zoals die van Nielsen en Forrester verwachten dat dit er meer dan 100 miljard zullen zijn in 2014.

De typen (mobiele) apps worden steeds gevarieerderd. Zo zijn er:

- *native apps* voor de mobiele devices zoals voor de iPhone of Android;
- apps voor apparatuur zoals smart tv's met apps zoals games, *Buienradar*, en *Google maps*;
- *hybride* apps die tussen een mobiele website en 'native' mobielgebonden toepassing hangen;
- apps voor *dashboards* van auto's zoals navigatie;
- apps voor *sociale netwerken* -zoals voor Facebook- die vervolgens ook op de mobiele versie van Facebook kunnen draaien, zoals games.

Het jaar 2014 wordt door veel marketeers en onderzoekers gezien als hét jaar dat mobiele marketing en het gebruik van mobiele technieken een definitieve doorbraak zal kennen. Opvallend genoeg zijn de VS en Azië verder met de sociale acceptatie van mobiele toepassingen. Zij maken meer gebruik van opties als QR-codes en mobiele betalingen dan de Europeanen.

Afbeelding 14.5 QR-codes als manier om te shoppen.

14.1.2 De opkomst van 4G en supersnel mobiel internet

In 2010 is 4G - de vierde generatie van mobiel dataverkeer - door Tele2 in Nederland geïntroduceerd. Per 2012 en 2013 gaan de providers in Nederland serieus aan de slag met 4G (ook wel LTE genoemd). LTE (4G) kan snelheden van minimaal 100 Mbit p/s gaan aanbieden. Deze snelheid komt op ongeveer 12,5 Megabyte per seconde. In Japan zijn providers in 2010 al deels overgegaan naar 4G-netwerken en ook in de VS worden deze al aangeboden voor commercieel gebruik. In Nederland gaan de providers geleidelijk 4G aanbieden. 4G wordt als term misbruikt met commerciële benamingen zoals 'LTE-lite'. Officieel zou alleen LTE advanced als 4G aangeduid mogen worden. Smartphones -zoals de Apple iPhone 5, HTC EVO en Samsuns Galaxy S- zijn de eerste bekende telefoons die 4G en LTE ondersteunen.

HSDPA staat voor High-Speed Downlink Packet Access. HSDPA is een protocol voor de mobiele telefoon. HSDPA wordt ook 3.5G genoemd en is een pakketgeschakelde communicatiedienst met een transmissiesnelheid tot 10 keer de UMTS-snelheid van 384 Kbit/s. Beter dan UMTS moet dit mobiel internet breedbandig maken ('mobiel breedband').

Het aanbod van mobiele toepassingen is afhankelijk van de beschikbare snelheid bij de doelgroep en de penetratie van moderne telefoons.

Bekijk op www.handboekonlinemarketing.nl video 3-1403 met uitleg over de hogesnelheidsnetwerken 4G en variant LTE.

Nu het bezit van smartphones en tabletcomputer doorgroeit naar een early en late majority en het aantal mobiele internetters heel snel groeit, wordt het aantrekkelijk voor marketeers om rendabel aan de slag te gaan met mobile marketing.

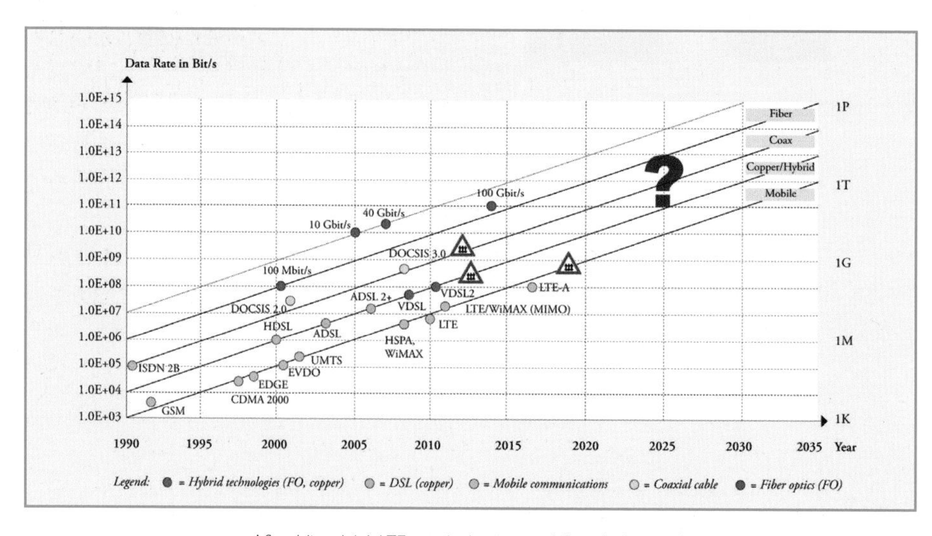

Afbeelding 14.6 LTE wordt de nieuwe 4G mobiele standaard voor snel mobiel internet.

Met LTE en de hoge snelheid van 100 - en maximaal 1000 - Mbit per seconde zal het steeds meer mogelijk zijn om:

- te beeldbellen, een optie waarbij twee camera's nodig zijn;
- met goede kwaliteit live videostreams te bekijken van bijvoorbeeld tv-programma's en concerten;

- hogere kwaliteit video en foto's te delen via sociale netwerken;
- stabiel live kunnen uitzenden via de mobiele telefoon als camera en op hoge kwaliteit streamen.

14.1.3 Mobile marketingmarktcijfers

Per 2013 bezit 70% van de mobiele Nederlanders een smartphone. De groep van de tabletcomputer lijkt daarnaast nog sneller te gaan dan die van de mobiele telefoons. Forrester verwacht per 2014 een top te kennen van 10 miljoen Nederlandse mobiele gebruikers 'die regelmatig mobiel internet gebruiken'.

De vergaande penetratie van mobiel internet in Nederland is niet puur een technisch verschijnsel. De manier waarop wij via internet met elkaar communiceren verandert hierdoor ook.

Afbeelding 14.7 Het trendrapport van de SIDN.

Het SIDN (Stichting Internet Domeinregistratie Nederland) heeft een opzienbarend trendrapport uitgebracht. Hierin haalt de stichting aan dat vooral de manier van navigeren door internetgebruikers is veranderd. Door het gemak van de mobiele apparatuur ('devices') groeit mobiel internet in Nederland explosief. Daarbij nemen apps de functie van websites over. Het massale gebruik van social media stuwt het gebruik van mobiel internet. Er wordt veel gedeeld via de mobiel op sociale netwerken. Inmiddels wordt er meer via mobiele devices (*bron: blog.twitter.com*) getwitterd dan via een desktopcomputer. De CEO van Twitter, Dick Costolo, heeft in de zomer van 2012 al aangeven dat er meer wordt verdiend met de Twitter-advertenties die op de mobiel verschijnen dan op andere schermen. Nog interessanter voor marketeers is het rapport van TBG Digital over de click-throughs op mobiele advertenties op Facebook. Facebook wordt in de Verenigde Staten meer via de mobiel gebruikt dan via andere devices.

Uit een test - in de zomer van 2012 - tussen de gemeten click-throughs (CTR) van Facebook-uitingen op de mobiel en de desktop kwamen opvallende resultaten. Het onderzoek is gehouden onder 278.389.453 gesponsorde uitingen op Facebook.

Doel	**Click-throughs**	**Cost Per Click**
Desktop (nieuws feed + sidebar advertenties)	0,083%	$0,88
Desktop (nieuws feed)	0,588%	$0,63
Mobile (nieuws feed)	Packaging	$0,86

Bron: TBG Digital.

De Telegraaf.nl en Nu.nl (van uitgeverij Sanoma) gaven eind 2011 al aan dat er meer bezoek op hun mobiele uitingen komt dan op de traditionele desktopgeschikte sites.

De geschiedenis en start van de mobiele app-stores met datum van oprichting en aantal apps

Apple App Store	Juli 2008	500, 25% was gratis
Android Market	Oktober 2008	50 apps
Blackberry App World/ RIM	April 2009	3.000 apps
Windows Mobile Phone market	Oktober 2010	Biedt ook apps voor XBOX Live

Bronnen: Shoutem, Wikipedia.org, Android.com, Apple.com.

Het trendrapport van het Nederlandse SIDN geeft de volgende opvallende marktontwikkelingen aan:

- de zakelijke internetgebruiker werkt vaker mobiel dan de consument;
- de smartphone wordt vooral gebruikt voor internetten en e-mailen en het maken van foto's;
- tablets worden hoofdzakelijk gebruikt voor internetten en e-mailen en het bekijken van video;
- op een smartphone wordt minder vaak een volledige url van een website ingetikt dan op een ander apparaat;
- pc-gebruikers werken nauwelijks met apps, op de mobiele devices is dit een belangrijke manier van (internet)gebruik;

- het SIDN verwacht dat door de komst van Windows 8 ook meer apps via de desktop worden gebruikt;
- op een mobiel device worden sites vaak via een bookmark of (verkorte) link benaderd.

Bekijk op www.handboekonlinemarketing.nl de video 3-1404 over de introductie van de Apple App Store door Steve Jobs.

14.1.4 Mobile marketinggedrag in Nederland

Onderzoeker TNS toont op zijn site het gedrag binnen Nederland met de mobiel. We zien (zie afbeelding, lichtblauwe strook) dat er door de dag heen veel wordt ge-sms't. Het sms'en neemt toe richting het einde van dag en zakt tijdens het reizen in. Het overzicht op de portal *Mobile Life* toont een gelijk verdeeld gedrag voor mobiele internetconsumptie door de dag heen. Een belangrijk onderdeel daarvan (de paarse lijn in de afbeelding) is het gebruik van social media via de mobiel. Dit wel in een minder volume. *Gaming* en het luisteren naar muziek wordt relatief minder gedaan op de mobiel volgens dit overzicht.

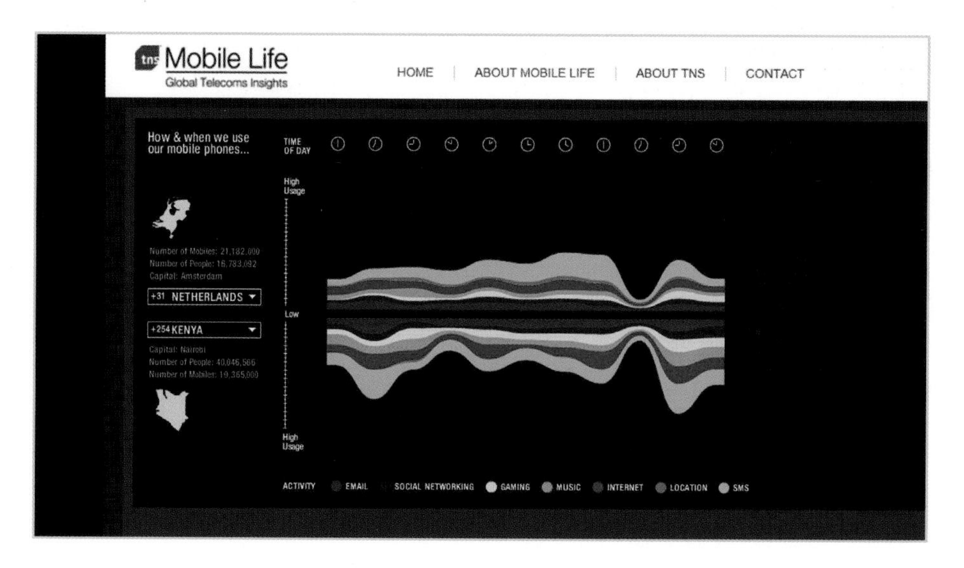

Afbeelding 14.8 TNS Nipo Mobile Life.

We kunnen in het gedrag van de mobiele consument en organisatie concreet tien ontwikkelingen onderscheiden die mobile marketing beïnvloeden:

1. multiscreenen bepaalt ons mobiele gedrag; de mobiel wordt de hele dag heen naast andere media gebruikt als extra interactief kanaal;

2. tablets en smartphones zullen meer goedkopere versies kennen waardoor de late majority van gebruikers kan worden bereikt;
3. meer devices zullen (24/7) wired zijn en dus bereikbaar zijn voor gebruik en aanbod via het internet;
4. identificatie en betaling gaan vaker via de mobile met RFID of NFC;
5. augmented reality (bijvoorbeeld via Layar) wordt een digitaal middel om bijvoorbeeld met de mobiel print tot leven te laten komen;
6. organisaties die niet strategisch hebben nagedacht over de integratie van mobiel in de eigen aanpak zullen op achterstand komen te staan;
7. mobile commerce kent een snelle groei door de intreding van de mobiele iDeal-betaling;
8. er wordt nog meer (location based) gedeeld via de mobiele devices;
9. streaming mobile video zal vaker voorkomen door de toegenomen snelheid en de uitrol van 4G;
10. mobile social wordt de manier om met social media content te delen en te communiceren omdat meer social media netwerken via de mobiel worden geupdated.

Bekijk op www.handboekonlinemarketing.nl de video 3-1405 over multiscreening; het gebruik van meerdere schermen tegelijk, zoals een smartphone, tablet en normale tv.

14.2 Mobile marketing in de mix

Mobile marketing is zeer breed georiënteerd. Het is een ultieme mix van een variatie van mobiele technieken, doordachte mobiele contentstrategie, location based mogelijkheden en een creatief mobiel online marketingconcept. Ook social media, contentstrategie en mobile marketing kunnen worden gemixt.

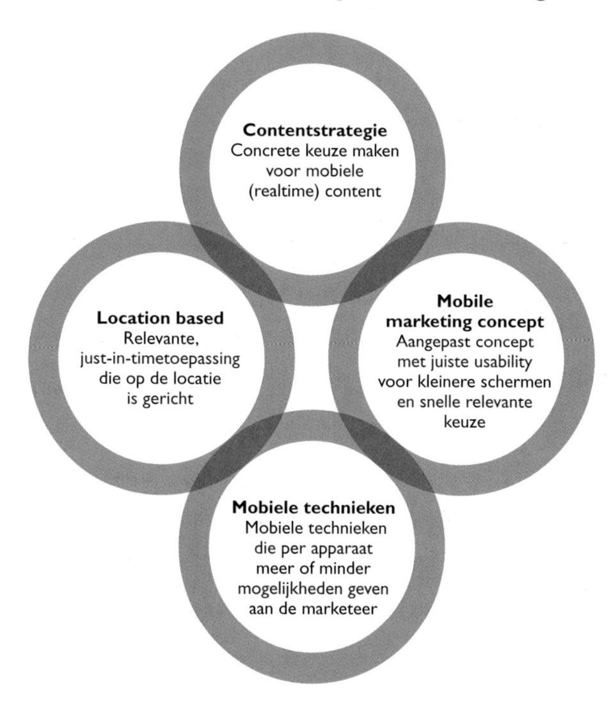

Afbeelding 14.9 Mobile marketing is een mix van disciplines die gezamenlijk voor succes zorgen.

De succesfactoren die meespelen bij marketingbeslissingen, en die een marketeer moet kennen, zijn:

- De technische verschillen tussen apparatuur dat draait op Android, iOS en de overige mobiele besturingssystemen, maar ook de verschillen in gebruikers.
- Het inzicht in de verschillende mobiele systemen en eventuele consequenties voor de investeringen.
- Bereikcijfers en profielen van de mobiele gebruiker, concreet: 'Wie bereiken wij met een iPad-applicatie?', 'Wie bereiken wij met een Android-applicatie?'.
- De nuchterheid dat nog niet iedereen in Nederland een smartphone heeft, maar dat vooral iPhone-gebruikers 'heavy users' zijn.
- SoLoMo, de succesvolle mix van mobiel, social media plus locatie-gerichte toepassingen. De optelling van deze drie versterkt het mobiele succes van een locatiegerichte mobiele marketing met sociaal effect.

- Inzicht in de 'mobility'-behoefte en noodzaak een proces naar de mobiel te brengen.
- Zich realiseren dat het hebben van een 'app' in de volwassenheidsfase zit en niet zomaar meer een duurzaam brandingseffect kent.

14.2.1 Mobile consumentengedrag

Mobile internetten kunnen we afzetten tegen het internetten via de desktop. Eerder dan verwacht lijkt het aantal mobiele surfers groter te zullen zijn dan de desktopsurfers. Diverse onderzoeken geven 2014 aan als het jaar dat wereldwijd het aantal mobiele surfers groter zal zijn dan het aantal surfers via de desktop. Voor de duidelijkheid worden laptops en tablets veelal als 'mobiel surfen' gezien in de onderzoeken.

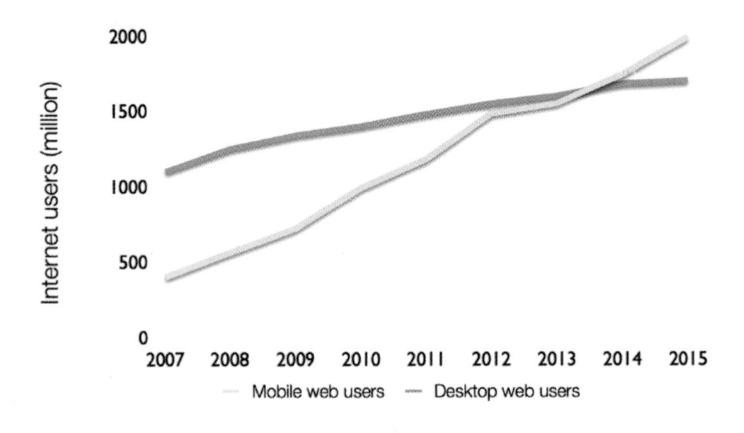

Afbeelding 14.10 Mobify.com voorspelt in 2014 meer mobiele surfers dan via de desktop.

Bekijk op www.handboekonlinemarketing.nl video 3-1406 van Tesco over m-commerce op een merkwaardige locatie.

In *Harvard Business Review* werd onze huidige mobiele economie ook wel 'appconomy' genoemd. China heeft in het gebruik van apps de VS in 2012 voorbijgestreefd. Daarbij -kijkend naar ons eigen land- telde Nederland in 2011 (bron: Volkskrant.nl onderzoek) maar veertig ondernemingen die professioneel bezig waren met het bouwen van mobiele apps. In de *Harvard Business Review* werd de vraag gesteld of wij wereldwijd wel klaar zijn voor de 'mobile gold rush'. Net als bij social media, waar het gaat om het bewerkstelligen van engagement door contentmarketing en digitaal relatie- en communitybeheer, gaat het bij mobile marketing niet zomaar om een leuke app. De eigen website simpel aanpassen voor mobiele toegang is nog geen mobile marketing. Concreet: '...*it's not about mobile as much as it is about understanding mobility.*'

14.2.2 Mobility als experience

Mobility is een experience die totaal anders is dan het gebruik van het internet via de desktop. Gemak, snelheid en realtime nieuws en relevante informatie in de broekzak ontvangen is het grote voordeel. Mobility kent drie vormen:

1. de vorm *lean back* is het gebruik in bijvoorbeeld de trein waar je als tijdverdrijf op je mobiel de krant leest, je berichten uit de social media bekijkft of iets soortgelijks;
2. de vorm genaamd *lean forward* is het actieve gebruik in bijvoorbeeld een winkel bij het scannen van een QR-code of gebruik van augmented reality of het gericht zoeken van een product op je mobiel tijdens het lunchen;
3. de derde vorm *lean free* is het continu scannen van bijvoorbeeld Tweets, koppensnellen van nieuws en snel door foto's lopen die jouw vrienden via Facebook hebben gedeeld.

Mobility betekent vooral: contextrelevante informatie gemakkelijk opnemen en brengen. Het gemak van bedienen en gebruiken, het sociaal verbonden zijn en informatie bekijken op een willekeurig mobiel apparaat zijn succesfactoren van een mobiele strategie waarmee de gebruiker daadwerkelijk engaget. Via je tv, auto, je smartphone of tablet, het maakt niet uit. De juiste informatie op het op dat moment relevante scherm dat je mobiel bij de hand hebt is het gemak van mobility. Dit staat haaks op het nutteloos naar de mobiel brengen van willekeurige processen.

Het openbare mobiele gedrag kent echter ook een tegenreactie. In de jaren negentig was het storend als iemand in een restaurant hardop mobiel aan het bellen was. Momenteel is multitasken een probleem. Denk hierbij aan het gebruik van de mobiel door leerlingen in de klas. Of het sms'en en twitteren via de mobiel terwijl iemand in vergadering zit of een gesprek. Het gebruiken van Facebook tijdens het autorijden of het Hyven via een verlicht mobiel terwijl je in een donkere bioscoop zit.
Ander bijkomend gedrag is dat we massaal met onze mobiel in bed liggen. Het bedienen van de mobiel en bekijken van bijvoorbeeld binnenkomende berichten (in de social media) is een van de eerste activiteiten net na het wakker worden. Pikant detail daarbij is dat mobile steeds vaker in de nacht aan staat. Mobile maakt ons in theorie geïnformeerd en 24/7 bereikbaar.

Bekijk op www.handboekonlinemarketing.nl video 3-1407. Dit betreft een video over ons mobiel a-sociaal gedrag.

Nu we de noodzaak van 'mobility' maar ook de keerzijde van het mobiele gedrag hebben gezien, kunnen wij stellen dat mobile marketing in relatie tot het gedrag van de gebruiker:

1. direct en snel is;
2. omgevingsrelevant is;
3. intiem is; je dringt door in het privéleven van de gebruiker;
4. een sterk sociaal aspect kent;
5. de 'key' is tot tot jouw sociale leven en onze 'schaduw';
6. een-op-een communicatie is;
7. real time is.

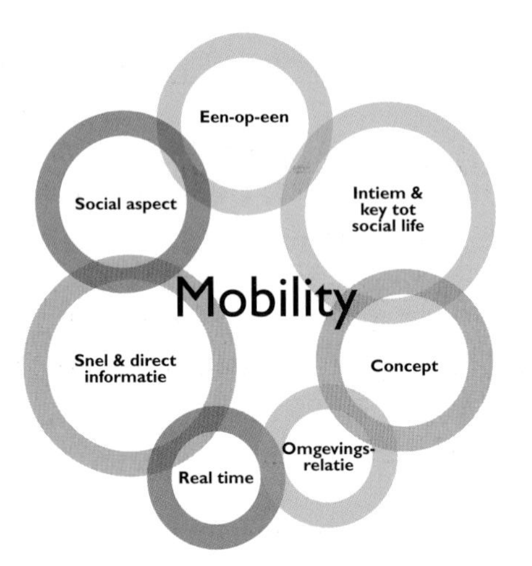

Afbeelding 14.11 Mobility begrijpen.

Een goed voorbeeld van succesvolle mobility is het gebruik van de mobiele app van eBay, de Amerikaanse versie van Marktplaats.nl. De manager van eBay legt in het video-interview uit dat de boeren uit Afrika hun mobiel gebruiken om hun verse oogst direct en met locatieaanduiding op eBay te zetten.

De middelen die dicht tegen mobile marketing aanliggen binnen de gehele online marketingmix zijn zoekmachinemarketing, contentstrategie, e-mailmarketing en social media.

Afbeelding 14.12 De online marketingmix

De mix van middelen bestaat voor de mobile gelukkig niet alleen uit adverteren. Globaal kunnen wij de volgende mix van marketingmiddelen voor mobile marketing opsommen met deze kern van middelen:

- *mobile advertising* zoals banners in apps of andere display banners;
- *mobile search* inclusief betaalde (tekst)advertenties bij de zoekresultaten;
- mobile appplicaties zoals een applicatie voor Facebook aangepast voor de soort mobiel;
- *opt-inmiddelen* zoals SMS, MMS en Bluetooth;
- mobile website zoals m.facebook.com;
- (Social) Location based zoals Foursquare, Bluetooth;
- rich media zoals augmented reality;
- QR-codes.

Afbeelding 14.13 Hoe de mobile marketingmix er globaal uitziet.

14.3 Mobile marketingstrategie en het 5C mobile model van succes

Naast de stijging in bestedingen aan mobile advertising zien we dat de aankopen van de consumenten via de mobiel ook toenemen. Mobile commerce is sterk groeiend.

Bestedingen mobile advertising wereldwijd 2012 en 2016 in euro		
Azië	2,5 miljard	5,094 miljard
Noord-Amerika	2,4 miljard	11,02 miljard
West-Europa	0,775 miljard	6,679 miljard
Midden-Oosten	0,0018 miljard	0,0138 miljard

Bron: eMarketer.com report mobile advertising 2012.

In 2012 is er in Europa door de consument voor 2,7 miljard euro gekocht via de mobiel. Dat komt naar voren uit het *EU Mobile Commerce* rapport van Forrester Research. Hierin doet het Amerikaans onderzoeksbureau een voorspelling over de bestedingen aan m-commerce in Europa in de periode tot 2017. Forrester verwacht dat de omzet door mobile commerce de de komende jaren zal doorgroeien naar 19,2 miljard euro in 2017. Een groei van zo'n 600%. In 2012 heeft Forrester voor Nederland de omzet van m-commerce nog op 112 miljoen euro begroot. Voor 2017 moet dit ruim 1 miljard euro zijn. Het onderzoek is gehouden onder 14.000 professionals in Europa en zoemt rondom de zeven grootste landen in Europa. Het rapport zegt dat in geheel Europa de besteding aan m-commerce van 7,6 miljard euro naar 79 miljard euro gaat. Concreet gaat het hier om de aankopen in Europa via de mobiel.

Ongeveer 65% van de bezitters van mobiele toestellen gebruikt het apparaat voor m-commerce. Zij doen online aankopen via de mobiel. Martin Gill, een van de analisten zegt: *"Mobile commerce is a HOT topic. While it may only represent one or two percent of most retailers' online revenues today, it will grow to be a notable revenue driver over the next five years."*

De onderzoeken van Nielsen benadrukken vooral het intensieve gebruik van apps op de mobiel.

Soort besteding	**Verdeling mobiele bezigheid naar functie**
Texting zoals sms	13,4%
Mobile browsen	11,1%
Gebruik sociale netwerken	5,5%
Bellen	5,4%
E-mail	5,3%
Muziek en video	2,3%
Camera	1,1%
Andere mobiele apps	55,8%

Bron: The Digital Revolution, Nielsen, adtech en MM Incite.

Interessant zijn ook de uitkomsten van het onderzoek naar de acceptatie van mobiele advertenties. Dit onderzoek is uitgevoerd door het Amerikaanse platform eMarketer.com. Zij benadrukken dat in de leeftijdsgroep 18-29 jaar een mobiele advertentie wordt gezien als 'prettig' en 'niet storend'.

Click-throughs op mobiele adds liggen dan ook veel hoger dan bij andere online advertenties. Meer hierover later in dit boek.

Jaar	Schatting besteding Nederland aan m-commerce in euro	Schatting besteding EU7 aan m-commerce in euro
2013	223 miljoen	4,6 miljard
2014	385 miljoen	7,4 miljard
2015	577 miljoen	10,75 miljard
2016	803 miljoen	14,65 miljard
2017	1,06 miljard	19,24 miljard

Bron: Forrester Research 'EU Mobile forecast 2017' rapport.

Richard Otto is sinds 2005 actief in de mobile marketing. Hij heeft bij mobile marketingbureaus gewerkt en op het gebied van onder andere mobile apps, mobile websites, consultancytrajecten en mobile marketingcampagnes ontwikkeld voor bedrijven als Vodafone, Centraal Beheer Achmea en ABN AMRO. In 2012 is hij founder van mobile marketing Nederland en heeft hij daarnaast de blog Mobilemarketing.nl opgericht.

Wat is in jouw optiek 'mobile marketing'?

"Vanwege het grote aantal facetten hanteer ik altijd de aardig algemene betekenis aan mobile marketing, Het is een verzamelnaam voor alle marketingtoepassingen via mobile devices."

Waarom heeft het zolang geduurd voordat 'mobile' eindelijk in de online marketingmix opduikt van organisaties?

"Dit heeft met talrijke factoren te maken. Vaak wordt er geroepen dat het alleen aan een gebrek aan kennis bij bureaus en adverteerders ligt, maar het heeft ook te maken met de fragmentatie van mobiele platformen, waardoor er vaak veel budget en tijd moet worden geïnvesteerd. Een ander belangrijk punt is de zeer beperkte mobiele cases met resultaten."

"Dagelijks worden er talrijke mobiele marketinginitiatieven gestart, maar buiten CTR's en het aantal app downloads zijn er niet veel resultaten openbaar. Verder zijn de meeste van de 200 Nederlandse mobiele bureaus die m-sites en apps voor merken ontwikkelen voornamelijk IT-minded en weten niet goed in de gedachten van een marketeer te kruipen. Ze richten zich op apps en niet op concrete oplossingen voor marketingdoelstellingen. Soms ligt het ook aan heel basale zaken, zoals accountmanagers van exploitanten, die sneller hun targets kunnen halen met een homepage take-over, dan een complex en tijdrovend mobiel campagnetje. Nu het mobiel gebruik het desktopgebruik gaat overstijgen, kun je er niet meer onderuit: mobile wordt het belangrijkste communicatie- en betalingskanaal, maar het kan allemaal wel wat sneller."

Wie vind jij het goed doen met mobile marketing en is een voorbeeld voor online marketeers in Nederland?

"Martijn van der Zee (KLM), Alexander van Slooten (Wehkamp) en Jay Altschuler (Unilever). Allemaal managers die mobiel serieus nemen binnen hun organisatie."

Wat zijn mobiele apps die volgens jou de gebruiker al meenemen naar een 'mobile lifestyle' waarbij de app eigenlijk de organisatie vertegenwoordigt?

"Greetz vind ik zelf een mooi voorbeeld, aagezien alle services van het bedrijf tegenwoordig op mobiel vertegenwoordigd zijn, en daar ook nog eens extra toegevoegde waarde bieden. Verder vind ik Appie een ander goed voorbeeld van een app, die is uitgegroeid van marketing app, naar merk utility en die voor de consument voor, tijdens en na een bezoek aan Albert Heijn relevant blijft. Het is goed om te zien dat deze app ook continu stappen blijft maken tot het belangrijkste communicatiemedium van deze supermarktketen."

Wat moet sowieso in een mobile marketingaanpak zitten volgens jou?

"Het klinkt allemaal heel simplistisch, maar ik verbaas me er vaak over dat merken voordat ze mij bellen reeds besloten hebben dat er een app moet komen, terwijl dit niet altijd het beste middel is om sommige doelstellingen te bereiken. Soms is zelfs alleen dat de doelstelling: 'We hebben een app nodig.' Daarnaast is dient er een call-to-action in te zitten, die ook snel een makkelijk werkt. Een QR-code of mobile banner naar een moeilijk voor mobiel te gebruiken site levert geen conversie op. Het lijkt allemaal logisch, maar veel grote merken nemen deze essentiële elementen niet altijd mee bij hun mobile marketing-inzet.

Wat is het doel van jouw blog MobileMarketing.nl? Hoe moeten wij ernaar kijken?

"Het dient als een kennis- en nieuwsplatform op gebied van mobiele marketing, waar diverse specialisten op hun mobiele vakgebied hun kennis en ervaring kunnen delen. Dagelijks zijn er nieuwe blogberichten te vinden, soms alleen 'tappasnieuwtjes' over bijvoorbeeld een nieuwe app, maar ook vaak nieuwe cijfers van mobile marketingonderzoeken en visies van mobile marketeers.
Doelstelling is om met dit platform de mobiel marketingsector in Nederland te ondersteunen."

14.4 De zeven stappen van een mobile marketingstrategie

Het stellen van doelen is in elke strategie een must. Wees daarbij SMART (*Specifiek*, *Meetbaar*, *Acceptabel*, *Realistisch* en *Tijdgebonden*) in je aanpak. De mobile strategie is afgeleid of goed geïntegreerd met de online strategie en zal zich daarom snel praktisch laten vertalen.
De zeven stappen van een mobile marketingstrategie:

1. Onderzoek je markt en het gedrag. Het gedrag van mobiele gebruikers kan per markt verschillen. Niet iedereen heeft een smartphone en niet iedere gebruiker is de hele dage bezig met zijn mobiele apparaat. Onderzoek wat het gedrag is onder de doelgroep waar jij je campagne op focust.
2. Bepaal je doelen. Wat wil je bereiken met mobile marketing? Een toename in mobiele gebruikers? Meer mobiele aankopen, meer social mobile engagement of meer gebruik van jouw mobiele app in plaats van het gebruik van de desktopversie van de site?
3. Breng je (technische) 'mobile presence' in kaart. Ga je mms, sms, een mobiele site of een app gebruiken. Of wellicht wel een in-app toepassing waarbij je samenwerkt met een andere aanbieder. Zie punt 1; ken het gedrag van je doelgroep. Sms wordt minder maar nog steeds veel gebruikt en kent een hoge betrokkenheid en open rate.
4. Kom met een betrokken boodschap. De mobiele gebruiker laat zich niet zomaar bedienen en stelt zich niet zomaar open voor mobiele push-communicatie. De boodschap en de toepassing zullen een hoge mate van betrokkenheid en relevantie moeten hebben, bijvoorbeeld een kortingscoupon voor Starbucks als jij inklokt op Schiphol net na een lange vlucht.
5. Zorg voor social mobile. Creëer manieren om belevingen, aankopen en meer content te delen van mobiel tot mobiel of van mobiel naar desktop. Thuisbezorgd.nl laat je ook bij een bestelling via de mobiel gemakkelijk je bestelling delen via bijvoorbeeld Twitter. Je kunt daar meteen een vraag stel over jouw bestelling en delen via de de social media wanneer jouw bestelling goed is aangekomen.
6. Blijf energie steken in de campagne en de relatie. Zorg voor updates, voor actuele content, tips, nieuwtjes en vooral continu redenen om jouw mobiele oplossing te gebruiken of te ontvangen. Bouw een relatie op door subtiel naar reacties te vragen zoals een beoordeling na het zien van een film of het inklokken op een bepaalde locatie of bij het gebruik van een QR-code.
7. Analyseer en optimaliseer het scherm, de toepassing, de site en het gebruik. Ook het gebruik van de mobiele site, actie, code, app en andere toepassingen kan goed worden geanalyseerd. Analyseer waarom

bijvoorbeeld de app wel werd gedownload maar nauwelijks wordt gebruikt. *Waar stopt het gebruik? Waar en wanneer wordt de app wél gebruikt?*

14.4.1 5C mobile model van succes en de mobiele 5R

We hebben nu toegewerkt naar de vijf speerpunten van een succesvolle mobile marketingaanpak. De 5C's zijn de ruggengraat van een strategie of campagne:

1. **Context** versterkt de relevantie van de boodschap (zie de vierde stap van de zeven stappen van mobile marketingstrategie uit paragraaf 3.5).
2. **Content** staat voor de juiste aanpassing van de juiste content voor het juiste mobiele apparaat. Mobiele oplossingen kunnen stranden door een te groot aanbod niet-relevante content. Beperk het contentaanbod, focus en maak keuzes. Herschrijf en zorg voor kleine afbeeldingen die veel communiceren.
3. **Connected** is de flauwe maar zeer belangrijke factor van 'verbonden' (kunnen) zijn. Veel evenementen kennen een eigen app of de mogelijkheid om live mee te twitteren of op de locatie in te klokken in ruil voor een relevante kortingscoupon. Een coupon die óp het event ingewisseld kan worden. Veel eventlocaties staan bekend om het zwakke mobiele bereik. Wi-Fi is en het verbonden kunnen zijn door de gebruiker is dus een must. Daarnaast moet de gebruiker zich ook verbonden voelen met de aanbieder van de mobiele oplossing. Ook al is die verbinding niet altijd betrouwbaarheid wat veel irritatie geeft bij de gebruik. Juist op en tijdens een evenement wil de 'betrokken mobiele gebruiker' zijn of haar ervaringen delen en communiceren veelal via sociale netwerken.
4. **Convenience** staat voor het gemak in gebruik. Een van de voornaamste redenen om een app uit het toestel te verwijderen is het gebruik. Usability en convenience zijn dé succesfactoren van een mobiele oplossing die langdurig wordt gebruikt. Veel testen en veel analyseren is hierbij noodzakelijk, zie stap zeven van de zeven stappen van een mobiele marketingstrategie.
5. **Community** is een succesfactor die met social mobile steeds belangrijker wordt. Wij zijn vaak verbonden en willen overal onze ervaringen delen, foto's delen, onze contacten onderhouden in de social media. Twitter en Facebook zijn ook in Nederland populair op de mobiel.

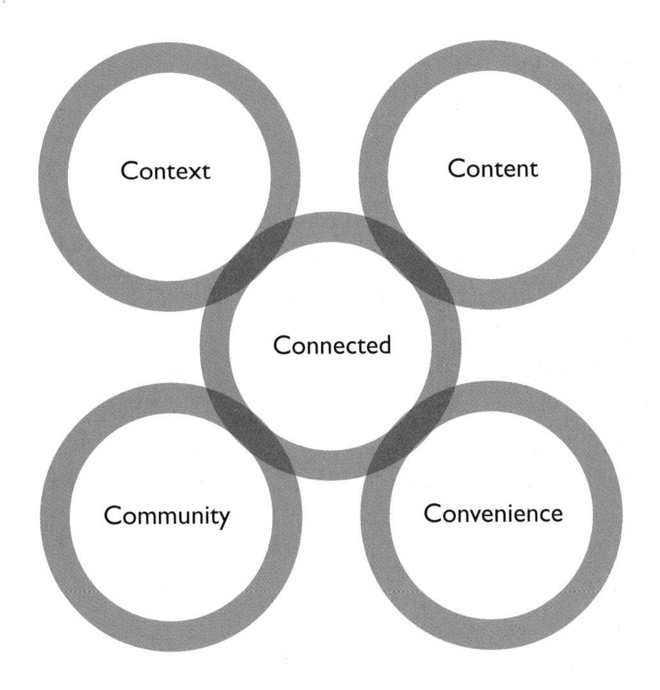

Afbeelding 14.14 5C mobile model..

14.5 Vertaling 5C-succesmodel naar tactieken

De mobile marketingstrategie gaan we tactisch operationaliseren.
Een strategische richting die is bepaald met bijvoorbeeld het 4C-model, zevenstappenplan en 5R. We hebben in het boek de factoren bekeken die van invloed zijn op het succes van mobiele marketing, we hebben statistieken en voorspellingen gezien en de kritische houding toegelicht van een nieuwe doelgroep waarbij qua gedrag 'mobility', 'usability' en 'realtime' een grote rol spelen. Bij de bepaling van de tactiek maken we een strategie concreet. Hieraan kunnen we vervolgens concrete doelen hangen. Een voorbeeld?

Omdat de mobiel gebruikt kan worden hoeft de klant niet te wachten en wordt er zo een prettige ervaring gecreëerd. Een met Bluetooth toegezonden kortingsbon kan door middel van een code direct worden verzilverd. In de app kan de besteller zien wat andere gasten goede gerechten vonden.

Voorbeelden van mobile marketingstrategieën die tactisch zijn omgezet:

1. Het inzetten van een multichannel e-commercestrategie moet de verkoop vergroten van onze horecavestigingen. De mobiel speelt daarbij een sterke rol. In de vestiging waarbij eenvoudig door middel van m-commerce en een gemakkelijk te bedienen app bestellen. Omdat de mobiel gebruikt kan worden, hoeft de klant niet te wachten en wordt er zo een prettige ervaring gecreëerd. Een met van Bluetooth toegezonden kortingsbon met een code direct worden verzilverd. In de app kan de besteller zien wat andere gasten goede gerechten vonden"

2. Door middel van mobile advertising kunnen wij als garage heel gericht een boodschap pushen die ook op locatie gelezen kan worden en door context en relevantie de retentie stuwt. Door in de just-in-case-app van de ANWB een in-app banner te plaatsen met een relevante uiting en korting op een onderhoudsbeurt bij een van onze garages, versterken wij de boodschap en het effect van herhalingskoop.

3. Als reisorganisatie willen wij mobile marketing inzetten om een directere relatie te hebben met de vakantiegast en ook zijn of haar gedrag. Zo bieden wij op onze vakantiebestemmingen gratis mobiele pagina's aan (via de startpagina van de Wi-Fi van het hotel) waarop men de beste bezienswaardigheden in de omgeving kan vinden en beoordelingen kan inzien of kan maken. De aangemaakte venue met foursquare vraagt onze hotelgasten een oordeel en tips achter te laten over de kamers, het eten, de service, het zwembad en overige zaken. Wij vragen de gasten hun oordeel te delen in hun sociale netwerk. Bij meerdere keren gebruik tijdens de vakantie ontvangen zij korting op het diner. Zo kunnen wij ook als reisorganisatie het gedrag van onze gasten zien en continu de vakantiegelegenheden verbeteren."

Afbeelding 14.15 Diverse tactieken van mobile marketing.

Bij de vertaalslag naar hapklare tactieken kijken we naar:

- verbetering brand awareness;
- verkoop met m-commerce;
- het bieden van just-in-time-informatie;
- mobile advertising;
- cross/multichannel;
- Just-in-case-tactiek;
- SoLoMo-tactiek: social location based mobile (shareable) exposure.

Bekijk op www.handboekonlinemarketing.nl de video 3-1409 van IKEA over hun nieuwe augmented reality catalogus.

14.5.1 Brand awareness

Brand awareness is meer een eigenschap dan doel of tactiek. Waar in 2008 een app of mobiele site 'hot' was, is tegenwoordig een app of mobiele site een must. Het hebben van een app en zomaar aanbieden in de stores is dus niet meer vanzelfsprekende branding voor een organisatie. Branding wordt via mobile marketing geladen door gemak, frequentie van gebruik en service, zoals het regelmatig voorzien van updates en juistheid van realtime informatie. Het smeerbeleg van het merk Philadelphia heeft een app om de gebruiker bewust te maken van alle mogelijkheden van deze spread. Vanaf de start in 2010 wisten zij met gebruikers meer dan 1000 recepten te vergaren (reactie) die relevant waren voor het product. Hieruit is een keuze gemaakt en de (rich) content is als recept weer in de vernieuwde receptenapplicaties teruggekomen. Als je schudt met de (iPhone) app krijg je realtime een nieuw recept en nieuwe inspiratie te zien. Je kunt tevens recepten beoordelen.

Afbeelding 14.16 Philadelphia heeft een receptenapp voor de telefoon en de tablet.

14.5.2 M-commerce

Was in 2008 een app of mobiele site 'hot', tegenwoordig is dat m-commerce, het kopen via de mobiel. In de VS en Azië is het betalen via de mobiel - met bijvoorbeeld credits en een mobiele creditcard - goed ingeburgerd. Het schort alleen nog aan het aanbod van mobiele webshops. In Nederland kende de Rabobank al snel een manier om via de mobiel te betalen. Enkele apps hebben hier ook gebruik van gemaakt voor bijvoorbeeld het bestellen en direct afrekenen van bioscoopkaarten met de mobiel. Sinds eind 2011 wordt in Nederland iDeal voor de mobiel uitgerold door de verschillende banken. In 2011 heeft de Rabobank met Thuisbezorgd.nl hiermee een eerste test gedaan. Mollie.nl biedt in Nederland systemen aan voor het betalen met de mobiel zoals

per sms of een paysafecard. Zoals eerder is toegelicht kunnen veilige technieken zoals NFC het daadwerkelijk betalen met de mobiel als portomonnee met de nieuwe smartphones mogelijk worden gemaakt. Met name tablets zijn geschikt voor m-commerce. Qua formaat, bediening en de acceptatie van het gebruik van het toestel voor bijvoorbeeld de aanschaf en betaling van apps (voor een iPad) raakt de consument vertrouwd met mobiele betalingen. Toch loopt Nederland hierin achter. Vanaf de zomer van 2012 is er wereldwijd een stijging te zien in het boeken van reizen via de mobiel(e tablet). Reisorganisatie weten er maar nauwelijks mee om te gaan. Ook het aantal mobiele oplossingen voor webwinkels is in Nederland nihil.

Afbeelding 14.17 Thuisbezorgd.nl weet de mobiele strategie goed onderdeel te maken van hun business.

14.5.3 Just-in-time-service

Just-in-time biedt mobiele informatie en diensten die puur op dat moment relevant en rich zijn. Het gebruik is sterk afhankelijk van de situatie en context. Zo is het kunnen inzien van files op de weg waar jij op dat moment rijdt een voorbeeld van *just-in-time*. Het gaat puur om de files op de snelweg waar jij op dat moment (heen)rijdt. Just-in-time kan ook de mobiele service zijn van een actieve tv-gids die sms't wanneer jouw favoriete programma's op tv komen. Of een kortingscoupon die je bij het betreden van een winkel via Bluetooth ontvangt op je mobiel. Met de tactiek waarin just-in-time centraal staat, heeft de informatie alleen op dat moment en vaak in die context en omgeving veel waarde.

14.5.4 Mobile advertising

Consumenten hebben hun mobiel vaak binnen handbereik. Sms, Whatsapp, i-Message, mobiel surfen en het mobiel mailen zijn de meest populaire bezigheden op de mobiel die ook voor adverteerders interessant zijn. Bovenaan staat het massaal gebruik van apps op de smartphones en tablets. IAB Nederland onderzocht in 2011 de ontvankelijkheid van mobiele advertenties. 68% vond toen dat de advertenties beter aansloten bij hun wensen. Ook is de bereidheid om meer persoonlijke informatie achter te laten op de mobiel groot. 37% gebruikt het liefst applicaties die kosteloos zijn maar dus wel advertenties bevatten. Dit worden ook wel 'in-app' advertenties genoemd. Mogelijkheden van mobile advertising zijn location based messaging, bijvoorbeeld voor de retail en horeca. Appvertising is een belangrijke vorm van mobile advertising en natuurlijk mobile web advertising in bijvoorbeeld zoekmachines of rondom mobiele sites. Ook het aanbieden van gratis branded apps zijn vormen van mobile advertising. De gebruiker kan gratis een app gebruiken met bijvoorbeeld handige tips, nieuws en korting maar ziet (relevante) advertenties.

Afbeelding 14.18 Mobile display ads zijn goed te targetten.

De kosten van het adverteren via de mobiel zijn lager. Het bereik is kwalitatief beter en de mogelijkheden voor targetten (bijvoorbeeld op basis van ontvanger, locatie, app of site) zijn beter dan andere vormen van online advertising. Google publiceert regelmatig cijfers die aantonen dat het doorklikgedrag op Android tot 80% hoger ligt dan op advertenties op de desktop.

14.5.5 Crossmultichannel

Met crossmedia bedoelen we de mix van verschillende media zoals radio, tv, print en het web. Binnen het onderdeel web hebben wij verschillende kanalen. Zoals we in hoofdstuk 1 zagen, zijn 'connected' toestellen zoals tv's in opkomst. Dit is een groeiend kanaal waarbij we tv en internet kunnen mixen. Aan de gedragskant is het multiscreenen in opkomst en zitten we vaker op de bank tv te kijken met een mobiel toestel binnen handbereik. Zo kijken wij naar The voice of Holland (TVOH) op tv met de mobiele app erbij. Deze combinatie heeft sinds 2010 een boost gegeven aan het verschijnsel 'social tv'. Multiscreening betekent ook multichannel en interactie. Realtime, relevant en herhalend. Waarom is dit tactisch? Crossmultichannel is het effect van mobiel gecombineerd met andere (oude) media.

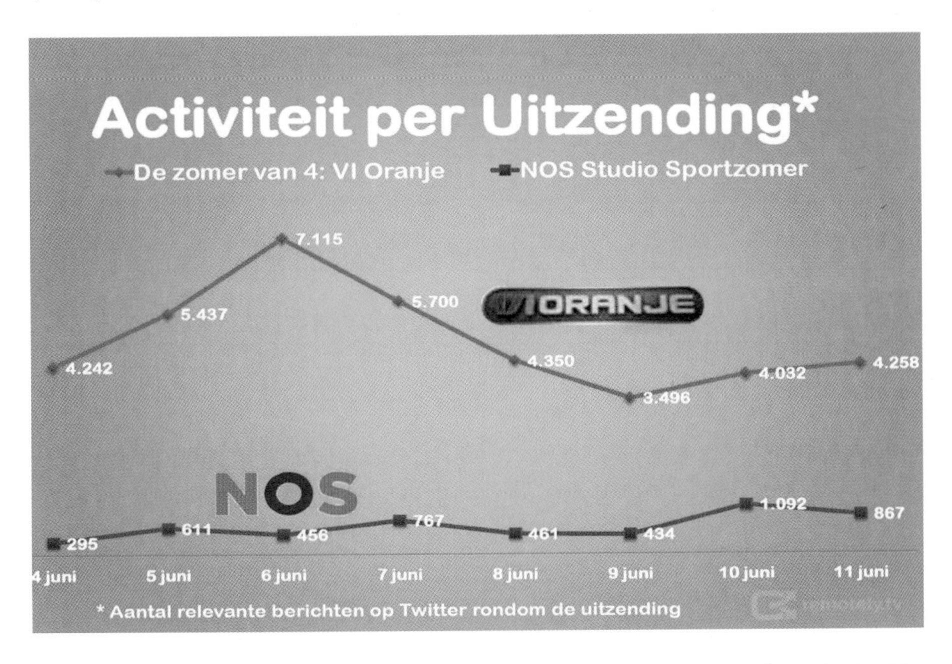

Afbeelding 14.19 Sportprogramma's zijn al snel social-tv.

Crossmultichannel is het effect van mobiel gecombineerd met andere (oude) media. Zo kan Layer (augemented reality) zoals IKEA dit gebruikt voor hun catalogus een extra beleving geven. Het zijn verschillende media door elkaar, naast elkaar en op elkaar die elkaar versterken. Een ander voorbeeld is een backchannel zijn op een event. Tijdens het presenteren van de sessie is op het scherm op het podium een Twitter-stream te zien die realtime de relevante reacties uit de zaal opvangt. De bruikbare reacties kunnen omgezet worden in een blogpost of voor promotie worden gebruikt en natuurlijk als evaluatie. De behoefte om realtime een mening te kunnen geven of te participeren in bijvoorbeeld een tv-programma neemt sterk toe.

Zie de praktijkcase aan het einde van dit hoofdstuk van RTL's TVOH.

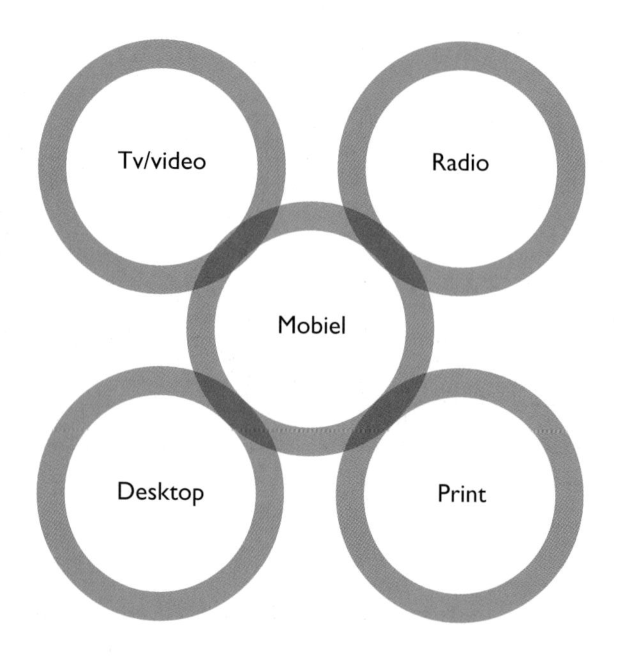

Afbeelding 14.20 Mobiel zorgt voor crossmultichannel.

14.5.6 Just-in-case

In het geval dat je uit een catalogus iets nodig hebt, spreken we van 'just-in-case'. Het is niet direct tijdgebonden en ook niet direct locatiegebonden. Als je voor je woning een kast, bed of iets soortgelijks zoekt, dan is bijvoorbeel de mobiele app van IKEA een 'just-in-case'. Je staat in je woonkamer, pakt de app erbij, start de catalogus op en je ziet welk product jij nodig hebt. Vanaf 2013 zal IKEA de apps gaan voorzien van augemented reality om met jouw nieuwe producten virtueel door de ruimte te lopen.

Afbeelding 14.21 IKEA kent een 'just-in-case'.

Ook de app van de ANWB geeft 'just-in-case' de mogelijkheid een melding te communiceren via de app. Ook kun je zien welke opties er zijn om het lidmaatschap uit te breiden en informatie over hoe te handelen bij een ongeluk. Het spoorboekje van de NS is ook een just-in-case-tactiek. Je kunt altijd zien wanneer welke trein vertrekt. Worden er nieuwsberichten getoond die puur gericht zijn op het treinstation waar jij je op dát moment bevindt, dan spreken we voor dat gedeelte van just-in-time. De allereerste product-apps hadden een catalogusfunctie en dus een tactiek die wij als 'just-in-case' kunnen omschrijven. Voor een just-in-case-tactiek heeft de gebruiker niet direct een online verbinding nodig, wat de nodige voordelen geeft en de app altijd beschikbaar maakt.

14.5.7 SoLoMo-tactiek, social location based mobile (shareable) exposure

We kennen de succesfactoren als relevantie, locatiegebonden informatie, just-in-time en het bezig zijn met social media op de mobiel plus het delen van ervaringen met tekst, foto, video en in de toekomst livestreams. Instagramt groeit snel op de mobiel en daarmee neemt het delen van afbeeldingen via de mobiel via sociale media toe. Onderzoek van eMarketeer.com (uit 2012) geeft aan dat 45% van de Amerikanen locatiegebonden 'coupons' zouden willen ontvangen op de mobiel. De meeste tweets in Nederland komen vanaf een mobiel en dit lijkt ook voor de statusupdates van Facebook te gaan gebeuren. Het bekijken van e-mail neemt af op de desktop, op de mobiel neemt dit juist toe.

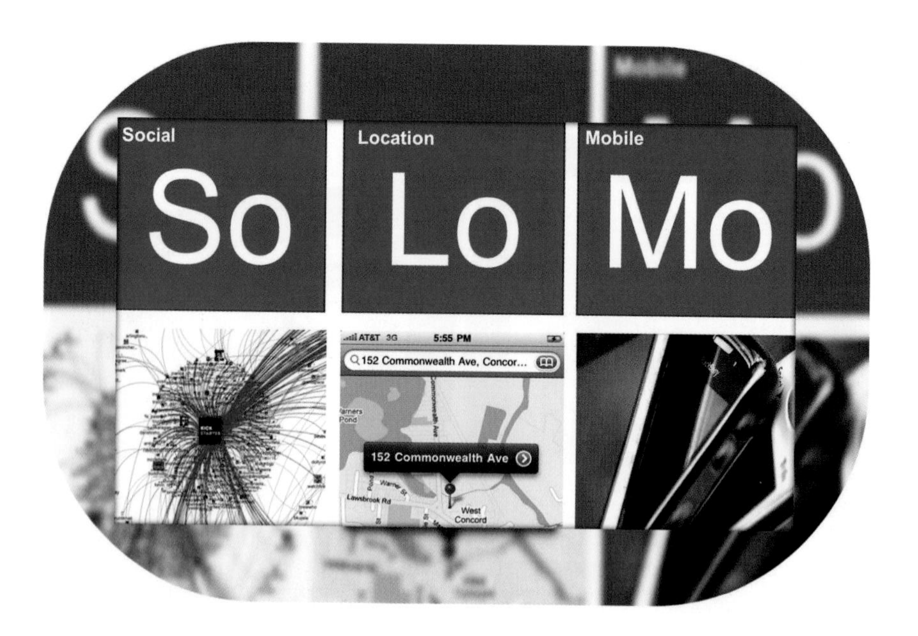

Afbeelding 14.22 SoLoMo.

'Market Research in the Mobile World' -het congres MRMW- is een toonaangevend mobile marketing event dat ook jaarlijks in Amsterdam wordt gehouden. In 2012 presenteerden diverse specialisten tijdens het event markante onderzoeksgegevens. Zo zou men in China liever tv opgeven dan de smartphone en zoeken de Japanners massaal productgegevens en lokale diensten via de mobiel op. Ook bracht het congres de trend dat 37% van de online tijd aan social media wordt besteed. Daarnaast benadrukt het event dat de marketeers de mogelijkheden van de mobile niet weten te gebruiken. Indien je een zoekmachine op je mobiel gebruikt, zal de mobiel aan jouw GPS-locatie (nauwkeurig) of jouw inbelpunt van je online verbinding (minder nauwkeurig) kunnen zien in welke regio of stad of deel van de stad jij je bevindt.

Op basis van deze locatie verschijnen de zoekresultaten. Ook dit is location based mobile marketing gemixt met search en eventueel met mobile advertising. Als wij 'social serach' erbij pakken - zoals reviews, beoordelingen, Google Plus +1-toekenningen - dan bepalen de beoordelingen wat jij op je mobiel ziet.

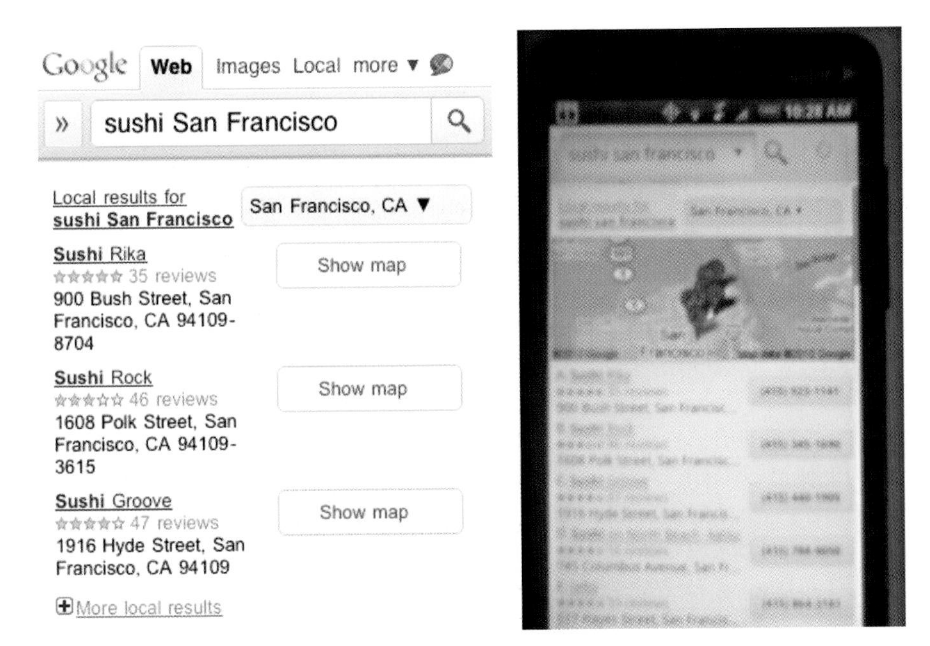

Afbeelding 14.23 Local search en social reviews.

De zoekresultaten van Google zullen steeds meer in volgorde van best beoordeeld worden getoond. De mobiel plakt hier de lokale relevantie aan vast en je krijgt een rich resultatenlijst van jouw zoekopdracht. Ben je ingelogd in Gmail - of andere dienst van Google -, dan kun je zien wie uit jouw netwerk op die locatie is geweest.
Social local mobile marketing zal de komende jaren alleen maar sterker worden en daarmee een van de meest belangrijke tactieken binnen mobile marketing en de online strategie. Met de toepassing 'Voice' zijn er diverse apps waarmee je een zoekopdracht - bijvoorbeeld in de auto - kunt inspreken.

Bekijk op www.handboekonlinemarketing.nl video 3-1410 van Google Mobile genaamd *Google Mobile Search for Restaurants..*

Local -het locatiegebonden zoeken en surfen op de mobiel- versterkt de relevantie. Het sociale aspect toont bijna realtime beoordelingen (uit jouw netwerk). Google Places kan jouw reactie weer doorplaatsen zodat dit weer de zoekresultaten beïnvloedt. Door middel van Google Plus kun jij je ervaringen delen waardoor er binnen je netwerk een retentie-effect kan ontstaan.

14.6 Wat is mobile advertising en welke soorten zijn er?

Mobile marketing, Admobs, mobile advertising, m-advertising, wireless advertising, sms of 'm-adcommunication'. Diverse termen worden gebruikt om het adverteren op de mobiel een naam te geven. Wij houden het bij het meest voorkomende 'mobile advertising'. In de wetenschap *(bron: Annelies Van Hoorick, Universiteit van Gent, België)* wordt de volgende omschrijving gebruikt: "*Bij mobiele marketing wordt gebruik gemaakt van interactieve draadloze media. De reclameboodschap die via dit medium wordt verzonden is afhankelijk van het tijdstip, de plaats en de persoonlijkheid van de consument en promoot de verkoop van goederen en diensten.*" Na jaren van mobiele spam, zoals ongewenste sms of het ongewenst bellen lijkt de angst voor privacymisbruik voorbij. Mobile advertising staat bekend om een hoge responsgraad. Ook de link naar een daadwerkelijke aankoop, de 'click-to-calls' of andere vormen van mobiele actie verhogen de conversie. De betrokkenheid maar ook ontvankelijkheid bij mobiel adverteren is opmerkelijk hoog. Mobile advertising laat zich kenmerken door:

- lagere kosten;
- betere targetting;
- persoonlijke een-op-een adverteren;
- hoge relevantie van de uiting;
- lokale relevantie;
- gemak en directheid;
- beperkte, compacte boodschap.

Afbeelding 14.24 Mobile advertising kenmerkt zich door een compact boodschap.

Kijken we op basis van een onderzoek onder 350 organisaties uitgevoerd door IBM naar de inzet van mobile in de marketingmix dan zien we ook daar de groei van het middel mobile in de mix.

Besteding in miljoen US dollars	**2012**	**2013**	**2014**	**2015**	**2016**
Japan	1740,2	2027,3	2331,4	2520,2	2671,5
China	195,6	313,5	483,1	631,8	780,3
VS	2292,7	3995,3	6075,1	8227,2	10.338,1
UK	558,1	892,1	1405,0	2160,0	3030,4
Duitsland	225,0	378,2	612,8	952,1	1392,9

Bron: bestedingen aan mobile advertising (inclusief banners en mobile video advertising) 2012-2016 volgens eMarketer.com.

Het onderzoek is genaamd 'State of Marketing' en onderzocht de verandering van middelen in de marketingmix. Kijken we naar de inzet van mobile door marketeers, dan concludeert het onderzoek:

- 45% van de marketeers gaven aan al voor de mobile aangepaste websites te hebben;
- 27% gebruikt mobile targetting;
- 25% maakt gebruik van adverteren via de mobiel;
- 46% zegt meer te willen gaan doen met mobile marketing binnen hun marketingmix.

Een zeer belangrijke conclusie is dat 51% van de organisaties vindt dat de samenwerking tussen marketing en IT strakker moet.
De afrekenmodellen zijn bijna gelijk aan die via de desktop. Je kunt vast inkopen per aantal impressies of afrekenen per actie:

- **CPM**: Cost Per Mile, de kosten voor de uitingen die per 1000 worden getoond op een mobiel. Voor branding, awareness of het snel bekend maken van bijvoorbeeld een nieuwe speelfilm is dit een goede aanpak.
- **CPC**: de kosten per klik, Cost Per Click, zoals de kosten van mobiele Adwords van Google waarbij je afrekent als een bezoeker op de link klikt. De vervolgratio waarbij de gebruik ná het klikken ook daadwerkelijk actie onderneemt ligt op de mobiel hoger dan via de desktop.
- **CPA**: op de mobile een manier van afrekenen waar veel groei in zit. De Cost Per Action is het afrekenen per actie. Op de mobiel is een actie een download of bijvoorbeeld een 'click to call'.

- Ook het bekijken van een video of testversie van een app kan worden afgerekend met CPA. Het mediabureau zal er dan voor moeten zorgen dat het een juiste advertentie in het juiste kanaal plaatst waar veel acties plaatsvinden.

Consumenten houden zich bezig met mobile messaging (sms'en en Whatsapp bijvoorbeeld), het browsen via de mobiel en opzoeken van gegevens bij bijvoorbeeld het winkelen. Het bekijken van e-mail via de mobiel is een van de voornaamste bezigheden, net als het dagelijks gebruiken van apps. Foto's maken en delen plus overig gebruik van social media blijft toenemen, net als het maken van video en die tevens delen via bijvoorbeeld YouTube.

De soorten middelen die een mobile marketing ter beschikking heeft zijn zeer divers op de mobiel. We kunnen globaal een indeling maken tussen:
- **webvertising** op mobiele aparatuur voorzien van internet met bijvoorbeeld een uitklapbanner;
- **appvertising** op smartphones en tablets of soortgelijke appartuur;
- **gamevertising** of het aanbieden van een testapplicatie zijn populair;
- **messaging** zoals sms en bluetooth voor telefoons die wel of geen smartphonefuncties kennen. Hierbij rekening houdend met het feit dat nog niet iedereen in Nederland een smartphone of tablet bezit.

De telecomproviders verwachten dat 75% van mobiel bellend Nederland een smartphone of tablet bezit in 2013. Een dekking van bijna 100% wordt verwacht voor 2015.

Display kent bij bannering soorten als:
- de *uitklapbanner* of 'expandable banner'. Deze banners kunnen bij het aanraken op het mobiele scherm meer dan de helft van het scherm bedekken. De gebruiker kan vervolgens doorklikken of meer informatie bekijken;
- een *plakbanner* of 'adhesion banner' die onderaan, aan de bovenkant of aan de zijkant van het mobiele scherm is geplakt;
- een *actieve 'click to acction' banner* die bij aanraking bijvoorbeeld een video toont of een telefoongesprek tot stand brengt of download;
- *'Social Ads.'* Dit kunnen tekstadvertenties zijn of banners die bijvoorbeeld in Facebook bepaalde content promoten of vragen of jij de content wilt delen in jouw timeline.

De QR-codes en coupons vormen een sterk wapen voor de marketeer gezien de 'accountability'. Je kunt goed analyseren welke kortingsbonnen zijn ingewisseld.

QR-codes vallen onder de 'mobile action codes'. Zo kent Microsoft een variant op de bekende zwart-witte QR-code die bijvoorbeeld ook op het Handboek Online Marketing staat afgedrukt.

Onderzoek op Nellymoser.com/qr-in-advertising toont aan dat QR-codes de meest gebruikte manier is van codemarketing:

- het onderzoek toont aan dat in de periode 2011-2012 de toename in gebruik van QR-codes in magazines 61% is;
- ruim 10% van de top 100 magazines in de VS maakt regelmatig gebruik van QR-codes.

Bekijk op www.handboekonlinemarketing.nl video 3-1411 van Google Mobile genaamd *Google Mobile Ads.*

14.7 EXPERT-CASE Jeroen de Bakker met Boodschapp

Afbeelding 14.25 Boodschapp.

Jeroen de Bakker (1968) was een van de oprichters van Qi, werkte de afgelopen jaren onder andere als directeur strategie & innovatie bij TBWA en is nu co-founder van Lab1111. Dit innovatieve bedrijf initieert, regisseert en exploiteert digitale communicatieproducten zoals Teamlink van Amstel, Zonneradar van Wieckse Witte en Jonge Leeuwen van ING. Binnen Lab1111 is ook het eigen digitale communicatieproduct Boodschapp ontwikkeld.

Wat is Boodschapp precies?

"Gezondheid is je kostbaarste bezit. En we letten – zeker nu – ook graag op de kleintjes. Dus wat kies je? Het duurdere A-merk of een goedkopere variant? Boodschapp maakt productinformatie transparant en helpt consumenten bij het maken van bewustere keuzes in de supermarkt. We zijn een onafhankelijke dienst die op een makkelijke manier inzicht geeft in de samenstelling van duizenden voedingsmiddelen bij -vooralsnog- AH, C1000 en Jumbo. De camera van een smartphone scant de streepjescode en onze dienst toont een waardering en ranking van het product met cijfers en kleuren. En geeft daarnaast inzicht in prijsniveaus."

Is dit een pure SoLoMo-strategie die jij met Boodschapp voor ogen hebt?

"Boodschapp is gelanceerd als een applicatie voor iOS en Android vanuit een 'mobile first'-strategie. Het doel is echter groter dan dat. We willen de Bellen.com van de voedingsindustrie worden en een vaste plek veroveren in het dagelijkse kooporiëntatieproces rond voeding bij (prijs)bewuste consumenten. Boodschapp wordt op termijn een crossmediaal platform ontsloten via apps, web, social & API's en bestaat uit exclusieve content ontwikkeld in samenwerking met diëtisten en voedingsdeskundigen aangevuld met relevante informatie gegenereerd door betrokken consumenten."

Kijkend naar de overview die jij hebt; hoe ontwikkelt digitaal zich conceptueel deze jaren?

"Het medialandschap versnippert verder en consumenten worden steeds vaker initiator van marketingcommunicatie. De oplossing voor adverteerders om toch nog aandacht te krijgen van consumenten is een structurele aanwezigheid van hun merk binnen sociale en mobiele omgevingen op basis van relevantie. Ze moeten hiervoor opzoek naar gedeelde interessegebieden die aansluiten bij de belevingswereld en hobby's van doelgroepen enerzijds en bij hun merkstrategische uitgangspunten anderzijds. Het vinden van deze domeinen is uiteraard niet voor elk product of dienst even gemakkelijk. Daarnaast zijn de echt interessante interessegebieden niet onbeperkt beschikbaar. Dat geldt zeker voor interessegebieden die ook nog eens grote groepen consumenten samenbrengen, wat elke investering sneller kostenefficiënt maakt. Begin daarom vandaag nog met de ontwikkeling van een strategie voor een structurele aanwezigheid binnen social en mobiele media. En claim je domein."

Wat is jouw verwachting van de inzet van mobile in campagnes en de mobile marketing in het algemeen?

"Binnen een medium dat -vooralsnog- zeer gericht en vooral functioneel gebruikt wordt en beschikt over een klein scherm is bijna elke vorm van interruptie vanuit de gebruiker gezien storend. En vanuit de adverteerder een nauwelijks opvallende uiting op postzegelformaat. Doordat micro-payment -in tegenstelling tot het web- op mobiel laagdrempelig is, hopen en denken wij dat veel gebruikers liever betalen voor waardevolle informatie en diensten dan dat ze reclame willen zien. Tenzij deze commerciële communicatie relevant is en door de timing, inhoud en vorm iets positiefs toevoegt aan de ervaring van de gebruiker. We geloven dat je als adverteerder beter je budget in relevante content en functionaliteiten kan investeren dan in bereik."

Waarom heb je met de app een Accenture Innovation Award gewonnen? Waarin zit volgens jouw het winnende concept in de app?

"Dat is kort samengevat door de e-commerce juryvoorzitter Willem Sijthoff: '*Boodschapp speelt in op een maatschappelijke trend. We zijn onder de indruk van de potentie van het team en we zien veel mogelijkheden voor slimme verdienmodellen.*' We denken dat we de jury ervan hebben kunnen overtuigen dat we een waardevolle positie gaan verwerven binnen het voedingsdomein en dat we door slimme retentie- en conversiestrategieën in 2015 een paar honderdduizend consumenten aan Boodschapp binden. En dat we weten hoe we deze gebruikers op een gebruikersvriendelijke en relevante manier commercieel kunnen exploiteren."

14.8 Het 4R-model en mobiele marketing

Als we het 4R-model toepassen op mobiele marketing, krijgen wij de volgende beoordeling:

- **Retentie**: het onderhouden van mobiele contacten en mobiele service door just-in-time-informatie naar de mobiel te sturen werkt conversieverhogend indien de wettelijke toestemming voor verzending is geregeld. Indien er awareness en betrokkenheid bestaat bij de mobiele ontvanger dan zal retentie slagen.
- **Relevant**: meer dan bij andere middelen is de relevantie van de boodschap de factor die mobiele marketing doet slagen. Gezien de mogelijkheden op mobiel om te kunnen zien waar de gebruiker zich bevindt is de relevantie van de boodschap iets wat de ontvanger verwacht.
- **Reactie & Rendement**: snel reageren hoort bij mobiele marketing. De snelheid en daarmee vluchtigheid van het instrument bepalen het succes van het middel. Sms-berichten, mms, bluecasting zijn voorbeelden van uitingen die als 'snack content' kunnen worden omschreven. Indien je als marketeer rendement wilt halen uit de mobiele benadering van je prospects zal directe respons een vereiste zijn. Een e-coupon die de gebruiker in de winkel ontvangt is hiervan een voorbeeld.
- **Rich**: rijk en waardevolle content zal bij mobiele marketing een mix moeten zijn van location based relevant gemixed met de opt-in-informatie (waarvoor de ontvanger uitdrukkelijk toestemming heeft gegeven).

HOM opdrachten hoofdstuk 14

Dit hoofdstuk kent de volgende opdrachten:

1. Noem vier onderdelen van mobiele marketing.
2. Geef vijf voorbeelden van mobiel adverteren.
3. Hoe kan de retail Bluetooth effectief inzetten? Wat is het nadeel?
4. Wat zijn voorwaarden om mobiele marketing tot een massamiddel uit te laten groeien?
5. Geef vijf voorbeelden van sms-marketing.

15 Online video en advertising

Online video advertising hangt samen met de stijgende populariteit van het gebruik van online video die ongekend hoog is. Mobiel internetten heeft het gebruik van online video wederom een boost gegeven. Online video is een van de meest sterke virale content en daarmee samen met afbeeldingen de contentvorm die het sterkst engaget.

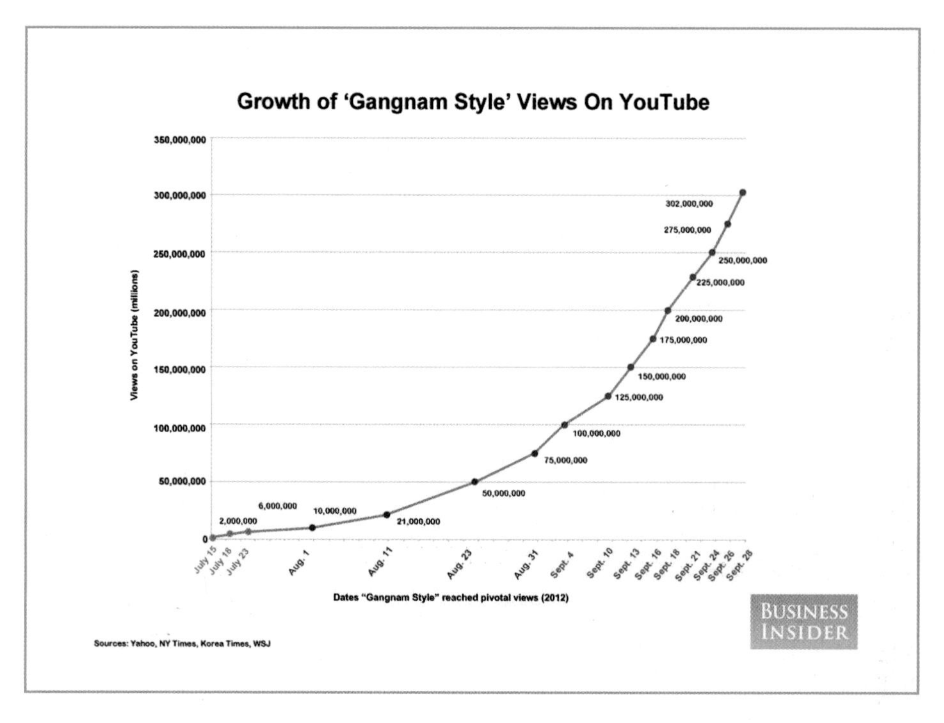

Afbeelding 15.1 Psy's Gangnam Style in 2012 en het virale effect van online video.

Online video heeft daarnaast het bijeffect dat de losse (YouTube) video's goed worden geïndexeerd in de zoekmachines. Het gebruik van video heeft dus naast een viraal bereik ook een duidelijk effect op SEO (zie hoofdstuk 10). De duur van de video is voor het succes vitaal.

Eind 2012 gaf het Amerikaanse *FreeWheel Video Monetisation Report* aan dat:

- het kijken naar online video's in de VS jaarlijks met gemiddeld 17% stijgt;
- het zien van videoadvertenties in 2012 met 49% is gestegen en de verwachting voor 2013 en 2014 is dat dit nog meer zal doorstijgen door varianten in videoadvertenties;
- 87% van de bekeken video's een duur kent van 5 minuten of korter;
- bijna 10% van de views van smartphones, tablet computers of game consoles kwam;

- langere video's 2% uitmaken van het totaal bekeken aanbod aan online video's.

Het rapport benadrukt vooral de opkomst van het online video's kijken op de mobiel. Tevens geeft het onderzoek aan dat online video in de VS in een kwartaal ruim 14 miljard views telde. De online videoadvertenties waren goed voor ruim 10 miljard views in een kwartaal. Big business dus voor de online marketeer en wederom een middel in de online marketingmix dat extreem groeit in bereik en betrokkenheid. Onderzoek van *Newcom Research & Consultancy* onder 11.000 respondenten geeft aan dat ongeveer 7 miljoen Nederlanders *YouTube* gebruiken. 1 miljoen doet dit dagelijks.
Meer feiten over *YouTube* (2012-2013):

- elke minuut wordt er 60 uur aan video geupload;
- elke seconde wordt er één uur aan video geupload naar YouTube;
- elke dag worden meer dan vier miljard video's bekeken wereldwijd;
- meer dan 800 miljoen unieke gebruikers bezoeken op YouTube elke maand;
- meer dan 3 miljard uur aan video wordt elke maand bekeken op YouTube;
- er wordt in één maand meer videomateriaal naar YouTube geupload dan de drie grootste Amerikaanse televisiezenders in 60 jaar hebben gemaakt;

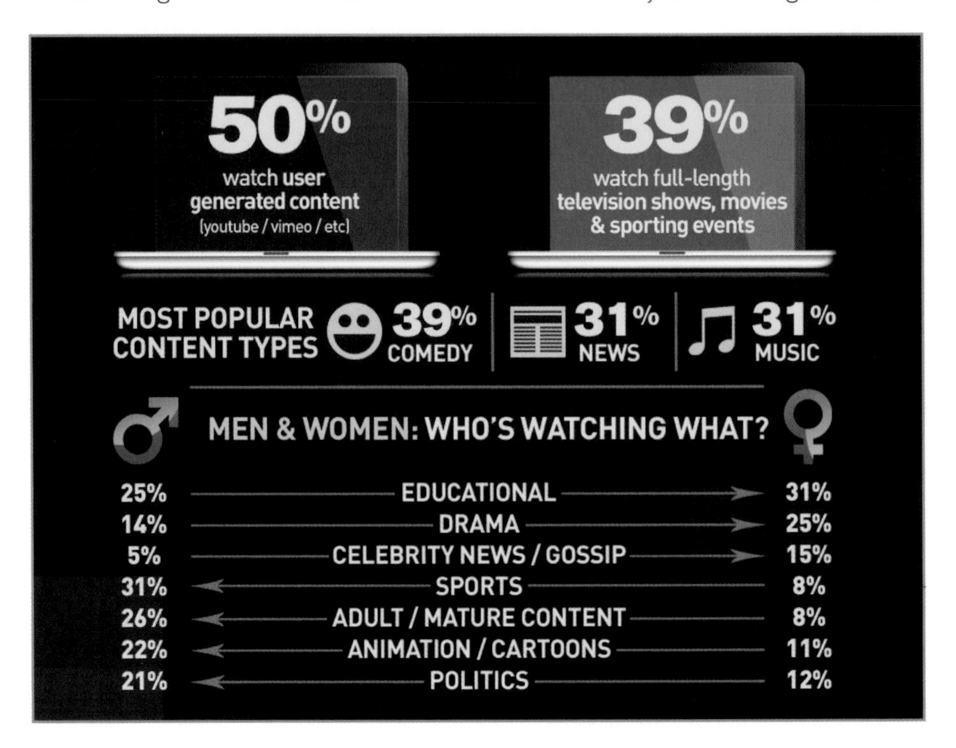

Afbeelding 15.2 Videogedrag in kaart gebracht door Metacafe.

- 70% van het YouTube-verkeer is afkomstig van buiten de Verenigde Staten;
- YouTube genereert elke week wereldwijd inkomsten met meer dan drie miljard video's;
- 98 van de 100 grootste adverteerders volgens AdAge hebben campagnes uitgevoerd op YouTube en in het *Google Display Netwerk*;
- 10% van de video's op YouTube is beschikbaar in HD;
- YouTube Mobile genereert meer dan 600 miljoen weergaven per dag;
- het internetverkeer naar YouTube is vanaf mobiele apparaten verdrievoudigd in 2012;
- er wordt elke dag 500 jaar aan YouTube-video's bekeken op Facebook;
- er worden elke minuut meer dan 700 YouTube-video's gedeeld op Twitter;
- 100 miljoen mensen voeren elke week op YouTube een sociale actie uit (zoals iets markeren als leuk, delen en een reactie plaatsen);
- Gemiddeld leidt een automatisch gedeelde tweet tot zes nieuwe sessies op YouTube, en we zien dat meer dan 500 tweets per minuut een link naar YouTube bevatten;
- meer dan 50% van alle video's op YouTube is door de community beoordeeld of van reacties voorzien;
- elke dag worden miljoenen video's als favorieten toegevoegd.

Bekijk op www.handboekonlinemarketing.nl video 3-1501 met grappige feiten over YouTube.

Amerikaans onderzoeksbureau Forrester voorspelt dat in 2017 90% van de internetters regelmatig naar online video zullen kijken. Online video is dan ook de snelstgroeiende online content.

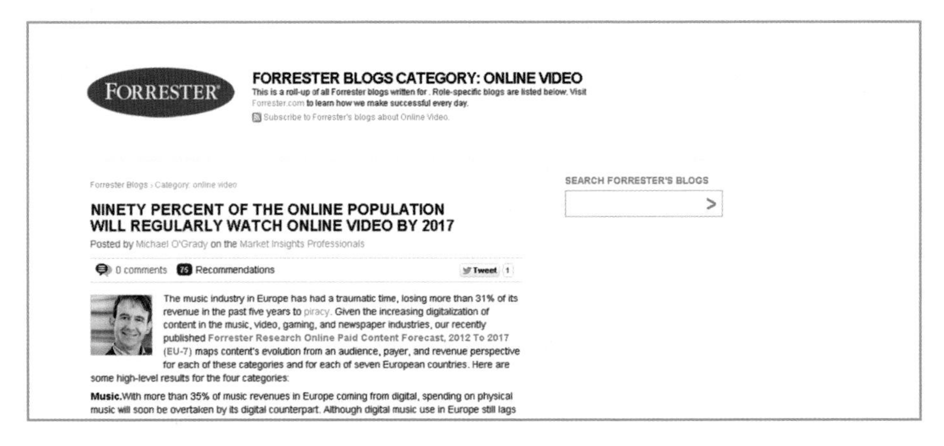

FORRESTER

FORRESTER BLOGS CATEGORY: ONLINE VIDEO

This is a roll-up of all Forrester blogs written for . Role-specific blogs are listed below. Visit Forrester.com to learn how we make successful every day.

Subscribe to Forrester's blogs about Online Video.

Forrester Blogs › Category: online video

SEARCH FORRESTER'S BLOGS

NINETY PERCENT OF THE ONLINE POPULATION WILL REGULARLY WATCH ONLINE VIDEO BY 2017

Posted by Michael O'Grady on the Market Insights Professionals

0 comments 76 Recommendations Tweet 1

The music industry in Europe has had a traumatic time, losing more than 31% of its revenue in the past five years to piracy. Given the increasing digitalization of content in the music, video, gaming, and newspaper industries, our recently published Forrester Research Online Paid Content Forecast, 2012 To 2017 (EU-7) maps content's evolution from an audience, payer, and revenue perspective for each of these categories and for each of seven European countries. Here are some high-level results for the four categories:

Music. With more than 35% of music revenues in Europe coming from digital, spending on physical music will soon be overtaken by its digital counterpart. Although digital music use in Europe still lags

Afbeelding 15.3 Forrester voorspelt een toename online video kijken tot 2017.

15.1 Online video op de smartphone en tablet

De groei lijkt vooral te komen van het mobiel kijken naar online video's en streaming video zoals *Uitzending Gemist* of het tv-aanbod van je kabelaar dat ook op de smartphone en tablet is te zien.

Afbeelding 15.4 Uitzending Gemist op de mobiel.

Ook het verschijnsel *Second Screen* waarbij wij bijvoorbeeld via laptop, smartphone of tablet naar de tv kijken, geeft het bekijken van online video een extra impuls. Het gelijk gebruiken van meerdere schermen heet *multiscreening*. *Online video advertising* is onderdeel van display advertising. Binnen de online mix krijgt het bewust gebruiken van online video een steeds grotere rol. Social media, de mogelijkheden van branding en snel internet zijn factoren die de explosieve groei van online video voor hun rekening nemen. Ook video kijken via de smartphone neemt explosief toe. Na het adverteren met banners en tekstlinks en search zegt 66% van de marketeers in Nederland te adverteren in online video. Onder online video wordt verstaan:

- *streaming video* die kan worden opgevraagd zoals wordt gedaan op bijvoorbeeld RTL Gemist of een kanaal op Ustream.TV;
- de video's die bijvoorbeeld op *blogs* worden geplaatst; dit wordt 'vloggen' genoemd, zie www.socialmedia.nl en www.atmost.tv voor virale video's die kunnen worden doorgestuurd (zie hoofdstuk 7 voor meer informatie over virale marketing);
- *in-banner video*, videobeelden worden in een rectangle gebruikt om beter op te vallen en meer te communiceren. Dit gebeurt deels nog

in Flash, maar steeds meer wordt in HTML5 aangeboden en is daarmee ook op de iPhone en iPad te zien;

- *online live videokanalen* zoals die zijn te vinden op www.ustream.tv;
- *videokanalen* zoals www.youtube.com/tudelft waar een organisatie gratis al zijn video's kan archiveren. YouTube en Google hebben aangekondigd meer eigen content en (tv-)kanalen aan te gaan bieden.

Afbeelding 15.5 Live streamen via USTREAM.TV.

15.2 Online video voor- en nadelen van online video

De drempel om zelf video online te zetten is - sinds de introductie van YouTube - zo eenvoudig geworden dat het aanbod gigantisch is.

Afbeelding 15.6 IAB Nederland kent een taskforce (online) video.

Bekijk op www.handboekonlinemarketing.nl de video 3-1502 met Benjamin Faes van YouTube-Google tijdens de IAB Videosummit.

De voordelen van gebruik van online video zijn onder andere:

- de kosten zijn relatief *laag*;
- het kan - bijvoorbeeld met een mobiel - *instant* en spontaan worden gemaakt, wat de beleving verhoogt;
- een *gemakkelijke* manier voor virale marketing en *PR*:
- je kunt gemakkelijk je eigen *productie* bepalen;
- het is een eenvoudig middel voor *branding* en het creëren van *engagement*.

De nadelen zijn onder andere:

- professionele video is *arbeidsintensief*;
- het is *vluchtig* en online is de concentratie snel weg;
- het *virale* effect is niet te voorspellen en lastig te produceren;
- te strak *geregisseerde* (offline) videoproductie kennen niet altijd een online *engagement*;
- het kan *PR-technisch* verkeerd vallen.

Afbeelding 15.7 AtMost.TV maakt eventvideo's, korte interviews en buzzvideo's.

15.3 Marketingmogelijkheden online video

Dat online video de aandacht vasthoudt en een prettige manier van contentpresentatie is, staat vast. De mogelijkheden die online video biedt zijn:

- *online broadcasting*, het eenvoudig en snel kunnen opstarten van een eigen live videokanaal bijvoorbeeld via Maxcast of op USTREAM.TV om bijvoorbeeld een live-event naar een groter publiek te brengen. Op de mobiel en vooral de tablet is dit een groeiende markt, 4G-verbindingen zullen dit een extra boost geven;
- *functionele*, losstaande overtuigende videocontent waarin je bijvoorbeeld de werking van een dienst, product of een producttest op video weergeeft, zoals op het YouTube-kanaal van DeHypotheekshop.nl;

Afbeelding 15.8 Een uitleg van de diensten van De Hypotheekshop.

- een personal *brandingtool* -zoals een pitch- waarbij je met video's bijvoorbeeld op een weblog je persoonlijke ervaringen vastlegt van een eis, stage of productieproces;
- voor bewust gebruik als *SEO-middel*: de video's zijn met bepaalde termen vindbaar in zoekmachines en kunnen los als promotiemiddel fungeren in de zoekmachines en de vinder van de video naar de website 'lokken';

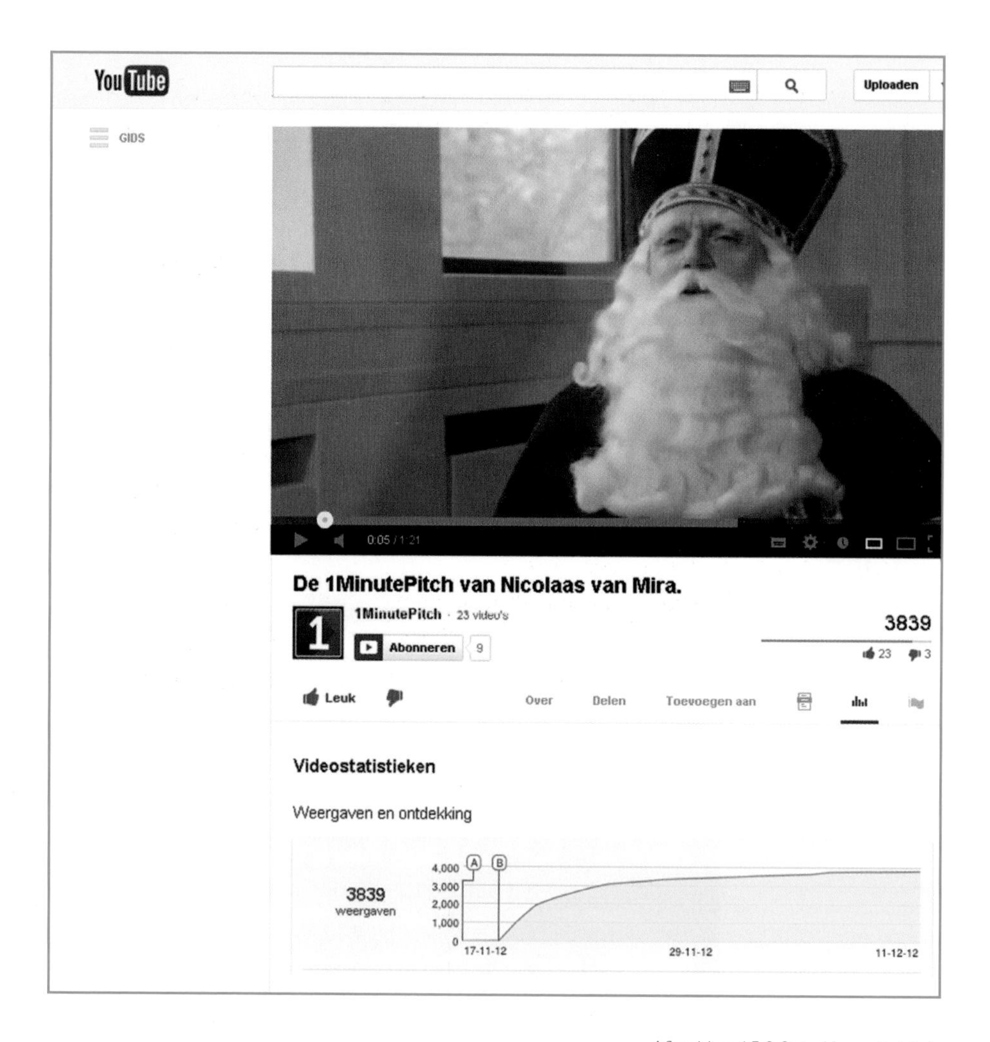

Afbeelding 15.9 Sinterklaas zijn pitch.

- een *social media* en buzz-functie waarbij de videocontent bijvoorbeeld een nieuwsgehalte heeft, een evenement promoot of interviews laat zien die een product in de spotlights zetten. Indien deze bedoeld zijn voor blogs dan spreken we over vloggen. De video's kunnen eenvoudig worden gedeeld in communities en social networks zoals Facebook, Google Plus en Twitter;
- een bewust *virale* videoboodschap die als doel het puur verspreiden van de videoboodschap heeft en voor bereik en branding dient te zorgen van een gerichte boodschap of grap.

Bekijk op www.handboekonlinemarketing.nl de videopitch (3-1503) van de Sint, waarin hij kort, snel en zakelijk vertelt over zijn complexe organisatie.

Voor alle genoemde mogelijkheden van het gebruik van online video marketing gelden drie hoofdregels:

- **Publish**, publiceer de video om een eerste viraal effect te bewerkstelligen, en een actueel gehalte te creëren of direct reacties op de video los te maken;
- **Optimize**, optimaliseer de live-stream, de kwaliteit van de video, de reeks van video en optimaliseer de publicatie waar de video onderdeel van is met extra informatie, de toevoeging van presentaties, deeplinks naar meer informatie en dergelijke;
- **Promote en Share,** promoot - het delen van - de video binnen social networks zoals Hyves en Facebook, op Twitter en Plurk, binnen je eigen (online) netwerk en plaats de video's op kanalen zoals YouTube en Vimeo en het Nederlandse *Dik*.

15.4 Vormen van online video advertising

De mogelijkheden en vormen van adverteren in online video's zijn verschillend:

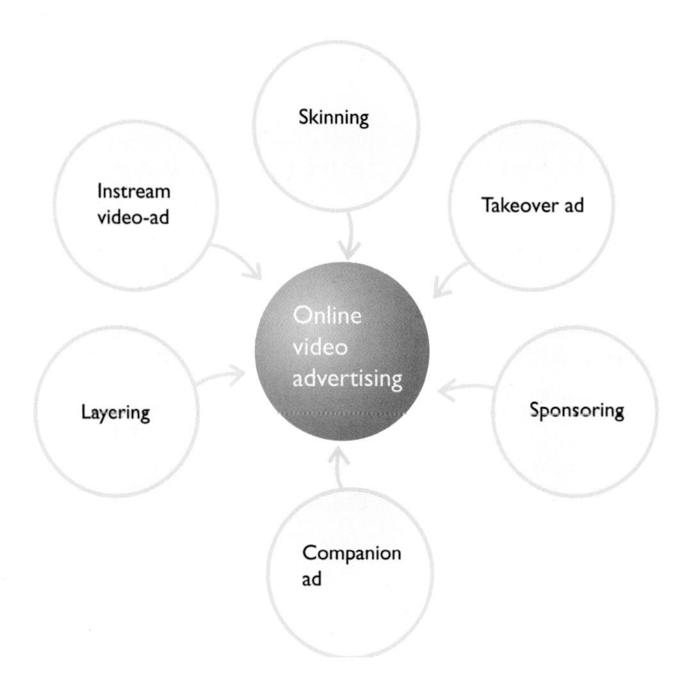

Afbeelding 15.10 Online video advertising.

- Een *instream video ad* die voor de hoofdvideo wordt gespeeld. Deze vorm lijkt op de reclameblokken die we van tv of de bioscoop kennen. Een goede lengte is 15 tot maximaal 30 seconden. Bij het gebruik van instream video ads via mediabureaus wordt er afgerekend volgens het CPM-model. Je betaalt naar het aantal views.
- *Layering* of overlay tijdens het afspelen van de video. Er verschijnt op een bepaald -relevant- moment een laag die bestaat uit een advertentie over de video heen. Hierbij moet rekening worden gehouden met de spanningsboog die kijkers hebben. Het voordeel van layers is het feit dat ze de video niet vertragen. Je ziet direct de hoofdvideo bij het afspelen.
- Een *companion ad* is een uiting die bij of naast de video verschijnt en websitegebonden is. Ook kan deze ad in de videospeler verschijnen. Bij het delen van de video is de add echter verdwenen.
- Een *take-over ad* neemt de videospeler of de gehele video over. De kans op irritaties is groot. Deze vorm wordt vooral bij livestreaming gebruikt.
- *Sponsoring* van de video kan bestaan uit een mix van de vormen die

hiervoor zijn genoemd of bevatten reclame-uitingen die in de video verschijnen.
- *Skinning* is het grafisch vormgeven van de speler van de video. Een voorwaarde voor skinning is dat het videoformaat bij de speler moet horen. Het delen is minder eenvoudig; men zal altijd naar de pagina moeten surfen om daar de video te bekijken.

Online video advertsing is een van de jongste middelen van de online marketingmix. De wereldwijde acceptatie en groei van het gebruik van online video maakt het tot een must in de online mix. Het inzetten van online video en vooral het adverteren in online video is nog volop in ontwikkeling en zal door de snelle groei snel professionaliseren. De succesfactoren van online video advertising:
- wees je bewust van het doel van de video en richt daar de uitingen op in;
- zorg dat de advertentie bij de doelgroep van de video past;
- indien de video wordt doorgestuurd op langere termijn, is mijn reclame-uiting dan nog van waarde;
- geeft de gekozen vorm geen irritatie indien de video herhaaldelijk; wordt gezien of getoond;
- houd rekening met het feit dat video's steeds vaker mobiel worden bekeken of via multiscreening;
- zorg dat de video op bijvoorbeeld een mobiel of ander apparaat waar de video wordt getoond nog duidelijk is;
- de kracht van een reclameboodschap zit in herhaling, zorg voor een uiting die ook bij herhaald afspelen van de video nog een krachtige boodschap kent;
- geef de reclameboodschap een viraal karakter mee en gebruik zo het medium waarin de video wordt geplaatst.

Bekijk op www.handboekonlinemarketing.nl video 3-1504 het interview met de TU Delft over de lancering van hun eigen branded videokanaal op iTunes.

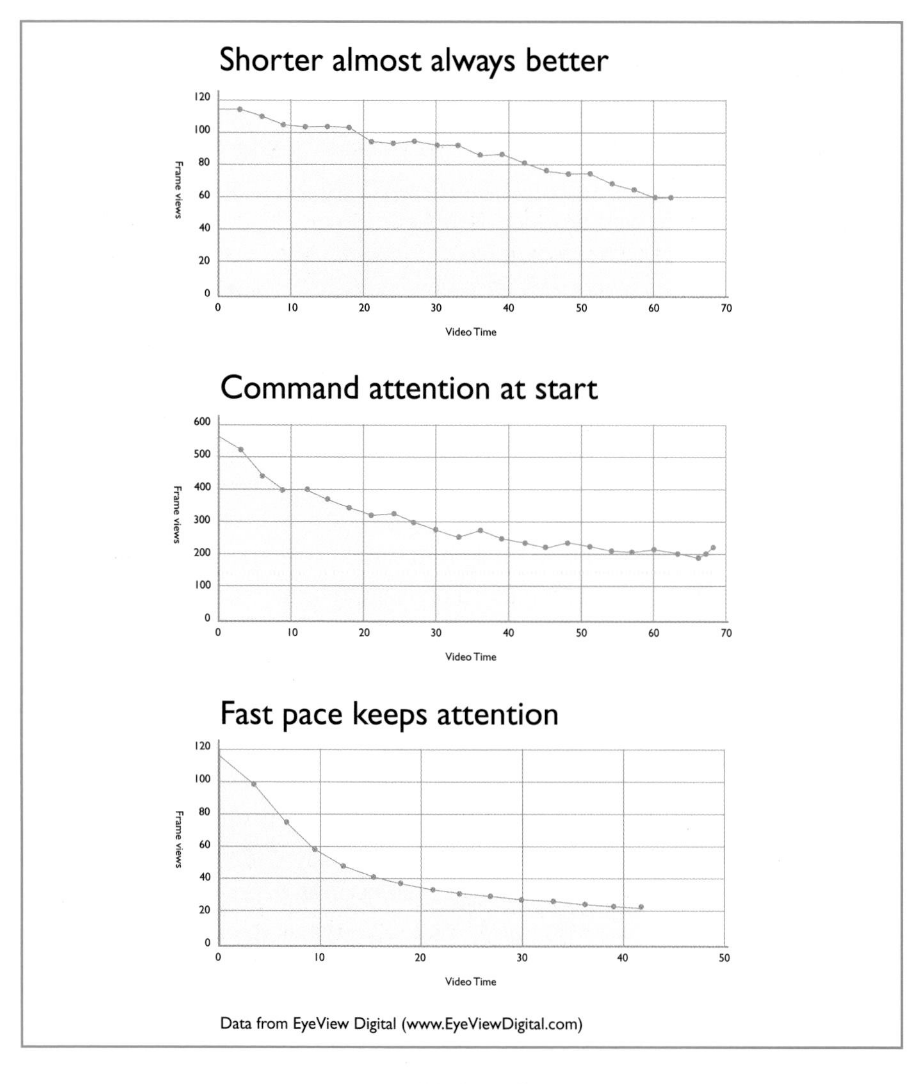

Afbeelding 15.11 Korte video's hebben de beste attentiewaarde

15.4.1 Hoe van online video te converteren

Naast advertising is de videocontent zelf de ideale reclameboodschap. Tips om content te maken die ook commercieel resultaat heeft zijn:

- focus op het *virale effect* van content, zoals *branded lifestyle content* en het op video zetten van ervaringen of videoshots achter de schermen;
- *how-to's en instructievideo's* werken viraal goed als het actief is gemaakt, of, zoals dit op zijn Amerikaans heet: in motion;
- *customer support* en het zakelijk tonen van de functies van een productie zoals van een mobiel;
- zet *gebruikers* die enthousiast met jouw product of dienst bezig zijn op

video;
- laat video's zien die *geheimen* openbaren van een plek, organisatie, toepassing, product of evenement;
- zorg in de video's voor: 'music, surprise, cuteness, boobs, humor and celebrity', *bron: Forbes.com*;
- gebruik eventueel (in YouTube) *doorklikoptie* om direct een call-to-action in te bouwen in de video en gebruik de gratis analyseoptie van de views in YouTube of Vimeo.

Bekijk op www.handboekonlinemarketing.nl de video 3-1505 van autoproducent HONDA die uitlegt hoe je interactieve video's maakt in YouTube.

Afbeelding 15.12 Een interactieve video van HONDA.

15.5 4R Succesfactoren van online video advertising

- **Retentie**: herhaling van uitingen in verschillende vormen heeft een versterkende werking. Het goed herkennen van de klant en zijn of haar profiel is relevantie voor retentie. Zonder relevantie zal herhaling gaan irriteren, wat op het internet al snel het geval is. Retentie en relevantie horen bij webvertising sterk verweven te zijn in de uiting.
- **Relevant**: de relevantie van de boodschap zal de virale kracht van de gehele video versterken. Bij layering is de timing een must. Bij skinning is de variatie van de skin die om de videospeler heen gaat van belang.
- **Reactie & Rendement**: dit is bij online video voorlopig nog laag. Het rendement zal bestaan uit branding en het verspreiden van de boodschap. De verspreiding kan traag en stroef gaan.
- **Rich**: een boodschap die relevant bij de hoofdvideo past, wordt versterkt in zijn plaatsing en boodschap.

Bekijk op www.handboekonlinemarketing.nl video 3-1506 de video *Videoque* over de ontwikkeling van webvideo en het succes van YouTube.

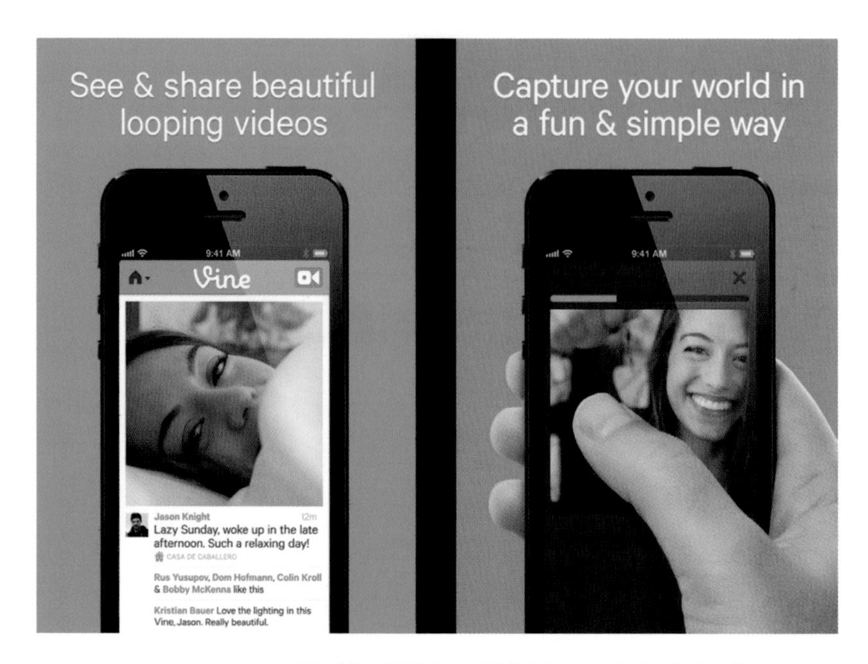

Afbeelding 15.13 Begin 2013 is het social videoplatform Vine geïntroduceerd.

15.6 EXPERTCASE Interview Ernst Jan Bos over Pinterest, afbeeldingen, online video en visuele beleving

Video is onderdeel van visuele marketing. Een omschrijving die wordt gebruikt bij afbeeldingen en video die bewust worden ingezet bijvoorbeeld als *storytelling*. Het populaire platform Pinterest is een van de snelstgroeiende social platforms. Ernst Jan Bos is consultant op het gebied van strategische inzet van social media marketing bij MKB-bedrijven, spreker en trainer. Tevens is hij is (co-)auteur van diverse boeken over zoals *Pinterest deserves your interest.*

Afbeelding 15.14 Ernst Jan Bos.

Hoe kunnen wij businesswise Pinterest het best omschrijven?

"Pinterest is de meest eenvoudige manier voor bedrijven om beeldend te vertellen wat je missie, visie, doelstelling, strategie, producten, bedrijf, passie, emotie is. Deel je content in de meest brede zin van het woord visueel en je bedrijf/product wordt ineens visueel voor de grote hoeveelheid potentieel die er is. Beelden zeggen nou eenmaal meer dan woorden."

Hoe zou jij het gedrag en de afbeeldingen op Pinterest in Nederland het liefst omschrijven?

"Steeds groter worden met steeds meer een gevoel van planmatige aanpak. Was het in het begin, wat ook logisch is, nog chaotisch, nu begint het zich steeds meer te ontpoppen als een functioneel platform waar bedrijven, in de breedste zin van het woord, zich kunnen profileren. Wat mij verbaast is dat de vele webshops die Nederland heeft er nog weinig gebruik van maken. Het is naar mijn idee een van de gemakkelijkste manieren om de pinners naar je website te trekken."

Kan Pinterest echt voor zakelijke toepassingen worden ingezet?

"Klanten maar zeker ook propects moeten zich aangetrokken voelen tot een bedrijf. Met beelden, en het verhaal erachter, kun je ze boeien en binden (om maar een bekende term te gebruiken). Het is ook een passende manier om je kennis en kunde te laten zien. Beelden van bereikte projecten te tonen. Je producten verder uit te werken en natuurlijk voor een webshop om de producten in hun juiste waarde, ook met prijs, te laten zien. Dit alles om het imago van het bedrijf in het juiste beeldende umfeld te zetten en directe backlinks naar je website te krijgen."

Wat zijn tips bij het inzetten van Pinterest voor bedrijfsdoelstellingen?

"Concrete tips zijn:

- maak het meetbaar door gebruik te maken de beschikbare data en via de backlinks naar de website;
- houd je aan een stijl, die wordt herkenbaar;
- gebruik gerelateerde onderwerpen. Leuke plaatjes is leuk maar het moet wel functioneel zijn;
- laat personeel ook via groepsbord pinnen."

Hoe zie jij globaal de toekomst van storytelling en visual marketing met middelen zoals Pinterest?

"Dit zal steeds belangrijker worden. Ik wil ergens bij horen en dat begint bij het aanspreken van het verhaal. Foto's en video vertellen het verhaal alleen maar beter en tegenwoordig leest iedereen al zoveel informatie dat plaatjes goed werken."

Afbeelding 15.15 Video op Pinterest.

HOM opdrachten hoofdstuk 15

Hoofdstuk 15 kent de volgende en laatste opdrachten van het HOM:

1. Noem vijf feiten omtrent online videogedrag die van invloed kunnen zijn op de marketing van online video (advertising).
2. Noem vijf vormen van online video advertising.
3. Wat is het verband tussen social media en online video?
4. Welke online video's werken het beste als we kijken naar de lengte en soort video?
5. Wat zijn manieren om voor meer traffic te zorgen naar de online video?

16 Uitgebreid online marketingplan: opzet, campagnes, rendement en meting

In het zestiende en laatste hoofdstuk van de #HOM3 zetten we in een aantal stappen alles op een rij voor het maken van een plan. Vanaf de tweede druk van het HOM zijn er opties toegevoegd om de strategie in het plan uitgebreider te benoemen. Vanaf HOM3 zijn er meer strategische en vertaalmodellen aan toegevoegd, evenals modellen voor analyses en het scanbaar in elkaar zetten van je doelen en planning in de tijd. De onderdelen worden in dit hoofdstuk logisch achter elkaar gezet zodat je de indeling van het boek kunt gebruiken voor een gestructureerde aanpak van je plan en campagne. Het doel van de structurering is het opbouwen van een online marketingplan (OMP). Alle stappen van de OMP worden in dit hoofdstuk toegelicht met verwijzigingen naar de hoofdstukken waar je meer kunt lezen over het betreffende onderdeel.

Afbeelding 16.1 Wees overtuigend en geef richting.

Een plan maken is niet zomaar een kwestie van de onderdelen invullen en klaar. Doordenk al je stappen en bedenk per stap of de stap de overtuiging van jouw visie, doel en aanpak verstevigt. In een OMP zal de basis moeten liggen voor de toekomstige campagnes (*extern*) maar ook de voorwaarden die je de uitvoerende organisatie stelt (*intern*).

De randvoorwaarden en feiten voor een goed en gedegen plan zijn:

- maak niet zomaar een *losstaand* OMP maar *integreer* het plan binnen de aanwezige marketing- en communicatiestrategie van de organisatie. Zie hoofdstuk 1 en 2 voor de uitleg van de traditionele strategieën en marketingmix;

- houd rekening met *gestelde doelen* zoals deze zijn gesteld in andere overkoepelende plannen zoals een marketing- of organisatieplan;
- achterhaal de *Mission Statement* van de organisatie en gebruik dit voor jouw i-*dentity*, visie en *focus*;
- een intensieve maar overtuigende toevoeging is het toevoegen van eerste *creatieve ideeën* en schetsen in je OMP. Zo wordt je OMP levendig, beeldend en hebben de beslissers een beter beeld van wat ze kunnen verwachten;
- ga de *dialoog* aan met de (traditionele) marketeer binnen de organisatie of het marketingbureau; offline en online komen elkaar geregeld tegen bij de crossmediale uitvoering van het OMP;
- let op de haalbaarheid van jouw plan. Creatieve concepten zijn leuk maar kunnen ze ook geïmplementeerd worden binnen de organisatie;
- kwantificeer realistische doelen en doelstellingen in je plan en maak deze meetbaar;
- een OMP is iets anders dan het maken van een plan voor het bouwen van een website, een OMP stuurt de mix van online middelen aan en zal voor de actoren een helder verhaal moeten zijn;
- houd je OMP visueel; maak (Excel-)overzichten indien dit je plan verduidelijkt;
- een OMP is niet zomaar een *plannetje*. Het veroorzaakt binnen organisaties al snel een verandering in de bedrijfscultuur door de eisen die internet stelt aan een onderneming. Focus daarom ook op de interne organisatie en benoem het Maturuty-model;
- denk aan de voorwaarden die SMART stelt, zie hoofdstuk 2 van het HOM;
- leg jouw *kostenpatroon* uit en het gebruik van een (beschikbaar gesteld) budget. Inventariseer tijdens het maken van je plan bij leveranciers aan welke kosten je moet denken;
- betrek je leveranciers, de interne resources, je collega's en het liefst ook je beoogde doelgroep bij de ontwikkeling van het OMP (*crowdsourcing*), je draagvlak en kans op slagen stijgen hiermee;
- gebruik indien aanwezig een *vergelijkbare* OMP met voorbeeldcase uit de markt ter inspiratie;
- vul de *HOM-opdrachten* per hoofdstuk in, de opdrachten zijn vragen waar online marketeers in de praktijk regelmatig tegen aanlopen of te weinig over nadenken;
- managers waarderen naast een volledig plan een verkorte versie waarin je concreet je analyse, doelstellingen, mix van middelen en eerste (creative) concepten presenteert;

Afbeelding 16.2 Het netwerk van moderne marketingvormen.

- wees je ervan *bewust* waar online marketing binnen jouw organisatie staat en hoe belangrijk dit wordt gevonden;
- laat anderen je OMP *meelezen* met daarbij de vraag of de essentie van jouw OMP goed naar voren komt;
- de OMP is niet zozeer een direct uit te voeren *projectplan* maar zal inzicht moeten geven in de kosten en verwachte opbrengsten (de businesscase);
- wees *overtuigend*: een plan dient vaak ter *overtuiging* van directie, collega's, resources, investeerders, parnters en management;
- OMP's kennen een *consumptiever* karakter dan traditionele marketingplannen en gaan niet heel lang mee;
- de *looptijd* van een OMP is vaak niet langer dan een jaar en soms zelfs zes maanden gezien de snelle ontwikkelingen van internet en gerelateerde markten en middelen;
- houd altijd rekening met *bijstellingen* tijdens de uitvoering van het OMP, de uitvoerend (project)manager zal een bandbreedte mee moeten krijgen die werkbaar is bij de uitvoering van het plan.

Feit is dat het akkoord op een OMP bijna altijd bij een presentatie van je (verkort) OMP wordt gegeven. Directie en management wil daarbij jouw *commitment* en *enthousiasme* zien. De interactieve presentatie is de gelegenheid voor het stellen van vragen.
Bedenk dat je –bij grotere organisaties- altijd het budget en de (interne) belasting zal moeten verdedigen. Tot slot zijn op www.handboekonlinemarketing.nl alle videocases en -interviews te vinden waarnaar verwezen wordt in het boek. Inmiddels een archief van meer dan 1000 artikelen die per hoofdstuk eenvoudig zijn op te vragen op de site. Op de website zijn ook extra links, tips en cases te vinden die je kunnen helpen bij het opstellen en uitvoeren van je plan.

Ga op zoek naar cases die inspireren en wellicht wel als voorbeeld kunnen dienen voor het concept in jouw OMP. Het www.handboekonlinemarketing.nl staat vol cases, whitepapers en inspiratie. Op www.eguide.nl kun je honderden cases vinden, zowel B2B als B2C, profit en non-profit. Ook www.pitchblink.nl biedt een groot aanbod van cases op het gebied van reclame, advertising en online. De portal www.fastmovingtargets.nl/cases/ van Erwin Blom biedt tevens inspirerende (video)cases.

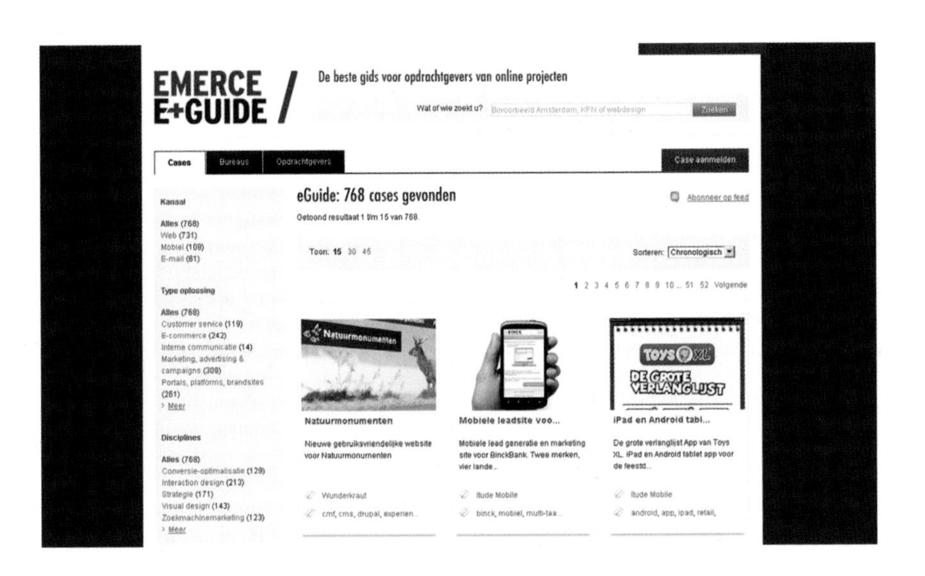

Afbeelding 16.3 Inspirerende cases.

16.1 Stap 1: Een nulpunt en koppeling aan bestaande strategie

In hoofdstuk 1 van de HOM heb je kunnen lezen over de regels die gelden in de traditionele marketing. Het OMP staat niet los van van de structuur van bestaande traditionele (offline) marketing- en communicatieplannen. Begin je OMP met de inventarisatie van alle aanwezige plannen, doelstellingen en tussentijds behaalde doelen. Maak voor jezelf een overzicht van doelen en doelstellingen waarvan in het OMP een afgeleid doel aanwezig dient te zijn. Het OMP neemt afstand van de gedetailleerde en op lange termijnen gerichte plannen.

Bekijk op www.handboekonlinemarketing.nl de presentatie en case met nummer 3-1601 met daarin uitleg over de succesvolle case van Philps genaamd @hartpatientAd.

Gezien de focus op de kortere termijn en het gebruik van flexibel in te zetten middelen zal een OMP flexibel, praktisch en 'kneedbaar' opgesteld worden. Waar een traditioneel marketingplan is opgemaakt om onzekerheden te minimaliseren - door bijvoorbeeld intensief doorlopend onderzoek - zal een OMP zich richten op het omgaan met die onzekerheden en ze accepteren als weinig te beïnvloeden factoren.

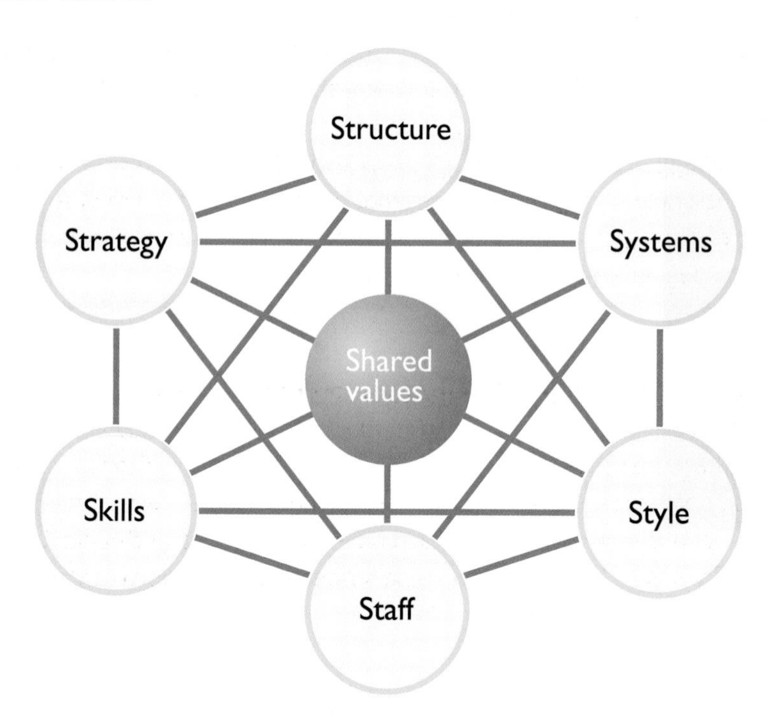

Afbeelding 16.4 Het 7S-model van McKinsey.

In de jaren negentig is al aangetoond dat het opstellen van een marketingcommunicatieplan anders is dan dat van een traditioneel marketingplan. Bij het uitvoeren van deze stap breng je overkoepelende doelen net als de mogelijkheden en beperkingen van de organisatie en jouw plan in kaart. Stel dat een organisatie zich als doel heeft gesteld de persoonlijke service van de organisatie aan de klanten sterk te verbeteren om zo meer contactmomenten voor cross-selling te creëren. Met zo'n uitgesproken doelstelling kun je vanuit je OMP niet zomaar voor online selfservice kiezen. Dit is een dilemma waar makelaars bijvoorbeeld mee worstelen. Optionele hulpmiddelen bij het nulpunt van de organisatie en vertrekpunt voor een strategie is het *7S-model* dat draait om de **Shared Values** binnen een organisatie:

- **Structure**: geeft de inrichting van de onderneming aan in onderdelen zoals niveaus, taakverdeling, coördinatie, lijn-, staf- en functionele organisatie.
- **Systems**: alle formele en informele werkwijzen, procedures en communicatiestromen, zowel intern als extern, alsook de procedures, regelingen en afspraken zoals richtlijnen voor social media.
- **Style**: dit is de managementstijl, de manier waarop de manager de medewerkers behandelt en de wijze waarop men met elkaar omgaat. Als de leiding en de sfeer bij een organisatie positief, open en innoverend zijn levert dit meestal ook een goed resultaat op en vooral veel meedenkende medewerkers.
- **Staff**: richt zich op wat de profielen zijn van de manager en de medewerkers. *Hoe zien de beloningssystemen en manieren van motiveren eruit?*
- **Skills**: waar is de organisatie goed en/of competitief in?
- **Strategy**: dit geeft de beoogde acties van de organisatie weer. Welke harde doelen worden gesteld en met welke middelen wil men ze bereiken? De strategie dient de brug te vormen tussen het mission statement en de reële mix van middelen.

Uitwerking stap 1: het nulpunt en randvoorwaarden
Maak een samenvatting van de eventueel aanwezige strategie, Mission Statement, doelen en doelstellingen uit de aanwezige plannen binnen de organisatie. Maak een *nulpunt* van de huidige situatie van de organisatie en beantwoord daarbij de vraag: *waar staat de organisatie nu?* Vul het *7S-model* in om zo de strategische randvoorwaarden inzichtelijk te maken.

Een kickstart van het OMP vormt het *REAN-framework*, zie hoofdstuk 3. Dit framework kan in een presentatie een handige, visuele samenvatting zijn van jouw aanpak in het OMP. REAN is te beperkt om als kern van het OMP te dienen en zo vervolgens draagvlaak te creëren binnen de organisatie. Bij het maken van een plan voor een (kortlopende) campagne werkt het in beeld brengen van de REAN snel en overtuigend:

- **Reach**: het creëren van *bereik* door middel van bijvoorbeeld zoekmachineoptimalisatie, webvertising of social media.
- **Engage**: door juiste *content* en online uitingen de bezoeker en eventuele klant vast te houden en te boeien.
- **Activate**: *engagement* en dus betrokkenheid omzetten naar waarde en meerwaarde, contactmomenten worden leads.
- **Nurture**: het *converteren* en waarmaken van de doelen en voorfases uit het framework. Relaties worden klanten en leads worden orders.

Wees volgens (op maximaal een A4) helder over het *nulpunt* van de organisatie of dienst waarvoor jij het plan maakt.

16.2 Stap 2: Maak een *SWOT-analyse* of *Confrontatiematrix*

Na het nulpunt wordt het tijd voor een diepere analyse van zwakten maar ook kansen. Maar een *SWOT-analyse* waarin duidelijk de interne en externe zwakke en sterke punten worden benoemd. Focus vooral op de kansen omdat die het vertrekpunt voor de volgende stappen in jouw plan zijn. Houd hier overduidelijk rekening met het middel internet en de fase waarin de organisatie zich bevindt bij het implementeren van online marketing. Interne zwakke punten -relevant voor online marketing- kunnen zijn:

- een *beperking* van de *resources* zoals beschikbaar personeel of de grootte van een webteam;
- de *kwaliteit* en vaardigheden van de leveranciers en (internet)bureaus;
- interne *weerstand* voor het vergaand gebruik van internet, mobile marketing en social media binnen de organisatie(processen);
- een IT-afdeling met *beperkte* (technische) *mogelijkheden;*
- weinig *budget* voor online marketing.

Interne sterke punten kunnen zijn:

- een goed kennisniveau van online marketing binnen de organisatie;
- het reeds succesvol gebruik van diverse online middelen zoals zoekmachinemarketing, e-mailmarketing en microsites;
- het aanwezig zijn van een webteam;
- het aanwezig zijn van interne contentbeheerders;
- het serieus aanwezig zijn van online (marketing)functies in

managementvorm zoals een internetstrateeg, een contentbeheerder en databasemarketeer.
- een internetbureau met de juiste expertise.

Externe kansen in een SWOT-analyse kunnen zijn:
- dat er nog geen soortgelijke aanbieders op de (online) markt zijn;
- snelle en goede acceptatie bij de beoogde doelgroep;
- een latente behoefte voor het 24/7 aanbieden van de diensten via het middel internet.

Externe bedreigingen kunnen zijn:
- de Cookiewetgeving;
- een zwak imago bij gebruik van internet in externe communicatie;
- een doelgroep met zwakke acceptatie en gebruik van internet;
- een sterke online positie van concurrenten in de markt;
- een hoge drempel om online in te stappen of online de concurrentie aan te gaan;
- een wetgeving die bepaalde online doelstellingen beperkt of onmogelijk maakt.

Confrontatiematrix

Kwesties wegen		KANSEN			BEDREIGINGEN		
		Stijgende markt van gadgets	Patent op Taurus-lijn	Publiciteit over de branche	Toenemende concurrentie	Kwaliteitspeil grondstoffen	Stugge kredietmarkt
STERKTEN	Productkennis van medewerkers	5		3		5	
	Financiële positie			5	3		5
	Arbeidsmoraal medewerkers		1			3	1
ZWAKTEN	Locatie van de vestiging	3	3	1	5		
	Klantvriendelijkheid		5				
	Oud machinepark	1			1	1	3

Afbeelding 16.5 Een voorbeeld van een ingevulde Confrontatiematrix met de waarden.

Uitwerking stap 2: de analyse
Stel een *SWOT-analyse* op of vul een *Confrontatiematrix* (hoofdstuk 2) in en benoem concreet de onderdelen. Realiseer dat de kansen (de O uit de SWOT) in andere bewoordingen meegaan in de verdere stappen van het plan. Meer over de SWOT en de matrix is te vinden in hoofdstuk 2.

16.3 Stap 3: Bepaal de visie en focus

Bepaal vervolgens de visie en focus. Houd dit realistisch en neem het kader met kansen -dat is ontstaan uit stap 1 en 2- mee in je bepaling. De operationalisatie van een OMP strandt vaak op de visie en focus door een gebrek aan creatief strategisch inzicht. De *focus, visie* en *i dentiteit* (zie hoofdstuk 3) zijn te vergelijken met stap 5 uit het praktisch marketingplan. Je zal met de beschreven kansen jouw doelen moeten gaan bepalen en toelichten hoe je deze doelen denkt te gaan bereiken.
Jouw *i-dentiteit* staat vast. Uit een goede analyse komt je ID van de organisatie of product duidelijk naar voren. Deze kun je niet zomaar verbloemen in een campagne maar zal intern en extern letterlijk organisch moeten ontstaan. Je kunt je als traditioneel georiënteerde organisatie niet even omzetten in een moderne online gedreven onderneming. De erkenning van je identieit komt uit de markt en komt vooral vanuit je klanten. Een visie, die bij een transformatie van traditionele naar moderne organisatie van kracht dient te zijn, is een open en flexibele visie.

Een voorbeeld van een *focus* is de campagne van Barack Obama. Hij gebruikt social media (zie hoofdstuk 12) als snel en interactief communicatiemiddel door bijvoorbeeld zijn belevingen via Instagram te delen. Zijn focus op het middel internet heeft geleid tot *engagement*. Door die betrokkenheid kon het team van Obama het middel gebruiken voor donaties. Zo werd via mail om kleine bedragen gevraagd ter ondersteuning van de campagnes. De focus is niet zomaar het intensief inzetten van een online middel maar bijvoorbeeld het aanleggen van een sterke betrokkenheid van de online klant. De focus is sterk gekoppeld aan de te behalen doelen.

De *visie* is heel duidelijk het Mission Statement zoals we dat uit de traditionele aanpak kennen. De visie kan een afgeleide visie zijn van het Mission Statement. Een online visie kan het feit zijn dat de organisatie met de gehele online mix een dialoog met de prospect wil aangaan. Zo kan een online marketingstrategie de organisatie die gewend was te zenden geleidelijk overbrengen naar een i-dentiteit waar openheid en de dialoog met de doelgroep de ID bepalen. Het crowdsourcen (zie hoofdstuk 12) is een visie die organisaties steeds vaker gebruiken naast de beschreven online doelen.

Uitwerking stap 3: ID, focus en visie
Omschrijf kort de *i-dentiteit*, *focus* en *visie* die als gedachte de rode draad vormen in jouw OMP. Neem deze drie componenten mee in de bepaling van je volgende stappen. Zij vormen gezamenlijk jouw online visie.

Focus, *visie* en *i-dentiteit* kunnen wij omzetten naar drie hoofdkeuzes in de online strategie. Voorzie jouw keuze van een toelichting:
- *internet als missie;*
- *internet als kritische succesfactor;*
- *internet als strategisch hulpmiddel.*

16.3.1 De online strategie

Na de abstracte bepaling van je i-dentiteit, focus en visie wordt het tijd om te trechteren. Je zal na de analyse, het kader, de benoeming van de kansen en de benoeming van de focus en visie concreet moeten worden in je doelstellingen. De focus en visie is een gedachtengoed met een lange houdbaarheid. De online strategieën zijn op het web van kortere duur. De focus en visie kunnen geleidelijk worden omgezet in een strategie zoals:
- *internet als missie* is de meest intensieve strategie waarbij het internet en de onderneming niet meer gescheiden kunnen worden van elkaar. Een voorbeeld is een makelaar die besluit zijn diensten en service puur online aan te bieden en met gebruik van het web uit te voeren. Denk aan organisaties zoals Bol.com, Coolblue en Wehkamp.nl.
- *internet als kritische succesfactor* is zwakker dan de missie. Toch heeft het middel internet hierbij de functie om doelstellingen te helpen behalen. De traditionele middelen en online middelen zullen gezamenlijk de doelen van de organisatie moeten verwezenlijken maar ook helpen de onderneming te doen overleven. Het aanbieden van online content, social media en diverse online interactie door kranten is een kritische succesfactor in hun overlevingsstrijd.
- *internet als strategisch hulpmiddel* is de meest zwakke vorm van een online strategie. Hierbij is de organisatie nog niet klaar of niet geschikt voor een brede toepassing van internet in de bedrijfsprocessen. de i-dentiteit is nog

niet volledig aanwezig. De website van AH helpt de supermarktbezoeker de aanbiedingen te bekijken en biedt after-service zoals recepten en diverse tips. Toch zal de klant het grootste deel van zijn koop offline beleven waarbij de online middelen niets meer dan hulpmiddelen zijn.

De strategie zet de toon voor de intensiviteit van het gebruik van de internetmiddelen. Een goede onderbouwing zal het draagvlak van de OMP versterken en zo meer budget vrijmaken.

Uitwerking stap 3.1
Bepaal en motiveer de keuze van je strategie. Houd hierbij de kansen uit de *SWOT-analyse* of *Confrontatiematrix* in het achterhoofd.

16.4 Stap 4: De doelstellingen en het 4C-model

De gestelde doelstellingen zijn online eenvoudig te meten. Op basis van die flexibilteit kunnen doelstellingen binnen de geldende strategie, focus en visie relatief snel worden bijgesteld. Bij doelstellingen horen ook faseringen. Het is logisch dat je doelstelling B bereikt na het behalen van doelstelling A. Doelstellingen zullen minder concreet zijn als de online mix totaal nieuw is voor de organisatie of als middelen zoals het budget en het personeel beperkt aanwezig zijn. De creatie van een organisatie met i-dentiteit of kenmerken van een social business kan jaren duren. In sommige gevallen zijn de organisatie en de organisatiecultuur in de huidige vorm gewoon niet geschikt voor een zware internetstrategie en is geduld daarbij de enige realistische focus. Economische factoren zoals een economische recessie kunnen slechte maar merkwaardig genoeg ook erg goede invloeden hebben op het behalen van online conversie en verandering in de organisatiecultuur. Online shops en de traditionele retail werken in een periode van economische tegenspoed kannabiliserend. Als je hebt gekozen voor de strategie *Internet als missie* zullen doelstellingen primair en zeer conversiegericht en commercieel zijn. Gekwantificeerde doelstellingen (met KPI's) kunnen zijn:

- gedurende drie maanden elke maand van 100 naar 500 online *hypotheekleads doorstijgen*;
- het *opvangen* van 50.000 klantprofielen via de website in twaalf maanden tijd;
- het naar het internet brengen van 50% van de serviceverlenende diensten van de organisatie en daarmee 75% van de *servicekosten besparen;*
- het per online klant verdubbelen van de online sales in zes maanden tijd

door middel van online cross-selling;
- de zichtbaarheid van de organisatie verbeteren door vijf discussies per week aan te gaan op Twitter en 1000 likes per maand te verzamelen;
- het vergroten van de omzet-per-klant met m-commerce door middel van een eenvoudig te bedienen mobiele app waarmee de klant gemakkelijk herhalingsaankopen kan doen;
- na drie maanden 150% meer verkoop van het actieproduct na de start van de online display advertising-campagne.

Uitwerking stap 4: gekwantificeerde doelstellingen
Omschrijf *jouw gekwantificeerde doelstellingen* met daarbij de periode vermeld waarin je denkt de doelstellingen te kunnen bereiken. Geef de prioriteiten aan en faseer je doelstellingen in de tijd. Maak eventueel gebruik van de *Internet Scorecard* uit hoofdstuk 3.

Heb je gekozen voor een benoeming van het *Internet als kritische succesfactor* dan is het internet een middel dat extra helpt de doelstellingen te bereiken. Doelstellingen die hierbij passen zijn:
- online inzetten om de 200 *ontbrekende leads* per maand op te vangen;
- via het web *250 terugbelafspraken* per maand maken om de klant vervolgens in de winkel te krijgen;
- een vergroting van *250% van de doorkliks* op onze actiebanners op de website binnen zes maanden gerealiseerd;
- door middel van social media zoals *discussiefora* het aantal telefonische benaderingen van de organisatie met 25% verlagen;
- na de koop in de winkel de klant naar het internet brengen voor *after-sales* en de aankoop van extra bij- en serviceproducten.

De derde uitgesproken strategie, *internet als strategisch hulpmiddel,* kent zwakke en minder conversiegerichte doelstellingen:
- een vergroting van het aantal *unieke bezoekers* met 400% in twaalf maanden: een stijging na zes maanden van het aantal *online ingevulde klantreviews* van vijf naar 25 per dag;
- de verlenging van de *bezoekduur* van een unieke internetbezoeker met twee minuten per bezoek, dit binnen 24 maanden gerealiseerd;
- de verhoging van het aantal views van de online instructievideo van 1000 naar 5000 per dag.

Doelstellingen kunnen nog concreter worden gemaakt met zogenaamde KPI's. *Key Point Indicators* zijn meetbare actiepunten op de website zoals het afspelen van een video, aanvragen van een brochure, het deelnemen aan een game of het klikken van een button. Nu we een keuze en richting hebben bepaald met de inzet van online kunnen we een *Internet Scorecard* (hoofdstuk 3) gebruiken om de internetstrategie met de benoemde succesfactoren en KPI's uit te werken.

Vragen die daarbij spelen in de Scorecard zijn onder andere: *Wat verwachten we van de afdeling Marketing? Wat zijn concrete doelen voor de online afdeling of het externe bureau dat aanhaakt bij de uitvoering en wat moeten wij van de organisatie en het management verwachten?*

INTERNET SCORECARD

Internetstrategie	Succesfactor	Indicator-KPI	Target	Actie
	Heeft directe relatie met online doelstellingen	*Maakt de succesfactor meetbaar*	*Geeft het streven aan voor een bepaalde periode*	*Toont het initiatief om verbetering in de succesfactor te realiseren*
	Online afdeling of bureau	Meer engagement met social media	Binnen 2 maanden 500 mentions op Twitter en 5 dagelijkse actieve discussies op LinkedIn	De Sociale netwerken actiever benaderen, dagelijks participeren in de social media, discussie-onderwerpen verzinnen, communitymanager benoemen
	Marketingafdeling	Verbetering samenwerking met online en ondersteuning voor verbetering online zichtbaar	Elke maand een virale online marketingactie met bereik van minimaal 5000 unieken per actie	Ontwikkeling actiekalender en keuze betrokken creatieve bureaus, aanstelling webmanager
	Managementorganisatie	Betere ondersteuning voor online activiteiten en acceptatie social media inzet	3 organisatiebrede online initiatieven en akkoord op 3 grote online projecten per jaar	Interne trainingen op het gebied van social media marketing, impact online op de organisaie en tooling
	Siteanalist	Installatie en integratie analytics software	Binnen 6 maanden inzicht hebben in de websiteanalyses en resultaten door wekelijkse erapporten	Aanstellen siteanalist of inhuren, marketingafdeling opleiden voor bekijken analyses van het internet, keuze software

Afbeelding 16.6 De Scorecard maakt de internetstrategie en doelen operationeel.

Ook in hoofdstuk 3 behandeld is de *Online Strategie Kaart*. Deze geeft op het beroemde *A4'tje* een helder overzicht van de impact en betrokkenheid van de belangrijkste lagen van de organisatie bij de uitvoering van de gekozen internetstrategie. Uitgangspunt is een organisatiebreed inzicht van de betrokkenen bij de succesvolle uitvoering van de strategie.

16.4.1 Het 4C-model als brug naar de mix van middelen

Het 4C-model zal de brug vormen naar het gebruik van middelen op basis van de formuleerde doelstellingen. Na het 4C-model komt een benoeming van de mix van middelen. In het 4C-model vertalen we de doelstellingen naar een concretere mix van middelen. Alle vier C's dienen omschreven te worden en zullen een logisch voortvloeisel uit de doelstellingen, strategie, focus en visie moeten zijn. De 4C's op een rij:

- **de C van *Cost*** is bij alle strategieën noodzakelijk. Wat is de rationele reden voor een klant om met jouw online uitingen aan de slag te gaan? De unieke (online) meerwaarde hoeft bij *Cost* niet naar voren te komen. *Welk (kosten)voordeel heeft de klant bij jouw organisatie online?* Denk in termen als kosten (zoals online korting), selfservice (zelf je toegangskaartje printen) en tijd (online snel de deal kunnen maken). De C van *Cost* impliceert het benutten van de interneteigenschappen binnen jouw online strategie;
- **de C van *Consumer value*** is de unieke online meerwaarde voor de online gebruiker. Dit is de meest belangrijke C uit het model. Waarom zou de klant jouw online tool, site, shop of diensten gebruiken in plaats van het eventuele offline aanbod? Zet jouw uitingen af tegen concurrerende uitingen die aanwezig zijn. De aloude internetkenmerken zoals het 24/7 online aanwezig zijn en het online kunnen afhandelen van bestelprocessen tellen niet mee als unieke meerwaarde en is geen *consumer value*. Online in 3D jouw huis virtueel inrichten is een unieke meerwaarde. Online je vakantie samenstellen en direct chatten met de hotels waar je gaat verblijven inclusief webcam met de geboekte hotelkamer is een meerwaarde. Online een kleur verf voor je nieuwe auto mengen is een meerwaarde. Online de precieze plek in het vliegtuig boeken en bepalen naast wie jij komt te zitten op basis van het profiel in de social media is eveneens online meerwaarde;
- **de C van *Convenience*** staat voor het gemak of de usablity van een site (zie hoofdstuk 6). Dit vraagt om een snel, goed en gemakkelijk te bedienen website, e-mails, online video's, mobiele toepassingen en meer onderdelen uit de mix. Ondanks een concurrende prijs, frisse site en nieuwe online technieken kan het niet gemakkelijk bedienen van de site succes in de weg staan;
- **de C van *Communicatie*** heeft een directe invloed op de webuitingen zoals die van de e-mails, de microsite, de tekstadvertenties van de SEA, de flash-video's en tone-of-voice in de social media. De online communicatie zal vertrouwen moeten wekken en een brug slaan naar de online gebruiker of klant. Indien doelstellingen sterk conversiegericht zijn en er een online koop plaatsvindt, is het vertrouwen vitaal.

Het 4C-model vormt zo een zakelijke blauwdruk van de proposities, de value-for-money, USP's en 'what's in it for me?'. De 4C's zijn de eisen die kritische internetgebruikers zelf (onbewust) stellen bij het ontvankelijk zijn voor de online uitingen. Dit maken de 4C's tot harde succesfactoren. Na beantwoording van het model is het verstandig om enige reflectie met de creatieve (online) bureaus te bewerkstelligen voor eventuele bijsturing.

Uitwerking stap 4.1: de 4C's
Omschrijf en benoem de vier C's. Focus vooral op de *consumer value* omdat daar jouw online kansen liggen. Leg links naar de doelstellingen, strategie, *focus* en *visie*.

Prijs Cost	Plaats Convenience
Product Consumer value	Promotie Communication

Afbeelding 16.7 Van 4P's naar 4C's.

16.4.2 Het ICT-model ter ondersteuning

De corporate, actie- of campagnesite blijft het hart van een online mix. Elke online campagne heeft invloed op de website. De drie onderdelen *Informatie*, *Communicatie* en *Transactie* kunnen in een bollenmatrix eenvoudig worden gebruikt voor de huidige en de nieuwe situatie van de website. Het ICT-model laat snel zien waar het zwaartepunt ligt van de huidige en de nieuwe situatie. Het model is een handige tool om tijdens presentaties te gebruiken om de nieuwe situatie van de website te benadrukken.

- De huidige situatie van een corporate site biedt vaak te veel informatie, matige communicatie en nauwelijks transactie. Een site waarmee conversie behaald dient te worden kent een matig aanbod van Informatie, veel Communicatie en vooral veel Transactie. Het ICT-model kan een snel te scannen brug vormen naar de mix van middelen. Zo kun je tijdens het presenteren in het ICT-model de instrumenten uit de online mix intekenen om bijvoorbaeld aan te geven dat het online forum een middel van Communicatie is. De nieuwe manier van leads opvangen is duidelijk een vorm van Transactie, net als de gekoppelde webshop. Een online marketingstrategie met uitgesproken strategie en doelstellingen zal nooit een ICT-model kennen met naar verhouding gelijke bollen. Of de Informatie of de Communicatie of de Transactie zal overheersen. Sites die lang draaien willen in breedte en diepte weleens vervlakken in hun ICT-verschijning. Dit is een signaal dat de site een duidelijke richting en dus doel nodig heeft.

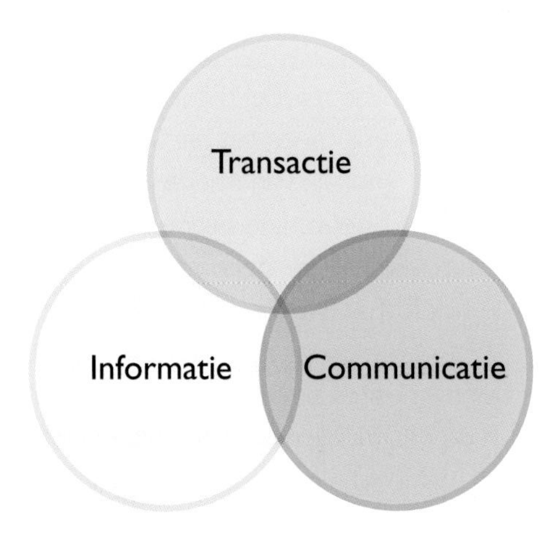

Afbeelding 16.8 Het ICT-model.

Uitwerking stap 4.2: het ICT-model
Maak twee ICT-modellen. Een bollenmatrix van de huidige situatie en een van de toekomstige situatie van de website. Indien de website niet wordt aangepast in de strategie, dan is een matrix van de toekomstige situatie niet nodig.

16.5 Stap 5: De mix van middelen en het 4R-model

Na de strategie, de doelstellingen en de 4C's is de mix van middelen de verwoording van je online mix en indirect je campagne. Het is simpelweg de operationalisatie van je strategie en doel. De mix van middelen kent instrumenten die zich bewezen hebben -en de kern van een campagne vormen- en middelen de een trendgevoeligheid kennen. Tot de vaste kern van online middelen behoren:

- *Zoekmachinemarketing* (SEM), zowel betaald (SEA) als niet betaald (SEO), zie hoofdstuk 10. SEM -en vooral SEA- geeft op korte termijn weleens direct verkoopresultaat. Het organisch goed in de zoekmachines staan (SEO) heeft meer tijd nodig voor realisatie. Leg eventuele links naar de contentstrategie (hoofdstuk 8), social search en het verdere gebruik van social media (hoofdstuk 12). Werk dit per middel uit.

- *E-mailmarketing*, zie hoofdstuk 9, kan worden gebruikt als snelle direct marketing, periodieke informering of een directe omzetprikkel.
- *Virale marketing*, zie hoofdstuk 7, is bedoeld voor online branding, een verbetering van de naamsbekendheid of subtiele introductie van een product of dienst. Virale marketing is ook de creatieve vorm van databasemarketing.
- Een *contentstrategie* als - online middel binnen de mix - wordt onderschat in het effect. Het wordt steeds meer het hart van de social media marketingcampagnes. Het gebruik van relevante en actuele content verbetert de SEO, versterkt het online bezoek en het engagement. Content kan het gemak van de site sterk verbeteren alsook de relevantie van het aanbod. Zie hoofdstuk 8 voor meer informatie over dit middel/ deze strategie.
- *Microsites* zijn als campagnesites bewezen onderdelen van de mix. Zie hoofdstuk 11 in de HOM. Microsites worden helaas maar weinig geïntegreerd op een manier die ook voor SEM, virale marketing en contentstrategieën een stuwend effect heeft.
- *Social media* is het gebruiken van blogs, sociale netwerken, fora, Twitter en meer interactie om de dialoog met de online gebruiker aan te gaan. Zet dit middel alleen in als je organisatie er ook juist mee om kan gaan. Is het gat tussen de organisatie en doelgroep zo klein dat er daadwerkelijk een aannemelijke dialoog aangegaan kan worden? Gebruik bij de benoeming van het middel social media het P.O.S.T.-model of het B-model (*Boeien & Binden*) zoals beschreven in hoofdstuk 12.
- *Online display advertising* en *affiliates* zijn instrumenten die direct omzetverhogend dienen te werken en de meest concrete vorm van online reclame zijn. Zie hoofdstuk 13.
- *Mobiele marketing* is een volwassen middel geworden. Het mixt goed met e-mailmarketing, contentstrategie, online video en met social media. Als online middel heeft het zich bewezen in de mix maar hebben veel marketeers hebben nog moeite met het middel. Zie hoofdstuk 14.
- *Online video advertising* zou weleens het effect kunnen sorteren dat tv-reclame ooit had. Het engagement en het (mobiele) bereik stijgen snel. Als secundair middel zal online video het middel zijn dat de nieuwe generatie internetgebruikers snel bereikt.

Het middel mixt goed met bestaande contentstrategieën en kan als los online middel een conversieverhogende tool op de website zijn. Ook gaan social media en online video hand in hand. Zie hoofdstuk 15 voor meer informatie over online video en het effect van social media op de onwikkeling. Trendy middelen die onderdeel zijn van eerdergenoemde middelen zijn soms te zwak om als primair middel ingezet te worden zijn maar kunnen wel ondersteunend werken als online middel:

- het gebruik van Instagram en visuele storytelling dat een onderdeel is van een contentstrategie of van social media marketing;
- RSS-marketing dat een onderdeel van een contentstrategie is alsook een SEO-strategie;
- blogmarketing dat onderdeel is van social media.

Uitwerking stap 5: bepaalde de online mix
Bepaal de instrumenten die je gaat inzetten binnen de online mix en breng prioriteiten voor de budgetverdeling. Omschrijf zo concreet mogelijk hoe je het middel gaat inzetten.

16.5.1 Stap 5.1: Het 4R-model gebruiken als toetsing

Het 4R-model is in de HOM gebruikt om een afweging te maken per online middel. Elk middel heeft een mate van *Rich & Relevantie, Reactie & Rendement* nodig om daarmee de doelstellingen te kunnen vervullen. Retentie is het herhalingseffect dat indirect tot conversie leidt.

Uitwerking stap 5.1
Beoordeel de gehele samengestelde online mix aan de hand van het 4R-model: *Rich & Relevantie, Reactie & Rendement.*

16.6 Stap 6: OPAFIT en het plan van aanpak

Nu alles is bepaald dienen we de organisatie van de operationalisatie in te richten. Voor het internetprojectmanagent zijn diverse aanpakken mogelijk waarbij de grootte van het project en het budget twee belangrijke factoren zijn. Het plan van aanpak kan er volgens het OPAFIT-model van inrichting zo uitzien:

- **Organisatie**: hoe ziet de organisatie van het project- of webteam eruit? Wordt er een externe projectmanager aangesteld of gaat intern een medewerker het traject leiden? Wie heeft welke verantwoordelijkheid binnen het team? Wordt er bepaalde software gebruikt zoals MS Projects, of kent de organisatie vereisten aan manieren van projectmanagement zoals die gesteld in *Prince2*? Zijn de leveranciers in kaart gebracht? Kunnen de huidige leveranciers wel voldoen aan de eisen die de nieuwe online doelstellingen stellen?

- **Personeel**: worden er tijdelijke krachten aangetrokken voor het uitvoeren van het project of gebeurt dit met intern beschikbaar personeel? Wordt het project deels uitbesteed aan een bureau of worden de resources uit de organisatie gehaald? Een gemixt team heeft voordelen omdat het beheer van de content gemakkelijk intern kan worden uitgevoerd en de strategische en specialistische uitvoering extern.
- **Administratieve procedures** tijdens het project. Zijn er speciale manieren van projectomschrijving noodzakelijk om een 'go' te krijgen? Dienen de leveranciers op een bepaalde manier te factureren? Moeten interne verzoeken volgens een bepaalde procedure worden aangevraagd en verlopen (zoals een testfase)? Zijn er vanuit de organisatie voorwaarden die worden gesteld aan oplevering en eigendomsrechten?
- **Financiering**: is voldaan aan alle organisatie-eisen om het budget los te krijgen? Wordt het budget in delen vrijgegeven of bij aanvang? Is de mix van middelen gefaseerd met de ijkpunten waarbij kosten gemaakt gaan worden? Zijn betalingstermijnen duidelijk?
- **Informatie en vastlegging**. Is de projectmanager de voorzitter van het team? Is er een notulist aanwezig die afspraken vastlegt en beslissingen die op detailniveau zijn genomen? Wordt er regelmatig vergaderd met duidelijke agenda en communicatie rondom de voortgang?
- **Techniek** is bij een internetproject een variabele die projecten flink kan beïnvloeden. Een online marketingplan dat het nodig maakt om opeens met JAVA iets op te gaan lossen op een ASP.net-site kan een flinke impact hebben. Zijn alle online uitingen in gangbare browsers te bedienen? Kan de organisatie zelf de nieuw te gebruiken internettechnieken zien in de browser? Ook zitten online marketeers en techneuten niet altijd op één lijn qua bewerkstelliging van online doelen. De marketeer zal zijn focus en visie met operationalistie moeten verkopen. Techniek zal de noodzaak voor de organisatie in moeten zien.

Uitwerking stap 6: OPAFIT

Omschrijf de OPAFIT-onderdelen voor in het OMP en vul zo veel mogelijk punten in.

Na de OPAFIT -dat een kader schept voor onze aanpak in de praktijk- volgt het praktische plan van aanpak (PvA). Het plan van aanpak is een korte maar gevatte opsomming van de aanpak in de praktijk. Het PvA dient de verwachtingen van alle betrokken scherp te krijgen. Het plan is uitermate geschikt om voor de beslissers en andere betrokkenen te presenteren. Werk onderstaand plan van aanpak uit met de gegevens die je reeds hebt verzameld tijdens de uitwerking van de vorige stappen:

1. De probleemstelling: wat is de centrale doelstelling en de centrale vraag die het online marketingplan beantwoordt? Wat dient het plan concreet op te lossen, te verbeteren of bereiken?
2. De situatie- en opdrachtomschrijving: wat is kort de interne en externe situatie die een online marketingplan noodzakelijk maakt? Wat is kort de omschrijving van de opdracht (dit zou de omschrijving van punt 1 kunnen zijn).
3. Wie is de interne en/of externe opdrachtgever? Intern kan dit de afdeling marketing zijn, het centrale management, een investeerder, de afdeling communicatie of bijvoorbeeld het productmanagement. Extern kan dit bijvoorbeeld een organisatie zijn die een bureau de opdracht geeft of extern adviseur.
4. Wie is de opdrachtnemer? Welke afdeling, welk team en welke resources nemen de opdracht aan.
5. Wat is de visie en wat zijn de doelstellingen? Benoem hier de visie, focus en i-dentitiy en concrete (gekwantificeerde) doelstellingen.
6. Wat is je projectmethodiek? Dit kan bijvoorbeeld de methodiek van Prince2 zijn. Voor een internetproject werkt een flexibele maar gestructureerde aanpak met duidelijke (deel)taakverdeling, financieel overzicht, tijdslijn en mijlpalen het best.
7. Beschrijf de actoren van het project: welke human resources staan ter beschikking, welke bureaus worden ingeschakeld, welke afdelingen zijn betrokken bij de productie?
8. De beschrijving van de projectprincipes: wat zijn de producteisen (bij oplevering), wat is de doorlooptijd van het project, is er een (interne) politieke lading die van invloed kan zijn, wat zijn de consequenties bij het mislukken van dit project, hoe ziet de investeringsbeslissing (de kosten tegen de baten) eruit, heeft het project en op te leveren product interne invloed op het werk en de organisatie en/of cultuur, wat is het gevolg op de organisatiesprocessen en hoe is de bekendheid in de (nieuwe) middelen?
9. De resultaten en deelopleveringen die leiden tot eindoplevering: beschrijf de milestones met deeloplevering en tijdstip van oplevering, omschrijf de op te leveren eindproducten (de zogenoemde deliverables).
10. Omschrijving van de activiteiten die leiden tot deelopleveringen en leiden tot de eindoplevering: bij complexe en grote projecten is het raadzaam dit vooraf aan het project in details te omschrijven.

16.7 Stap 7: Feedback en analyse

Online projecten kunnen worden vergeleken met IT-projecten. Online kent daarbij meer complexiteit gezien de betrokkenheid van de gehele organisatie om daadwerkelijk succesvol te zijn.

Realiseer dat niet alles beheersbaar is bij aanvang van het project. Maak ruime inschattingen bij een doorloop van het project.

Tien tips voor projectmanagement voor het internet:

1. Maak doelen en verwachtingen realistisch en herhaal deze regelmatig. Zorg ervoor dat de 'o, ik dacht dat...'-uitroep rondom oplevering wordt voorkomen.
2. Maak doelen kwantificeerbaar en faseer opleveringen van het project en beschrijf ze als mijlpalen die zijn gehaald.
3. Houd het leuk en behoud een goede sfeer in het webteam. Projecten kunnen lang duren. Laat tussentijds (visueel) resultaat zien en betrek de leden in het webteam daar waar mogelijk bij de productie.
4. Wees realistisch in wat teamleden willen en vooral in wat ze kunnen. Het uitbesteden van werkzaamheden heeft een positief effect op de voortgang, snelheid en verantwoordelijkheid van de oplevering. Het tijdens het project opleiden van interne medewerkers kan een negatieve werking hebben.
5. Internet- en ICT-projecten kennen op technisch gebied verrassingen die niet altijd voor of tijdens het project zijn te overzien. Ga hier realistisch mee om en benoem eventuele (technische) factoren die het project kunnen beïnvloeden.
6. Benoem in de projectomschrijving wat er wel en vooral ook niet wordt opgeleverd.
7. Denk aan het beheervraagstuk dat zijn weerspiegeling op de organisatie gaat hebben na de realisatie van het online marketingplan. Als de site groter en interactiever wordt, wie gaat de content en tools dan onderhouden en beheren? *Wie vangt de leads op? Wie redigeert de online reacties?*
8. Blijf gefocust. Een internetproject kan veel losmaken bij een organisatie aangezien het ongestructureerd door een organisatie heen gaat en veel blootlegt.

9. Durf te vragen. Vraag aan de interne juristen of er een disclaimer beschikbaar is voor online gebruik. Vraag de technische partijen naar de gevolgen van het realiseren van de middelen gesteld in het online marketing- en projectplan. Vraag naar realistische doorlooptijden van opleveringen en vraag naar de gevolgen van het gebruik van nieuwe (internet)technieken. Is er al een huisstijl bepaald voor online video? Kan de bedrijfsdatabase een flinke doorgroei van leads aan?
10. Werk met deelopleveringen waarbij de op te leveren middelen worden getoetst aan de doelstellingen en betrokkenen een sterker beeld krijgen van dat wat opgeleverd gaat worden.

Zorgt tijdens het project en de uitvoering van het online marketingplan regelmatig voor feedback. Ook het tussentijds testen van het ontwerp van de microsite (bijvoorbeeld een usabilitytest), de nieuwe e-mailcampagne (op een testgroep), de nieuwe content (bijvoorbeeld intern of met een klantenpanel) geeft je de kans de mix van middelen te finetunen. Statistische software voor websites die naast het online bezoek, de gegevens van de bezoeker ook conversiepaden kunnen meten en rapporteren zijn:

- *Google Analytics*, deze manier van meten is gratis en kan gemakkelijk aan andere diensten van Google worden gekoppeld. Google kan conversiepaden continu analyseren en via mail eenvoudig rapporten versturen. Het bijsturen van SEO- en SEA-campagnes (met gebruikmaking van Google Adwords) gaat eenvoudig.
- Bekijk de verschillende *tools* om social media te monitoren zoals genoemd in hoofdsuk 12. Dit zijn tools zoals *Klout*, *Finchline* en *Xefer*.
- *Onestat* kent verschillende soorten van oplossingen waaronder online analyses van tijdelijke online acties en geavanceerde conversiepaden.

Uitwerking stap 7: analyseren en meten
Bepaal jouw manier van analyseren.

Tot slot: volg de blog die bij het HOM hoort op www.handboekonlinemarketing.nl of de tweets op www.twitter.com/handboek. Deze blog kent diverse discussies over het gebruik van de diverse modellen en aanpakken die worden genoemd in dit handboek. Ook kent de site aanvullingen, extra video-interviews en veel handige links en downloads. Deel jouw mening op Twitter of op de blog van het *Handboek Online Marketing*.

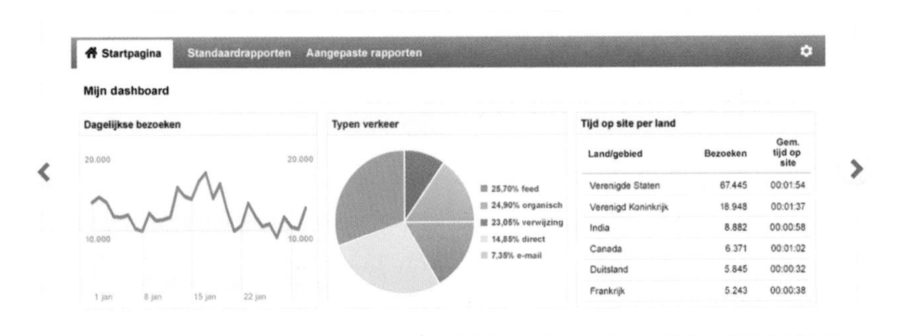

Afbeelding 16.9 Google Analytics.

Veel plezier in de snelle, interessante, conversiegerichte, boeiende wereld van de online marketing. *Be SMART. Stay S.O.C.I.A.L.*

Bekijk op www.handboekonlinemarketing.nl de presentatie en case met nummer 3-1602 met uitleg van de inbouw van Google Analytics genaamd *Practical Google Analytics Tutorial for Business Owners.*

16.8 EXPERT-CASE Docent en consultant Olaf Molenaar

Olaf Molenaar is consultant, docent en blogger. Tevens is hij eigenaar van een aantal bedrijven op het gebied van social media en online marketing. Molenaar zet zich erg in om de Achterhoek op de digitale kaart van Nederland te zetten. Hij doet dit door innovatie te stimuleren in de Achterhoek.

Wat is voor jou *online marketing*?

"Marketing is een afkorting van de twee woorden "get market", dus markt verkrijgen, in normaal Nederlands klanten aantrekken. De toevoeging online in online marketing is bijna overbodig geworden omdat een consument veel kanalen gebruikt om zich te oriënteren voor een aankoop en daar hoort online oriëntatie in 2012 zeker bij."

Als jij het vak 'online marketeer' doceert wat wil je dan vooral de studenten (aan)leren?

"Ik wil mijn studenten vooral leren dat ze strategisch nadenken over het toepassen van online marketing."

Welke middelen in de online marketingmix beschouw jij als middelen die succes blijven hebben in de toekomst?

"Ik denk dat mobile en social media twee middelen zijn die we de komende jaren (2013/2014) veel zullen tegenkomen. De gemiddelde consument is op het gebied van social media en mobile al veel verder dan de meeste bedrijven. Het is bijvoorbeeld voor mij onbegrijpelijk dat een winkel als de HEMA zo lang heeft gewacht met mobile terwijl hun klanten zich iedere avond een slag in de rondte surfen op hun smartphone of tablet."

Wat vind jij het meest belangrijke onderdeel van een online marketingplan?

"Alle onderdelen zijn natuurlijk belangrijk maar wat me opvalt is dat het meten en analyseren van resultaten om ze vervolgens weer bij te sturen vaak een ondergeschoven kindje is in marketingplannen."

Hoe stimuleer jij het creatief denken bij de studenten?

"Ik probeer in mijn colleges een sfeer te creëren dat op het gebied van creatief denken alles kan. Ook noem ik in mijn colleges vaak het voorbeeld van een dwarse denker als Steve Jobs die door zijn creativiteit, vasthoudendheid en perfectionisme een belangrijke doorbraak als de iPhone en de IPad op zijn naam heeft staan."

Wat is jouw visie op online marketing?

"Online marketing is niet meer weg te denken en een belangrijk onderdeel van je marketing mix. Toch moet je niet overdrijven. Want ik heb voor de DRU Cultuurfabriek in Ulft in het verleden gemerkt dat ook offline marketing soms nog goed werkt. Voorbeeld? Als er een optreden is van Don Diablo kregen we met online marketing de zaal (600 man) vol. Maar als Jan Akkerman of Thijs van Leer een optreden geeft heb je ook nog keihard de offline marketing (lokale krantjes en lokale radio) nodig. Daarom is een goede strategie ook zo belangrijk."

16.8.1 EXPERT-CASE Auteur en docent Wim van der Mark

Docent, spreker, auteur en consultant Wim van der Mark is oprichter van opleider IDMK en nu directeur van het bedrijf Dialoogtrainers.nl. Wim is auteur van onder andere het boek Marketing.com. Van der Mark is een ervaren trainer en docent op het gebied van online dialoogmarketing. In zijn trainingen ligt de focus op het winstgevend maken van websites, searchinspanningen en e-mailings.

Wat is jouw omschrijving van een online marketingplan?

"Dat hangt er van af bij wat voor klant ik zit. Soms gaat het om plannen voor het creëren van een nieuw verdienmodel op basis van online mogelijkheden. In dat geval moet er gekeken worden naar de producten/diensten, het assortiment, nieuwe doelgroepen, prijsstelling, distributie en de inzet van middelen. Dan ben ik alleen sparringpartner en adviseur op mijn vakgebied. Meestal gaat het om het meer rendabel maken van de huidige online marketinginspanningen Bijvoorbeeld de website die te weinig oplevert, dan volg ik de volgende stappen.

Stap 1: Analyse van techniek, design en usability van de huidige website op basis van theorie en bezoekersstatistieken.
Stap 2: Analyse van de vindbaarheid
- *Welke zoektermen gebruikt de doelgroep?*
- *Welke posities hebben we nu?*
- *Wie zijn concurrenten in de zoekmachines en wat doen zij anders?*
- *Hoe presenteert het bedrijf zich in de zoekresultaten?*

Stap 3: Tests met Adwords-advertenties met verschillende proposities op een basisset zoektermen. Bijvoorbeeld uit een cursus: www.dmmediaplein.nl/blogsitem-2419-klikken-mensen-op-lekkere-makkelijke-of-gezonde-visrecepten/.
Stap 4: Landingpagina's met specifieke proposities toevoegen aan de bestaande content om na te gaan hoe de doelgroep reageert.
Stap 5: Respons-aanmeldproces stap voor stap doorlopen (al dan niet met proefpersonen).
Stap 6: Instellen optimalisatieteam voor periodiek monitoren van vindbaarheid, bezoekersgedrag en conversie. Bij elke stap de verbeteringen implementeren.

Ik gebruik het gedrag van de doelgroep en de adverteerder als basis en niet de laatste techniek of trend. Pull-marketing is de basis. Social media, mobile, e-mailings, display advertising of affiliate marketing zijn opties, maar niet vanzelfsprekend."

Waarom zou een organisatie een online plan moeten maken voordat deze iets gaat doen met online marketing?

"Elke klant en cursist van mij is al op één of andere manier bezig met online marketing en moet vooral niet steeds opnieuw beginnen. Een nieuwe website maak je niet om de drie jaar, maar elke week!
Een bedrijf hoeft niet per se een plan te hebben, maar een werkwijze waarbij steeds door de ogen van de klant naar de processen gekeken wordt. Een plan is iets met een begin en eind, zoals vroeger een mailingproductie of een advertentiecampagne. Online marketing is een doorlopend proces, zonder begin en zonder eind."

Wat zijn voor jou de grote veranderingen geweest die de inzet van internet binnen de marketingmix hebben doen veranderen?

"Zonder twijfel de transparantie en de verschuiving van invloed van de marketeer naar de consument. Marketing is weer 'heel goede producten en diensten leveren, met een excellente service'. Daardoor zullen de klanten weer organisch komen en blijven zolang alles perfect gaat. Dat is de overeenkomst tussen het succes van T-Ford 100 jaar gelden en de iPad nu."

Wat is in jouw optiek een online marketingcampagne?

"Het woord campagne maakt het tot iets tijdelijks. Ik ben meer van de dingen steeds goed doen en aanpassen. Ook de marketing van zorgverzekeringen die bijna alleen in december overgesloten worden, zie ik als een doorlopend proces met een verhoogde activiteit in december. De basis wordt in de rest van het jaar gelegd. Zorgverzekeringen hebben mijn speciale aandacht. Ik heb downloads van de landingpagina's van alle grote verzekeraars van de afgelopen vier jaar en houd zo in de gaten wie wat in het afgelopen jaar geleerd heeft. Dat zijn interessante oefeningen in trainingen."

Wat probeer jij als docent mee te geven als jij trainingen en workshops geeft op het gebied van online marketing?

"Denken vanuit de klant, redeneren als de klant, beslissen als de klant. Niet compleet willen zijn, niet schrijven wat jij kwijt wilt, maar alleen schrijven wat de klant wil weten. Het gaat niet om wat je bent, doet, of wilt als organisatie, maar welk probleem je voor je klant oplost."

Op de site www.handboekonlinemarketing.nl zijn per hoofdstuk actuele cases, cijfers, onderzoeken en aanvullingen te vinden. Volg de updates van het HOM eenvoudig op Twitter via @handboek. Ook op www.pinterest.com/handboek zijn per hoofdstuk aanvullende visuals, infographics en meer toevoegingen te vinden.